Robinson, Edward; Sm

Palästina und die südlich angrenzenden Länder

Länder

3. Band

Robinson, Edward; Smith, E.

Palästina und die südlich angrenzenden Länder

3. Band

Inktank publishing, 2018

www.inktank-publishing.com

ISBN/EAN: 9783747778975

Palästina

und

die südlich angrenzenden Länder.

Tagebuch einer Reise

im Jahre 1838

in Bezug auf die biblische Geographie unternommen

von

E. Robinson und E. Smith.

Nach den

Original-Papieren mit historischen Erläuterungen

herausgegeben

von

Eduard Robinson,

Doctor und Professor der Theologie in Neu-York.

Mit neuen Karten und Plänen in fünf Blättern.

Dritter Band.
Erste Abtheilung.

Halle,

Verlag der Buchhandlung des Waisenhauses.

1841.

Zwölfter Abschnitt.

Von Hebron nach Wady Mûsa und wieder zurück.

Bei unsrer Abreise von Jerusalem hatten wir einen Brief zur Beförderung an Elias in Hebron hinterlassen, worin wir ihn ersuchten, den Sheikh der Jehâlin zu benachrichtigen, dafs er sich bei unsrer Ankunft am 23. Mai mit Kameelen für uns in Bereitschaft halte. Dieser Brief erreichte nie den Ort seiner Bestimmung, und wir mufsten uns so in Hebron den bereits erwähnten Verzug gefallen lassen. [1]) Unsre erste Sorge in Hebron war, einen Boten nach dem Lager der Jehâlin über Carmel hinaus abzusenden. Diesen Dienst erbot sich Elias für uns zu übernehmen und liefs uns wissen, dafs er noch denselben Abend Jemand hingeschickt habe. Da die Entfernung nicht mehr als drei oder vier Stunden betrug, so glaubten wir die Ankunft der Kameele bald erwarten zu können, um spätestens am folgenden Nachmittage aufzubrechen. Aber der nächste Tag (Donnerstag) kam und ging hin, ohne irgend welche Nachrichten weder von den Jehâlin noch von dem Boten.

Als wir am darauf folgenden Morgen, Freitags, nach dem Frühstück in unserm Zelt safsen, waren wir etwas überrascht, den Haupt-Sheikh der Jehâlin, Defa' Allah, welchen wir früher bei dem Lager der Ta'âmirah getroffen hatten, in Begleitung eines einzigen Mannes zu Fufs, auf unser Zelt zureiten zu sehen. Es ergab sich indefs, dafs er von Dûra kam, wo er mehrere

---

1) Siehe oben, Bd. II. S. 703.

Tage mit den Gouverneuren von Gaza und Jerusalem zusammen-
gewesen war. Er zog blofs auf seinem Heimwege durch Hebron
und stattete uns, als er unser Zelt sah, einen Besuch ab. Er
hatte, wie sich erwarten läfst, von unserm Boten nichts gesehn
und gehört. Wir machten jetzt in Gegenwart des Elias einen
Kontrakt mit ihm für die Reise nach Wady Mûsa hin und zurück
mit fünf Kameelen, hinwärts über das Südende des todten Meers
und das Ghôr, und die Rückreise auf dem direkteren Wege über
Semû'a. Der Preis der Kameele sollte für jedes 240 Piaster
oder 12 spanische Thaler betragen. Fünf Leute wurden ausbe-
dungen, alle bewaffnet, von denen einer eine verantwortliche Person sein sollte, entweder der Haupt-Sheikh selbst oder einer von
seinen Brüdern, und wir verpflichteten uns, diese mit Lebensmitteln zu versorgen. Hätten wir uns dazu verstanden, auf der
direkten Route hin und zurück zu reisen, so würde der Preis für
jedes Kameel 10 Thaler betragen haben. Es schien dem Defa'
Allah ganz gleichgültig zu sein, welchen Weg wir einschlügen;
denn es war weder auf dem einen noch auf dem andern irgend
Gefahr zu befürchten, aufser von zufälligen Beutezüglern, welche
über das Ghôr oder 'Arabah gehen mochten. Wir nahmen das
fünfte Kameel zur Vorsorge für den Wasserbedarf in dem Ghôr
mit, und beschlossen daher, auch noch unsern zweiten Diener
mitzunehmen, den wir anfangs in Hebron bis zu unsrer Rückkehr zurücklassen wollten.

Der Sheikh verliefs uns jetzt, in der Erwartung, auf seinem Heimwege den für uns bestimmten Kameelen zu begegnen.
Aber der Tag verstrich wieder in Täuschung. Es ergab sich
nachher, dafs der Bote, den Elias abgeschickt haben wollte, gar
nicht im Lager angekommen war, so dafs erst nach der Rückkehr des Sheikh die Kameele von den entfernten Weiden zusammengebracht und alle nöthigen Anstalten getroffen werden mufs-

ten. Dies war hinreichend, um arabische Saumseligkeit den noch
übrigen Theil des Tages zu beschäftigen, so daſs die Kameele
erst am folgenden Morgen nach Hebron aufbrachen. — Wir
hatten Grund vorauszusetzen, daſs nie ein Bote von Elias abgeschickt worden sei, trotz seiner Versicherungen; er hatte vielleicht seinem Diener aufgetragen, Jemanden fortzuschicken und
sich selbst nicht weiter darum bekümmert. Dieser und andere
Streiche, welche er uns spielte, benahmen uns alles Vertrauen zu
ihm und hinterlieſsen bei uns einen schmerzlichen Eindruck in
Beziehung auf den einzigen Repräsentanten des Christennamens
in Hebron. Hätte er den übernommenen Auftrag ausgerichtet, so
würden wir keinen Tag verloren haben; oder hätte er offen her-
ausgesagt, er habe noch Niemanden fortgeschickt oder könne es
nicht, so würden wir andere Maaſsregeln getroffen und unsere
Zeit dazu benutzt haben, Beni Na'im oder Sùsieh oder andere
Orte in der Nähe zu besuchen. Wie die Sachen jetzt standen,
waren zwei Tage gewissermaſsen für unsre Zwecke verloren, und
wir hatten sie noch dazu in der peinlichsten Erwartung hingebracht.

Sonnabend, den 26. Mai. Dieser Morgen war der
kühlste, den wir seit langer Zeit gehabt hatten, da das Thermometer bei Sonnenaufgang kaum 5^0 R. zeigte. Die Kameele
kamen um 9 U. an; aber wir fanden, daſs sie in Eile zusammengebracht waren, des eigentlichen Geschirrs entbehrten und
nur dazu dienen sollten, uns nach dem Gebiete des Stammes hin-
zuschaffen, wo wir den Sonntag anzuhalten gedachten. Defa' Allah erschien auch und gab uns die Versicherung, daſs wir später Dromedare und bessere Kameele bekommen sollten. Durch
das Kaufen von Sätteln und anderm Geschirr in Hebron wurde
wieder einiger Verzug herbeigeführt. Wir lieſsen einen Mantel-
sack, worin unsre Papiere, Bücher und andere auf dieser Reise uns
entbehrliche Dinge, bei dem Elias zurück; und er kam späterhin,

1 *

Abschied von uns zu nehmen. Alles dies und das Aufladen der Kameele nahm, wie es uns in unsrer Ungeduld vorkam, nicht wenig Zeit fort.

Endlich brachen wir zwanzig Minuten nach **11** Uhr auf. Wir gingen zuerst das Thal hinab, welches sich bald mehr nach S. S. W. biegt, wo wir es verliefsen, um schräg über den östlichen Berg zu gehen. Indem wir später über einen felsigen Strich Landes beinahe eine halbe Stunde lang allmählig abwärts stiegen, zogen wir über den grofsen Wady, in welchen der von Hebron einläuft und welcher dann den Namen Wady el-Khülîl erhält. Er bildet hier ein offnes Thal unter felsigen Hügeln. — Ich merkte bald, dafs das von mir bestiegene Kameel, welches mir wegen seines gepolsterten Sattels zugewiesen worden war, den unerträglichsten Gang hatte. Ich tauschte sogleich mit einem unserer Diener und erhielt so das leichtest gehende Kameel, das ich je bestiegen hatte. Dies hielt uns wieder fünf Minuten auf.

Der Weg ging ferner über eine unebene Strecke, und näherte sich der offnen Ebne oder dem Becken im Westen von Siph und Carmel. Um 12 U. 50 Min. trafen wir auf einen Brunnen, und nachdem wir jetzt in der freien Gegend herausgekommen waren, erreichten wir um 1 U. den Fufs des Tell Zif, wo wir früher auf unsrer Reise von Beni Na'im in unsern jetzigen Weg hineingerathen waren. Der Weg und die Gegend von diesem Punkte aus nach Carmel sind schon beschrieben worden. [1])

Wir erreichten Carmel um 2 U. 25 Min. grade in drei Stunden von Hebron aus; hier hielten wir 15 Minuten lang an, um die Kameele zu tränken. Um 2 U. 40 Min. zogen wir unsern Weg weiter, und kamen rechtshin von Ma'in, am Fufs der An-

---

1) Bd. II. S. 417 ff. Mit Kameelen rechneten wir nun natürlich wieder auf eine Stunde 2 engl. geographische, oder 2$\frac{1}{2}$ röm. Meilen.

höhe vorbei; bald darauf fingen wir an, den Bergrücken jenseits,
längs dem Bette eines kleinen Wady, anzusteigen. [1]) Ein andrer Weg, gleichfalls direkt nach ez-Zuweirah, läuft links von
Ma'in; wir hatten den gegenwärtigen eingeschlagen, um nahe
beim Wasser zu lagern. Nach einer Stunde von Carmel aus erreichten wir die Höhe des Rückens um 3 U. 40 Min., von wo
wir rückwärts blickend Ma'in N. 8⁰ W. und Yutta N. 30⁰ W. hatten. Wir fingen jetzt an, durch einen ähnlichen Wady auf der
andern Seite hinabzusteigen, und bald eröffnete sich vor uns eine
weite Aussicht über das Land nach dem todten Meer und nach
Süden hin. Eine Anhöhe wurde uns nahe bei Zuweirah gezeigt,
in der Richtung S. 20⁰ O. Der Lauf und die Kluft des todten
Meeres waren deutlich zu sehen, aber nicht das Wasser, welches
zu niedrig liegt. Der ausgedehnte Landstrich, welchen wir jetzt
übersahen, hatte viel von dem allgemeinen Charakter des um Bersaba liegenden, mit welchem er in der That zusammenhängt, indem er sich in dieser Richtung um das südwestliche Ende des
langen Rückens herum, welchen wir jetzt passirten, ausstreckt.
Dieser Landstrich hat allem Anschein nach eine nicht so hohe
Lage, als die eingeschlossene Ebne hinter uns um Carmel herum, da an dieser Seite des Berges der Abfall gröfser ist, als die
Erhebung von Norden her. Die Gegend ist im Allgemeinen nicht
fruchtbar, obgleich sie in einigen Theilen zum Ackerbau benutzt
wird; sie eignet sich leidlich zur Weide. Das Gras, das in der
frühern Jahreszeit gut war, stand jetzt vertrocknet, und sehr wenige Sträucher oder Bäume zeigten sich in der ganzen Gegend
herum.

Dies ist die Landschaft der Jehâlin, welche jetzt ihre spär-
liche Weizenernte einsammelten. Der Landstrich gehörte in alter

---

1) Ueber Carmel, Maon und die Umgegend siehe oben, Bd. II. S.
420—429. Der Bergrücken wurde auch schon erwähnt eb. S. 415, 421.

Zeit zum Süden von Juda, indem er jenseits des bergigten Distrikts dieses Stammes lag und sich so weit erstreckte, dafs er noch Bersaba und Kades mit umfafste. [1] — Das Hauptlager der Jehälin war um diese Zeit hoch hinauf an der Südostseite des Berges, auf einer Stufe oder kleinen Terrasse mit bebautem Boden, von wo man die weite Ebne überblickt. Es lag in einiger Entfernung rechts von unserm Wege, und wir sahen es zuerst um $4\frac{1}{2}$ Uhr. Wir zogen in einer Richtung ungefähr S. S. O. hier und da an Getreidefeldern vorüber in den seichten Wady's, wo die Schnitter an der Arbeit waren, und lagerten uns um 4 U. 45 Min. nahe bei einer kleinen, den Jehälin gehörenden Dreschtenne. Nicht weit davon war ein Behältnifs mit Regenwasser.

Bis dahin hatten wir nur drei Leute, unter denen einer Sheikh Sâlim war; aber hier sollten wir mit einem neuen Zuge von Kameelen und mit allem zur Reise Erforderlichen in gehöriger Ordnung ausgerüstet werden. Es war noch nicht so spät, dafs wir nicht noch viele Besuche bekommen hätten; und wir sahen bald, dafs wir hier, obgleich in der Wüste gelagert, doch einen Ueberflufs an Gesellschaft haben würden. Das Lager der Jehälin lag uns ganz im Gesicht auf dem Berge nach N. W. in der Entfernung von einer Stunde oder drüber, bestehend aus 70 oder 80 schwarzen, in einem grofsen Kreise zusammengestellten Zelten. Wir hörten noch von einem andern, kleineren Lager sprechen, welches wir aber nicht sahen. Der ganze Stamm gehört zu der Keis-Partei; er zählte der Angabe nach etwa 150 Mann. Keiner von ihnen kann lesen oder schreiben; auch haben sie Niemanden, der sie in ihren Andachtsübungen leitet, noch auch kommen sie am Freitage, dem muhammedanischen Sabbath, zum

---

1) Jos. 15, 21—32; vgl. V. 48—60.

Gebete zusammen. Als ihnen gesagt wurde, die Ta'âmirah hätten einen Khatib, erwiederten sie, die Ta'âmirah wären Fellâhîn; worin ausgesprochen liegt, dafs von den wirklichen Bedawin Niemand lesen lernt. — Der Stamm bezahlte im letzten Jahr an die Regierung einen Tribut (Mìry) von dreifsig Beuteln. Sie sind auch oft verpflichtet, zum öffentlichen Dienst Kameele zu liefern, wofür sie nur in einem einzigen Falle bezahlt werden waren. Sie wurden einmal mit nach Damascus genommen und der Dienst für einen Theil ihres Tributes angerechnet.

Die Jehâlin hatten um diese Zeit 22 Pferde und etwa 200 Kameele. Die Pferde gehörten natürlich den Sheikhs; von den Kameelen besafs der Haupt-Sheikh 25 oder 30 als Eigenthum. Es giebt kein lebendiges Wasser innerhalb des Gebiets dieses Stammes, aufser zu Kurmul. Die Cisterne, in deren Nähe wir unser Lager aufgeschlagen hatten, war grofs und in einer Felsenschicht ausgehöhlt, mit einer Mündung oben, wie ein Brunnen. Es war hier früher unten an der Seite eine Oeffnung gewesen; aber diese war jetzt mit grofsen in Mörtel gelegten Steinen verstopft. Wenn die Cisternen später im Sommer erschöpft sind, so bleibt den Leuten nichts anders übrig, als ihre Heerden und andere Thiere in die Nähe von Kurmul zu treiben, wo sie gemeinschaftlich mit den Ka'âbineh tränken. [1]) In dieser Jahreszeit wurden ihre Heerden alle zwei Tage getränkt, die Kameele aber nur alle drei Tage. Wie sich denken läfst, sind sie äufserst besorgt um den Wasservorrath in ihren Cisternen; und Einer bekam in unsrer Gegenwart einen scharfen Verweis von dem Sheikh, weil er zugelassen hatte, dafs einige 'Alawîn ein paar Schafe aus der in unsrer Nähe liegenden tränkten.

Die Jehâlin sind nicht entwaffnet worden; sie haben noch

---

1) Siehe oben, Bd. II. S. 431.

ihre alten Musketen mit Luntenschlössern und bereiten sich ihr
eignes Schiefspulver. Den Salpeter dazu erhalten sie aus dem
Erdreich der zerstörten Dörfer in ihrer Gegend, und den Schwefel
von den Küsten des todten Meeres. [1]) Sie untermischen diese Be-
standtheile mit pulverisirten Holzkohlen und gewinnen so ein sehr
grobes und schlechtes Pulver, welches ihnen indefs nichts kostet.
Sie sowohl als die Tiyâhah sind in Fehde mit mehrern Stämmen im Osten des todten Meeres, nämlich den Beni Sükhr, den
Bahârât und den Sülit, welche letztere um Hesbân wohnen. Nicht
viele Monate vorher hatten sie mit Hülfe der Tiyâhah einen Kriegszug gegen die Sülit um das Südende des todten Meeres herum
gemacht und 45 Kameele fortgeführt. Wir hörten jetzt auch mehr
von dem ähnlichen Zuge, auf den wir in Bethlehem gestofsen
waren, und erfuhren das Resultat. [2]) Er bestand aus 86 Reitern, unter denen 22 Jehâlin waren; und der Haupthaufe zog
denselben Weg, welchen wir von 'Ain Jidy nach dem Jordan eingeschlagen hatten. Jericho gegenüber über den Flufs setzend
überfielen sie das Lager ihrer Feinde, der Sülit, und trieben hundert Kameele mit sich fort. Wir erfuhren auch, dafs
heute Morgen der Besuch des Sheikh Defa' Allah in Hebron
den Zweck gehabt, dem Sheikh Sa'id von Gaza, dessen Erlaubnifs sie vor dem Aufbruche zum Kriegszuge erhalten hatten, zwei von den erbeuteten Kameelen als Geschenk zu über-
bringen.

Sonntag, den 27. Mai. Wir blieben den ganzen Tag
gelagert; aber die Zahl der Besucher liefs uns keine lange Zwischenzeit der Ruhe übrig. Des Morgens wurden etwa 150 Kameele auf einmal zur Tränke vorbeigetrieben. Wir bekamen spä-

1) Siehe oben, Bd. II. S. 455.
2) Siehe oben, Bd. II. S. 379, 404.

terhin einen Besuch von Defa' Allah, von dem zweiten Sheikh Mûsa, und von verschiedenen andern. Der erstere hatte, wie wir hörten, sieben Brüder, welche alle den Titel Sheikh führten. In der That machte fast jeder Vorübergehende Anspruch darauf, ein Bruder des Sheikh und Eigenthümer der Dreschtenne bei unserm Zelt zu sein, so dafs sich unsere Diener zuletzt einen völligen Spafs daraus machten, jeden vorbeikommenden Araber zu fragen, ob er des Sheikhs Bruder und Eigenthümer dieser Tenne sei. — Die Dreschtenne war sehr klein und wurde jede Nacht bewacht. Rings um dieselbe lagen mehrere kleine Haufen aufgelesenen Weizens. Das Auflesen geschieht von den Armen, und ihre kleinen Garben wurden hier zur Sicherheit aufbewahrt, bis sie dieselben ausschlagen konnten.

Uns gegenüber lagen die Berge von Kerak vor unsern Blicken; aber die Stadt selbst war nicht zu sehen. Wir hörten heute viel von 'Abdeh in der Wüste südlich von Bersaba; aber die Nachrichten waren ganz unbestimmt, und wir konnten nicht ermitteln, dafs irgend Einer aus dem Stamme schon dort gewesen war. [1] Wir hörten auch von mehreren alten Namen in dieser südlichen Gegend, von denen wir einige später genauer auszumitteln im Stande waren.

Defa' Allah besuchte uns wieder am Abend und theilte uns mit, dafs sich jetzt in seinem Lager fünf von den Haweitât aus der Nähe von Ma'ân befänden, welche in Hebron gewesen wären, um eine Heerde Schafe zu verkaufen und jetzt auf der Rückkehr begriffen seien. Da ihr Weg nahe bei Wady Mûsa vorbeigehen würde, so rieth uns der Sheikh, sie für eine kleine Vergütigung in unsern Dienst zu nehmen, um die Stärke unsrer Reisegesellschaft zu vergröfsern. Dies waren wir willig zu thun,

---

1) Siehe Anmerk. XXI am Ende des I. Bandes.

nicht sowohl aus diesem Grunde, als weil wir hoffen konnten, über ihre Gegend von ihnen Erkundigung einzuziehen, und auch weil ihre Gegenwart uns eine bessere Aufnahme unter den Arabern dieser Gegend sichern mochte. Wir ermächtigten daher den Sheikh, ihnen die ganze Zeit über für Jeden zehn Piaster, ohne Beköstigung, anzubieten. Einige nannten sie Haweitât, andere 'Alawîn; letztere sind nämlich eine Unterabtheilung von den ersteren, aber diese Leute waren keine 'Alawîn von Sheikh Husein's Stamm.

Montag, den 28. Mai. Wir standen vor 4 U. auf, in der Hoffnung, früh aufzubrechen. Sehr bald hörten wir den raspelnden Ton der Handmühle aus einer nicht weit entlegenen Höhle, wo eine arabische Familie während der Ernte ihren Aufenthalt genommen hatte. [1]) Ungeachtet aller unserer frühern Erfahrung wurde unsere Geduld diesen Morgen wider Erwarten durch die Saumseligkeit der Araber nochmals auf die Probe gestellt. Sie hatten gestern die schönsten Versprechungen gegeben, dafs sie mit den Kameelen am Abend kommen und bei unserm Zelt schlafen würden, um zu einem frühen Marsche bereit zu sein; indefs kam nur einer, und es war diesen Morgen beinahe 7 Uhr, ehe alle sich eingefunden hatten. Dann war nichts in Ordnung. Die Sättel mufsten zurecht gemacht, und einige von ihnen mit Stroh wieder ausgestopft werden. Hierauf mufste ein Kameel barbirt werden, d. h. das Haar an seinen Lippen und im Gesicht wurde ordentlich mit einem scharfen Messer abrasirt, wobei man dann und wann mit Speichel einseifte; darauf wurde der Kopf gesalbt, allem Anschein nach wegen einer Krankheit des Thieres. Es schien auch noch nicht einmal ausgemacht zu sein, wer mit uns gehen sollte. Zuletzt

1) Siehe oben, Bd. II. S. 403.

schien es, als ob nur vier Leute statt fünf uns begleiten würden; und dies waren nur Kameeltreiber, kein einziger ein Sheikh oder eine verantwortliche Person. Als wir das erfuhren, erklärten wir, daſs wir so nicht gehen würden, und befahlen, mit dem Aufladen der Kameele einzuhalten. Endlich machte Sheikh Hussân, welcher gekommen war, uns bei der Abreise behülflich zu sein, den Vorschlag, uns nach der Stelle hinzuführen, wo Sheikh Sâlim (welcher am Sonnabend mit uns gereist war) eben erntete; und wenn dieser nicht mit uns gehen würde, so versprach er, uns selbst zu begleiten. Wir begnügten uns um so bereitwilliger mit den vier Leuten, weil die fünf Haweitât oder 'Alawîn unser Anerbieten angenommen hatten und sich jetzt einfanden, — ein Trupp lumpiger Schufte, wie man sie sich nur wünschen kann. Wir brachen demnach um $7\frac{1}{2}$ U. auf und kamen nach einer kurzen Strecke südlich in funfzehn Minuten nach dem Felde der Schnitter, wo wir wieder eine Stunde anhielten. Hier wurde zuletzt verabredet, daſs Sheikh Hussân mit uns gehen sollte; dieser lieſs seinen Gallaanzug und seine wohlgenährte Stute zurück, schickte nach seiner langen Flinte und schloſs sich im gewöhnlichen arabischen Kostüm zu Fuſs an uns an. Wir zählten so neun bewaffnete Leute auſser unsern beiden Dienern, welche ihre Bedeutung auch um etwas erhöht dünkten, da jetzt jedem förmlich eine Flinte und eine Pistole anvertraut war.

Von diesem Punkte aus waren drei Ortsruinen in folgenden Richtungen zu sehen: Jenbeh N. 60^0 W., el-Kuryetein S. 75^0 W., el-Beyûdh S. 40^0 W. — Jenbeh liegt am Fuſse des Berges und zeigte sich jetzt gerade unter dem Lager der Jehâlîn; el-Kuryetein[1]) liegt auch am Fuſse des Berges, el-Beyûdh aber

---

1) el-Kuryetein, „die zwei Städte" scheint auf das Jos. 15, 25 erwähnte Kirioth (Städte) im Süden von Juda hinzudeuten, wenn nicht

auf einer niedrigen Anhöhe. [1]) Diese alle sind nur Grundmauern von kleinen Dörfern oder blofse Höhlen. Eine andere ähnliche Ortslage, el-Khuneifit, sollte irgendwo links von unserem Wege liegen. Wir marschirten endlich um 8 U. 45 Min. in einer beinahe südlichen Richtung vorwärts durch die wellenförmige Ebne längs einem kleinen seichten Wady. Um 9 U. 30 Min. zeigte sich rechts von uns eine kleine Ortslage mit Grundbauten und Mauern von runden Steinen, Namens et-Taîyib, mit den Ueberresten eines Dammes in dem Wady, vermuthlich für ein Wasserbehält- nifs. Hier schien auch Tell 'Arâd, welchen wir eine Zeitlang im S. W. gesehen hatten, nicht weiter als eine Stunde entfernt zu sein: ein unfruchtbar aussehender Berg, der sich über die Gegend umher erhebt. Er bezeichnet ohne Zweifel die Ortslage der alten im Süden von Juda gelegenen Stadt Arad, deren Einwohner die Israeliten bei ihrem Versuche, von Kades in Palästina einzudringen, zurücktrieben, aber späterhin von Josua unterworfen wurden. [2]) Die Araber sagten zwar, dafs jetzt daselbst oder in der Nähe keine Ruinen lägen, sondern nur eine Höhle, die wir nicht besuchten; aber der Name ist zu entscheidend, um einen Zweifel aufkommen zu lassen. [3]) — Von diesem Punkte fan-

etwa das letztere mit dem folgenden Namen zu verbinden und Kirioth- Hezron zu lesen ist, wie Reland vorschlägt; Palaest. p. 700, 708.

1) Dieser Name könnte dem „Al-baid“ von Irby und Mangles zu entsprechen scheinen; Travels p. 348. Aber nach ihrer Beschreibung bezieht es sich allem Anschein nach auf Kurmul.

2) Richt. 1, 16. 4 Mos. 21, 1. Jos. 12, 14, vgl 10, 41. Luther hat an der zweiten dieser Stellen statt „König von Arad“ unrichtig übersetzt: „König Arad“; vgl. Jos. 12, 14.

3) Eusebius und Hieronymus setzen Arad 20 röm. M. von Hebron, ungefähr acht Kameelstunden gleich. Onomast. Art. Arath (Ἀραμά). Dies stimmt recht gut mit unsrer jetzigen Entfernung von Hebron.

den wir Beyûdh W., das Lager der Jehâlin N. 27⁰ W., Jenbeh N. 15⁰ W.

Indem wir in derselben Richtung weiter giugen, kamen wir um 10 U. 30 Min. nach einer andern, ähnlichen Ortslage von rohen Grundsteinen und Mauern, Namens E h d e i b, noch an dem Ufer des seichten Wady, welcher hier denselben Namen führt. Funfzehn Minuten weiterhin wendet sich der Wady nach Osten und läuft nach dem todten Meer, welches er unter dem Namen Wady es-Seiyâl zwischen Birket el-Khûlil und Sebbeh erreicht.[1]) Um 11 U. kamen wir an einem runden Platz vorbei, der von Feuer und Thierdünger geschwärzt war, und eine kürzliche Lagerstelle der Dhüllâm bezeichnete. Diese Araber weiden im Frühling in dieser Gegend gemeinschaftlich mit den Jehâlin; ihr eigentliches Gebiet liegt weiter westlich nach Bersaba hin, wo sie mit den Tiyâhah gemeinsam ihre Thiere tränken. — Wir stiegen jetzt allmählich einen breiten flachen Landrücken hinan. Um 11 U. 5 Min. zeigte sich eine andere kleine Ruine, Namens e l - M u s e i k, ähnlich den vorhin erwähnten. Wir erreichten die Höhe des breiten Rückens um 11 U. 50 Min., nahe bei einer andern kleinen Ortslage mit Ruinen und einem runden Hügel oder niedrigem Tell zu unsrer Rechten, Namens R u j e i m S e l â m e h. Hier hielten wir eine halbe Stunde an, um uns zu erfrischen und die Gegend zu überblicken.

Wir hatten da eine weite Aussicht über den von uns durchzogenen Distrikt, so daß wir bis nach dem am Sonnabend passirten Bergrücken, welcher sich zu unsrer Rechten noch weithin nach S. W. erstreckte, zurückblicken konnten.[2]) Sein weitester Punkt

---

1) Siehe oben, Bd. II. S. 434, 436, 477.

2) Lord Lindsay sagt, die Araber gäben diesem Rücken den Namen Jebel el-Kuryetein. Seine Araber hatten wahrscheinlich von el-Kuryetein gesprochen und daher den Berg so genannt. An der Nord-

in dieser Richtung, eine steile, niedrige Klippe, lag uns jetzt ungefähr westlich, und schien fast die Ebne nach Bersaba hin zu schliefsen. Das ist jedoch nicht der Fall, denn der Wady es- Seba' hat seinen Anfang an dieser Seite des Berges in dem Distrikt um Milh und zieht sich am die Klippe herum. Der Tell bei Milh ward uns gezeigt, und auch eine andere Anhöhe nahe bei einem Orte Namens 'Ar'ârah, welche beide wir auf unsrer Rückreise besuchten. [1]) Vor uns zeigte die Gegend dieselbe allgemeine Eigenthümlichkeit, wie die hinter uns. — Wir erhielten hier folgende Ortsbestimmungen: Lager der Jehâlin N. 15⁰ W., Tell 'Arâd N. 55⁰ W., el-Milh ungefähr W., 'Ar'ârah S. 70⁰ W.

Wir gingen um 12 U. 20 Min. wieder weiter und zogen in zehn Minuten an einer andern kleinen Ortslage mit Grundmauern vorbei, Namens Sudeid. Unsre Richtung war jetzt im Allgemeinen ungefähr S. O. Um 1 U. hatten wir Rujeim Selâmeh N. 40⁰ O., und Tell et-Tawâneh, einen bemerklichen Punkt nahe bei Ma'in, N. 5⁰ W. Die Gegend blieb demselben allgemeinen Charakter der von uns durchreisten Strecke treu, aufser dafs wir sie den ganzen Tag allmählig immer unfruchtbarer und dem Aussehen der Wüste ähnlicher werden sahen. Sie war hier hügelig und von kleinen Schluchten durchschnitten, aber ohne steile Abhänge, und mit dünnem, jetzt vertrockneten Graswuchs spärlich bedeckt.

Um 2 U. 10 Min. erreichten wir den Rand des ersten Abfalls oder die oberste Abstufung nach dem todten Meere hin, einen steilen Abhang von 700 bis 800 Fufs, welcher nach einem

seite desselben würden sie ihn wahrscheinlich Jebel Ma'in oder Jebel Kurmul genannt haben. Wir konnten nicht finden, dafs der Rücken einen bestimmten Namen hatte.

1) Siehe unter dem 3. und 4. Juni.

andern, noch mehrere hundert Fuſs über dem Meeresspiegel gelegenen breiten Strich Landes hinabführte. Hier zeigen sich ein
paar Spuren von rohen Grundmauern, die Ortslage eines früheren
Dorfes Namens ez-Zuweirah el-Fôka, d. i. Ober-Zuweirah.
Indem wir die Kameele auf dem gewöhnlichen links umführenden
Paſs hinabsteigen lieſsen, gingen wir eine kurze Strecke rechts
ab längs einem etwas nach S. O. hervorragenden Rücken, auf
dessen Ende die Ruinen eines viereckigen massiven Thurms, einst
wahrscheinlich ein Wachtthurm, liegen. Hier breitete sich eine
weite Aussicht über den südlichen Theil des todten Meeres und
das südliche Ghôr vor uns aus, wobei wir sogleich alle Züge des
Landes wiedererkannten, mit denen wir schon zu 'Ain Jidy vertraut geworden waren. [1])

Unter uns, noch zwischen uns und dem Meere, lag der
breite, oben erwähnte hohe Strich Landes, reichlich besetzt mit
weiſsen, kegelförmigen Hügeln und kurzen Rücken, alles Kalkstein und Kreide, phantastisch gestaltet und nur den Anblick einer furchtbaren Wüste gewährend. Es schien hier nur eine kurze
Strecke Weges bis über diesen Landstrich hinüber zu sein; aber
von dem Fuſse des ersten Passes aus brauchten wir beinahe vier
Stunden und lagerten uns, ohne die Küste zu erreichen. Darüber hinaus lag, beinahe S. S. O., Usdum, ein niedriger, dunkler Rücken, längs dem Ufer, der sich dann fast S. W. wandte.
Hier lag die lange Halbinsel mit ihrer Landenge zu unsrer Linken, und Sebbeh konnte nicht sehr weit entlegen sein, obgleich
es jetzt nicht zu sehen war, und wir es auch auf diesem Wege
nicht zu Gesicht bekamen. Das Südende des Meeres lag in voll-
kommener Deutlichkeit vor uns, gegenüber dem S. O. Winkel

---

1) Vgl. überhaupt die Beschreibung dieses Theils des todten Meeres, von der Klippe oberhalb 'Ain Jidy aus gesehen, Bd. II. S. 434 ff.

von Usdum; und wir konnten jetzt die feuchte und schlammige Oberfläche des Bodens längs dem Ghôr, welche uns zu 'Ain Jidy getäuscht hatte, bemerken. [1]) Weiter südlich war das Ghôr theilweise mit Grün bedeckt; und noch weiter konnten wir eine Reihe von weifslichen, sich schräg hindurchziehenden Klippen erkennen, mit welchen wir späterhin besser bekannt wurden. Darüber hinaus dehnte sich das wüste, breite, sandige Thal in südlicher Richtung aus, weiter noch, als wir sehen konnten. Die östlichen Berge zeigten sich jetzt sehr deutlich, obgleich Kerak, hinter zwischenliegenden Spitzen versteckt, nicht zu sehen war. Jedoch machte sich uns der Wady Kerak oder ed-Dera'ah bemerklich, wie er auf die Landenge hinablaufend ihre nördliche Seite mit Grün bedeckte. [2]) Etwas nördlich von demselben konnten wir eine kleine Schlucht, Namens Wady Beni Hemâd, unterscheiden. Südlich von der Landenge, uns beinahe gegenüber, war Wady el-Kuneiyeh; während ein wenig jenseits der S. O. Ecke des Meeres Wady el-Kurâhy aus den Bergen hervorkommt, höher hinauf den Namen Wady el-Ahsy führend; diesem verdankt das Ghôr auch einen Strich grünen Landes. Weit im Süden glaubte Sheikh Hussân unter den östlichen Bergen, wiewohl jetzt undeutlich, die Spitze des Berges Hor ausfindig machen zu können.

Von diesem Punkte fanden wir die verschiedenen, in unserm Gesichtskreis liegenden Orte wie folgt: Lager der Jehâlin N. 25° W., Tell et-Tawâneh nahe bei Ma'in N. 10° W., Nordende der Halbinsel N. 70° O., Mündung des Wady Beni Hemâd N. 82° O., Nordseite der Landenge und Mündung von Wady Kerak N. 85° O., Südende der Halbinsel und Südseite der Landenge S. 78° O., ein von Hebron aus gesehener Gipfel im Ge-

---

1) Siehe oben, Bd. II. S. 435.
2) Siehe ebend. S. 436.

birge Moab S. 52° O., Südost-Winkel des todten Meeres S. 44°
O., Südost-Ecke von Usdum S. 41° O., Mündung von Wady
el-Kürâhy S. 40° O., Berg Hor ungefähr S. Den untern Pafs
von ez-Zuweirah vor uns hatten wir S. 45° O.

Wir stiegen an einer kürzeren und steileren Stelle hinunter und trafen die Kameele, als sie auch gerade den Fufs erreichten, um 3 Uhr. Hier gingen wir über das Bett eines rechtshin
laufenden Winterbaches, Namens Wady el-Jerrah. Weiter
hinab in derselben Richtung nimmt er einen andern, von S. W. kommenden, Namens Wady el-Fâ'iya auf [1]), und dann sich ostwärts
wendend erhält der aus beiden entstandene Wady den Namen el-
Muhauwat, der seinen Weg nach dem Meer hinunter nimmt und
am Nordende von Usdum hineintritt. Wir zogen jetzt S. O. weiter über den oben beschriebenen Strich Landes von verödeten
Kreidehügeln, meistens längs einem sich krümmenden Thal.
Nirgendwo hatten wir eine gräulichere Wüste gesehen. Nach
einem langen und langweiligen Ritt kamen wir um 5 U. 50 Min.
nach dem Rande des zweiten Abfalles. Hier ist eine andere,
steile, felsige Abstufung, auch nicht unter 800 Fufs. Der Pfad
zieht sich meistens längs einer Felsschlucht hinunter, und ist in
dem untern Theile ganz steil, obgleich nicht besonders beschwerlich. Die Schlucht ist der Anfang des Wady ez-Zuweirah,
welcher hier grade nach dem todten Meere hinabläuft. Am Fufse
des Passes tritt statt der Bildung von Kalkstein und Kreide,
durch welche wir gekommen waren, weiche Kreide oder weifslicher, verhärteter Mergel in horizontalen Lagen hervor, durch
den Regen zu Pfeilern und andern phantastischen Gestalten ausgespült. Ganz unten am Boden, welchen wir um 6 U. 40 Min.

---

1) Wir kamen nahe bei dem Anfang von Wady el-Fâ'iya auf unserer Rückreise vorbei; siehe unter dem 3. Juni.

III.   **2**

erreichten, grade wo der Wady dem Anschein nach in gleicher Höhe nach dem Meere abläuft, steht ein kleines sarazenisches Fort auf einer vereinzelten Klippe von dieser Kreideerde, so weich, dafs sie leicht mit den Händen abgebrochen werden kann. Es ist von andern ähnlichen Kreideklippen von viel gröfserer Höhe gänzlich umgeben und überragt. Der Wady ist hier eng, und in der senkrechten Wand, beinahe gegenüber dem Fort, ist eine Kammer mit Schiefslöchern in den weichen Felsen in einiger Höhe über dem Boden ausgehöhlt. Nahe dabei sind zwei aus Stein erbaute Wasserbehälter und eine Cisterne, alle jetzt trocken; aber unsere Araber sagten, in einer Schlucht höher hinauf gäbe es Regenwasser. Dieser Ort heifst auch ez-Zuweirah; und zur Unterscheidung davon hat der andere den Namen „das obere."

Wir folgten jetzt dem Wady ez-Zuweirah abwärts. Durch seine enge Oeffnung konnten wir nach dem Meere und den östlichen Bergen hin sehen, auf welche die Sonne, jetzt untergehend, ihre Strahlen warf, und die nackten Seiten mit Purpurfarben röthete. Endlich um 6 U. 50 Min. wandten wir uns seitwärts in eine enge, linker Hand herkommende Schlucht, Namens Wady en-Nejd, und lagerten die Nacht über an einer der wildesten Stellen, die wir je betreten, an jeder Seite von weifslichen, senkrechten Klippen verhärteten Mergels eingeschlossen. Unsere Führer suchten diesen entlegenen Winkel auf, damit unser Zelt und Feuer sich nicht bemerklich machte, wenn etwa Fremde diesen Weg passiren möchten. — Wir befanden uns nun wieder im Klima des Ghôr und todten Meeres, da das Thermometer, welches bei Sonnenaufgang auf noch nicht 9° R. gestanden hatte, jetzt 21⅓° R. zeigte.

Dieser doppelte Pafs von ez-Zuweirah, welchen wir so eben hinabgestiegen waren, wurde in neuerer Zeit zuerst von Seetzen im Jahr 1806 besucht, welcher ihn auf seinem Wege von Kerak

um das Südende des todten Meeres herum nach Jerusalem erstieg, obgleich er ihn nicht namentlich erwähnt. [1]) Im Jahre
1818 kamen Irby und Mangles mit ihrer Reisegesellschaft dieses
Weges von Hebron nach Kerak; sie beschreiben den Pafs und
das Fort unter dem Namen „el-Zowar" [2]). Von der Zeit an
bis zu diesem Jahre ist mir nicht bewufst, dafs er von irgend
einem Reisenden besucht worden wäre. Es mufs natürlich der
Weg gewesen sein, auf welchem Ibrahim Pascha und seine Truppen im Jahr 1834 von Hebron nach Tüfilch und Kerak zogen.

Mit unsern Führern von den Jehâlin waren wir zufriedener,
als wir's erwartet hatten. Von Hrn. v. Bertou, welcher die Reise
ein paar Wochen zuvor mit ihnen gemacht, hatten wir nur Klagen über ihre Ungefälligkeit und ihre Erpressungen gehört, so
dafs wir, obgleich uns unsere frühere Erfahrung schon gelehrt
hatte, dafs Reisende dergleichen oft durch eigne Schuld herbei-
führen, doch nicht erwartet hatten, kleinen Plackereien und den
Folgen ihrer Unzuverlässigkeit im Allgemeinen zu entgehen. In
alle dem sahen wir uns zu unserm Vortheil getäuscht, obgleich
das starke Vorurtheil, welches wir unter dem Stamme gegen
diesen Reisenden verbreitet fanden, mit dem sie allem Anschein
nach durchaus auf schlechtem Fufse gestanden hatten, zuerst nicht
ermangelte, auch zu unserm Nachtheil einzuwirken. Als sie fanden, dafs mein Reisegefährte in ihrer Sprache und ihren Sitten
zu Hause war, und dafs wir geneigt waren, sie als Menschen
und nicht als Sklaven zu behandeln, so verlor sich bald ihr Argwohn und ihre Zurückhaltung einigermafsen. Jedoch waren sie
nie so thätig und gefällig, noch auch so mittheilend, als unsre
guten Tawarah, und Sheikh Hussàn liefs sich in Hinsicht auf

1) Zach's monatl. Corresp. XVIII. S. 437, 438.
2) Travels p. 350, 351. Legh unter dem 10. Mai.

2*

Verstand und Erfahrung mit Tuweileb oder Beshârah gar nicht vergleichen. Ein Anderer, Muhammed, war ein plumper Possenreifser. In der That schienen sie sowohl physisch als geistig eine schwerfälligere Race zu sein, als die Tawarah. Ihre Kameele jedoch waren weit vorzüglicher, als die der Halbinsel.

Unsere Begleiter von den Haweitât zeigten sich mit der Gegend südlich von Wady Mâsa sehr bekannt. Sie waren anfangs zurückhaltend; aber die Freundlichkeit und Gesprächigkeit meines Reisegefährten verscheuchte bald ihren Argwohn und gewann einigermafsen ihr Vertrauen. Ein alter Mann, welcher eine Hauptperson unter ihnen zu sein schien, plauderte gar zu gern und zeigte mehr Klugheit, als irgend einer unsrer arabischen Reisegefährten.

Dienstag, den 29. Mai. Wir brachen, ohne zu frühstücken, zehn Minuten vor 5 Uhr auf, und folgten, nachdem wir das Seitenthal en-Nejd zurückgegangen, dem Wady ez-Zuweirah abwärts, welcher noch immer enge, schroff und von senkrechten Mergel-Klippen in horizontalen Lagen von ungleicher Härte eingeschlossen, nach S. O. fortlief. Der Pfad liegt den gröfsten Theil des Weges längs dem Bette des Wady; jedoch macht der letztere an einer Stelle eine Krümmung nach Süden, während der Pfad die zwischenliegende Felsenspitze hinansteigt und hinüberführt. Hier mufsten wir zum letzten Male nach dem Ufer abwärts gehen, und grade als wir um 5 U. 15 Min. dasselbe erreichten, stieg die Sonne über die östlichen Berge empor. Als wir durch die enge Oeffnung des Thales hinabblickten, erschienen die ruhigen, spiegelnden Gewässer des See's wie flüssiges Gold, und die grünenden Sträucher am Ufer, in sonnige Farben getaucht, verliehen für den Augenblick einer Scene den Eindruck von Schönheit, die an und für sich ernst und wüst war wie der Tod. Zehn Minuten später kamen wir aus der Mündung des Wady nach der Ebne längs dem Ufer, hier von beträchtlicher Breite, voll von Sträuchern mit Seyâl- und Türfa-Bäumen, welche wir auch längs dem Boden des Thales weiter hinauf fanden. [1]) Grade rechter Hand läuft von S. W. dem Fuße der Klippen entlang Wady el-Muhauwat ein, der durch die Berge von dem höhern Landstrich oben seinen Weg hinunter gefunden; er ist hier breit und voll von eben solchen Gebüschen und Bäumen, und trennt das N. Ende Usdum's von den eigentlichen Klippen der Küste. — Von der Mündung des Wady ez-Zuweirah fanden wir das südwestliche Ende der Halbinsel N. 30° O., Jebel Jil'âd nahe bei es-Salt N. 24° O., die Mündung des Wady el-Kuneiyeh jenseits des See's S. 80° O.

Da wir jetzt Abschied von ez-Zuweirah nehmen, so mag die Bemerkung hier an ihrem Orte sein, daß weder dieser Name, noch die Ortslage in irgend einer Beziehung zu dem alten Zoar steht, obgleich man zunächst an eine gewisse Namenähnlichkeit denken könnte. Das hebräische Zoar enthält den Buchstaben 'Ain, welcher nie aus der Mitte eines Wortes ausfällt; und demgemäß schreiben Abulfeda und andere diesen Namen wiederholentlich Zoghar, und sprechen davon als ob es zu ihrer Zeit noch vorhanden gewesen. [2]) Die Stadt Zoar lag auch im Angesicht von Sodom, in oder dicht bei der Ebne, so daß sie derselben Zerstörung ausgesetzt war, welche über die andern Städte hereinbrach; und noch in der Zeit des Hieronymus hatte sie eine römische Besatzung und viele Einwohner. [3]) Aber das heutige ez-

---

1) Irby und Mangles erwähnen hier auch den Dôm oder Nübk; p. 351.

2) Abulfed. Tab. Syr. ed. Köhler p. 8. 9. 11. 12 etc. Ibn el-Wardi ebendas. p. 178. Siehe oben, Bd. II S. 8.

3) 1 Mos. 19, 19—21. Hieron. Onom. Art. Bala: „habitatoribus quoque propriis frequentatur."

Zuweirah, selbst wenn man das untere annimmt (denn von dem oberen kann gar nicht die Rede sein), liegt mehr als eine halbe Stunde von irgend einem Theil des Meeres oder der Ebne, ist gänzlich von Bergen eingeschlossen, so dafs es nirgendwo von der Ebne her zu sehen ist, und bietet keine Spur von irgend welchen Wohnungen dar, bis auf das kleine neuere sarazenische Fort. Auch findet sich nirgend sonstwo in dem Wady oder an seiner Mündung das geringste Anzeichen von irgend einer frühern Ortslage. Ferner giebt es ein entschiedenes historisches Zeugnifs, dafs das alte Zoar im Osten vom todten Meer, im Gebiet von Moab lag. Ich bin daher geneigt, mit Irby und Mangles seine Lage nach der Mündung des Wady Kerak, wo letzterer sich nach der Landenge der langen Halbinsel öffnet, zu setzen; hier fanden diese Reisenden die Spuren einer ausgedehnten alten Ortslage. [1])

Unsere Richtung wurde jetzt ungefähr S. gen O. und führte uns über die breite Ebne, die etwas nach dem Meere neigend, von dem Wady el-Muhauwat gebildet und, wie oben beschrieben, reichlich mit Gebüschen und Bäumen bedeckt ist. Als wir diesen Wady hinaufsahen, konnten wir bemerken, dafs Usdum nur ein schmaler Rücken ist wie ein ungeheurer Schwaden; während der Strich zwischen demselben und den westlichen Klippen, von welchen wir herabgekommen, mit kegelförmigen Hügeln und kurzen Rücken von kreidigem Kalkstein, gleich denen auf der höhern, 'gestern von uns durchreisten Strecke, besetzt ist. Wir erreichten das nördliche Ende von Usdum um 5 U. 50 Minuten. Dasselbe liegt in einiger Entfernung von dem Meeresufer, und der Boden ist mit Sträuchern bedeckt; aber das flache Ufer erstreckt sich bald bis dahin, und wird enger und ganz wüste.

---

1) Travels p. 448. Siehe die historischen Notizen und alten Zeugnisse über Zoar in Anmerk. XXXIV. am Ende des Bandes.

Alle unsre gegenwärtigen arabischen Führer gaben dem Berge
den Namen Khashm Usdum, wovon das erste Wort bedeutet
„Nasenknorpel"[1]. Der Weg zieht sich weiter längs dem Fuße des hier nach S. S. O. laufenden Berges. In dieser Gegend
war es, wo uns Scheikh Hussan die schon an einem andern Orte
mitgetheilte Auskunft über die Erscheinung des Erdharzes im See
gab, so wie auch über die Furt von diesem Theil des westlichen
Ufers nach der südlichen Seite der Halbinsel, welche er selbst
einmal früher durchwatet hatte.[2]

Um 6 U. 10 Min. lag ein Haufen Steine zwischen uns und
dem Ufer, Namens Um Zöghal.[3] Darüber hinaus fängt der
Rücken von Usdum an deutlicher seine eigenthümliche Bildung
zu zeigen; die ganze Masse des Berges ist nämlich
ein fester Körper von Steinsalz. Der Rücken ist im
Allgemeinen sehr uneben und zackig, bei einer Höhe, die zwischen 100 und 150 Fuß wechselt. Er ist zwar mit Schichten
von kreidigem Kalkstein oder Mergel bedeckt, so daß er hauptsächlich das Aussehn von gewöhnlicher Erde oder Felsen hat;
jedoch bricht die Salzmasse sehr oft hervor und zeigt sich an
den Seiten in 40 oder 50 Fuß hohen und mehreren hundert Fuß
langen, senkrechten Felswänden als reines krystallisirtes Steinsalz. Wir konnten anfangs kaum unsern Augen trauen, bis wir
uns mehrere Male den Felswänden genähert und Stücke abgebrochen hatten, um uns sowohl durch das Gefühl als den Geschmack
zu überzeugen. Wo das Salz sich so vorfindet, ist es überall
mehr oder weniger vom Regen durchfurcht. Als wir weiter gin-

---

1) Siehe mehr über den Namen und Charakter dieses Berges oben,
Bd. II, S. 435 ff.

2) Siehe oben, Bd. II. S. 464 ff. 470 ff.

3) Allem Anschein nach der Tell el-Msogal bei Seetzen, Zach's
monatl. Corresp. XVII. S. 140., vgl. XVIII. S. 437.

gen, lagen grofse, von oben abgebrochene Klumpen und Massen wie Felsen längs dem Ufer, oder waren als Trümmer herabgefallen. Selbst die Steine unter unsern Füfsen waren reines Salz. Diesen Charakter behält der Berg mehr oder weniger deutlich bei, seiner ganzen Länge nach, eine Strecke von $2\frac{1}{2}$ Stunden oder 5 engl. geogr. Meilen. Die Araber behaupteten, dafs die westliche Seite des Rückens ähnliche Erscheinungen darbiete. — Die Salzklumpen sind nicht durchsichtig, sondern haben ein dunkles Aussehen, ganz ähnlich dem von den grofsen Massen Mineralsalz, welche wir später zu Varna und in den Städten an der untern Donau sahen, das Produkt der Salzminen in diesen Gegenden.

Das Vorhandensein dieser ungeheuren Massen von Steinsalz, welches nach den neuesten geologischen Ansichten eine häufige Begleitung von vulkanischen Erscheinungen ist, erklärt hinreichend die übermäfsige Salzigkeit des todten Meeres. Um diese Zeit bespülten die Gewässer des See's zwar nicht den Fufs des Berges, obgleich es uns dann und wann so vorkam; aber die Regengüsse des Winters und die Bäche, welche wir noch ins Meer hineinfliefsen sahen, mögen natürlicher Weise im Laufe der Jahrhunderte Salz genug hineingeleitet haben, um die Phänomene des See's grofsentheils hervorzubringen. [1] — Die Lage dieses Berges an dem Südende des Meeres setzt uns auch in den Stand, den Ort des in der Schrift erwähnten „Salzthales" auszumitteln, wo die Juden unter David und dann wieder unter Amazia Siege über Edom davon trugen. Dieses Thal kann nicht wohl

------

[1] Nach der Analyse des Prof. Rose in Berlin enthält das Salz dieses Berges keine eigenthümlichen Ingredienzen, und namentlich kein Bromium. Es könnte daher scheinen, als ob die Gewässer des See's irgendwo mit andern mineralischen Substanzen in Berührung kommen müfsten. Siehe oben, Bd. II. S. 458. Anm.

ein anderes gewesen sein, als das an den Salzberg anstofsende
Ghôr südlich vom todten Meer, welches in der That die alten
Gebiete von Juda und Edom trennt. [1]) Irgendwo in der Nachbarschaft lag auch wahrscheinlich die zusammen mit Engeddi, als in
der Wüste Juda liegend, aufgeführte „Salzstadt."[2])

Dieser sehr merkwürdige Berg scheint weder in der Schrift,
noch von Josephus oder von irgend einem andern alten Schriftsteller direkt erwähnt zu sein. Jedoch mag wohl Galenus darauf
hindeuten, wo er bei Erwähnung des um das todte Meer gesammelten Salzes bemerkt, dafs es „Sodomsalz" nach den an den
See anstofsenden Bergen Namens Sodom genannt werde. [3]) In
dieser alten Benennung liegt wahrscheinlich, wie bereits bemerkt,
der Ursprung des heutigen Namens Usdum. [4]) Ein so seltsames Naturphänomen entging nicht der Aufmerksamkeit der Kreuzfahrer auf ihren gelegentlichen Zügen durch diese Gegend; und
die früheste direkte Notiz von dem Berge scheint die des Fulcher
von Chartres zu sein, welcher Balduin I. im Jahr 1100 um das
Südende des Meeres begleitete. Er beschreibt den Berg genau,
und hält ihn für die Ursache der Salzigkeit des Meeres. [5]) Diese

---

1) 2 Sam. 8, 13. 1 Chron. 18, 12. 2 Kön. 14, 7. Die ersten
beiden Stellen beziehen sich auf dieselbe Begebenheit; aber die im Buche Sam. hat „Syrer" (אֲרָם), wogegen im Buche der Chron. die Lesart „Edomiter" (אֱדֹם) vorkommt. Die letztere ist ohne Zweifel die
richtige, während die erstere aus der Aehnlichkeit der hebräischen Buchstaben ד und ר leicht zu erklären ist. — Die Kreuzfahrer gaben dem
Ghôr in diesem Theil den Namen Vallis Illustris; Will. Tyr. XVI, 6.

2) Jos. 15, 61. 62.

3) Προςαγορεύουσι δ'αὐτοὺς [τοὺς ἅλεις] Σοδομηνοὺς ἀπὸ τῶν
περιεχόντων τὴν λίμνην ὀρῶν, ἃ καλεῖται Σόδομα. Galen. de Simpl.
medic. Facult. IV, 19. Reland Palaest. p. 243.

4) Siehe oben, Bd. II. S. 435.

5) Fulcher Carnot. 23 in Gesta Dei p. 405: „Juxta quem lacum

Nachricht ist wahrscheinlich seitdem für eine Fabel gehalten worden; denn der Berg, wie die ganze Umgegend, wurde wieder mehrere Jahrhunderte hindurch vergessen und ununtersucht gelassen. Seetzen nahm zuerst im Jahr 1806 den Schleier der Dunkelheit von der Gegend hinweg; er erwähnt von dem Berge, dafs er sich beinahe drei Stunden in der Länge ausdehne und viele Schichten krystallisirten Steinsalzes enthalte. [1]) Irby und Mangles mit ihrer Reisegesellschaft folgten im Jahr 1818; sie sprechen auch von dem Berge und seinen Salzlagen. [2]) Von der Zeit an bis zum gegenwärtigen Jahre ist es mir nicht bekannt, dafs die Gegend noch von irgend einem Reisenden besucht worden wäre. [3])

vel mare illud mortuum extat mons unus similiter salsus, non tamen totus sed localiter, constans ut petra durissimus, et glaciei simillimus; unde sal, quod s a l i s g e m m a vocatur, multotiens vidistis, quod de monte illo comminuitur." Vgl. Gesta Dei p. 581.

1) Zach's monatl. Corresp. XVIII. S. 436, 437.

2) Travels p. 352. So auch Legh: „Längs dem Fufse des hohen Bergrückens, dessen Seiten zuweilen aus reinem Steinsalz gebildet waren, wovon Bruchstücke sich herabgewälzt hatten, oder welche man an andern Stellen als Tropfsteine von den senkrechten Wänden des Felsens herabhängen sah." Den 11. Mai. Bibl. Repos. Oct. 1833. p. 625.

3) Nau erzählt im Jahr 1674, dafs er in Damaskus Daniel, den Abt von St. Saba, getroffen, der einmal die Reise um das ganze todte Meer gemacht habe. Daniel berichtete, dafs er auf der Westseite des See's einen Baum fand mit Sodomäpfeln gleich Citronen (ohne Zweifel den Ösher); dafs das Südende des Meeres nicht spitz sei, sondern rund; dafs an diesem Ende ein Strom von Südosten hineinfliefse, Namens Saphia; dafs es hier und weiter nördlich weite Ebnen und Salzberge gebe; dafs das Meer sich gegen das Südende in zwei Theile spalte, so dafs man im Sommer durchwaten könne, und das Wasser wenigstens an der Ostseite blofs halb an die Kniee komme; und dafs hier sich ein anderer runder, oder vielmehr ovaler See finde, der von den oben erwähnten Ebnen und Salzbergen eingefafst sei. Alles dies ist mehr oder we-

Als wir so längs dem Strande hinzogen, nahm ich die Gelegenheit wahr, wieder in dem todten Meere zu baden, was uns
zwanzig Minuten lang aufhielt. Der Boden bestand hier aus Sand
und das Wasser war so seicht, dafs es, obgleich ich über hundert Schritte fortwatete, nur etwas über das halbe Kniee reichte.
Es hinterliefs dasselbe öhlige Gefühl wie früher, aber keinen An-
satz von Salz auf der Haut.

Wir kamen um $7\frac{1}{2}$ U. nach einer Höhle in dem Berge,
von der unsere Araber oft gesprochen hatten. Sie liegt auf gleicher Höhe mit dem Boden, unterhalb einer senkrechten Salzwand.
Die Mündung ist von unregelmäfsiger Form, 10 oder 12 Fufs
hoch und ungefähr eben so breit. Hier hielten wir 40 Minuten
still, um zu frühstücken und das Innere der Höhle zu untersuchen.
Diese wurde bald ein kleiner unregelmäfsiger Gang, eine blofse
Felsenspalte, mit einem Wasserlaufe am Boden, worin an einigen
Stellen noch Wasser herabträufelte. Wir folgten diesem Gange
mit Lichtern und mit einiger Beschwerlichkeit an 3 oder 400 Fufs
in das Innere des Berges hinein, bis nach einem Punkte hin, wo
er sich in zwei kleinere Spalten zertheilt, und kehrten dann zurück. Diese ganze Strecke hindurch bestehen die Seiten, das Dach
und der Fufsboden der Höhle aus festem Salz; sie sind dabei
zwar schmutzig und der Boden mit Staub und Erde bedeckt, aber
dem Wasserlaufe entlang konnte man leicht das reine krystalli-
sirte Steinsalz bemerken, wie es von dem Strome, der zu Zeiten
offenbar mit Heftigkeit die Höhle durchrauscht, abgespült war.

Als wir aus der Höhle herauskamen, wurde uns von den
Kundschaftern, deren wir immer einen oder mehrere vorausschick-

---

niger der Wahrheit gemäfs; allein wenn der Abt (oder Nau) fortfährt
zu erzählen, dafs es längs der östlichen Seite des See's reiche Ebnen mit
Dörfern und Kirchen und einigen Christen gebe, so ist es klar, dafs er
oder sein Berichterstatter auf's Gerathewohl spricht.

ten, berichtet, dafs sie eine Reiterschaar längs dem südlichen Ende des Meeres herankommen sähen. Alles kam jetzt in Unruhe und Bewegung; die Flinten wurden mit Zündpulver versehen und Vorkehrungen gegen einen feindlichen Angriff getroffen. Die Entfernung liefs die Wächter zuerst weder die Zahl der Männer, noch die Thiere, auf denen sie ritten, unterscheiden; aber es wurde geschlossen, dafs, wenn sie zu Pferde seien, es gewifs ein Ghüzu oder Beutezug ihrer Feinde wäre. Wir entschieden uns, auf keinen Fall unsre feste Stellung in der Mündung der Höhle zu verlassen, und Sheikh Hussân selbst machte sich auf, zu recognosciren und eine Unterredung zu halten. Aber er überzeugte sich bald, dafs die gefürchtete Räubertruppe aus einer Schafheerde mit zwei oder drei Leuten auf Eseln bestehe. Alle Unruhe verschwand jetzt, und wir zogen um 8 U. 10 Min. vorwärts, noch immer dem Strande entlang.

Als wir weiter vorrückten, hatte der herankommende Zug sich um den Meereswinkel gekehrt, und wir trafen ihn an dem westlichen Ufer. Wir fanden, dafs es ein Kaufmann aus Gaza war, welcher in Kerak Schafe und Butter gekauft hatte und jetzt in Begleitung zweier oder dreier Leute aus Kerak mit seinen Einkäufen nach Hause zurückkehrte. [1]) Das Blatt hatte sich jetzt gewendet. Als unsere Araber merkten, dafs sie so die stärkere Partei ausmachten, waren sie geneigt, einen Beweis von ihrer Uebermacht zu geben und den armen Fremdlingen die ihnen zuerst verursachte Unruhe ein wenig entgelten zu lassen. Sie stellten sich daher, während wir etwas vorausgingen, in eine Reihe auf und zogen mit drohenden Gebehrden auf die Fremden zu;

---

1) Kerak war vormals wegen seiner Butter berühmt, die in grofsen Quantitäten bereitet und verbraucht wurde. Burckhardt berichtet, dafs es zu seiner Zeit für eine Schande gehalten wurde, sie zu verkaufen. Travels etc. p. 385. (652.)

und selbst Komeh war thöricht genug, sich an ihre Spitze zu stellen und eine gleiche Miene anzunehmen. Aber es ergab sich, dafs das, was die Uebrigen im Scherz gemeint hatten, bei unsern fünf Haweitât Ernst gewesen war. Ihr Stamm war, wie es schien, mit den Leuten in Kerak in offner Fehde begriffen; so liefen sie denn in aller Hast vorwärts, und ehe wir unsern Augen trauen konnten, waren sie wirklich dabei, die andere Partei zu berauben! Einer ergriff ein Lamm, ein anderer eine Pistole, ein dritter einen Mantel und ein vierter zwei kleine Schläuche mit Butter. Die Beraubten appellirten natürlich an uns, ihnen wieder zu dem Ihrigen zu verhelfen; aber wir konnten die Schurken nur bedrohen, sie sofort ohne einen Para Vergütigung für ihre Dienste zu entlassen, wenn sie die Gegenstäude nicht zurückgäben. Der alte Mann, welcher die Pistole genommen hatte, appellirte jetzt an uns mit aller Beredsamkeit einer sich bewufsten Redlichkeit; er sagte, die Leute von Kerak wären seine Feinde und er handle nach vollem Rechte, indem er ihnen nur das anthue, was sie ihm unter gleichen Umständen thun würden. Mein Reisegefährte, der keinen Anspruch darauf machte, ein Richter nach dem Bedawînrecht zu sein, erwiederte, dafs er, während er in unserm Dienst sei, sich nach unsern Gesetzen richten müsse; wenn er in der Wüste wäre, möchte er als Bedawy verfahren. Mit vieler Schwierigkeit und nach grofser Bemühung unsers entschlossenen Komeh (welcher sein Versehen wieder gut machen zu wollen schien) wurden sie gezwungen, Alles wieder herauszugeben, wie wir nämlich voraussetzten. Jedoch ergab es sich später, dafs sie darauf bedacht gewesen waren, einen Schlauch mit Butter zurückzubehalten. Statt dafs wir also beraubt worden waren, konnte man vielmehr sagen, wir seien selbst zu Räubern geworden.

Wir erreichten den S. W. Winkel des Meeres um $8\frac{1}{2}$ U., während das Gestade den ganzen Weg über mit Salzblöcken, den Trümmern des Berges oben, überstreut war. An demselben Punkte ist auch das S. O. Ende oder die Ecke von Usdum, wie sie von 'Ain Jidy aus erscheint; hier wendet sich der Rücken nach S. W., und dehnt sich in dieser Richtung noch eine beträchtliche Strecke weiter aus. Von dieser Stelle nahm ich folgende Ortsbestimmungen auf: Der südliche Strand des Meeres läuft grade nach O., die Klippe Mersed bei 'Ain Jidy liegt N. 8⁰ O., Râs el-Feshkhah N. 13⁰ O., das westliche Ende der Halbinsel von hier gesehen N. 16⁰ O. — Die Breite des Meeres und des Ghôr an diesem Punkte beträgt wahrscheinlich noch nicht zwei Drittel von ihrer Breite zu 'Ain Jidy, vielleicht fünf oder sechs englische geographische Meilen.

Das Südende des Meeres ist überall sehr seicht; und viele kleine Untiefen und Sandbänke laufen von den Küsten darin aus. Südwärts von dem Wasser liegt eine grofse Strecke von nackten Niederungen, in einigen Theilen ein blofser Salzmorast, etwa eine deutsche Meile hinauf ausgebreitet, worüber das Meer, wenn es voll ist, sich erhebt und sie bedeckt. Spuren von der hohen Wasserstandslinie, mit Treibholz bezeichnet, finden sich in einer grofsen Entfernung weiter südlich. Diese nackte Strecke von Niederungen liegt hauptsächlich mitten im Ghôr und weiter westlich; in der That ist der ganze westliche Theil ganz bis nach dem Fufse von Usdum völlig ohne Vegetation. Mitten hindurch sah man an verschiedenen Stellen grofse Abflufskanäle in trägem Laufe ihren gekrümmten Weg nach dem Meere hin nehmen.[1]

---

1) Irby und Mangles passirten auf ihrem Wege längs dem Südende des Meeres sechs Wasserableiter, bevor sie nach dem Strome Kûrâhy kamen; einige waren nafs, andere trocken. Diese hatten einen starken sumpfigen Geruch, ähnlich wie er an schlammigen Niederungen in Salzwasser-Häfen wahrzunehmen ist. p. 354.

Die östliche Seite des Ghôr gewährte einen ganz andern Anblick. Hier läuft nicht weit südlich von dem Winkel des Meeres der Wady el-Kürâhy ein, welcher höher hinauf in den Bergen Wady el-Ahsy heifst. [1]) Weiter südlich liegt auch Wady et-Tüfileh und darüber hinaus noch ein anderer, Namens Wady Ghurründel. Die beiden ersteren erfreuen sich, wie Wady Kerak, nie versiegender Ströme. Der von dem Kürâhy, wo er aus den Bergen hervorkommt, bewässerte Strich Landes heifst Ghôr es-Sâfieh, und wird mit Weizen, Gerste, Durah und Taback von den Ghawârineh bepflanzt. Diese Leute zu Sâfieh sind, wie die Bewohner des heutigen Jericho, eine schwache Menschenrace, welche allein wegen der vorherrschenden Fieber hier leben können. Unsere Araber sagten von ihnen, dafs sie weder als Bedu, noch als Hädr, noch als 'Abîd (Sklaven) zu rechnen seien. Sie leben in Hütten von Schilf oder Rohr, und werden von den Erpressungen der Bedawîn in den Bergen sehr heimgesucht. Sie sollen ungefähr funfzig Mann ausmachen. Der Wady et-Tüfileh bewässert gleichfalls bei seiner Mündung einen Strich Landes, Namens Feifeh, welcher auch von den Ghawârineh in Sâfieh bebaut wird. Die Fellâhîn kommen hier nicht von den Bergen herab, wie zu Jericho, um in dem Thale zu pflügen und zu säen. Der Strich Landes an der Halbinsel bei der Mündung des Wady

---

1) Dies ist der Wady el-Ahsa bei Burckhardt, südlich von Khanzîreh, welcher den Distrikt Kerak von Jebâl trennt; Travels p. 400, 401. (673, 674.) Seetzen schreibt ihn unrichtig Wady el-Hössn, Zach's monatl. Corresp. XVIII. S. 436. Irby und Mangles haben in gleicher Weise zuerst el-Hussan, Travels p. 355, 373, 374; aber auf ihrer Rückkehr schreiben sie nur el-Ahsa, p. 444. Legh schreibt el-Hossan, obgleich er in den Bergen von demselben Wady unter dem Namen Ellasar spricht; den 10. und 19. Mai. Bibl. Repos. Oct. 1833, p. 624, 631. — Wir erkundigten uns besonders darnach, konnten aber nur den Namen el-Ahsy erfahren.

Kerak, Namens Ghôr el- Mezra'ah, mit dem Dorfe der Ghawârineh, welche ihn bebauen, ist schon beschrieben worden. [1]) Sie
sollen geringer an Zahl sein, als die zu Sâfieh; viele von ihnen,
welche vor den Bedrückungen der Araber um Kerak geflohen waren, wohnten jetzt in dem Ghôr der 'Adwân, Jericho gegenüber,
um Nimrin und Râmeh in Wady Hesbân. — Die östliche Seite
des Ghôr, wie sie hier beschrieben ist und von unserm jetzigen
Standorte aus erschien, ist mit Sträuchern und Grün bedeckt, wie
die Ebne von Jericho, und bildet dadurch einen auffallenden Kontrast mit dem mittlern und westlichen Theile. Aufser den oben
erwähnten Strichen Landes ist der übrige Theil des Ghôr für
den Anbau ganz ungeeignet. [2])

Aber für uns hatte die Aussicht über das Ghôr, welche sich
uns hier nach Süden zu eröffnete, im Augenblick noch ein höhe-
res Interesse. In einer Entfernung von beinahe drei Stunden war
diese Aussicht jetzt durch die Reihe weifslicher Klippen begrenzt,
welche wir von Ober-Zuweirah aus gesehen hatten, wie sie ganz
über das breite Thal schräg hinüberliefen und allem Anschein
nach jeden weitern Fortschritt hemmten. Von Zuweirah aus waren wir jedoch im Stande gewesen zu unterscheiden, dafs oberhalb und jenseits dieser Klippen die breite Ebne des grofsen Thales fortfuhr, so weit das Auge reichen konnte, nach Süden hin
zu laufen, und dafs die Klippen selbst in der That nichts mehr
waren, als eine Abstufung zwischen dem untern Ghôr im Norden und der höhern Erhebung des südlicheren Thales. [3]) Längs

1) Siehe oben, Bd. II. S. 467 f.

2) Vgl. überhaupt den Bericht von Burckhardt p. 390, 391. (660,
661.); auch den von Irby und Mangles, p. 353—357.

3) Siehe oben, S. 16. — Irby und Mangles sahen diese Klippen, als sie bei dem südlichen Ende des Meeres vorbeikamen; Travels
p. 353: „Die Ebne öffnet sich beträchtlich nach Süden, und ist in einer

dem Fufse der Klippen über die nackten Niederungen hinaus
konnten wir überall einen breiten grünen Strich bemerken, von
dem wir späterhin fanden, dafs es meistens Rohrgebüsch war, an
Morästen wachsend, die sich durch viele salzige Quellen bildeten. — Wir erfuhren jetzt zum ersten Mal die genaue Scheidungslinie zwischen den beiden Theilen des grofsen Thales, das
auf der einen Seite el-Ghôr, auf der andern el-'Arabah heifst.
Sie besteht eben aus dieser Klippenreihe, indem das ganze Thal
im Norden bis nach dem See von Tiberias hin das Ghôr bildet,
während el-'Arabah im Süden sich ganz bis nach 'Akabah hin
erstreckt. Dies war das Zeugnifs aller unsrer Araber, sowohl
der Jehâlin als der Haweitât. [1])

So weit waren wir der Route der wenigen früheren Reisenden gefolgt, welche zwischen Hebron und Kerak um das Südende des todten Meeres reisten. [2]) Aber von diesem Punkte an
hatten wir nun eine neue Region zu betreten und durch einen,
obwohl nicht ausgedehnten Theil des grofsen Thales zu gehen,
wohinein bis vor ein paar Wochen noch kein Fufs eines fränkischen Reisenden jemals gedrungen war. Von der früheren, scheinbar ansprechenden, nach Burckhardt's Entdeckung dieses Thales

---

Entfernung von ungefähr acht engl. Meilen von einer sandigen Klippe
begrenzt, von 60 bis 80 Fufs Höhe, welche grade über das Thal el-
Ghôr hinüberläuft und dasselbe schliefst. — Man sagte uns, dafs die
Ebne oben auf dieser Klippenreihe den ganzen Weg bis Mecca (Akabah?) ohne irgend eine Unterbrechung von Bergen fortlaufe." Dies
ist die einzige Erwähnung dieser Klippen vor unserm Besuch.

1) Ich spreche hier mit Bedacht, weil Hr. v. Bertou es vorgezogen hat, dem südlichen Theile des grofsen Thales den Namen Wady el-
'Akabah zu geben. Dieser Name ist unter den Arabern nicht bekannt,
und Bertou hatte keine andere Autorität als dieselben Jehâlin.

2) Seetzen, und auch Irby und Mangles nebst ihrer Reisegesellschaft.

III. 3

von Vielen angenommenen Theorie, dafs nämlich der Jordan es in alten Zeiten seiner ganzen Länge nach bis nach dem rothen Meer hin durchflofs, wufsten wir, dafs sie nicht länger haltbar sei. [1]) Den scharfsinnigen Zweifeln von Letronne über diesen Punkt, hauptsächlich begründet auf die Richtung der Seitenthäler des Wady Arabah, wie sie sich auf Laborde's Karte vorfinden, folgte rasch die Entdeckung der vertieften Lage des todten Meeres, ein an und für sich die besagte Hypothese nothwendig vernichtendes Faktum. [2]) Alles dieses wurde mir vor meiner Abreise aus Europa bekannt. Wir hatten ferner von Lord Prudhoe in Jerusalem, welcher kurz vorher von Suez direkt nach Wady Mûsa und von da nach Hebron gereist war, erfahren, dafs ihm seine Führer von den Jehâlin auf dem Wege durch das Thal 'Arabah wiederholentlich erklärt hätten, dafs seine Gewässer in der Regenzeit alle nach Norden hinflössen. Damit stimmte auch das nachfolgende Zeugnifs des Hrn. von Bertou überein; und unsere eignen Araber, sowohl Jehâlin als Haweitât, hatten schon die Nachricht bestätigt. Das Hauptfaktum von einem Abfall des Thales nach dem todten Meere stand daher schon fest; aber von dem Charakter dieses Abfalls wufsten wir bis jetzt nichts. An-

---

1) Diese Hypothese scheint zuerst durch Col. Leake aufgestellt worden zu sein in seiner Vorrede zu Burckhardt's Travels in Syria etc. Lond. 1822. Letronne schreibt sie irrigerweise Ritter'n zu; aber letzterer, obgleich er von dem Thal spricht, sagt nichts von dem Jordan. Erdkunde Th. II. S. 217, 218. Berlin 1818. Letronne im Journ. des Savans Oct. 1835. p. 596. Nouv. Annales des Voyages 1839. Tom. III. p. 264.

2) Siehe Letronne's Abhandlung im Journal des Savans Oct. 1835. p. 596 — 602. Nouvelles Annales des Voyages 1839. Tom. III. p. 257 sq. — Die Beobachtungen von Moore und Beke, wie die von Schubert, durch welche die Vertiefung des todten Meeres zuerst entdeckt wurde, fanden im März und April 1837 statt. Siehe oben, Bd. II. S. 455.

fserdem waren verschiedene Fragen zu erörtern hinsichtlich der
Topographie der Gegend im Zusammenhang mit der Annäherung
der Israeliten gegen Palästina, nach deren Untersuchung wir begierig waren; um nichts zu sagen über die Wunder von Wady
Mûsa, welche seit ihrer ersten Bekanntwerdung durch Burckhardt
meine Phantasie stets stark gefesselt hatten. Daher kam es, dafs
wir mit einem Gefühl von gespanntem Interesse jetzt unser Angesicht nach Süden hin wandten und unsern Weg dem Ghôr entlang einschlugen.

Von dieser Stelle, an dem S. W. Winkel des Meeres, zeigten uns unsere Araber einen Wady, Namens el-Jeib, in der entfernten Klippenreihe, bei der, wie sie sagten, unser Weg vorbei-
kommen würde. Wir konnten jedoch nur einen unbedeutenden
grünen Streifen erkennen, welcher, wie wir glaubten, einen
kleinen Wady bezeichnete, durch den wir nach dem höher ge-
legnen Boden des grofsen Thales weiter südlich hinaufsteigen
sollten. Dieser Punkt lag uns jetzt ungefähr S. 15° W., etwas
östlich von der Mitte des Ghôr; aber da die zwischenliegende
Strecke sumpfigen Bodens für die Kameele ungangbar war, so
sahen wir uns genöthigt, uns längs der westlichen Seite des Ghôr
zu halten und so einen grofsen Umweg zu machen.

Wir verliefsen den Winkel des Meeres um 8½ Uhr und
gingen längs dem Fufse von Usdum in einer anfänglich südwestlichen Richtung weiter. Der Boden war die ganze Strecke
über nafs und schlüpfrig, und blieb bei jedem Schritt an unsern
Schuhen hängen; der nackte Strich Landes zu unsrer Linken
war voller Rinnen von trägem, todtem Salzwasser. Der Berg
zeigte fernerhin den ganzen Weg über dieselbe Bildung; aber das
Salz kommt hier weniger zum Vorschein, als längs dem Meere.
Wir lasen mehrere Klumpen Salpeter auf, einen so grofs wie
eine Faust. Um 9 Uhr 25 Min. erreichten wir das südliche Ende

3 *

des Rückens. Hier und noch weiter südlich sahen wir Treibholz in Reihen zusammenliegen, wie es vom Meere hinaufgespült war; woraus hervorging, dafs die Wasserfläche des Meeres zuweilen wenigstens zehn oder fnnfzehn Fufs höher stehen mufs als jetzt. In ein paar Minuten kamen wir bei einem rieselnden Bächlein von schön klarem Wasser vorbei, welches aus der Nähe des Berges herabkam; das Wasser suchte jedoch an Salzigkeit seines Gleichen, obwohl es gar nicht von bitterm Geschmack war. Einen anderen ähnlichen Bach trafen wir kurz nachher.

Wo der Rücken von Usdum sich so endigt, da kommen die niedrigen Klippen und kegelförmigen Mergelhügel, welche wir hinter demselben von der Mündung des Wady ez-Zuweirah aus gesehen hatten, wieder hervor und umgeben die westliche Seite des Ghôr; während die eigentlichen Kalksteinberge noch eine oder zwei Stunden weiter zurückliegen. Dieses Zurücktreten von Usdum vergröfsert natürlicherweise wieder die Breite des an dem Ende des Meeres verengten Ghôr, obgleich es, mit Ausschlufs der Mergelklippen, hier nicht so breit ist, als zu 'Ain Jidy. Wir zogen jetzt an diesen Hügeln hinweg in einer allgemeinen beinahe S. S. W. Richtung. Zehn Minuten von dem Ende von Usdum zeigt sich wieder eine zerstreute Vegetation an dieser Seite des Ghôr, wovon längs dem Berge in seiner ganzen Ausdehnung keine Spur zu sehen gewesen war. Nach der Mitte hin behielt das Land noch seinen nackten Charakter. Kleine Wady's liefen etzt von den Hügeln her ein. Um 9 U. 40 Min. wurde uns ein Pfad gezeigt, welcher in einiger Entfernung südlich von Zuweirah die westlichen Berge hinaufführte; er hat den Namen Nŭkb el-Em'az von dem weiter liegenden gleichnamigen Wady. Zwei andere Wege, el-Buweib und es-Suleisil genannt, sollen noch weiter südlich zum Ghôr hinabführen; aber es sind nur Nebenwege, die von Karavanen nicht benutzt werden. Ueber dieselben

gehen die Araber Dhüllàm und Sa'ïdïyeh von Westen her hinab,
um in dem Ghôr und el-'Arabah zu überwintern.

Um 9 U. 55 Min. lag eine salzige Quelle zu unsrer Rechten, Namens 'Ain el-Beida, mit ein paar verkrüppelten Palmbäumen und vielen Rohrpflanzen. Der aus ihr fliefsende Strom
war zum Trinken für die Kameele zu salzig. Um 10 U. 15 Min.
durchschnitt das Bett eines von den westlichen Bergen herabkommenden Winterbaches, Wady el-Em'az, unsern Pfad; und Wasser quoll weiterhin an mehreren Stellen hervor, die alle mit unter dem Namen el-Beida begriffen werden. Ringsherum steht
Rohrgebüsch. Der von allen diesen Quellen bewässerte Landstrich ist mit Strauch- und Buschwerk bedeckt; aber er bietet
nirgendwo kulturfähigen Boden dar, und war jetzt an vielen Stellen weifs von Salz. Die Sträucher waren hauptsächlich Retem,
Tamarisken, Ghürküd und dergleichen. Der Ghürküd-Strauch
wuchs hier im Ueberflufs, wie um andere salzige Quellen; seine
rothen Beeren waren jetzt grade reif und von süfssaurem Geschmack, sehr saftig und angenehm, und äufserst erfrischend für
den erhitzten Reisenden. [1] — Diesem Punkte gegenüber schien
der nackte Theil des Ghôr aufzuhören; und an dessen Stelle trat
ein breiter Strich Landes mit Sträuchern längs dem Fufse der
südlichen Klippenreihe. Zwei oder drei grofse Wasserabflüsse,
allem Anschein nach aus Wady's, erstreckten sich höher hinauf,
wovon einer zu unsrer Linken und unsrer Richtung beinahe parallel war.

Wir näherten uns jetzt dem S. W. Winkel des Ghôr, wo
die Kreideberge zu unsrer Rechten sich weit herumbiegen, um
der im Süden liegenden Klippenreihe zu begegnen, welche das
Ghôr und 'Arabah trennt. Diese, von hier aus gesehen, scheint

---

1) Siehe oben, Bd. I. S. 106, 107.

in der That nur eine blofse Ausdehnung der erstern nach S. O.
hin zu sein. Als wir weiter gingen, erkannten wir in dem Ab-
flufskanale zu unsrer Linken die Fortsetzung eines breiten in das
Ghôr an seinem S. W. Winkel einlaufenden Thales, Namens
Wady el-Fikreh. Dieser Wady kommt von S. W. nahe bei
einem Gebirgspasse, Namens es-Sûfâh, her; und sein breites,
mit Steinen überstreutes und von Rinnen durchfurchtes Bett zeigt,
dafs er dann und wann grofse Wassermassen hinableitet. In
diesem Wady sollte einige Stunden oberhalb und nicht weit nördlich von dem Pafs es-Sûfâh eine gleichnamige Quelle mit Palmbäumen sein. [1]) Wir gingen über das Bett des Wady, und kamen um 11 Uhr nach der abschüssigen Klippe an ihrer östlichen
Seite, welche hier den Anfang der schräg über das grofse Thal
hinüberlaufenden Klippenreihe bildet. — Von diesem Punkte hatten wir die östliche Ecke von Usdum, an dem S. W. Winkel des
Meeres, N. 38° O.

Wir wandten uns jetzt in einer allgemeinen Richtung S. S.
O. längs dem Fufse der Klippen. Sie bestehen aus Kreiderde
oder verhärtetem Mergel, von demselben allgemeinen Charakter,
wie die Seiten des Thales ez-Zuweirâh und die kegelförmigen
Hügel hinter Usdum und längs der westlichen Seite des Ghôr.
Sie erreichen an verschiedenen Punkten eine abweichende Höhe
von 50 bis 150 Fufs. Die Wand dieser Klippen, obgleich sehr
steil, ist nicht senkrecht, und sie sind so vom Regen ausgewa-
schen, dafs der obere Theil ein zackiges Ansehn hat. Ihrem
ganzen Fufse entlang liegen Quellen von salzigem Wasser, welche hervorsickern und den Boden äufserst morastig machen. Dieser ist mit Rohrpflanzen, von Sträuchern und Bäumen untermischt,

---

1) Wir sahen diesen Wady höher hinauf bei unsrer Rückkehr den
2ten Juni.

überwachsen. Tamarisken und Nübks standen hier in Menge,
und hier und da zeigte sich ein verkrüppelter Palmbaum. Mit
Ausnahme von ein paar nackten Streifen längs salzigen Abflufs-
kanälen, war hier die ganze Breite des Ghôr mit dieser Gattung
von Grün besetzt. Um diese und alle andere Quellen, bei denen
wir in dem Ghôr vorbeikamen, waren viele Fufsstapfen wilder
Schweine; sie sollen in dieser Gegend häufig sein, obgleich wir
keins sahen.

Unser Pfad lag hart am Fufse der Klippen, zwischen ihnen
und dem Rohrgebüsch, oberhalb der Quellen, um den morastigen
Boden zu vermeiden. Eine von den Quellen, zu der wir um
$11\frac{3}{4}$ U. hinkamen, ergiefst sich in einen rasch strömenden Bach
von klarem, beinahe reinem, wenigstens nur leicht gesalzenem
Wasser. Ein breiter Strich mit Rohrgebüsch liegt unten. Sie
heifst 'Ain el-'Arûs, „die Braut-Quelle", und giebt ihren Namen allen andern. Hier hielten wir beinahe zwei Stunden an,
um auszuruhen und die Wasserschläuche für den Tag und die
Nacht zu füllen. Wir suchten den Schatten des Gebüsches auf,
fanden jedoch die Hitze sehr drückend, denn das Thermometer
stand auf $26\frac{2}{3}^0$ R. In der That waren wir jetzt dem vollen Einflufs des brennenden Ghôr-Klima ausgesetzt. — Folgende Ortsbestimmungen erhielten wir von dieser Quelle aus: Südost-Ecke
von Usdum N. 20^0 O., Gipfel des Gebirges Moab nahe bei
Khanzireh N. 75^0 O., Wady et-Tûfileh Mündung S. 60^0 O.,
Wady Ghüründel Mündung S. 35^0 O.

Der hier erwähnte Wady Ghüründel kommt aus den
östlichen Bergen herab und läuft grade in den S. O. Winkel des
Ghôr hinein. Er hat seinen Namen, nach der Aussage unsrer
Araber, von einer Ruinenstelle, Namens Ghüründel, nahe bei seinem Anfang. Dieses war ohne Zweifel das alte Arindela, eine
bischöfliche Stadt in *Palaestina tertia*, welche mit Areopolis

und Charak Moab zusammen erwähnt wird. Die Namen ihrer
Bischöfe finden sich in den Unterschriften von Concilien, und noch
in den spätesten *Notitiae* vor der Zeit der Kreuzzüge wird sie
als ein Bischofssitz bezeichnet. [1]) Sowohl die Lage als das Thal
entging der Kenntnifs Burckhardt's, als er durch die Berge zog.
Irby und Mangles besuchten die Stelle, erwähnen aber das Thal
nicht. Die Ruinen liegen auf dem Abfall eines Berges nahe bei
einem Wasserquell, und sind von beträchtlicher Ausdehnung. [2])

Während wir zu 'Ain el-'Arûs ausruhten, nahmen unsre
Haweitât die Gelegenheit wahr, ein warmes Frühstück zurecht
zu machen. Sie hatten etwas grobes Mehl von Weizen und
Gerste voller Spreu mitgebracht, woraus sie jetzt einen runden
flachen Kuchen von einiger Dicke kneteten. Diesen legten sie in
die Asche und Kohlen eines von ihnen angezündeten Feuers, und
nach der gehörigen Zeit zogen sie ein Laib Brod hervor, von
aufsen so schwarz wie die Kohlen selbst und inwendig nicht viel
weifser. Nachdem sie es auf einer Schüssel in kleine Stücke
gebrochen hatten, mischten sie etwas von ihrer gestohlnen Butter
darunter und hielten so ihre Mahlzeit. Solches ist die Lebens-

---

1) Reland Palaest. p. 581; vgl. p. 215, 217, 223, 226, 533. Le
Quien Oriens Christ. III. p. 727.

2) Irby und Mangles p. 376: „Nach dem Mittelpunkt der Ruinen hin sind die Ueberbleibsel von zwei parallelen Reihen Säulen, von
denen drei in einer, und zwei in der andern Reihe stehen; ihr Durchmesser beträgt zwei Fufs; keine hat Kapitäle. Nahe bei dieser Stelle
finden sich auch Fragmente von Säulen von drei Fufs Durchmesser; die
Kapitäle scheinen schlechte Dorische zu sein." — Burckhardt fand
nur den südlichen Wady Ghûrúndel, über Wady Mûsa hinaus; stellte
aber zuerst die Vermuthung auf, dafs dieser Name mit Arindela identisch sei; Travels p. 441. (731.) Der nördliche Ghûrúndel wurde in die
seinem Werke beigefügte Karte nach der Notiz bei Irby und Mangles
aufgenommen.

weise unter diesen Söhnen der Wüste; die Butter aber war nur ein aufsergewöhnlicher Luxusartikel. Auf ihren Reisen ist grobes, schwarzes, ungesäuertes Brod die gewöhnliche Beduinenkost. [1]) Um 1 U. 35 Min. waren wir wieder auf dem Marsche, indem wir noch immer längs dem Fufse der Klippen in einer allgemeinen Richtung S. S. O., aber mit vielen Krümmungen, hinzogen. Um 2 U. 10 Min. machte die Klippenreihe eine Art von Winkel, wo sie im Allgemeinen mehr nach S. O. hinlaufen, aber doch mit einer Umbiegung nach Süden. Ihre Gipfel blieben noch gezahnt und gezackt, was von den Betten der kleinen Ströme herrührte, die aus dem 'Arabah oben herabfliefsen. Wir gingen um 2 U. 20 Min. über einen Wady dieser Art von einiger Gröfse, Namens el - Kuseib. Endlich um 2 U. 50 Min. erreichten wir die Oeffnung des lange erwarteten Wady el-Jeib, durch welchen wir bergauf gehen sollten. Zu unserm Erstaunen ergab es sich, dafs derselbe nicht das blofse Bett eines Giefsbaches war, der von der höhern Ebne des 'Arabah herabkam, sondern ein tiefer, breiter, von Süden her in das Ghôr auslaufender Wady, der, so weit das Auge reichte, zwischen hohen, steilen Klippen, wie die von uns passirten, herunterkam. Es ist in der That der grofse Ableiter des ganzen Thales 'Arabah, welcher im Laufe der Jahrhunderte ein ungeheures Wasserbett durch die obere Ebne und die Abstufung der Klippen hindurch bis unten nach dem Bo-

---

1) Burckhardt reiste jenseits von Wady Mûsa her über die westliche Wüste mit Haweitât - Arabern, wahrscheinlich aus demselben Stamm wie die unsrigen. „Die Genügsamkeit dieser Beduinen", sagt er, „ist in der That beispiellos. Meine Gefährten, welche wenigstens fünf Stunden täglich marschirten, behalfen sich ohne alle weitere Nahrung vier und zwanzig Stunden lang mit einem etwa anderthalbpfündigen Stück Brod." Travels p. 439. (728.)

den des Ghôr hin ausgespült hat. — Von unserm jetzigen Stand-
punkte, nämlich der westlichen Ecke der Klippen am Eingange
von Wady el - Jeib, fanden wir folgende Ortsbestimmungen: 'Ain
el-'Arûs ungefähr N. 30⁰ W., südwestliches Ende von Usdum
N. 15⁰ W., südöstliche Ecke von Usdum an dem Meereswinkel
N. 15⁰ O., Gipfel im Gebirge Moab N. 65⁰ O., Wady et-Tüfileh Mündung N. 85⁰ O., Mündung des Wady Ghüründel und
Südostwinkel des Ghôr S. 40⁰ O.

Wir fanden hier die Eigenthümlichkeit, dafs das östliche
Ufer dieses grofsen Wady el-Jeib beinahe eine Stunde weiter
südlich endet; von welchem Punkte die Klippenreihe dann ungefähr Ost gen Nord nach den östlichen Bergen an der Mündung
des Wady Ghüründel hinläuft, indem ein breiter, zum Ghôr gehörender Strich Landes offen bleibt. Die Wasserrinnen aus dem
Wady kommen über diesen Strich herab, und laufen weiter durch
eine Strecke ohne Sträucher und Bäume nach den morastigen Niederungen näher bei dem Meere. Wir wandten uns jetzt längs
dem westlichen Ufer in der Richtung S. S. W. aufwärts, und
waren um 3 U. 45 Min. gegenüber der Ecke des östlichen Ufers,
von wo die Klippenreihe, wie gesagt, beinahe O. gen N. nach
dem Fuße der ungefähr eine Stunde entfernten Berge hinläuft.
Hier betraten wir den Wady selbst, in diesem Theile nahe an eine
Viertelstunde breit, zwischen senkrechten Wänden derselben Kreide-
oder Mergelerde von 100 bis 150 Fufs Höhe eingeschlossen, welche
alle Aussicht über die Gegend und über alle Gegenstände ringsum
benehmen. Die Ufer sind in der That so gänzlich perpendikulär,
dafs es beinahe unmöglich sein möchte, an einer der Seiten aus
dem Thale heraus hinaufzusteigen. Das breite Bett des Wady
ist sehr eben, und scheint nach Süden hin nur sehr wenig anzusteigen; jedoch zeigt es Spuren von einer ungeheuren Wassermasse, welche mit mächtigem Strome dahinrauscht und das

Thal in seiner ganzen Breite bedeckt. An seiner Mündung und unten ist das Bett mit Tamarisken (Türfa) und einem andern dem Retem ähnlichen, aber gröfsern Strauche Namens el-Ghüdhâh bedeckt. [1]) Dieses Gebüsch verminderte sich bald und verlor sich allmählig.

Wir zogen längs dieser merkwürdigen Kluft weiter, welche jetzt sowohl von den hinfallenden als zurückgeworfenen Sonnenstrahlen zu einer Temperatur von beinahe 25° R. erhitzt war. Die direkt kommenden Strahlen waren sengend, aber wir vermieden sie dadurch, dafs wir im Schatten des hohen westlichen Ufers entlang gingen. Um 4 U. 40 Min. wurde der Lauf des Thales südlich; und als wir hinaufsahen, konnten wir die vereinzelte Spitze des Berges Hor in der Entfernung unterscheiden. Dieser lag uns grade im Süden. Um 5 Uhr lief ein Seiten-Wady von Westen ein, seinem Charakter nach ähnlich dem el-Jeib, obgleich viel kleiner. Die Araber nannten ihn Wady Hasb und sagten, er habe seinen Anfang in der Ebne des 'Arabah an einer Stelle, wo ein natürlicher, mit süfsem, lebendigem Wasser angefüllter Teich liegt, der von vielem Grün und, nach der Aussage der Araber, mit einigen Spuren von Ruinen umgeben ist. Ueber diesen Punkt hinaus zeigten sich uns jetzt Steine und Blöcke von Porphyr im Wasserlaufe des Jeib umher zerstreut, welche durch die Strömungen von den weiter südlichen Bergen herabgetrieben waren. Bis jetzt waren die Klippen an jeder Seite so hoch und ununterbrochen gewesen, dafs wir gar keine Spur von der Physiognomie der Gegend ringsum gesehen hatten; aber die zu unsrer Linken wurden hier stellenweise niedriger, und wir konnten die östlichen Berge und in ihnen den

---

1) „Nomen arboris, Kam. Aptissimi ad ignem et prunas ligni; in arenis praecipue provenit, Gol." Freytag Lex. Arab. III. p. 281, 282.

grofsen, von Burckhardt beschriebenen Wady el-Ghuweir bemerken. [1]) Um 6 Uhr machten wir Halt, und zwar noch in dem
Schatten des hohen westlichen Ufers. Hier lag uns der Hor S.,
und derselbe Gipfel, den wir früher im Gebirge Moab gesehen,
N. 54⁰ O.

Die Hitze in dem Wady war so grofs und die Aussicht über
die Gegend so sehr beschränkt, dafs wir beschlossen, einen Theil
der Nacht über zu reisen, indem wir jetzt zum Mittagsessen und
Ausruhen anhielten und uns vornahmen, um Mitternacht wieder
aufzubrechen. Der Abend war warm und still; wir schlugen daher unser Zelt nicht auf, sondern breiteten unsere Teppiche auf
dem Sande aus und legten uns anfangs eigentlich nicht nieder,
um auszuruhen, sondern um die Scene zu geniefsen und den unsern Gemüthern sich aufdrängenden Ideenverbindungen nachzu-
gehen. Es war wahrlich eine der romantischsten Wüstenscenen,
die wir noch angetroffen hatten; und ich erinnere mich kaum einer andern auf allen unsern Wanderungen, wovon ich einen leb-
hafteren Eindruck bewahrt hätte. Hier war das tiefe, breite Thal
mitten in dem 'Arabah, der ganzen civilisirten Welt unbekannt,
von hohen und seltsamen Klippen eingeschlossen; uns gegenüber
lagen die Berge von Edom; in der Entfernung der Hor in seiner
einsamen Majestät, die Stelle, wo die bejahrten Prophetenbrü-
der einander ihr letztes Lebewohl sagten; über unsern Häup-
tern zeigte sich das dunkle Blau eines orientalischen Himmels,
mit unzähligen Sternen und glänzenden Constellationen überdeckt,
an denen wir uns in dieser tiefen Schlucht mit einem gröfsern
Interesse erfreuten; während dicht neben uns die Feuer unserer
Leute emporloderten; die Araber selbst in ihrer wilden Tracht,
alle neun um Eine Schüssel beim Abendessen; unsere ägyptischen

1) Travels p. 409, 410. (686, 688.)

Diener, wie sie zusahen, und einer nach dem andern aufstand
und durch die Gluth der Feuer hinschlich; der Sheikh auf uns
zukommend und uns grüfsend; das Auftragen des Kaffee; und
jenseits dieses ganzen Kreises die geduldigen Kameele, in Be-
haglichkeit hingestreckt und mäfsig die Nahrung wiederkäuend.

Der Hauptgegenstand auf unsrer heutigen Reise war der
Wady el-Jeib. Der Salzberg, wie merkwürdig und wichtig er
auch sein mag, ist zum Theil früher bekannt gewesen. Aber
dieser tiefe Wady war uns etwas ganz Neues und der Welt bisher unbekannt; die grofse Wasserscheide des ganzen Thales oder
der Ebne des 'Arabah, ein Wady in einem Wady. [1]) Unsere
Araber von den Haweität waren mit demselben, seiner ganzen
Länge nach, völlig bekannt; sie sagten uns, dafs er seinen Anfang weit im Süden von Wady Mûsa habe, und dafs in der ganzen Regenzeit die Gewässer des südlichen Wady Ghüründel nordwärts durch den Jeib nach dem todten Meer hin abfliefsen. Weiter nördlich, sagten sie, nimmt er den grofsen Wady el-Jerâfeh
aus der westlichen Wüste auf.

Ein andrer merkwürdiger Zug dieser Gegend ist die sich
über das ganze Ghôr hinziehende Klippenreihe, die blofs die Bodenerhebung nach der höhern Ebne des 'Arabah bildet. Von dem
S. W. Winkel des Ghôr bis nach der Mündung des Wady el-
Jeib gebrauchten wir zwei Stunden; und von da nach dem S. O.
Winkel beträgt eine Stunde oder drüber. Die Klippen bilden
so eine unregelmäfsige Curve, die sich wie ein Kreisabschnitt

---

1) Hr. von Bertou spricht von diesem tiefen Wasserlaufe nur als
dem Wady el-'Arabah, und scheint den Namen el-Jeib nicht gehört
oder verstanden zu haben. Indefs gaben ihm alle unsere Araber (welche
auch seine Führer gewesen waren) keinen andern Namen als el-Jeib;
und eben derselbe findet sich auch auf Laborde's Karte am gehörigen
Orte, obgleich mit einer irrigen Richtung des Thales.

über das Ghôr hinweg erstreckt, wovon die Sehne etwa sechs oder sieben engl. geographische Meilen in der Länge betragen mag, indem sie beinahe von N. W. nach S. O. schräg hinüberläuft. — Diese merkwürdige Klippenreihe bin ich, in Ermangelung irgend einer bessern Hypothese, geneigt für „Akrabbim" zu halten, bis wohinauf die südöstliche Grenze von Juda von dem todten Meere her, „von der Zunge die gegen mittagwärts gehet", gezogen werden und von da nach Zin und Kades-Barnea gehen sollte. [1])

Mittwoch, den 30. Mai. Zehn Minuten nach Mitternacht waren wir wieder auf unsern Kameelen. Der Mond war untergegangen und alles dunkel, die Nachtluft kühl und erfrischend. Alles war still wie das Grab, und der geräuschlose Tritt der Kameele im Sande unterbrach kaum das Schweigen. Als wir weiter kamen, wurden die Ufer des Wady allmählig niedriger; und um 2 U. schien sich die Gegend ringsum zu öffnen. Ich bewachte aufmerksam den Aufgang des Morgensternes; endlich gegen 3 Uhr trat er auf einmal über den östlichen Bergen mit Klarheit strahlend hervor. Es schien jetzt, als ob wir das Bett des Wady el-Jeib verliefsen; und aus Furcht, einige wichtige Beobachtungen zu verlieren, hielten wir an und erwarteten den Tagesanbruch. Wir legten uns auf den Sand nieder, genossen eine Stunde lang des sanften Schlafes und zogen um 4 U. 20 Min. unsern Weg weiter fort.

Das Bett des Jeib war, wo wir es so verliefsen, noch immer grofs; aber die Ufer erhoben sich nur zu mäfsiger Höhe; das östliche war in der That fast verschwunden. Der Wady kam hier von S. W. herab, während unsre Richtung beinahe S. ½ W. war, und der Hor uns zuerst nach Süden, und dann allmählig S. ½ O. lag. Wir waren jetzt auf der Ebne, oder vielmehr der

1) 4 Mos. 34, 3. 4. Jos. 15, 2. 3.

wellenförmigen Wüste des 'Arabah; die Oberfläche bestand im Allgemeinen aus losem Kies und Steinen, überall von Strombetten durchfurcht und zerrissen. Eine fürchterlichere Wüste hatten wir kaum noch gesehen. Dann und wann war ein einsamer Strauch von dem Ghüdhâb fast die einzige Spur von Vegetation. Beim Hinblick über den 'Arabah hinüber nach Westen hin war die Aussicht nicht reizender, ausgenommen bei den kleinen grünen Flecken um zwei Quellen herum; eine el - Weiby [1]) an dem Fuße der westlichen Gebirge, und die andere el - Hufeiry mehr in der Ebne weiter nördlich. Die jenseitigen Berge boten einen höchst reizlosen, gräfslichen Anblick dar; senkrechte Felswände und kegelförmige Spitzen von nackter, kreidiger und kiesartiger Bildung erhoben sich über einander, ohne ein Zeichen von Leben oder Vegetation.

Zu unsrer Linken lief auf unsrem weitern Wege eine lange niedrige Reihe röthlicher Felsen, Namens Hümra-Fedân, den östlichen Bergen vor dem Wady el-Ghuweir parallel. Diese Felsen liegen in einiger Entfernung von den Bergen, und eine große Strecke der Ebne breitet sich hinter ihnen aus. Wir konnten über ihnen die von dem Ghuweir gebildete Einsenkung sehen. Die Gewässer dieses auf der Ebne hinter dem Hümra-Fedân hervorkommenden Wady laufen nicht nach dem Jeib, sollen aber, wie wir sagen hörten, ein anderes ähnliches Wasserbett näher bei dem Berge bilden, Namens el-Bütâhy, welches nahe bei dem S. O. Winkel des Ghôr darin einläuft.

Als die Sonne über die östlichen Berge hervorkam, sagten die beiden neben uns hergehenden Araber (Jehâlin) ein paar Gebetsworte her, welche aus wenig mehr bestanden, als dem ge-

---

1) Diese Quelle ist auf der direkten Strafse zwischen Wady Mûsa und Hebron. Wir besuchten sie auf unsrer Rückreise, den 2. Juni.

wöhnlichen muhammedanischen Bekenntnifs: „ Gott ist der gröfste, und Muhammed ist sein Prophet! " Sie gaben zu, dafs sie gewöhnlich nicht beteten, wenn sie nicht mit irgend Einem zusammen wären, der ihnen Anleitung geben könne. In ihrem Stamme konnten, wie sie sagten, nur einige zehn oder funfzehn ganz allein beten. Unser Sheikh Hussàn hatte nie einen Bedawy gekannt, welcher zu lesen verstand; er hatte nur gehört, dafs es einige weit nach Osten hin gäbe.

Nachdem wir viele kleine Wasserbetten und Spalten in der Ebne passirt hatten, erreichten und verfolgten wir um 7 U. aufwärts einen grofsen seichten Wady, welcher vor uns in der Richtung unsres Marsches hinabkam und den Namen Wady el-Buweirideh von einer höher hinauf darin liegenden Quelle führt. Mehrere Rücken von niedrigen, aus Sand oder vielmehr Kies bestehenden Hügeln liefen hie und da in der Ebne von O. nach W. Um 7 U. 30 Min. kamen wir zu einer gröfsern Reihe von solchen Hügeln, die sich ganz über den 'Arabah hinzog, und von welchen einige nicht unter hundert Fufs hoch sind. Wady el-Jeib läuft, wie wir später fanden, an dem Westende dieses Hügelrückens hinunter; das Thal, durch welches wir jetzt zogen, nimmt seinen Weg durch ebendenselben nahe bei dem östlichen Ende, während unsre Richtung darin sich mehr südöstlich nach den Bergen hin bog. Hier war dann und wann ein Strauch zu sehen und ein paar grofse Seyâl-Bäume. Der Wady führte uns zuletzt nach einer Gegend mit mehreren Quellen; bei einer derselben hielten wir um 8 U. 40 Min. an, um zu frühstücken und auszuruhen. Alle diese Quellen heifsen 'Ain el-Buweirideh; sie sind umgeben von Rohrgebüsch, in welchem Tamarisken, Weiden, ein paar verkrüppelte Palmen, ein Ueberflufs von Ghürküd und andere Sträucher der Wüste umherstehen.

Die Quelle, bei der wir Halt machten, war nicht stark;

jedoch flofs ein Bach aus dem Dickicht hervor und lief eine Strecke weit thalabwärts. Das Wasser war süfs, hatte aber, wie
alle Wüsten-Quellen, eine krankhafte Farbe, als wenn es nir-
gendwohin Fruchtbarkeit verbreiten könnte. Da wir hier nicht
genug Schatten fanden, so stellten wir den obern Theil unsers
Zeltes auf, um uns gegen die unerträgliche Sonnenhitze zu schü-
tzen. Der S. W. Wind, welcher früh in der Dämmerung kühl
und angenehm gewesen war, hatte sich schon zu einem brennenden Sirokko gestaltet; das Thermometer stand, als wir anhielten,
im Schatten auf $28\frac{1}{2}^0$ R. Die Heftigkeit und Gluth des Windes
nahm zu, so dafs das Thermometer um 12 Uhr bis auf 31^0 R.
gestiegen war. Da es unter solchen Umständen eben so schwer
war zu schreiben als zu schlafen, und unsere Araber weiter
zu gehen wünschten, so beschlossen wir fortzumarschiren, und
fühlten uns wirklich nicht so unbehaglich beim Gehen, als es
beim Stillliegen der Fall gewesen. war.

Der gewöhnliche Weg nach Wady Mûsa von dieser Gegend aus geht von dem 'Arabah durch Wady er-Rübâ'y hinauf
und so um den Hor, so dafs er Wady Mûsa von S. W. her erreicht.
Aber unser Wunsch und Plan war immer gewesen, uns dem Orte
womöglich von Osten her zu nähern, um durch die berühmte Kluft
in dem Berge an dieser Seite hinzugelangen. Als wir dies unsern Führern vorschlugen, machten sie keine Einwendungen, sagten aber, es würde nöthig sein, die Berge auf einem weiter nördlichen Pafs zu besteigen, welchen sie Nemela nannten. Sie sagten auch, diese Route würde uns mehr mit den Arabern der Berge
in Berührung bringen, und unsere Ankunft würde allgemeiner bekannt werden; aber da ihr Stamm jetzt mit den letzteren in gutem Vernehmen stand und wir überdies mehrere von den Haweitât bei uns hatten, welche zu einem verwandten Geschlechte gehören, so schien in diesem Umstande keine Ursache zu Befürch-
III. 4

tungen zu liegen. Wir schlugen ihnen zwar vor, eine noch nörd-
lichere Route einzuschlagen und uns nach Shôbek zu bringen;
aber dies lehnten sie ab, indem sie sagten, die Leute an diesem
Orte und weiter nördlich hin wären im Kriege mit den Jehâlîn,
so dafs sich die letztern nicht in ihre Gegend wagen könnten.
Wir beschlossen daher, auf den Pafs Nemela hinanzusteigen.
Wir verliefsen 'Ain el-Buweirideh um 12 U. 50 Min. und
zogen denselben Wady in der Richtung S. S. O. weiter hinauf,
wobei eine Reihe Sandhügel uns rechter Hand lag. Der Wind
nahm ferner an Heftigkeit und Gluth zu, und die Luft war jetzt
voll von Staub und Sand; die Gluth der Luft glich der an der Oeffnung eines Ofens. Aufser in dem Bett des Wady war die Oberfläche überall loser Sand. Um 2 U. 30 Min., nachdem wir bei
einem hohen Sandhügel zu unsrer Linken vorbeigekommen waren,
erreichten wir den Fufs des sanften Abfalls, welcher hier die
Basis der Bergkette bildet. Dieser ist mit Trümmern, hauptsächlich Porphyrblöcken, bedeckt, zwischen welchen die Kameele
mit Beschwerlichkeit ihren Weg aufsuchten. Ich war zuerst der
Meinung, diese Blöcke seien von dem Wady und Pafs vor uns herabgefallen; aber als die Luft sich ein wenig aufklärte, konnten wir
sehen, dafs derselbe sanfte Abfall sich regelmäfsig längs dem
Fufse des Berges eine grofse Strecke nördlich und südlich hinzog
und in gleicher Weise mit Steinen bedeckt war. Der Sirokko erreichte jetzt den Gipfel seiner Wuth; die Atmosphäre verdichtete
sich, so dafs die Sonne nicht länger zu sehen war, so wie wir
auch nicht die Berge dicht vor uns erkennen konnten.

Wir stiegen allmählig diesen Abfall S. O. gen S. hinan
und erreichten um 3 U. 30 Min. die ersten niedrigen Berge, welche die äufsere Begrenzung des Gebirges bilden. Diese bestehen
aus losem Kalkstein oder vielmehr einem gelblichen, thonigen Felsen; es sind niedrige Kegel und Rücken, die vor der steilen, dun-

keln Porphyr-Masse des Gebirges liegen. Indem wir durch eine Schlucht hinaufzogen, wovon der Wady el-Buweirideh die Fortsetzung bildet, kamen wir um 4 U. nach den Porphyrmassen mit hohen zugespitzten Klippen; hier wendet sich der Wady südlich und läuft zwischen der Porphyr- und Kalkstein-Bildung hinauf. Eine halbe Stunde später befanden wir uns mehr unter den Porphyrklippen; eine hohe zur Linken war ganz oben mit Sandstein bekleidet. Um 4 U. 50 Min. brachte uns eine kurze Biegung der Schlucht linkshin in den eigentlichen Berg hinein, und um $5\frac{1}{4}$ U. erreichten wir den Fuſs des langen, wilden, romantischen Passes Nemela.

Der Pfad führte anfangs längs Schluchten, und dann die Seiten steiler Felsen und Vorsprünge hinauf; während der Hauptaufgang längs einer hervorragenden Bergzunge zwischen zwei ungeheuern Klüften stattfand. Der Porphyr läuft hier in dünne, zackige Nadeln aus, wovon einige hoch und sehr scharf sind. Die Seiten der Schluchten und Klippen sind bis obenhin mit Sträuchern und Kräutern bekleidet. Darunter sind viele wohlriechend, so daſs die Luft mit angenehmen Düften erfüllt war. Das Aeuſsere der Gegend deutete darauf hin, daſs hier Regen in Ueberfluſs gewesen. In der That ist das ganze Ausselm dieser Berge weit weniger rauh und wüste, als derer westlich von 'Arabah. In den Thälern waren verschiedene Bäume und Sträucher, Seyâl, Butm u. dergl. und auch Retem in reichlicher Menge, alle sehr groſs. Auf den Felsen oben fanden wir den Wachholderbaum, arabisch 'Ar'ar; [1]) seine Beeren haben das Aussehen und den Geschmack der gewöhnlichen Wachholderbeeren, nur daſs mehr von

---

1) Dies ist ohne Zweifel das hebräische עֲרוֹעֵר Aroer, Jer. 48, 6, wo Luther irriger Weise Heide übersetzt. Der „Wachholder“ in der Luther'schen Uebersetzung ist der Retem; siehe oben, Bd. I. S. 336. Celsius Hierobot. II. p. 195.

4 *

dem Aroma der Fichte darin befindlich ist. Diese Bäume waren
zehn oder funfzehn Fufs hoch, und hingen auf den Felsen, selbst
auf den äufsersten Gipfeln der Klippen. — Dieser Pafs ist
länger als der von 'Ain Jidy, aber an und für sich nicht beschwerlich. Nach einem langsamen und mühsamen Aufsteigen
von fünf Viertelstunden erreichten wir die Höhe und kamen auf
einem kleinen Streifen Flachland heraus, einem Becken von
gelbem Sandstein, welcher den Porphyr bedeckte und mit wohl-
riechenden Kräutern, einem schönen Weidefutter für die Kameele, überstreut war. Hier schlugen wir um 6½ U. unser Nachtlager auf, nach einer sehr langen Tagereise äufserst ermüdet und
froh, dem sengenden Winde des 'Arabah entgangen zu sein. Der
Sturm hatte nachgelassen und die Luft wurde allmählig klar; bei
Sonnenuntergang war das Thermometer auf 19½° R. gefallen
und ein angenehmes Lüftchen wehte von N. W. her. — Nach
unserer Schätzung waren wir von der Ebne des 'Arabah aus nicht
weniger als zwei tausend Fufs gestiegen, da der Pafs allein schon
sich zu einer Höhe von ungefähr funfzehn hundert Fufs erhebt.

Donnerstag, den 31. Mai. Da wir keine lange Tagereise vor uns hatten, so blieben wir diesen Morgen noch eine
Weile gelagert, um unsere Tagebücher auszufüllen. Die Luft
war klar geworden; und von einem Hügel am äufsersten Rande
des Abgrunds genossen wir eine prachtvolle Aussicht über den 'Arabah und über die Wüste und die Berge im Westen. Alles vor uns war
in der That eine vollkommne Wüste; aber über el-'Arabah hinaus
freuten wir uns unsere alten Bekannten dieser Gegend, den grofsen Wady el-Jeráfeh und die Klippe el-Mûkráh wiederzuer-
kennen. [1]) Wir konnten den Jeráfeh bei seinem Einlauf in el-
'Arabah von S. W. her und auch eine Strecke weit in seiner

---

1) Siehe Bd. I. S. 295, 297, 330 ff.

Richtung aufwärts deutlich sehen, eine weite Thalebne, wie es schien, eine halbe Stunde breit, deren Mündung nach der Mitte zu S. 80⁰ W. lag. In diesem Theile und weiter südlich sah die von dem 'Arabah nach der westlichen Wüste hinaufführende Anhöhe verhältnifsmäfsig nicht grofs aus; und die Ufer des Jeráfeh, von diesem Punkte aus gesehen, schienen nicht sehr hoch zu sein. Wir hatten jetzt genug von der Gegend kennen gelernt, um einzusehen, warum der Jeráfeh und alle zur Ableitung der westlichen Wüste dienenden Wady's nach Norden laufen müssen; ein Faktum, welches uns anfangs sehr seltsam vorgekommen war. [1])

Grade über die Mündung des Jeráfeh hinaus und etwas hinter dem Bergrande des 'Arabah zeigte sich el-Mukrâh, den S. O. Winkel der weiter nördlichen Berggegend bildend und auch ungefähr in der Richtung S. 80⁰ W. Im Nordwesten war nichts als wüste Berge, niedriger als die, auf welchen wir standen, und allem Anschein nach nur allmählig zum 'Arabah abfallend; obgleich wir uns hierin später getäuscht sahen, da das Land sich in Abstufungen mit verhältnifsmäfsig ebenen Strecken dazwischen absenkt. Es wurde uns jetzt ein in diese Berge hineinführender Pafs, nördlich von el-Mukrâh, Namens el - Mirzaba gezeigt; aber keiner von unsern Führern war jemals in dieser Gegend gewesen, sie wufsten kaum etwas mehr davon als wir selbst.

Nach Süden zu wurde uns die Lage einer kleinen Quelle, 'Ain Melihy, an der Mündung eines kurzen Wady südlich vom Jeráfeh gezeigt. In derselben Gegend konnten wir deutlich Wady el-Jeib bemerken, wie er sich mitten durch den 'Arabah von Süden her hinwindet und zuletzt N. W. sich herumbiegt, um mit dem Jeráfeh zusammenzutreffen. Nach Aufnahme dieses Wady krümmt er sich wieder N. O. und später nordwestlich, so dafs er el-Weibeh

---

1) Siehe Bd. I. S. 298.

an dem Fufse der westlichen Berge berührt. Hier wiederholten unsere Führer von den Haweilât die Aussage, dafs die Gewässer des südlichen Wady Ghüründel nordwärts durch el-Jeib flössen; und wir hatten keinen Grund, in die Genauigkeit ihrer Aussage Zweifel zu setzen; denn das ganze Aussehen des 'Arabah und des weit südlich vom Jerâfeh sich hindurchwindenden Jeib führten sehr natürlich auf dieselbe Annahme hin. [1])

Zu unsrer Linken erblickten wir den Hor, wie er vereinzelt unter den Vorderklippen des östlichen Gebirges hervorstand. Seine Gestalt ist ein unregelmäfsig abgestumpfter Kegel, mit drei zackigen Spitzen, unter denen die im Nordosten die höchste und mit dem muhammedanischen Wely oder Grab des Aaron versehen ist. Dieselbe heifst unter den Arabern Neby Hârûn, und giebt dem Berge seinen Namen. Wir hatten sie jetzt S. 10⁰ W. oder nach meinen eignen Notizen S. 13⁰ W.

Wir brachen von der Höhe des Passes Nemela um 8 Uhr 30 Min. auf, und stiegen von dem kleinen Becken, unserm Lagerplatze, eine Zeitlang bergab, um einen tiefen Wady zu durchschneiden, und dann allmählig längs andern Schluchten bergauf. Linker Hand lag uns in einiger Entfernung eine hohe phantastische Klippe von Sandstein mit Porphyrbasis; und vor uns im Osten ein langer, hoher Rücken von Tafelland. Unsere allgemeine Richtung war jetzt S. O. Die auf den Bergen bis zu ihrem höchsten Gipfel stehenden Sträucher blieben noch immer grün, und grofse Wachholderbäume wurden ganz häufig in den Wady's und auf den Felsen. Alles war hier rauh und wild, die Luft klar und kühl, und die ganze Scene romantisch und erheiternd. Für alle zwischenliegende Wady's und Rücken konnten

---

1) Den Jerâfeh in diesem Theile nennt H. v. Bertou Wady Talha Tûlh), ein den Arabern nicht bekannter Name.

wir keinen andern Namen erfahren, als Nemela, welchen unsere
Araber ohne Unterschied von dem ganzen Distrikte gebrauchten.
Als wir fortfuhren allmählig bergan zu steigen, fanden wir die
Gipfel der Klippen und Rücken aus Sandstein bestehend, während
die Hauptmasse des Berges noch immer Porphyr war.

Indem wir über einen breiten, niedrigen Rücken zogen, kamen wir auf einmal um 9 U. 25 Min. nach einer tiefen Kluft im
Sandstein - Felsen, worin wir den Anfang eines engen Wady erkannten, der S. S. W. ablief und von fast senkrechten Wänden eingeschlossen war. Als wir in denselben hinabblickten, sahen wir sein Bett mit Difleh oder Oleander [1] in voller Blüthe
reichlich besetzt, wobei die Myriaden von grofsen rothen Blüthen
mit den wüsten umliegenden Felsen einen auffallenden Contrast
bildeten. Wir sahen diese Pflanze hier zum erstenmal; sie ist
in diesen Bergen sehr häufig; aber wir fanden sie sonst nirgends
als bis wir die Ufer des See's von Tiberias und die Küste von
Tyrus und Sidon erreichten. Wir stiegen jetzt in den Wady hinab und folgten ihm mit Beschwerlichkeit, wobei wir an zwei Stellen in den Felsen stehendes Regenwasser antrafen. Dieses Thal
hatte auch im Munde unserer Araber den Namen Nemela. Nach
Leinah einer halben Stunde (um 9 U. 50 Min.) zog es sich mehr
S. W. hin durch eine enge Schlucht, und nimmt, wie ich glaube,
seinen Weg nach dem Fufse des von uns erstiegenen Passes hinab. Wir wandten uns hier S. O. ein Seitenthal hinauf, auch
noch Nemela genannt, den ganzen Weg über fortwährend von
Oleandern und Wachholderbäumen umgeben. Die Gegend wurde
freier; und als wir höher hinauf stiegen, kamen Spuren von alten Terrassen und früherem Anbau zum Vorschein, obgleich der

---

1) Nerium Oleander bei den Botanikern. Sprengel Hist. rei
herbar. I. p. 252.

Boden mager und dürftig war. Um $10^{1}/_{4}$ U. befanden wir uns völlig innerhalb der Sandstein-Bildung; der Porphyr verschwand gänzlich, und die Absenkung der Wady's wurde weniger reifsend. Eine halbe Stunde später gelangten wir nach dem felsigen Rücken beim Anfang dieses Wady Nemela und befanden uns auf einem runden Plateau oder Becken, welches früher einmal theilweise bebaut wurde und von niedrigen verwitterten Sandsteinklippen umgeben war.

Als wir diesen Strich Landes durchzogen hatten, betraten wir hierauf um 11 U. 20 Min. eine Kluft in der östlichen Klippenreihe, Namens es-Sîk, die jedoch wenig Aehnlichkeit mit dem Sîk von Wady Mûsa hat. Die Breite ist unregelmäfsig, bei einer Verschiedenheit von funfzig bis zu zwei hundert Fufs; die Felsen an den Seiten sind perpendikulär und vielleicht hundert Fufs hoch. Ihre Richtung ist etwa S. O. gen S. Ein Strombett kommt durch dieselbe herab; und neben einigen geringen Spuren von Anbau sahen wir einen üppigen Wuchs von Oleandern, Retem, Wachholdern, Eichen, und auch von Zaknâm, einem dem Oleander an Gröfse und Aussehen ähnlichen Gesträuch, in Fülle darin verbreitet. Fünf Minuten bevor wir das jenseitige Ende erreichten, zeigte sich rechter Hand eine Nische oder vielmehr eine grofse Tafel hoch hinauf in den Felsen gehauen; daran ein Piedestal in erhabener Arbeit mit zwei schlanken Pyramiden oder Obelisken darauf. Von einer Inschrift ist nichts zu sehen, aufser einem jetzt unleserlichen, griechischen Gekritzel von rother Farbe, wahrscheinlich die Arbeit irgend eines zufälligen Besuchers in vergangenen Zeiten. Die Tafel mag zu einem Begräbnifs-Monument bestimmt gewesen sein. [1]).

---

1) Diese Tafel wird von Lord Lindsay erwähnt, welcher diesen Weg nach seiner Abreise von Wady Mûsa einschlug.

Wir sahen uns aus dem Sik um **11 U. 45 Min.** in eine neue Gegend, Namens S u t û h B e i d a, „weiſse Ebnen“, versetzt, ein breiter, unebener, offner S. gen W. laufender Strich Landes, wie ein Thal, rechts von dem nackten Sandsteinfelsen, durch den wir eben gekommen, eingeschlossen und links von einem hohen abfälligen Bergrücken, ohne steile Wände und bis oben hin mit Krautwerk übersäet. Auf diesem Abhange finden sich auch Spuren von Anbau, und Olivenbäume um das kleine Dorf Dibdiba nicht weit bergauf; wir waren ihm um **12 U.** gegenüber. Mehr südwärts hin stehen vereinzelte Gruppen von Sandstein-Felsen und Klippen in dem freien Strich Landes zerstreut; und drüber hinaus liegt Wady Mûsa. Die Gewässer des nördlichen Theiles der Ebne flossen durch den Sik hinter uns ab, während die südlicheren ihren Weg nach Wady Mûsa hin nehmen, welcher dort den Landstrich von Osten nach Westen durchschneidet. Der Boden der Ebne sah armselig aus, und es zeigte sich nur ein spärlicher Anbau. Ein paar Leute waren beschäftigt, eine erbärmliche unter dem Gesträuch gesäete Weizenernte abzusicheln; die Halme waren kaum einen Fuſs hoch, sie standen dürftig und weitläufig. Nahe dabei war eine Dreschtenne; aber die Ernte schien kaum so viel Mühe zu verdienen. Ein paar Bedawîn weideten eben dort ihre Heerden. Wir machten um **12 U. 10 Min.** Halt und kauften ein Schaf, wofür wir vierzig Piaster boten, die zuerst ausgeschlagen, dann aber angenommen wurden. Wir wollten unsere Araber heute mit einem guten Abendessen in Wady Mûsa tractiren, um die Haweitât am andern Morgen in gutem Vernehmen zu entlassen. — Die armen Leute, welche wir hier fanden, schienen eine ganz rohe Lebensweise zu befolgen. Unter einer meistens aus Frauenzimmern bestehenden Schaar sahen wir einen ganz nackten Mann, nur um seine Lenden mit einem Lappen bekleidet; und die meisten Kinder hatten auch nur eine solche Bedeckung für ihre Blöfse. Dieser Mann war mit einer Flinte und einem Messer bewaffnet und sah grimmig und wild aus. — In dieser Gegend fanden wir zwei oder drei kleine Gräber in den Sandsteinfelsen.

Von hier aus schickten wir unsere Diener mit dem Gepäck graden Wegs nach Wady Mûsa; ihre Richtung war S. gen W. über mehrere enge Wady's schräg hinüber, welche nach Wady Mûsa weiter westlich hinlaufen, und dann einen andern hinunter, so dafs sie den Ort nahe an der Ostseite betraten. Wir schlugen unterdessen eine Route mehr linker Hand ein, um von Osten her durch die grofsartige Kluft es-Sik hinzugelangen. Um 12 U. 45 Min. gingen wir weiter in einer ungefähr südlichen Richtung, längs dem Fufse des Berges zu unsrer Linken und so um sein südwestliches Ende herum; wobei wir oberhalb der Anfänge mehrerer S. W. nach Wady Mûsa laufender Wady's hinzogen oder durch dieselben durchpassirten. Um 2 U. sahen wir das verfallene Gebäude in Wady Mûsa in der Richtung S. W. etwa drei Viertelstunden entfernt; während wir um dieselbe Zeit das Dorf Eljy S. S. O. fanden, etwas über eine Stunde entfernt. Die Hauptmasse des eigentlichen Berges zu unsrer Linken schien aus Kalkstein zu bestehen, eine noch höhere und weiter zurückliegende Bildung als der Sandstein [1]), obgleich der Fufs in diesem Theile und die Wady's zu unsrer Rechten aus letzterem bestanden. Dies scheint der Berg gewesen zu sein, auf welchem Irby und Mangles und ihre Mitreisenden mehrere Tage; bevor sie Wady Mûsa erreichen konnten, gelagert waren; von hier konnten sie die-

---

[1]) Burckhardt sagt: „Die Felsen über Eljy sind Kalk und der Sandstein fängt erst da an, wo die ersten Gräber ausgehöhlt sind" in dem Thale weiter westlich. Travels p. 432. (718.)

sen Ort im Süden und das Dorf Dibdiba unter sich nach Westen
hin sehen. [1])

Wir waren jetzt höher als Wady Mûsa und zogen eigentlich über die Höhe des breiten Sandsteinrückens hinüber, der
von diesem Ende des Berges von Dibdiba aus sich südwärts erstreckt und die östliche Grenzmauer bildet, durch welche die
Schlucht Sik nach Wady Mûsa führt. Wir hatten bald zu unsrer Rechten eine ähnliche, tief in den Felsboden unter uns ge-
senkte, enge Kluft von nicht mehr als zwanzig oder dreifsig Fufs
Breite; dies ist vermuthlich die Schlucht, welche auf dem Plane
von Wady Mûsa als an dem N. O. Winkel einlaufend bezeichnet
wird. Um 2 U. 20 Min. befanden wir uns einem zerstörten Kastell gegenüber, das an der andern Seite dieser Schlucht, grade
am Rande lag und in die Tiefe hinabblickte. Es ist von beträchtlicher Ausdehnung, mit zugespitzten Bogen und rohem Mauerwerk, allem Anschein nach von sarazenischer Bauart. Von unserm Standorte nahe dabei hatten wir den Hor S. 72° W. und
Eljy S. 35° O. Den besonderen Zweck dieses Kastells konnten wir nicht erkennen, da es keinen Weg nach Wady Mûsa
oder nach einem andern Orte von Bedeutung zu bewachen schien.
Vielleicht war es ein Vorposten der früheren Festung Shôbek nach
Süden zu. Es ist mir nicht bekannt, dafs es bis jetzt von Reisenden bemerklich gemacht worden wäre. [2])

Eljy lag jetzt vor uns, und hatte das Ansehen eines ziemlich grofsen Dorfes, auf dem westlichen Abhange eines andern langen Kalksteinberges; es liegt auf einem Vorsprung zwischen zwei
Wady's, welche am Fufse zusammenlaufen. Nach Burckhardt

---

1) Travels p. 386, 388.

2) Wenn es nicht etwa das von Irby und Mangles erwähnte Beit
el-Karm ist, welches sie aus ihrem Lager oberhalb Dibdiba sahen; aber
in welcher Richtung, darüber sagen sie nichts. Travels p. 425.

„hat dieser Ort zwischen zwei bis drei hundert Häuser, und ist
von einer steinernen Mauer mit drei regelmäfsigen Thoren eingeschlossen; ein paar behauene Steine, die hier und da in dem
jetzigen Dorfe zerstreut umher liegen, beweisen, dafs in alten
Zeiten eine Stadt hier gestanden." [1]) Die Abfälle ringsum sind
in Terrassen verwandelt und bebaut. In dem nördlichen Wady,
etwa zwanzig Minuten oberhalb des Dorfes, ist eine reichliche,
unter einem Felsen hervorströmende Quelle. Dies ist 'Ain Mûsa.
Der von ihr ausfliefsende Bach nimmt weiter hinab einen andern
aus dem südlichen Wady und auch noch einige Quellen auf, und
bildet, thalabwärts nach Westen hin sich ergiefsend, den Strom
von Wady Mûsa. — Von 'Ain Mûsa aus windet sich, nach Burckhardt, ein breites Thal in südlicher Richtung gegen zwei und
eine Viertelstunde aufwärts; am Ende desselben finden sich auf
hohem Boden die Ruinen einer alten Stadt, jetzt Bûtâhy genannt.[2])

Wir kamen nach dem Thal mit dem Bache um 2 U. 45 Min.,
in einiger Entfernung unterhalb Eljy, und grade oberhalb der
Verengung desselben, wo es zwischen Sandsteinfelsen tritt, die
mit dem breiten Rücken, über welchen wir so eben gekommen
waren, in Verbindung stehen. Oberhalb dieses Punktes ist der
Wady breit und fruchtbar; jetzt war er mit Korn bedeckt. Grade
bevor wir darin hinabstiegen, hatten wir in einer Gruppe niedriger, weifslicher Felsen zu unsrer Rechten das erste bedeutende
Grab in dieser Gegend, dessen auch Irby und Mangles gedenken.[1]) Es besteht aus einem viereckigen in den Felsen einge-

---

1) Derselbe Reisende sah hier auch „einige grofse Stücke salini-
schen Marmors." Travels p. 420, 421. (702, 703.) — Irby und Mangles schätzen die Zahl der Häuser auf „nicht mehr als vierzig oder funfzig;" p. 404. Burckhardt scheint mir der Wahrheit näher zu kommen.

2) Travels p. 420, 433, 434. (702, 720.)

3) P. 405.

hauenen Hofe, mit seiner östlichen Front in Mauerwerk aufgebaut;
an der innern Wand des Felsens ist eine Façade und eine nach
einer Kammer mit Nischen hinführende Thür, und hinter dieser
Kammer noch ein kleinerer Raum. An jeder Seite des Hofes
stehen Hallen von dorischen Säulen. In einer kleinen Felsengruppe nahe dabei bemerkte ich nach oben hin führende Stufen,
und fand, als ich hinaufstieg, ein in den Felsen ausgehöhltes
Grab, wie es schien, ohne weitern Eingang, anfser dem von oben her.

In das Thal hinabsteigend folgten wir demselben jetzt westwärts längs dem schönen kleinen Bach, den jetzt ein Ueberflufs
von Oleandern in voller Blüthe umgab. Das Thal wird von anfangs vierzig oder funfzig Fufs hohen Sandsteinklippen eingeschlossen, zwischen denen ein Raum von etwa 150 Fufs für
die Breite der Schlucht übrig bleibt. Hier ist der Anfang dieser
wundervollen Nekropolis. Die Gräber fangen sogleich zur Rechten an; linker Hand giebt es keine bis eine Strecke weiter hinab. Nachdem wir bei den Façaden mehrerer Gräber vorbeigekommen, welche anderswo überall Gegenstände grofser Neugierde
sein würden, wurde meine Aufmerksamkeit durch drei rechtslie-
gende Gräber gefesselt, welche mich auf einmal nach dem Thale
Josaphat zurückversetzten. Es sind vereinzelte Felsmassen von
etwa funfzehn oder zwanzig Fufs ins Gevierte, welche von den
anliegenden Klippen röthlichen Sandsteines, mit Hinterlassung eines Durchganges von mehreren Fufs, ausgehauen sind. In einem
derselben findet sich am Boden eine kleine Begräbnifskammer
mit einer niedrigen Thür. Ein anderes ist mit Säulen verziert,
deren zu grofser Verfall aber nicht mehr die Ordnung erkennen
läfst, dabei allem Anschein nach ohne Eingang wenn nicht von
oben, wie das schon beschriebene Grab. Diese Monumente unterscheiden sich von denen des Absalom und Zacharias hauptsächlich nur im obern Theil oder Dach, welches hier flach ist, und durch

den Umstand, dafs die Seiten von der perpendikulären Richtung im ägyptischen Stile ein wenig eingezogen sind, so dafs der obere Theil etwas schmaler ist als der untere. Diese drei Gräber werden nur von Burckhardt erwähnt, welcher auch von zwei andern etwas ähnlichen auf dem von Wady Mûsa nach dem Hor führenden Wege spricht. [1]

Ein wenig weiter abwärts linker Hand in der Wand der Klippen findet sich ein Grab mit einer Front von sechs ionischen Säulen. Grade darüber liegt ein anderes Grabmahl, dessen Front oberhalb der Thür mit einer Verzierung von vier schlanken in denselben Felsen ausgehauenen Pyramiden versehen ist, was einen seltsamen Effekt macht. Dies scheint das einzige derartige Beispiel unter dieser ganzen grofsen Mannigfaltigkeit von Gräbern zu sein. Die Tafel, die wir im Sik des Nemela gesehen, hat einige Aehnlichkeit damit; [2] und es wird uns von Pyramiden erzählt, die in gleicher Weise auf den Gräbern der Helena in Jerusalem und der Makkabäer zu Modin standen. [3] Dies scheint auf ein Band zu deuten, welches die spätere Grabmähler-Architektur in Palästina mit der des angrenzenden peträischen Arabiens verknüpft.

Das Thal verengt sich immer mehr, und die Klippen werden höher, an jeder Seite eine Strafse von Gräbern darbietend. Die Felsen bestehen aus rothem Sandstein. Nach funfzehn Minuten (um 3 U.) kamen wir nach einer Stelle hin, wo die Schlucht in eine kleine Area ausläuft, die, von hier geschn, von etwa achtzig Fufs hohen Felsenwänden ganz eingeschlossen scheint, ausgenommen an der Seite, wo wir hineinkamen. Hier bewachte ein arabischer Knabe seine Schafheerde. Der Bach schlängelt

---

1) Travels p. 422, 429. (704, 714.)

2) Siehe oben, S. 56.

3) Siehe oben, Bd. II. S. 190, 193, 582.

sich ein wenig rechtshin, läuft nach der entgegengesetzten Felswand zu, und verschwindet in einer engen dem Auge eines zufälligen Beobachters kaum bemerklichen Spalte, die zum Theil
durch einen Klippenvorsprung verborgen wird. Hier ist die Oeffnung der furchtbaren Kluft, welche in alter Zeit den einzigen
Zugang zur Stadt an dieser Seite bildete. Dies ist das Sik
von Wady Mûsa. Ein paar Schritte vom Eingang ist ein prächti-
ger Bogen hoch hinauf von einer Felswand nach der andern aufgeführt, mit Nischen, die in den Felsen unter jedem Ende ausgehauen, und mit Pfeilern verziert sind, wahrscheinlich zu Statuen bestimmt. Dieser Bogen war ohne Zweifel als Verzierung
über dem Eintritt in diesen seltsamen Corridor erbaut; möglich
oder nicht, dafs es ein Triumphbogen gewesen ist. Grade unterhalb dieser Stelle fanden wir durch Messung das Sik zwölf Fufs
breit. Dies ist der engste Theil, wiewohl es kaum irgendwo mehr
als drei- oder höchstens viermal so breit ist. Die Felsen sind alle
von röthlichem Sandstein, an beiden Seiten perpendikulär, und
ragen an einigen Stellen über den Gang hervor, so dafs sie fast
gar kein Licht von oben durchfallen lassen. In andern Theilen sind sie allem Anschein nach durch Menschenhand weggehauen worden. In der That sieht die ganze ungeheure Felsenmasse so aus, als wäre sie ursprünglich durch irgend eine grofse Naturerschütterung auseinander gerissen und so diese lange, enge, gekrümmte, prachtvolle Kluft entstanden. Die Höhe
der Felsen beträgt anfangs achtzig oder hundert Fufs; der Boden
hat einen raschen Abfall und die Seiten werden nach Westen zu
höher; sie steigen von hundert funfzig bis zwei hundert oder
vielleicht zwei hundert funfzig Fufs. Ich zweifle daran, ob irgend ein Theil dieser oder der anliegenden Klippen zur Höhe
von drei hundert Fufs ansteigt. Wir richteten unsere besondere
Aufmerksamkeit auf diesen Punkt, und setzten am folgenden Tage

unsere Beobachtungen fort, weil die Höhenangabe der Seiten des
Sik und der umgebenden Klippen in den Reiseberichten sehr
übertrieben zu sein scheint. [1])
Der klare Bach flofs zu dieser Zeit den ganzen Weg entlang, ein Dickicht von Oleandern bewässernd, die in voller Blüthe und so zahlreich waren, dafs sie fast den Durchgang ver-
sperrten. Wilde Feigen und Tamarisken wuchsen auch hier und
da aus den Felsen hervor, und die Ranken von kriechenden Pflanzen wanden sich längs den Wänden in Gehängen herab. Die
grofse Wassermasse wurde vor Alters vielleicht, namentlich in
der Regenzeit, auf irgend einem verschiedenen Wege hinunter gebracht; zu andern Zeiten wurde sie in Wasserleitungen vertheilt,
wovon die Ueberreste noch zu sehen sind. Ein für das Wasser
in den Felsen gebauener Kanal läuft links nahe am ebnen Boden,
und eine in den Felsen eingelassene und verkittete Leitung von
irdenen Röhren mit vier oder fünf Zoll im Durchmesser geht hoch
hinauf an der rechts gelegenen Felswand entlang. Alles dies
liegt jetzt in Ruinen. Der Boden des Durchganges war in alter
Zeit mit viereckigen Steinen ausgepflastert, welche an verschiedenen Stellen noch zu sehen sind. Längs den Seiten erblickt
man hier und da in den Felsen Nischen und auch glatt gehauene
Tafeln, wo vielleicht einst Büsten oder Statuen, oder die Worte
einer Inschrift standen. Das Sik krümmt sich stark; zuerst läuft
es westlich, dann südwestlich und macht so noch weitere Windungen zwischen S. W. und N. W. bis nahe beim Ende, wo sein
Lauf wieder westlich ist. An einigen dieser Krümmungen laufen

---

1) Legh giebt die Höhe zu 200 bis 500 Fufs an; den 26. Mai.
Irby und Mangles zu 400 bis 700 Fufs; p. 414. Stephens zu 500 bis
1000 Fufs; Vol. II. p. 70. Burckhardt allein scheint bei Besinnung geblieben zu sein, und schätzt die Felsen am Anfang des Sik auf etwa
80 Fufs; p. 422, 423. (705.)

ähnliche Klüfte von den Seiten her ein; ein Beweis, dafs die ganze Felsmasse bis zum Grund durch ähnliche Klüfte nach allen Richtungen zerrissen ist. Es ist derselbe breite Sandsteinrücken, über dessen Höhe wir auf unserm Wege nach Eljy gekommen waren.

Der Charakter dieser wundervollen Stelle, und der Eindruck, welchen sie hervorbringt, ist ganz unbeschreiblich, und es ist mir nichts bekannt, was auch nur einen schwachen Begriff davon geben könnte. Ich hatte die seltsamen Sandstein-Gänge und Strafsen von Adersbach besucht und mit Entzücken die romantischen Gründe der sächsischen Schweiz durchwandert; aber diese wie jene bieten nur wenige Vergleichungspunkte dar. Alles ist hier nach einem gröfseren Maafsstabe von wilder und majestätischer Erhabenheit. Wir zögerten längs diesem herrlichen Eingange hin, langsamen Schrittes und oft anhaltend, uneingedenk alles andern und ohne Rücksicht auf die verfliefsende Zeit. Die Länge beträgt eine starke engl. Meile; wir gebrauchten auf unserm Durchzuge in dieser schlendernden Weise 40 Minuten. Als wir dem westlichen Ende nahe kamen, brach das Sonnenlicht auf die schroffen Klippen vor uns herein. Hier endigt das Sik, indem es beinahe unter rechten Winkeln in einem ähnlichen, kluftartigen Wady ausläuft, der breiter ist, von Süden herabkommt und nordwestlich fortgeht.

Auf einmal sprang uns die schöne Façade der Khûzneh in der westlichen Felswand, gegenüber der Mündung des Sik, in die Augen mit all ihrer zarten Meifselarbeit und mit der ganzen Frische und Schönheit ihres sanften Colorits. Ich hatte verschiedene Kupferstiche davon gesehen und alle Beschreibungen gelesen; aber dies war einer von den seltenen Fällen, wo die Wahrheit der Anschauung die zuvor gefafste Vorstellung übertraf. Es ist in der That etwas ganz unbeschreiblich Schönes; und nichts,

III.   5

was ich von architektonischem Effekt in Rom, Theben, oder selbst
Athen gesehen hatte, kann damit hinsichtlich des ersten Eindracks
verglichen werden. Sie kann eine strenge Kritik in Beziehung auf
ihre Architektur nicht vertragen, doch ist dieselbe wenigstens sym-
metrisch. Der durchbrochene Giebel und andere Zierrathen sind nicht
alle von reinem Stil; und sähe man sie in einem andern Land oder
ohne die hier umgebenden Beiwerke, so würde sie vielleicht weniger Bewunderung erregen. Aber ihre Lage an dieser Stelle als
Theil der hohen Masse farbigen Felsens, gegenüber dem imposanten Eingang, ihr wunderbar gut erhaltener Zustand, die schöne
Farbe des Steins, und die wilden Naturscenen ringsum, alles
dies ist einzig in seiner Art, und vereinigt sich, eine Reihe von
Eindrücken hervorzurufen, die sich der Seele völlig bemächtigen.
Nur eine Säule ist aus dem Portikus weggebrochen; jedoch ist
der symmetrische Effekt des Ganzen der Art, dafs diese Lücke
anfangs nicht in die Augen fällt. Ich war ganz bezaubert von
diesem herrlichen Werke alter Kunst an dieser öden Stelle, und
der Gedanke daran schwebte mir den Tag hindurch und die ganze
Nacht mächtig vor der Seele. Am andern Morgen kehrte ich
zurück und betrachtete es wieder mit zunehmender Bewunderung.
Da stand es, wie es Jahrhunderte hindurch gestanden hatte, in
Schönheit und Anmuth; die Generationen, welche es vor Alters
bewundert hatten, sind dahin geschwunden; der wilde Araber betrachtet es, wenn er vorbei wandert, mit stumpfer Gleichgültig-
keit; und nur allein der Fremdling aus fernen Landen kommt,
es nach seinem wahren Werthe zu schätzen. Seine reichen rosi-
gen Farben wurden, als ich Abschied davon nahm, von den sanften Strahlen der Morgensonne vergoldet; und ich wandte mich
zuletzt mit einem Eindruck davon hinweg, der nur im Tode ver-
löschen wird.

　　　　Der Name el-Khüzneh, welchen die Araber diesem Gebäude geben, bedeutet „den Schatz", den sie dem Pharao zuschreiben und in der Urne befindlich glauben, die den Gipfel der verzierten Façade krönt, hundert Fuſs hoch, oder höher vom Boden. Ihr einziges Interesse bei allen diesen Monumenten besteht in der That darin, nach verborgenen Schätzen zu suchen; und da sie nirgend-sonstwo welche finden, so bilden sie sich ein, daſs sie in dieser Urne niedergelegt seien, welche ihnen unzugänglich ist. Sie trägt Spuren von vielen Flintenkugeln an sich, welche sie danach abgefeuert haben, in der Hoffnung, sie in Stücke zu zerschmettern, und so den eingebildeten Schatz zu heben. — Das Innere des Bauwerks entspricht keineswegs seinem imposanten Aenſsern. Aus der Vorhalle führt die Thür in ein aus dem Felsen ausgehöhltes, einfaches, hohes Zimmer, mit glatten, von Zierrathen ganz entblöfsten Wänden; dahinter ist eine andere Kammer von geringerer Gröſse; und kleine Nebengemächer, die sich an jeder Seite nach dem grofsen Zimmer und der Vorhalle hin öffnen. War dies ein Tempel oder nur eine Stätte für die Todten? In dem Monument selbst bietet sich nichts dar zur Lösung dieser Frage; aber wenn man irgend eins der wundervollen Gebäude dieses Ortes für einen Tempel halten kann, so möchte ich dieses dafür ansehen. — Hier, als an der interessantesten Stelle von Wady Mûsa, schrieben wir unsere Namen auf die innere Mauer, wo bereits frühere Reisende, ein paar Europäer und ein einziger Amerikaner, die ihrigen hinterlassen hatten, wie wir früher in den Gräbern von Theben und auf dem Gipfel der grofsen Pyramide ein Gleiches gethan.

Der Bach floſs jetzt längs dem ziemlich breiten Wady nach N. W. Die Klippen bleiben noch ferner an beiden Seiten hoch und senkrecht. Sie sind mit unzähligen Gräbern angefüllt, in denen die Kammern gewöhnlich klein sind, während die Façaden viel Mannigfaltigkeit darbieten und es einigen an Gröfse und

5*

Pracht nicht fehlt. Burckhardt hat Recht zu zweifeln, „ob in Wady
Mûsa zwei Grabmähler einander völlig gleich sind; im Gegentheil sind sie an Umfang, Gestalt und Verzierungen sehr verschieden. An einigen Stellen sind drei Grabmähler, eins über
dem andern, eingehauen, und die Seite des Berges ist so steil,
dafs es unmöglich scheint, sich dem obersten zu nähern."[1] Die
gewöhnlichste Form der Façaden in diesem Theil des Thals ist vielleicht die einer abgestumpften Pyramide, mit einem Pilaster auf jeder
Seite und einem verzierten Portal in der Mitte. Einige Fronten
sind einfach, andere wieder mit Säulen, Friesen und Thürgiebeln
verziert; alle in erhabener Arbeit auf der Felsenwand ausgehauen.
Eine Verzierung, wie es scheint, der Architektur dieses Ortes
eigenthümlich, fiel uns durch ihr seltsames Aussehen auf. In dem
obern Theil von einigen dieser Façaden sind nämlich statt eines
Giebels zwei Reihen von vier bis sechs Stufen, in divergirenden
Richtungen von dem Mittelpunkt aus, nach jeder Ecke hinauf angebracht, und dann läuft eine horizontale Linie oder ein Karnies
zwischen den oberen Stufen hinüber. In diesem Theil des Thals
findet sich das Grab, welches nach der Beschreibung Laborde's
an seinem Architrav eine griechische Inschrift hat. Ich sah mich
am folgenden Tag darnach um, war aber unter den Umständen,
in die wir versetzt wurden, nicht im Stande es aufzufinden.

Das Thal macht jetzt eine schwache Biegung nach Norden,
und öffnet sich zu einer gröfseren Breite, während die Klippen
an jeder Seite niedriger und weniger jäh sind. Hier liegt linker Hand das ganz aus der Felsenmasse gehauene Theater; der
Durchmesser des Bodens beträgt 120 Fufs;[2] 33 Reihen von
Sitzen erheben sich eine über der andern in der dahinter liegen-

1) Burckhardt Travels in Syria, p. 427. (711.)

2) Irby und Mangles p. 428.

den Klippe. Oberhalb der Sitze ist eine Reihe kleiner Kammern
ringsum in den Felsen ausgehöhlt, von wo man auf die Scene
unten hinabschaut. Nach Burckhardt's Schätzung kann das Theater ungefähr 3000 Zuschauer fassen; aber dies scheint mir eine zu
geringe Zahl zu sein; denn jede Reihe Sitze mag im Durchschnitt
mehr als hundert Personen aufnehmen können. Das Theater hat
seine Front nach O. N. O. Die Klippen an jeder Seite sind
voll von Gräbern, während vorn längs der Wand der östlichen
Klippen das Auge des Beschauers auf einer Menge der gröfsten
und prachtvollsten Grabmähler ruht. Seltsamer Kontrast! wo ein
Geschmack für die Eitelkeiten des Tages zu gleicher Zeit durch
die Pracht von Grüften befriedigt wurde, Ergötzlichkeit auf einem
Begräbnifsplatz, ein Theater inmitten von Grabmählern!

Von der obern oder südlichen Front des Theaters bietet
sich vielleicht die frappanteste Ansicht im ganzen Thale dar; und
diese hat Laborde mit einem guten allgemeinen Effekt, obgleich
nicht mit grofser Genauigkeit wiedergegeben. Die gegenüberlie-
gende oder östliche Klippe, wie sie hier den Bach einfafst, ist
niedrig, während oberhalb und weiter zurück eine andere höhere
Felswand sich weit nach Norden hin erstreckt, worin die ansehnlichsten Gräber der Stadt befindlich sind. Diese und das Theater nebst den enferneteren Klippen sind in Laborde's Ansicht mit
inbegriffen. Aber die Lage der Stadt selbst ist von diesem Punkte
aus nicht zu sehen. Diese war mehr links gelegen, längs dem
Bache, nachdem er sich westlich um das äufserste Ende der
linksliegenden Klippe gebogen. -

Wir gingen jetzt thalabwärts und fanden unser Zelt an dem
rechten Ufer des Baches, zwischen demselben und dem Ende der
niedrigen östlichen Klippe aufgeschlagen. Es stand grade vor
einem grofsen vorn ausgebrochenen Grabe, welches so dem doppelten Zwecke eines Obdachs und einer Küche für unsere Diener

und Araber entsprach. Hier endigen die Klippen, die das Thal
einschliefsen; und der sich westwärts wendende Bach fliefst, wenn
er voll ist, durch das offne Stück Land bis zu der ähnlichen
Reihe von Sandsteinfelsen, welche in einer Entfernung von zwanzig Minuten die Lage der alten Stadt im Westen begrenzen. Um
diese Zeit nahm der Bach nur nach dem Ende des Sik nahe bei
der Khüzneh seinen Lauf hin; weiter hinab war sein Bett trocken.

Unsere Absicht beim Besuch Wady Mûsa's war nicht, eine
genaue Untersuchung des Ortes im Einzelnen anzustellen, sondern
vielmehr einen allgemeinen Eindruck des Ganzen zu erhalten,
und uns insbesondere mehr nach einigen der vorzüglichsten Monumente umzusehen. Wir hatten nie daran gedacht, mehr als
eine Nacht hier zu verweilen, und höchstens noch einen Theil
des folgenden Tages. Wir waren jetzt sehr ermüdet, und unsere
Gemüther durch die Neuheit und Ungewöhnlichkeit der uns umgebenden Scene aufgeregt. Dennoch, wie gern wir auch noch
eine Weile unter unserm Zelt ausgeruht hätten, so hielten wir
es für besser, den Rest des Tages auf den Besuch der noch übrigen Gegenstände zu verwenden; und wir fühlten uns um so mehr
zu diesem Verfahren angetrieben, als wir eine Ahnung hatten,
unterbrochen zu werden.

Wir folgten jetzt dem Bache an der linken Seite seines
Bettes abwärts, da wo er das offne Land beinahe westwärts durch-
fliefst. Er ist überall an beiden Seiten von einem Streifen flachen
Bodens umgeben, von welchem aus nördlich und südlich das Land
wieder zu niedrigen unregelmäfsigen Hügeln und Höhen ansteigt,
während hinter diesen, 400 bis 500 Schritt vom Bache nach beiden Richtungen zu, der Boden sich stärker und steiler nach höheren Ebnen im Norden und Süden erhebt. Dieses niedrigere Stück
Landes von ungefähr einer Viertelstunde im Gevierte ist es, welches
den eigentlichen Umfang der alten Stadt bildet, eingeschlossen im

Osten und Westen von hohen senkrechten Wänden von Sandsteinfelsen. „Es ist eine Area im Schoofse eines Berges zu Erhöhungen anschwellend und von Wasserabflüssen durchschnitten;
aber der ganze Boden ist von einer solchen Beschaffenheit, dafs
bequem darauf gebaut werden kann, und hat weder übermäfsig
steil ansteigende noch zu sehr abfallende Stellen." [1])

Indem wir uns längs dem Bette des Baches hielten, kamen
wir bald nach den gefallenen Säulen eines grofsen Tempels; jede
Säule hatte aus mehrern Steinen bestanden, und die Stücke lagen jetzt in ihrer Ordnung auf dem Boden. Beinahe dieser Stelle
gegenüber vereinigt sich ein Wady mit dem Bache von Norden
her, über welchem die Ueberreste einer Brücke noch zu sehen
sind. Weiter westlich sind die Ufer des Baches selbst einst stark
ausgemauert und der Strom allem Anschein nach eine Strecke
weit überbaut gewesen, wodurch die ebenen Streifen Landes längs
den Seiten mit einander verbunden waren. Wir gingen jetzt auf
den Ueberresten des gepflasterten Weges durch die nahe beim Bache stehenden Ruinen des nach Osten gekehrten Triumphbogens.
Die Architektur ist schwülstig und entartet. Er scheint den Zugang nach dem jenseitigen Palast oder grofsen Gebäude gebildet
zu haben, das von den Arabern Küsr Far'ón, „Pharao's Palast", genannt wird. Diese Mauermasse ist das einzige jetzt
noch in Wady Músa vorhandene Gebäu in Maurerarbeit. Architektur und Arbeit sind von geringem Werth, und allem Anschein
nach aus später Zeit. Hölzerne Balken sind an verschiedenen
Theilen zwischen den Steinlagen eingefügt, ohne Zweifel aus dem
Grunde, um die Verzierungen von Holz oder Stuccatur darauf
festzumachen. Die Mauern stehen meistens noch vollständig; aber
die Säulen der nördlichen Front, welche aus einzelnen Stücken

---

1) Irby und Mangles p. 424.

zusammengesetzt waren, sind fast verschwunden. Die Eintheilung
des Innern in mehrere Gemächer und Stockwerke scheint entschieden zu beweisen, dafs es kein Tempel war; man könnte eher
glauben, es sei ein öffentliches Gebäude andrer Art gewesen. —
Auf der Anhöhe südlich von dem Kûsr und Triumphbogen steht
die vereinzelte Säule, welche die Araber Z u b Fa r'ön nennen. Als
wir zu ihr hinaufstiegen, fanden wir sie aus mehreren Stücken
zusammengesetzt und mit den Grundmauern eines Tempels zusam-
menhängend, wovon die Fragmente mehrerer Säulen zerstreut umher lagen.

Dies sind die Hauptüberreste von besonderen Bauten, welche den Blick des Wanderers in dem von der Stadt selbst ein-
genommenen Bezirk auf sich ziehen; und sie sind von allen Reisenden bemerkt und beschrieben worden, sowie auch durch Laborde's zeichnende Hand. Aber diese Schriftsteller haben vergessen einen Umstand zu erwähnen, oder haben ihm wenigstens nicht
die Bedeutung beigelegt, die er wirklich hat, dafs nämlich diese
Monumente nur einzelne Gegenstäude inmitten einer ungeheuren Strecke ähnlicher Ruinen sind. In der That war die ganze
oben beschriebene Area einst augenscheinlich von einer grofsen
Stadt mit Häusern besetzt. Längs den Ufern des Stroms scheint
die Gewalt des Wassers die Spuren von Wohnungen weggespült
zu haben; aber anderwärts ist die ganze Fläche der Area, an
beiden Seiten des Stroms und namentlich im Norden, mit den
Grundmauern und Steinen einer umfangreichen Stadt bedeckt.
Die Steine sind behauen und die aus ihnen aufgeführten Häuser
müssen solid und wohlgebaut gewesen sein. Beim Blick auf den
Umfang dieser Ruinen erregte es unser Befremden, dafs bisher
so wenig daraus gemacht worden war; obgleich dies leicht in dem
höheren Interesse der umgebenden Grabmähler seine Erklärung
finden mag. Diese Grundmauern und Ruinen bedecken eine Area

von nicht viel weniger als einer Stunde im Umfang, in einer orientalischen Stadt Raum genug zur Unterbringung von 30 oder 40000 Einwohnern. [1])

Wir waren jetzt nahe bei der westlichen Wand der Klippen. Diese sind auch rother Sandstein und höher als die im Osten, da sie in einigen Theilen zu einer Höhe von 300 bis 400 Fuß ansteigen. Die Wand ist hier auch voller Gräber, wovon einige hoch hinauf in dem Felsen liegen; aber im Allgemeinen sind sie nicht so zahlreich und prachtvoll als die in den östlichen Klippen. Eins von den ansehnlichsten ist das unvollendete Grab, wovon Laborde eine Zeichnung gegeben hat, woraus man ersieht, daß die Arbeitsleute bei der Skulptur der Façaden an den Grabmählern (wie es natürlich war) nach Abglättung der Vorderwand des Felsen oben anfingen und so immer weiter herunter arbeiteten. Wir gingen in mehrere dieser Gräber hinein, fanden aber nichts Bemerkenswerthes darin. Eine große Menge derselben ist klein und flach, bloße Aushöhlungen in der Felsenwand.

In dem Bette des Baches, welcher jetzt unterhalb der Khüznch auf der ganzen Area durchaus trocken war, sahen wir wieder nahe bei der westlichen Klippe an mehreren Stellen Wasser hervorquellen, zwar in geringer Masse, aber von ausgezeichneter Güte, und in der That weit reiner als das aus dem Bache oben.

---

1) Burckhardt ist am vollständigsten: „Hier ist der Boden mit Haufen behauener Steine, mit Fundamenten von Gebäuden, Bruchstücken von Säulen und Ueberresten gepflasterter Straßen bedeckt. Alles zeigt deutlich an, daß einst eine große Stadt hier gestanden. Auf der linken Seite des Flusses ist die etwas erhöhte Ebne, die sich beinahe eine Viertelstunde westwärts erstreckt, ganz mit ähnlichen Ueberbleibseln bedeckt. Auf dem rechten Ufer, wo der Boden höher ist, sieht man eben dergleichen Ruinen." Travels p. 427. (711.)

Es floß in einem kleinen Strom dem Bette des Wady entlang,
welcher hier in eine Kluft der westlichen Klippen hineinläuft, die
dem östlichen Sik nicht unähnlich ist, aber breiter und weniger
regelmäßig. Wir gingen in die Schlucht hinein und folgten ihr
eine Strecke weit abwärts, wo wir sie so voll von Oleandern und
andern Sträuchern und Bäumen fanden, daß wir kaum vorwärts
schreiten konnten. Die Wände innerhalb der Mündung sind voll
von Gräbern, alle klein und ohne Verzierung. Der hohe Felsen
zur Linken, welcher durch eine sehr enge dahinter liegende Kluft
vereinzelt steht, soll nach Laborde's Vermuthung die Akropolis
der alten Stadt gewesen sein; aber wir erhielten an Ort und Stelle
den Eindruck, daß für die Haltbarkeit dieser Hypothese kein
besonderer Grund vorhanden sei. [1]) Wir folgten der Schlucht
eine ziemliche Strecke unterhalb dieses Punktes und bemühten
uns die Seitenschlucht aufzufinden, welche zufolge Laborde's Plan
rechtshin bis ganz nach dem D e i r hinaufläuft. Es finden sich
hier in dieser Richtung kurze Klüfte genug, aber keine, die sich
nach dem D e i r hin erstreckt, welches in der That von dieser
Seite her, wie sich uns aus unserer eignen Erfahrung und aus
dem Zeugniß arabischer Hirten an Ort und Stelle ergab, unzugänglich zu sein scheint. — Weiter nach Westen hin ist die
Schlucht niemals untersucht worden; und keiner konnte sagen,
nach welcher Richtung hin die Gewässer bei einer Anschwellung
ihren Weg durch die Klippen hindurch nehmen. So viel ist nur
gewiß, daß sich der Wady nicht, wenigstens nicht als Wady
Mûsa, bis nach dem 'Arabah hinab erstreckt; und die ihm auf
Laborde's Karte gegebene Richtung hat so wenig wirkliche

---

1) Wir stiegen allerdings den Felsen nicht hinauf, wie dies auch
Laborde nicht gethan zu haben scheint. Irby und Mangles übergehen
ihn mit Stillschweigen.

Existenz, als der Wady Músa, durch welchen Schubert seiner
Meinung nach aus dem 'Arabah nach dem Hor hinaufstieg. [1])

Die Sonne ging jetzt unter, und wir kehrten müde und
einstweilen „des Sehens satt" nach unserm Zelte zurück. Wir
hatten, so weit wir es wünschten, eine allgemeine Vorstellung
von dem Thal und seinen Wundern erhalten; und wir behielten
uns für den morgenden Tag vor, das Deir zu besuchen, die
Gräber der östlichen Klippen hinter unserm Zelte genauer zu besehen, und die von dem Khuzneh und der Gegend des Theaters
erhaltenen Eindrücke wieder aufzufrischen. Unser weiterer Plan
ging dahin, den Hor zu ersteigen und dann den gewöhnlichen
Rückweg nach Hebron einzuschlagen.

Die Zeichnungen Laborde's haben die Welt mit den Einzelheiten der seltsamen Ueberreste bekannt gemacht, welche diesem
Thal sein Interesse und seine Berühmtheit geben; aber seine Arbeit gewährt keine richtige allgemeine Vorstellung vom Ganzen.
Die besten Beschreibungen sind noch immer die von den frühesten Besuchern; zuerst Burckhardt, und dann Irby und Mangles.
Der Bericht des ersteren ist der genaueste und einfachste, der bei
den letzteren vollständiger, aber auch ausgemalter und etwas verwirrt. Burckhardt war nicht einmal einen ganzen Tag hier, dabei in den Augen seines arabischen Führers ein Gegenstand ei-
fersüchtigen Argwohns; dennoch hat es mich mit Erstaunen erfüllt, an Ort und Stelle die Genauigkeit und den Umfang seiner
Beobachtungen während dieses kurzen Aufenthaltes zu bemerken.

Ein einziger Blick war hinreichend gewesen, einen aus früheren Beschreibungen erhaltenen falschen Eindruck bei mir zu
berichtigen, dafs nämlich die Lage der alten Stadt an allen

---

1) Reise II. S. 414, 418. Der Weg von 'Akabah geht durch den
weiter unten erwähnten Wady Abu Küsheibeh bergan.

Seiten von senkrechten Klippen eingeschlossen, und dafs der
Eingang durch das Sik der einzige unbeschwerliche von allen
Richtungen her sei. Dies ist, wie wir gesehen haben, nicht der
Fall. Die Area der Stadt ist nur im Osten und Westen von Felsenwänden eingeschlossen, und zwar im Osten von dem breiten
Sandsteinrücken, welcher sich unterhalb des südlichen Endes des
Berges von Dibdiba südwärts hinzieht, während im Westen der
ähnliche Rücken befindlich ist, welcher weiter nördlich mit demselben Berge parallel läuft und von dem Sik von Nemela durchschnitten wird. Der oberhalb Eljy entspringende Bach von 'Ain
Mûsa fliefst sein Thal hinab und bricht sich mitten durch den
östlichen Rücken hindurch, so das Sik bildend; dann geht er
über die offne Area nahe bei der Mitte hinüber und bricht sich
in gleicher Weise durch den westlichen Rücken hindurch. Nach
Norden und Süden hin ist die Aussicht frei. Nach N. O. zu zeigt
sich das hohe südliche Ende des Berges von Dibdiba, der auf
einem Fufse von weifsem Sandstein ruht; und mehr linker Hand
die Ebne Sütüh Beida, über welche wir gekommen waren. Von
dem östlichen Theile der Area des Thales aus erblickt man den
Gipfel des Hor über der westlichen Klippenreihe in einer Richtung etwa W. gen S.

　　An jeder Seite des Baches erhebt sich der Boden, wie bereits beschrieben, nach Norden und Süden, anfangs allmählig
durch unregelmäfsige Hügel und Höhen, auf denen die zerstreuten Spuren von Häusern zu sehen sind, und dann nach vier- bis
fünfhundert Schritten rascher. Nach Norden hin ist diese letztere
Bodenerhebung von mehreren Wady's durchschnitten, und führt
über zerstreute Gruppen von Sandsteinfelsen nach der Ebne Sütüh
Beida hinauf. Zwei dieser vom Ende des Berges von Dibdiba
herkommenden Strombetten vereinigen sich im N. O. Theile der
Area, wo zwischen ihnen ein Vorsprung rothen Sandsteins mit

darin befindlichen Gräbern liegt. Weiter westlich giebt es andere kleine Wady's. Hier am N. O. Winkel läuft der Weg ans der Nähe von Dibdiba ein, auf dem unsere Diener hergekommen waren; und hier oder irgendwo in dieser Gegend mufs das nach der Beschreibung von Irby und Mangles mit einer Inschrift in sinaitischen Charakteren versehene Grab liegen [1]), sowie auch das von Laborde entdeckte mit einer lateinischen Inschrift.

Nach Süden zu hat man von der Area der Stadt aus länger und steiler bergan zu steigen, vielleicht hundert Fufs. Man gelangt so nach einer hohen Ebne von flachem Boden, welche sich westwärts um das Ende der westlichen Klippe herum (welche hier aufhört) bis nach dem Hor oder Jebel Neby Hârûn hin erstreckt. Diese Ebne führt den Namen Sütûh Hârûn „Aaron's Terrassen", entsprechend dem Sütûh Beida, „weifse Terrassen", im Norden von Wady Mûsa. Am S. W. Winkel der Stadt-Area geht ein Weg längs einem mit Gräbern besetzten, engen Wady hinauf, bis nach dieser Terrasse hin. Von da läuft er an dem südlichen Fufse des Hor vorbei, und zertheilt sich weiterhin so, dafs ein Pfad nach dem 'Arabah linker Hand durch Wady Abu Khûsheibeh [2]) und so nach 'Akabah hinabführt, während der andere mehr rechtshin läuft und durch Wady er - Rûbâ'y auf dem Wege nach Hebron hinunter geht. Am Fufse dieses letzteren Passes findet sich, nach Aussage unserer Araber, eine kleine Quelle mit gutem Wasser, Namens et - Taiyibeh.

Bei dem Hinblick auf die Herrlichkeit dieser alten Stadt weifs man nicht recht, was man zumeist bewundern soll, ob die

---

1) Siehe Anmerk. XVII. am Ende des ersten Bandes, S. 432.

2) Dieser Name ist nicht ganz sicher. Laborde schreibt ihn seltsam genug „l'abouchebe"; obgleich der p - Laut in der arabischen Sprache nicht vorkommt.

Wildnifs der Lage und der Natur oder den Schönheitssinn und
die Geschicklichkeit, wodurch dieser Ort in ein sicheres Asyl umgewandelt und mit prachtvollen Bauten, hauptsächlich für die Todten, ausgeschmückt worden ist. Seine auffallendste Eigenthümlichkeit besteht nicht darin, dafs sich hier gelegentliche Aushöhlungen und Skulpturen wie die oben beschriebenen vorfinden, sondern in der unzähligen Menge solcher Aushöhlungen in den senkrechten Felsen ihrer ganzen Ausdehnung nach, sowohl an den
Seiten der Hauptarea, als in allen Seitenthälern und Klüften, unter denen sehr viele mit einem verschiedenartig, reichlich und oft
phantastisch ausgeschmückten Eingang in jedem erdenklichen architektonischen Stil versehen sind. Die Klippen im Osten und
Westen haben die gröfsten und zusammenhängendsten Wände; und
hier sind die Gräber am zahlreichsten. Aber der Ausläufer aus
den östlichen Klippen, gebildet durch den Wady unterhalb der
Khüzneh, so wie auch andere kleinere Ausläufer und Vorsprünge
und einzelne Felsengruppen, sowohl im Norden als Süden, sind
auch in gleicher Weise besetzt. Alle diese Grabmähler blickten
natürlich auf die Stadt der Lebenden herab; aber andere findet
man wieder in entlegenen Gründen und verborgenen Klüften, oder
zuweilen unter den Berghöhen auf beiden Seiten, wohin in den
Felsen ausgehauene Treppen an mehreren Stellen hinaufführen.
So liegt das D e i r hoch hinauf unter den Klippen des westlichen
Rückens, mehr als eine halbe Stunde von der Area der Stadt
entfernt. — Die ansehnlichsten von allen Monumenten sind,
nächst der Khüzneh und dem Deir, die längs den östlichen Klippen
nördlich von dem Theater. Hier ist nach Norden hin die ungeheure Façade mit drei über einander stehenden Säulenreihen;
dann das von Laborde aufgenommene korinthische Grab; und weiter südlich, wie es scheint, das von Irby und Mangles beschriebene grofse Grab mit dorischen Säulenhallen und Verzierungen

und gewölbten Unterbauten an der Front. Das Innero dieses
letztern besteht nach denselben Reisenden, aus einer grofsen hohen
Kammer, welche in späteren Jahrhunderten in eine christliche
Kirche umgewandelt wurde; man findet darin drei zurücktretende
Altarräume an dem weiteren Ende, während eine Inschrift in rother Farbe nahe bei einem Winkel das Datum der Einweihung
berichtet. [1])

·Der Felsen, worin alle diese Monumente ausgehauen sind,
ist der weiche röthliche Sandstein dieses ganzen Distrikts; —
eine der obigen Beschreibung zufolge auf niedrigeren Porphyrmassen ruhende Bildung, welche sich eine grofse Strecke weit
sowohl nach Norden als nach Süden hin auszudehnen scheint.
Die Gestalt der Klippen ist oft äufserst unregelmäfsig und gro-
tesk; der höchste und in der That einzig hohe Punkt in dem
ganzen Sandsteinboden ist der Hor. Die Weichheit des Steins
diente beim Aushöhlen der Grabmähler und bei der Skulptur
ihrer Ornamente zu grofser Erleichterung; aber dieselbe Ursache hat auf ihre Erhaltung nachtheilig eingewirkt, aufser wo
sie durch ihre Lage geschützt werden. Die Khüzneh selbst ist so
einzig und·allein durch das überragende, sie beschirmende Felsen-
gewölbe so wunderbar verschont geblieben. — Nicht die geringe-
ste Merkwürdigkeit unter den Eigenthümlichkeiten dieses seltsamen Ortes ist die Farbe der Felsen. Sie bieten nicht eine todte
Masse von mattem, monotonem Roth dar, sondern eine endlose
Mannigfaltigkeit heller lebendiger Farben, von dem dunkelsten
Carmosin bis zum sanftesten Blafsroth, zuweilen auch in Orange
und Gelb überspielend. Diese wechselnden Schattirungen sind oft
durch wellenförmige Linien deutlich markirt, was der Oberfläche

---

[1]) Irby und Mangles Travels p. 429 — 431. Zu meinem grofsen
Bedauern war ich nicht im Stande, dieses Grab zu besuchen.

des Felsens eine Aufeinanderfolge von glänzend schillerndem Colorit verleiht, gleich den Farben gewässerten Seidenzeugs, und den imposanten Effekt der ausgehauenen Monumente bedeutend erhöht. In der That möchte es unmöglich sein, „dem Leser eine Vorstellung von dem seltsamen Effekt der Felsen zu geben, die mit den ungewöhnlichsten Farben colorirt sind, und deren Gipfel uns die Natur in ihrer wildesten und romantischsten Form vorführen, während ihre Basis in aller Symmetrie und Regelmäfsigkeit der Kunst ausgearbeitet ist, mit Colonnaden und Giebeln und Reihen von Corridoren an ihren senkrechten Wänden hängend." [1] Dieses Farbenspiel sieht man auf den nach dem Deir und dem Hor gehenden Pfaden in frappanter Weise sich entfalten.

Mitten in dieser architektonischen Mannigfaltigkeit, die hier den Beschauer in Erstaunen setzt, ist augenscheinlich ein doppelter Stil vorherrschend, der ägyptische und der römisch-griechische; oder vielmehr es ist eine Mischung und Vereinigung dieser beiden, welche hier den hervortretenden Stil ausmachen. Der erstere zeigt sich hauptsächlich in den Gestaltungen der Façaden, wo die abgestumpften Pyramidalformen und die etwas nach oben zulaufenden Fronten und Seiten beständig an die herrlichen Portale und Propyläen der thebischen Tempel erinnern. Die mehr klassischen Ordnungen Griechenlands und Roms treten in den Säulen und andern Verzierungen hervor, und sind auch durchweg in einigen der bedeutenderen Monumente vorherrschend. Aber selbst hier ist alles geziert und überladen, was auf ein späteres Zeitalter und einen ausgearteten Geschmack hinweist, wo noch ein Gefühl des Schönen hinterblieben war, aber ohne die Einfachheit der Natur. Diese Vermengung des Stils mag ihren Grund haben in dem anfänglich überwiegenden römi-

---

[1] Irby und Mangles p. 423.

schen Einflusses und dann der römischen Herrschaft, welche sowohl von Kleinasien und Syrien, als auch von Aegypten her sich hierhin verbreitete. Dieses geschah, wie wir wissen, ungefähr zur Zeit der Geburt Christi, und in diese Periode und die nächstfolgenden Jahrhunderte hat man wahrscheinlich die architektonische Kunst und die Monumente zu setzen, die der Fremdling jetzt mit Verwunderung anstaunt.

Eine interessante Frage, welche an Ort und Stelle unsere Aufmerksamkeit sehr in Anspruch nahm, war die, in wie weit diese Aushöhlungen nur als Gräber anzusehen seien, oder ob irgend welche derselben vielleicht zu Aufenthaltsörtern für Lebende bestimmt gewesen? Ich hatte früher den Eindruck erhalten, dafs sehr viele unter ihnen so anzusehen seien, und dafs sogar ein grofser Theil der alten Stadt aus solchen Wohnungen „in Felsenklüften" bestanden habe. [1] Aber bei der aufmerksamsten Beobachtung konnten wir von einer solchen Bestimmung keine Spur bemerken. Die kleineren und unverzierten Aushöhlungen sind ganz ähnlich den zahlreichen Gräbern um Jerusalem; und die einen weisen durch ihr Aeufseres nicht mehr auf eine frühere Bestimmung zu Wohnungen hin, als die anderen. Die mit verzierten Façaden haben im Allgemeinen inwendig einen gleichen Charakter; viele von ihnen haben Nischen für die Todten; und selbst die mit diesem entscheidenden Merkmal nicht versehenen bieten dennoch keine Spur davon dar, dafs sie anfangs zu Wohnungen haben dienen sollen. In einer spätern Periode mögen sie allerdings nicht unwahrscheinlich dazu benutzt worden sein, grade wie die Gräber in Theben und die in dem Dorfe Siloam jetzt in Wohnungen umgewandelt sind. [2]

---

1) Jer. 49, 16.

2) Alle diese Gräber sind inwendig verhältnifsmäfsig klein, während die ausgehöhlten Grotten in der Gegend nach Damascus hin, wel-

III. 6

In der Eleganz ihrer äufsern Ausschmückung liegt kein
Grund zu der Voraussetzung, dafs die meisten dieser Monumente
etwas anders als Gräber gewesen seien. Die Stätten der Todten
wurden in Aegypten und auch in Palästina mit hoher Verehrung
betrachtet, und sogar noch mit gröfserem Pomp und Glanz als
die Wohnungen der Lebenden ausgebaut. Dafür sprechen die
Gräber der Könige bei Jerusalem, und die noch prachtvolleren
zu Theben; um nichts zu sagen von den mächtigen Pyramiden,
deren jede als das Grabmahl eines einzigen Herrschers errichtet
worden zu sein scheint. [1] — Auch ist gar keine Nothwendigkeit zu der Voraussetzung vorhanden, dafs diese Anshöhlungen
zum Theil zu Wohnungen für die Einwohner des Ortes bestimmt
waren. Die weit verbreiteten Ruinen, welche man erblickt, bezeugen, wie wir gesehen haben, dafs einst eine grofse und um-
fangreiche Stadt mit Häusern aus Stein erbant diesen Raum bedeckte; und die Grabmähler rings herum sind verhältnifsmäfsig
nicht so zahlreich, als die, welche in gleicher Weise die Lagen
des alten Thebens und Memphis umgeben. Die Stadt, welche
hier stand, war an und für sich „in Felsenklüften" erbant;
ohne dafs wir weiter nöthig haben, uns nach einzelnen so gelegenen Wohnungen umzusehen.

Dennoch dienten nicht alle diese Bauten, wie ich glaube, zu
Begräbnissen; einige von den gröfseren und prachtvolleren waren

---

che ursprünglich dem Anschein nach zu Wohnungen bestimmt waren,
sehr geräumig sind, indem sie sowohl den Einwohnern, als auch ihren
Heerden Obdach gewähren. Siehe Seetzen in Zach's monatl. Corresp.
XVIII. S. 356, 418.

1) So sagt auch Diodorus Siculus, wo er von den Aegyptern
spricht, I, 51: διόπερ τῶν μὲν κατὰ τὰς οἰκίας κατασκευῶν ἧττον
φροντίζουσι, περὶ δὲ τὰς ταφὰς ὑπερβολὴν οὐκ ἀπολείπουσι φιλοτιμίας.
Vgl. Gesenius Comm. zu Jes. 14, 18—20; 22, 16.

wahrscheinlicher Göttertempel. Die Leichtigkeit und Schönheit, mit welcher die verzierten Façaden der Monumente in dem Felsen ausgehauen werden konnten, mochte leicht den Gedanken eingeben, in gleicher Weise Heiligthümer für die Götter zu errichten; und solche ausgehöhlte Tempel waren auch in Aegypten nicht unbekannt. [1]) Darum mag für die schöne Khüzneh die Stelle grade gegenüber dem grofsen Eingange von Osten her ausgewählt worden sein; der Charakter ihrer Front weiset entschieden auf einen Tempel hin. Zu derselben Klasse gehören wahrscheinlich einige von den gröfseren und ansehnlicheren Aushöhlungen in der östlichen Klippe, namentlich die eine, welche Irby und Mangles beschreiben als vorn mit gewölbten Grundmauern versehen, und später als christliche Kirche benutzt. Der Deir hat, wie wir sehen werden, ähnliche Eigenthümlichkeiten, und scheint auch einst eine Kirche gewesen zu sein. Nichts würde unter den Umständen natürlicher sein, als die Verwandlung derartiger heidnischer Tempel in christliche Heiligthümer; aber wären sie ursprünglich Grabmähler gewesen, so möchte ein solcher Uebergang weniger natürlich und wahrscheinlich dünken.

Das waren die Eindrücke, mit welchen wir den Abend unter unserem Zelte in Wady Mûsa zubrachten. Um uns lagen die Zerstörungen von Jahrhunderten; — die Wohnungen und Gebäude der alten Stadt in Staub zerfallen; die Mausoleen der Todten in all ihrer ursprünglichen Schönheit und Frische, aber seit lange geplündert und die Asche ihrer Bewohner nach allen Winden hin zerstreut. Wohl mochte hier die Stille des Todes herrschen, denn es war das Grab, eine Stadt der Todten, die uns umgab.

Jedoch blieb dieses eindringliche Schweigen nicht ohne Un-

---

1) z. B. die beiden Tempel zu Ebsambal; Wilkinson's Thebes p. 495 sq. Irby und Mangles p. 29, 37 sq.

6 *

terbrechung. Unsere Araber hatten das für sie gekaufte Schaf geschlachtet und bereiteten sich einen Schmaus. Sie waren in voller Freude; und die Stimme des Gesanges, des Erzählens und der Fröhlichkeit hörte sich seltsam an inmitten dieser Grabmähler. Unsere Haweitât-Gefährten hatten uns heute einen neuen Beweis von ihren diebischen Neigungen gegeben. Als wir das Sik betraten, wufsten sie die hier unter Aufsicht eines arabischen Knaben weidende Schafheerde in Verwirrung zu bringen; sie trennten ein Lamm von den übrigen und trieben es neben dem von den Jehâlin geleiteten in das Sik hinein. Wir waren zu der Zeit grade voraus; und als die saubern Vögel uns einholten, gaben sie vor, das Lamm habe sich verirrt und sei ihnen ganz von selbst nachgefolgt. Erst als wir sehr entschieden an den Sheikh Hussân appellirten, schickte er einen von seinen Leuten hin, das Thier zurückzubringen.

Freitag, den 1. Juni. Bei unserer gestrigen Ankunft nach dem hohen Flachland der Berge hörten wir, dafs viele von den Ma'âz, einem arabischen Stamme aus der sandigen Gegend des Hismeh [1]) östlich von 'Akabah, nachdem sie durch die Dürre aus ihrem eignen Lande vertrieben worden, sich hier unter diesen Bergen ausgebreitet hätten, wo reichlicher Regen gefallen war. Unsere Araber von den Jehâlin fühlten einige Beunruhigung, als sie von der Nähe dieser Fremden hörten; denn obgleich sie weder in irgend einem Bundes- noch Feindesverhältnifs zu ihnen standen, so ist doch der Charakter aller dieser gesetzlosen Horden der Wüste der Art, dafs sie, von ihrer Heimath entfernt, wo keine Verantwortlichkeit auf ihren eignen Stamm fallen kann, kein Bedenken tragen, vorüberziehende Reisende oder Karavanen zu berauben. Ein grofses Lager von ihnen befand sich,

---

1) Siehe oben, Bd. I. S. 286.

wie wir hörten, nahe an dem Wege, der aus Wady Mûsa beim Hor vorbei nach dem 'Arabah führt.

Als wir diesen Morgen aufwachten, war das erste, was wir hörten, dafs der Sheikh der Bedûn, — ein Geschlecht der Haweitât, welche in und um Wady Mûsa weiden, — in der Nacht mit mehreren bewaffneten Männern angekommen sei, um bei uns auf ein Ghûfr, d. h. Steuer, Tribut, Geschenk oder wie man es sonst nennen mag, für das Privilegium den Ort zu besuchen, Anspruch zu machen. Als wir herausblickten, sahen wir ihn neben seinem Dromedar nahe beim Zelte schlafen. In der Voraussetzung, die Sache würde ohne Schwierigkeit abgemacht werden, liefsen wir den Sheikh seinen Schlummer beendigen, während wir vor dem Frühstück ausgingen, uns die Zeit zu Nutze zu machen und den Deir zu besuchen, den einzigen noch übrigen entfernten Punkt, welchen wir jetzt zu untersuchen wünschten.

Wir nahmen uns zum Führer einen Hirten des Thals, welcher grade zur Hand war, zogen wieder dem Bache entlang durch die offne Area nach den westlichen Klippen, wandten uns dann nördlich und gingen einige Minuten längs denselben hin, worauf wir in eine enge Kluft traten, die von W. N. W. in den nordwestlichen Winkel der Area hinabläuft. Sie gleicht dem Sik an Enge und hinsichtlich der perpendikulären Felswände an den Seiten; aber statt beinahe eben zu sein, läuft sie sehr steil aufwärts in das Herz des Gebirges hinein. Die Schlucht ist äufserst unregelmäfsig und schroff, und in ihrem natürlichen Zustande mufs sie an vielen Stellen gänzlich unersteiglich gewesen sein. An solchen Punkten ist ein Pfad von fünf oder sechs Fufs Breite mit Stufen in den Felswänden und längs derselben eingehauen worden; dieser zieht sich einen grofsen Theil des Weges hin und ist noch in einem ziemlich erhaltenen Zustande. Nach vielen Krümmungen und Verwickelungen, in welchen ein Fremder ohne

Führer sich nicht leicht zurecht finden möchte, erreichten wir den
Deir, hoch unter den obersten Felsenzacken, eine gute halbe
Stunde von der Mündung der Schlucht.

Der Deir ist in der senkrechten Wand einer Klippe ausgehauen, die zu den hier aus dem hohen Flachland hervorragenden Gruppen gehört. Seine Front geht nach W. S. W.; der
Hor thürmt sich in vereinzelter Majestät ihm gegenüber empor
in einer Richtung S. W. ¹/₂ S. Dieses Monument ist von gröfseren Dimensionen, als die Khüzneh, da seine Façade eine viel
breitere Fläche bedeckt, obgleich sie wahrscheinlich nicht höher
ist. Der obere Theil zeigt einen durchbrochenen Giebel, und hat
drei Abtheilungen, in deren jeder eine Nische befindlich ist, wahrscheinlich zu einer Statue bestimmt. Die Architektur ist in schwül-
stigem Stile und nicht von gutem Geschmack, das Ganze ist mit
Zierrath überladen. Jedoch ist der allgemeine Effekt, wenn auch
weniger frappant und schön als der des Khüzneh, reich und sehr
imposant in dieser wilden Einöde. Vor demselben liegt eine grofse viereckige, geebnete Area, augenscheinlich ein Werk der
Kunst, da sie zum Theil mit Mauern wie eine Terrasse aufgebaut ist. In den anstofsenden Klippen sind an verschiedenen Stellen nach oben hin führende Treppen eingehauen, und rings umher sieht man ein paar einfache Gräber. Der hohe Felsen, gegenüber diesem Monument, hat nach der Beschreibung Laborde's
auf seinem Gipfel eine geebnete Fläche mit einer Säulenreihe, wohin man ebenfalls auf einem künstlichen Wege hinaufsteigt, und
von oben eine weite Aussicht geniefst. Wir haben diese Höhe
nicht besucht.

Wie in der Khüzneh, so entspricht auch in dem Deir das
Innere keineswegs der Pracht des Aeufsern. Es findet sich hier
nur eine ausgehöhlte Kammer, ein grofser viereckiger, durchaus
einfacher Raum mit Wänden, glatt und kahl, aufser an dem in-

nern Theile, wo eine breite, gewölbte Nische etwas über dem
Fufsboden angebracht ist, mit zwei oder drei an jeder Seite hinaufführenden Stufen, was sehr viele Aehnlichkeit mit der Nische
für den Altar einer griechischen Kirche hat. Der Bogen dieser
Nische war einst, wie es schien, mit einem Rand von irgend
einer Art verziert, der in eine ringsum eingeschnittene Fuge befestigt war und von dem vielleicht ein Vorhang herabhing.

Das ganze äufsere Ansehn des Deir verräth entschieden
einen heidnischen Tempel. Mit dieser Ansicht stimmt auch die
vorn liegende, breite Esplanade, und der aus dem Felsen mit
unsäglicher Arbeit ausgehauene, oben nach dem Orte hinführende
Weg. In der That möchte es schwer fallen, diesen Weg für
einen solchen zu halten, der nach einem blofsen Privatgrabe hinführte; und schon dies allein scheint auf ein öffentliches Bauwerk
hinzudeuten. In einem späteren Zeitalter wurde es wahrscheinlich eine christliche Kirche, und die Nische mag vielleicht dann
erst ausgehöhlt worden sein.

Wir kehrten jetzt nach unserem Zelt zurück und frühstück-
ten. Nach dem allgemeinen Ueberblick, welchen wir so erhalten
hatten, wünschte ich noch einmal nach dem Khuzneh hinzugehen, und dann längs der oberen Gräberreihe an der östlichen
Klippe oberhalb unsres Zeltes zurückzukehren. Wir bestimmten
9 U. als die Stunde des Aufbruchs. Mittlerweile trat Sheikh
Hussân ein und sagte, der Sheikh von Wady Músa sei da und
verlange von uns ein Ghüfr. Wir liefsen ihm durch Hussân sagen, dafs wir mit dem Firmân von Muhammed Aly reisten, welcher alle solche Forderungen innerhalb seines Gebietes ganz ab-
geschafft habe, und wir hätten daher keine Verpflichtung, sein
Verlangen zu erfüllen. Unsere Erwiederung war vielleicht entschiedener, als sie sonst gewesen sein würde, in Folge des Be-
richtes unserer Diener, dafs der Sheikh und seine Begleiter sich

während unserer Abwesenheit anmafsend betragen, Kaffee bestellt
und von ihnen ein Frühstück gefordert hätten, welches letztere
sie jedoch ohne Umstände unberücksichtigt gelassen.

Indem ich es meinem Reisegefährten und dem Sheikh Hussân überliefs, die Sache in Ordnung zu bringen, und zwei von
unsern Arabern mitnahm, begab ich mich jetzt nach dem Amphitheater und der Khüzneh, mit Mufse alles auf dem Wege beob-
achtend und besonders nach dem Grabe mit der griechischen Inschrift mich umsehend, ohne es jedoch zu finden. Während der
Untersuchung der Khüzneh hörte ich mehrere Flintenschüsse bei
unserm Zelt abfeuern; aber da dies unter den Arabern nicht ungewöhnlich ist, so beachtete ich es nicht weiter. Ich hatte auf
dieses schöne Bauwerk von einem gegenüberliegenden Punkte,
nahe der Mündung des Sik, den letzten bewundernden Blick ge-
worfen und war eben im Begriff, wieder zurückzukehren, als ich
sieben zerlumpte, wild aussehende Araber mit Flinten das Thal
heraufschreiten sah. Sie gingen in die Khüzneh hinein, um es
sich, wie ich glaubte, anzusehen; aber bald kamen sie heraus
und schritten, als sie mich mit meinen zwei Begleitern in einiger
Entfernung erblickten, in ruhiger Weise bis auf ein paar Schritte
auf uns zu, wo sie alsdann mit den heftigsten Gebehrden und
Exclamationen uns sofort nach dem Zelte zurückkehren hiefsen.
Da ich nicht wufste, was das Alles zu bedeuten habe, und sie
nicht fragen konnte, so ging ich das Thal weiter hinunter, noch
immer nach dem griechischen Grabe suchend, hinter mir die sieben Kerle.

Bei dem Amphitheater traf ich Hn. Smith, welcher mich
benachrichtigte, dafs die beiden Sheikhs über die Tributforderung
an einander gerathen seien. Nach meiner Entfernung hatte der
Sheikh der Bedûn durch Hussân seine Forderung hinsichtlich des
Ghüfr wiederholt, worin er jetzt durch den Rath und das Ansu-

chen unsrer eignen Araber unterstützt wurde. Er behauptete,
dafs er Vollmacht vom Pascha habe, einen solchen Tribut einzuziehen, zum Entgelt für seine Verantwortlichkeit bei der Regierung hinsichtlich der Sicherheit der Reisenden; und sodann,
dafs alle früheren Reisenden seiner Forderung genügt hätten, und
er hoffe, wir würden ein Gleiches thun. Auf diese unverschäm-
ten Unwahrheiten wurde ihm erwiedert, wenn er Vollmacht vom
Pascha habe, so möge er sie vorzeigen, worauf er alles bekommen sollte, was ihm nach derselben gebühre; wenn er sich früher gegen Reisende dienstfertig gezeigt und Bezahlung dafür erhalten hätte, so möge er auch uns erst einige Gefälligkeit und
Artigkeit erweisen, worauf wir nicht ermangeln würden, uns durch
ein Geschenk erkenntlich zu zeigen. Diese ganze Verhandlung
wurde ebenfalls durch Sheikh Hussân geführt. Beim Empfang
dieser letzten Antwort gerieth der alte Mann in eine grofse Aufregung und sagte, wenn wir Befehle von Muhammed Aly hätten,
so wolle er sich darein fügen; aber unsere Araber hätten kein
Recht, uns mit sich zu nehmen, und sie sollten gehen. Er be-
fahl ihnen demgemäfs, abzureisen, und sprach von Herbeischaf-
fung anderer Kameele aus Eljy. Ein grofser Streit und Tumult
erhob sich jetzt zwischen unsern Arabern und den achtzehn oder
zwanzig bewaffneten Männern der andern Partei; Schwerter wurden gezogen und Schüsse abgefeuert, und man hätte glauben mögen, dafs sogleich Blut vergossen wäre. Mein Freund verliefs
sie mitten in dem Tumult, und ging erst nach den Gräbern in
der östlichen Felswand und von da nach dem Theater, wo ich
ihn jetzt traf. Der alte Sheikh hatte auch, wie es sich erwies,
erklärt, wenn wir nicht bezahlen wollten, so würden wir nichts
von Wady Mûsa zu sehen bekommen, und hatte seine Leute aus-
geschickt, uns aufzusuchen und zurückzuführen.

Wir sahen uns jetzt zusammen nach verschiedenen Gräbern

in der Nähe des Theaters um, während unsere neuen „Beschützer" sich bemühten, uns zu hindern und einmal sogar uns bei den Armen griffen. Wir schüttelten sie höflich ab, indem wir uns vorsahen, nicht zu schlagen oder irgend eine Veranlassung zu persönlicher Gewaltthätigkeit zu geben, was sie auch ebenso bemüht schienen zu vermeiden. Mein Reisegefährte versuchte in das Thal höher hinauf zu gehen, wurde aber mit Gewalt zurückgehalten. Er hielt jetzt eine lange Unterredung mit ihnen, während ich dabei safs. Er führte ihnen Gründe an, machte ihnen Vorstellungen, und schilderte die Gefahr, wenn sie sich so der Rache des Pascha aussetzten. Sie konnten dagegen nichts sagen; aber seine Worte machten auch keinen Eindruck, und waren so gut, als wenn sie in den Wind gesprochen wären. Wir hielten es für besser, nach dem Zelte zurückzukehren und den Erfolg abzuwarten.

Hier kam jetzt zuerst der Sheikh von Wady Mûsa zum Vorschein; und zu meinem nicht geringen Erstaunen ergab es sich, dafs er der leibhaftige alte Mukeibil Abu Zeitûn, „der Vater der Oliven", war, der Urheber aller Beunruhigung der Herren Bankes, Legh, Irby und Mangles im Jahr 1818, der damals seine Hartnäckigkeit so weit trieb, dafs er fast einen Krieg unter den arabischen Stämmen anschürte, um die Ankunft der Reisenden in Wady Mûsa zu hintertreiben. [1]) Ich hielt ihn längst für todt, da kein Reisender seitdem von ihm gesprochen hat. Aber er stand jetzt lebendig vor uns mit all seiner Hartnäckigkeit und Beharrlichkeit, wie ihn jene früheren Reisenden schildern; und wir wufsten sofort, mit wem wir zu thun hatten. Er war jetzt ein alter Mann von beinahe achtzig Jahren, und trug

---

1) Irby und Mangles Travels p. 383—400. Legh unter dem 23. —26. Mai.

einen neuen arabischen Mantel und ein neues, grelles, gelbes Ke-
fiyeh, mit einer ungewöhnlichen Menge neuen wollenen Garns um
seinen Kopf gebunden, — kurz seinen besten Anzug, — um uns
Ehre anzuthun. Sein Verhalten war ruhig; doch trug er uns seine
Argumente in einem wilden Tone vor. Er nannte einen und
den andern, der ihm das Ghüfr bezahlt, oder, wie er sich aus-
drückte, ein Geschenk gemacht habe; er glaube, wir seien nob-
ler und grofsmüthiger, als irgend ein früherer Reisender, und
würden reichlich geben. Auf unsere Erklärung, dafs wir, mit
des Pascha's Firmân versehen, von allen solchen Forderungen
frei wären, und dafs er überdies für unsere Sicherheit während
unsers Aufenthalts in seinem Gebiete einstehen müsse, erfolgte
die Antwort, dafs er das Alles wisse, und eben wegen dieser seiner Verantwortlichkeit auf ein Geschenk Anspruch mache; wenn
die Regierung ihn dieser Verpflichtung überhebe, so würde er
nichts von Reisenden verlangen. Wir sagten ihm, wir wären
durch die Provinzen Gaza und Hebron gereist, wo uns die Sheikhs
der Dörfer aus freien Stücken stets eine Wache um unser Zelt
gegeben und nie daran gedacht hätten, Anspruch auf Bezahlung
zu machen oder einen Wunsch darnach merken zu lassen; und
dafs er besser gethan haben würde, wenn er uns erst in gleicher
Weise einige Gefälligkeiten erwiesen hätte, ehe er schon an Vergütigung dächte. Aber nichts machte Eindruck auf diesen un-
beugsamen alten Bedawy; da safs die lange, hagere Figur mit
dünnem und verfallenem Gesicht und grauem Bart, nicht heftig
in Geberden oder Benehmen, sondern kalt, entschlossen und die
vermeinte Beute festhaltend wie ein Bluthund. — Seine wiederholte Forderung war 1000 Piaster, d. i. so viel als 50 spanische
Thaler, von uns selbst; und 500 Piaster aufserdem noch von
unseren Arabern. Auf letzteres schien er weniger Gewicht zu
legen, da sie Nachbarn waren und wieder kommen konnten; aber

uns hatte ihm, seiner Meinung nach, ein Glücksfall in die Hände gespielt, und er war bemüht, diesen zu seinem gröfsten Vortheil zu lenken.

Er hatte dieselbe Forderung an Hn. von Berton bei seinem Hiersein vor einigen Wochen gemacht. Lord Prudhoe war ihm um dieselbe Zeit entgangen; als er von Westen her kam, blieb er nur eine Nacht hier und brach schon wieder auf, ehe der alte Mann Zeit hatte, seine Aufwartung zu machen. Dies scheint in der That mit allen den Reisenden der Fall gewesen zu sein, welche in den letzten Jahren diesen Ort auf ihrem Wege von 'Akabah nach Hebron besucht haben; ihr Aufenthalt war von kurzer Dauer, und da sie ihren Weg längs dem Hor nahmen, waren sie im Stande, wieder abzureisen, ehe die Nachricht von ihrer Anwesenheit zum Sheikh hingelangen konnte. Diesen Vortheil hatten wir durch Ersteigung des Berges weiter nördlich verloren, wo unser Besuch sogleich den Arabern um Dibdiba bekannt wurde. — Hr. v. Berton hatte sich, wie er uns selbst erzählte, mit dem Sheikh dadurch abgefunden, dafs er ihm seinen ganzen Geldvorrath, nicht volle 100 Piaster, mit einer Menge Pulver, Seife, Tabak u. dgl. schenkte. Der alte Mann schien mit dieser Abfindung nicht zufrieden gewesen zu sein, und war jetzt auf die erste Kunde von unsrer Ankunft in der Nacht mit einigen zwanzig Bewaffneten auf uns losgekommen, welche schon zu dreifsig angewachsen waren. Entschlossen, die Sache diesmal ganz in seiner Gewalt zu behalten, wollte er sich die Gelegenheit nicht so leichten Kaufes entschlüpfen lassen. Gegen diesen feindlichen Haufen vermochten wir im Ganzen nur dreizehn Mann aufzustellen, mit Einschlufs unserer Haweität, auf die wir uns aber nicht im mindesten verlassen konnten. Auch unsere Jehâlin, obgleich ihr Interesse dasselbe war wie unsers, bewiesen sich als Männer ohne Muth; Sheikh Hussân, ein ruhiger, gutmüthiger Mann, zeigte weder

Entschiedenheit noch Energie. So waren wir in That und Wahrheit in der Macht des Abu Zeitûn; und seine Leute, Schurkengesichter einzig in ihrer Art, wie wir sie bis jetzt noch nicht gesehen hatten, schienen nicht abgeneigt zu sein, diese Macht auszuüben, und warteten allem Anschein nach nur auf ein Signal, um uns auszuplündern. Aber der alte Sheikh war politischer und hielt sie augenscheinlich im Zaume.

Nach langem und lautem Wortwechsel war das Endresultat der ganzen Sache von Seiten des Sheikh Abu Zeitûn: wenn wir ihm nicht das Geforderte bezahlten, so sollten wir nichts mehr sehen und den Weg zurückgehen, den wir gekommen. Es war auch wieder die Rede von Kameelen aus Eljy, die uns zurückbringen sollten; aber man schien eben nicht sehr darauf zu bestehen, und dies war vielmehr eine Finte. [1]) Wir sagten jetzt dem alten Manne offen heraus, dafs wir, was den Ghûfr beträfe, nichts geben würden. Wenn er im Aufruhr gegen die Regierung

---

1) Diese Geschichte von andern Kameelen beruhte auf einer strengen Auslegung beduinischen Gemeinrechtes, welches jedem Stamm das Privilegium und den Gewinn zusichert, alle Reisenden und Frachten innerhalb seines Gebietes zu befördern. Streng genommen haben weder die Jehâlîn noch die 'Alawîn ein Recht, Reisende nach Wady Mûsa zu bringen, so wenig als nach dem Kloster auf dem Sinai; und die Tawarah können es nicht, weil sie durch das Land der 'Alawîn kommen und so deren Rechte beeinträchtigen würden. Jedoch werden diese Ansprüche in der Praxis gemildert, namentlich unter verbündeten Stämmen, so dafs z. B. die Tawarah die Gebiete der Haiwât und Tiyâhah unbedenklich durchziehen, um Reisende nach Gaza und Hebron zu bringen. So geleiten auch sowohl die 'Alawîn als Jehâlîn Reisende nach Wady Mûsa; aber sie suchen der Kenntnifs der benachbarten Araber zu entgehen, und machen dann ihre Besuche so kurz als möglich, da sie sich bewufst sind, etwas zu thun, wofür sie zur Rechenschaft gezogen werden können.

wäre, so brauchten wir es nur zu wissen, um demgemäfs unsern
Bericht abstatten zu können; jedenfalls würden wir wegen seines
Benehmens bei dem englischen und amerikanischen Konsul in
Kairo einkommen, welche die Sache dem Pascha vorlegen und
Maafsregeln treffen würden, dafs künftige Reisende nicht solchen
Bedrückungen ausgesetzt wären. Nach alle dem seien wir jetzt
in seiner Gewalt; und wenn er uns ausplündern oder gar tödten
wolle, so wären wir bereit; aber er habe die Folgen zu erwar-
ten. Hier stockte die Sache eine Zeitlang.

Es war schon 10 U. vorbei, und wir fingen an, über diesen Verzug ungeduldig zu werden. Da wir vom Ersteigen des
Berges Hor nicht gern abstehen wollten (obgleich wir ihn jetzt
von unten vollständig gesehen hatten), so hielten wir es für das
Beste, dem alten Mann durch Sheikh Hussân erst die von dem
Hauptsheikh der Jehâlin für hinreichend befundene Summe von
vierzig Piastern anbieten zu lassen. Dies wurde zurückgewiesen,
so wie auch nachher das Anerbieten von achtzig. Ich würde bis
zu hundert Piastern geboten haben; aber der eigensinnige Sheikh
war jetzt seiner Beute so gewifs, dafs er von nichts als den vollen tausend weiter etwas hören wollte. Wir beschlossen daher,
unvermögend die Sache mit Gewalt durchzusetzen, ihn bei seinem
Worte zu halten und den Weg zurückzukehren, den wir gekommen. Das Gefolge des Abu Zeitûn war allmählig zu beinahe
vierzig bewaffneten Leuten angewachsen, mit Einschlufs einiger
von den 'Ammârîn und eines Bruders von Sheikh Husein dem
'Alawy. Wir behielten unsern Entschlufs für uns und hiefsen die
Kameele aufladen. Dies geschah ohne Hindernifs von irgend Einem, und so stiegen wir auf.

Da wir jedoch nur bei wirklich eintretendem Zwange den
Punkt aufgeben wollten, so versuchten wir jetzt, den Weg nach
dem Hor einzuschlagen, während Sheikh Hussân das vordere Ka-

meel führte; aber die feindliche Partei umringte uns sogleich auf ein Signal von Abu Zeitûn; die Säbel wurden gezogen und geschwungen, was jedoch unter diesen Arabern, wie wir jetzt erfahren hatten, nichts weiter als blofse Renommisterei ist. Sie ergriffen unsere Kameele bei den Köpfen und kehrten sie nach der entgegengesetzten Richtung um, mit dem Geheifs, den Weg zu gehen, welchen wir gekommen. Nicht einen Schritt, erwiederte mein Reisegefährte, aufser mit Gewalt, worauf er abstieg und sich vor sie hinstellend zu ihnen sagte: wir wüfsten jetzt, dafs sie Räuber seien und wären darauf gefafst; sie möchten uns berauben und tödten wenn sie wollten, aber nicht einen Para Geld mehr, als wir ihnen angeboten, würden sie bekommen. Sie erwiederten, dafs wir für keinen Para unter tausend Piaster den Hor ersteigen sollten. Unser entschlossener Komeh ergriff sogleich die Halfter des Vorderkameels und suchte weiter zu gehen, wie vorhin, aber mit nicht besserem Erfolg. Hierauf warf er in vollem Zorn seine Flinte, Pistole und Pfeife auf den Boden vor ihnen hin, mit der Erklärung, dafs sie Diebe und Räuber seien, und der Aufforderung, seine Waffen und Alles was er hätte in Beschlag zu nehmen. — Alles dies diente jedoch zu nichts; und wir lenkten demgemäfs gegen 11 Uhr unsere Kameele um, und schritten auf dem von dem N. O. Winkel der Area hervorkommenden Pfade fort, welcher dicht unter den Gräbern in den östlichen Klippen vorbeiführt.

Unsere Abreise in dieser Weise schien der Gegenpartei unerwartet zu sein. Der alte Sheikh hatte auf uns so sicher gerechnet, dafs diese Bewegung ihn aufs Höchste überraschte und seinen Plänen einen Queerstrich zu machen drohte. Er behielt unsere Araber lange zur Berathung zurück; und als Sheikh Hussân uns endlich einholte, überbrachte er uns das Anerbieten, für die Summe von 500 Piaster zurückzukehren und so lange zu

bleiben, als wir wollten. Hierauf nahmen wir natürlich keine
Rücksicht, da wir entschlossen waren, die Unterhandlung nicht
wieder anzuknüpfen. Um diese Zeit verlangten unsere fünf Haweität, welche wir wenigstens für jetzt zurückzubehalten wünschten, ihren Lohn, da sie den Augenblick für günstig hielten, sich
unsere Verlegenheit zu Nutze zu machen, und weigerten sich, uns
noch weiter zu begleiten, aufser für einen übermäfsigen Preis.
Wir bezahlten sie ab und liefsen sie gehen. Jetzt blieben uns
nur noch unsere vier Jehâlin in diesen von solchem Raubgesindel
erfüllten Bergen übrig. Aber wir setzten unser Vertrauen auf
Gott und zogen vorwärts, ohne zu wissen, ob wir nicht im nächsten Augenblicke überfallen und geplündert würden.

Nachdem wir etwa eine Stunde weiter gegangen waren,
holte uns ein Mann von Abu Zeitûn ein, welcher uns einlud, zurückzukehren; der Sheikh wünschte nicht, dafs wir so abreisen
möchten; unser Wohlwollen wäre ihm mehr werth als Geld; und
wir sollten nur zurückkommen und unsere Beobachtungen ohne
irgend eine Vergütigung beendigen. Wir liefsen auf diese Einladung zurückbestellen, dafs wir alles in dem Thale gesehen hätten, was wir wünschten; er habe uns fortgetrieben und wir würden nicht zurückkehren, aber unsern Bericht nach Kairo abstatten. Nach einer andern Stunde kam ein zweiter Abgesandter mit
der Bitte, wenigstens so lange zu warten, bis der Sheikh selbst
zu uns kommen und „unser Wohlwollen erlangen“ könne, was
so viel sagen will, als: mit Worten des Friedens scheiden, aber
wo möglich ein Bakhshîsh erhalten. Wir waren jetzt auf der
Ebne Sütûh Beida, Dibdiba beinahe gegenüber; und uns seitwärts
unter dem Schatten der westlichen Felsenwand hinwendend, warteten wir demgemäfs. Der alte Mann kam endlich auf seinem
Dromedar in Begleitung der meisten seiner Leute an. Er stieg
ab und setzte sich nahe bei uns hin, wiederholte kalt die Versi-

cherung, dafs ihm unser Wohlwollen lieber sei als Geld; wir
möchten zurückkehren, wenn wir wollten, und was uns nur be-
liebe ihm zu geben, damit wäre er zufrieden; oder wenn wir es
vorzögen, weiter zu reisen, sollten wir in Frieden ziehen. Wir
sagten ihm, es sei jetzt zu spät, wir würden weiter gehen; so
verliefsen wir ihn kalt, ohne ein Geschenk. — Ich schlug zwar
meinem Gefährten vor, wir möchten sein Wohlwollen in sofern
erproben, dafs wir uns von ihm einen Führer geben liefsen, der
uns auf irgend einem andern, nicht durch Wady Mûsa laufenden
Wege nach dem Hor hinbrächte. Aber dem war mein Freund
entgegen, indem er es für besser hielt, dafs wir, den Klauen des
alten Mannes einmal entronnen, uns nicht wieder in seine Gewalt
begeben sollten. Wir gaben daher wider Willen den Hor auf,
und gingen auf unserm Wege weiter fort, nachdem wir so ungefähr eine Stunde aufgehalten worden waren.

Der Hauptsheikh der Jehâlin versicherte uns nachher, dafs
eine solche Erpressung niemals vor dem jetzigen Jahr von Abu
Zeitûn versucht, noch ein solcher Anspruch erhoben worden sei;
aber dies rührte wahrscheinlich, wie schon angedeutet, von der
Kürze des Aufenthalts der Reisenden her, deren Ankunft dem
Sheikh nicht bekannt geworden war. Die Landleute hatten sich,
wie wir hörten, zuweilen um sie herum gestellt und ein Bakhshish gefordert, und ein paar Piaster waren ihnen dann und wann
gegeben worden. Jedenfalls waren wir wahrscheinlich unter denen, welche der alte Schurke in seine Gewalt bekommen hatte,
die ersten, die je wieder daraus entschlüpften, ohne seiner
Forderung nachzukommen; und wir erhielten viele Komplimente
von den Sheikhs der Jehâlin und Andern in Hebron wegen der
Kühnheit und Geschicklichkeit, mit der wir uns seiner Gewalt
entwunden hatten. Wir verdankten unser Entkommen ohne Zweifel dem Respekt, welchen er vor dem starken Arm des Muham-

III.   7

med Aly hatte, — ein Umstand, dessen volle Bedentung wir erst
nach der Trennung von ihm kennen lernten. Hussân blieb hinter
uns zurück; und ihm trug er auf, dafs die Jehâlin keine Christen mehr nach Wady Mûsa bringen sollten, ohne ein ausdrückliches Schreiben mit dem Siegel der Regierung; solche Papiere
würde er respektiren. Damit meinte er natürlich nichts weiter
als ein Tezkirah von dem Gouverneur in Gaza, unter dessen Aufsicht diese Gegend steht; doch vermuthlich würde ein solches von
Jerusalem oder Hebron dieselben Dienste leisten. Wir hatten das
Versehen begangen, unsern Firmân unter unsern andern Papieren in Hebron zurückzulassen, da wir nicht im Traume
daran dachten, ihn in diesen Bergen etwa nöthig zu haben.
Aber ich bin seitdem überzeugt, hätten wir mit dem Firmân, und
namentlich mit dem uns in Gaza ausgestellten Tezkirah von Sheikh
Sa'id ¹), in des alten Mannes Gesicht paradiren können, so würden wir ohne grofse Schwierigkeit mit ihm fertig geworden sein.
Wie die Sachen jetzt standen, konnte dies nur durch Gewährung
des Geforderten oder durch Gewalt geschehen. Zu jener waren
wir nicht geneigt, sowohl um unserer selbst willen, als auch zum
Besten der nach uns hierher kommenden Reisenden; und die letztere befand sich ganz auf der feindlichen Seite. Wie wir glauben, war es dieselbe Furcht vor Muhammed Aly, welche allein
sie zurückhielt, uns völlig auszuplündern und sich so zu dem zu
verhelfen, was wir ihnen verweigerten. ²)

----

1) Siehe oben, Bd. II. S. 636.

2) Wir statteten später einen schriftlichen Bericht über diese ganze
Geschichte an Hrn. Gliddon, amerikanischen Konsul in Kairo, ab, den
wir in Alexandria trafen. Dieser wird ohne Zweifel sein Möglichstes
thun, um künftigen Wiederholungen solcher Streiche vorzubeugen; aber
in diesem entfernten Winkel können sie nicht auf einmal unterdrückt
werden. Aus den Zeitungen erfahren wir, dafs Hr. Roberts, der eng-

So endigte unser Besuch in Wady Mûsa, nachdem wir alles gesehen und ausgerichtet hatten, was in unserm ursprünglichen Plane lag, bis auf das Ersteigen des Hor. Obgleich wir gern noch mehrere Tage mit der Aufsuchung und Erforschung der hier befindlichen Merkwürdigkeiten zugebracht hätten, so rief uns doch unser Reiseplan und die vorgerückte Jahreszeit anderswohin; und es war nichts mehr übrig, was mich zu dem Wunsche veranlassen konnte, nach dem Thale selbst zurückzukehren, aufser die Besichtigung der paar Inschriften und die Aufsuchung anderer. Ich hatte in der That ein starkes Verlangen darnach, den Hor zu ersteigen, theils wegen der weiten Aussicht und der hier aufzunehmenden Ortsbestimmungen, hauptsächlich aber, weil es eine der am bestimmtesten markirten Stellen ist, an welcher der grofse hebräische Gesetzgeber wirklich stand, — wo die Schlufsscene zwischen den Prophetenbrüdern statt fand, als der ältere vor den Augen des jüngern und seines eignen Sohnes den Geist aufgab, „und starb daselbst oben auf dem Berge." [1]) Der Wely Neby Hârûn auf dem Gipfel unterscheidet sich durch nichts von andern arabischen Heiligen-Gräbern, welche auf den Bergen und Hügeln in Palästina so gewöhnlich sind. Es findet sich hier eine Inschrift in arabischer und eine andere in hebräischer Sprache, das Werk zufälliger Besucher und von gar keiner Wichtigkeit. Diese waren von Lord Prudhoe während seines neulichen Besuchs copirt worden, und wir hatten sie schon in Jerusalem gesehen und gelesen. [2])

---

lische Künstler, welcher im Jahr 1839 nach Wady Mûsa ging, um Zeichnungen aufzunehmen, in gleicher Weise von dem Sheikh besucht, seine Forderung bezahlt habe.

1) 4 Mos. 20, 22 — 29.

2) Die ersten fränkischen Reisenden, welche den Hor erstiegen und den Wely Neby Hârûn besuchten, waren Irby und Mangles und ihre

7 *

Wir waren von Wady Mûsa um 11 U. abgereist; der Weg
ging unter der östlichen Klippe entlang und die Seite eines der
von N. N. O. einlaufenden Wady's hinauf. Wir durchzogen dann
einen oder zwei ähnliche Wady's, worauf wir die Ebne Sütûh
Beida erreichten und nach der Stelle hinkamen, wo wir gestern
das Schaf eingekauft und unser Gepäck vorausgeschickt hatten.
Hier war es, wo wir auf Abu Zeitûn warteten, und hier verliefsen wir ihn um 2 Uhr. Unser Weg war jetzt derselbe, welchen wir den vorigen Tag gekommen waren. Ein langer und
langweiliger Ritt brachte uns um 5 U. nach der Höhe des Passes Nemela, wo wir einen Augenblick anhielten, um die weite
Aussicht zu geniefsen und unsere früheren Beobachtungen nochmals zu vergleichen. Die Luft war jetzt heitrer und klarer als
vorher, und die Aussicht schöner. Die Vereinigung des Jerâfeh
mit el-Jeib in der 'Arabah, und die Klippe el-Mukrâh darüber
hinaus waren vollkommen deutlich, sowie auch der gekrümmte
Lauf des Jeib weiter südlich. Wir stiegen den Pafs in 45 Minuten hinab; und den Thälern unten abwärts folgend, erreichten
wir die untere Grenze der Porphyrbildung, wo der Wady durch
die unteren Kalksteinklippen sich hinabwendet. Hier machten
wir um 6 U. 45 Min. Halt, um uns auszuruhen und zu erquicken.

Da wir bis um 1 U. nach Mitternacht Mondschein zu erwarten hatten, so wollten unsere Araber gern während dieser Zeit
über die Ebne hinüber weiter gehen. Sie stellten uns vor, und
zwar mit Recht, dafs es klug sein würde, so bald als möglich
aus der Nähe dieser von Raubgesindel erfüllten Berge fortzukommen; denn wenn wir auch von Abu Zeitûn selbst nichts zu befürch-

---

Reisegesellschaft im Jahr 1818. Er ist mehrere Male innerhalb der letzten fünf Jahre beschrieben worden; aber der Bericht von Irby und Mangles ist bis jetzt der bestimmteste und genaueste gewesen. Der Leser
wird denselben in Anm. XXXV. am Ende dieses Bandes finden.

ten hatten, so war es doch sehr gut möglich, dafs einige aus seinem Stamm, mifsvergnügt über unser Entschlüpfen, uns noch verfolgen und bei Nacht ausplündern konnten; oder dafs einige von den Ma'âz, wenn sie von unsrer Abreise mit nur vier Mann hörten, sich auch die Gelegenheit zu Nutze machen, uns folgen und berauben und die Verantwortlichkeit auf die Bedûn schieben möchten. Wir willigten daher in den Vorschlag unserer Führer ein, und dies um so bereitwilliger, da wir vor Sonntag aus der brennenden Wüste der 'Arabah zu entkommen wünschten.

Demgemäfs stiegen wir 10 Minuten nach 9 U. wieder auf, und zogen mit Hülfe des hellen Mondlichtes den steinigen Abfall hinab, welcher am westlichen Fufs der Berge liegt. Alles war still; keinem wurde erlaubt zu sprechen oder zu rauchen; selbst der Tritt der Kameele schien geräuschlos zu sein. Einer zu Fufs zeigte den Weg; aber er verlor zuweilen den Pfad unter den Felsen, welchen die scharfsichtigeren Kameele leicht wiederfanden. Wir hatten vor, schräg über die 'Arabah hinüber nach der Quelle el-Weibeh zu gehen. Hier war kein Pfad; der gewöhnliche Weg von dem Pafs el-Rubá'y nach Hebron geht über el-Weibeh; aber der von Nemela führt nach der Quelle el-Khürâr weiter nördlich hinüber. Unsere Führer schlugen die gegenwärtige Richtung ein, theils in Uebereinstimmung mit unserm Wunsche, el-Weibeh zu besuchen, und theils um unsere etwaigen Verfolger von unserer Spur abzuleiten. Unsere allgemeine Richtung war jetzt etwa N. W. gen W. Nach einer Stunde verliefsen wir die Steine, und kamen auf der kiesartigen wüsten, von sandigen Wady's mit Sträuchern durchschnittenen Ebne heraus.

Wir waren zur Zeit in Zweifel, ob wir nicht nordwärts von 'Ain el-Buweirideh vorbeikämen; aber eine am folgenden Morgen gemachte Winkelmessung diente zum Beweise des Gegentheils. Nachdem wir über mehrere, in westlicher Richtung lau-

fende, tiefe Schluchten gegangen, gelangten wir um 12½ Uhr
nach einem grofsen und tiefen Wady, Namens es-Sikâkiu, und
in sein Bett hinabsteigend folgten wir ihm eine Zeitlang. Er
läuft N. W., augenscheinlich um mit dem Wady el-Jeib zusammenzutreffen, und bricht sich durch eine Reihe von hundert bis
hundert funfzig Fufs hohen Kieshügeln hindurch, die sich von O.
nach W. über die 'Arabah hinüber erstrecken. Als wir diese
Berge passirt waren, verliefsen wir den Wady und zogen an ihrem nördlichen Fufse entlang bis 1½ Uhr. Der Mond war jetzt
untergegangen; wir machten daher Halt, breiteten unsre Wachs-
tücher und Teppiche auf dem Sande aus und legten uns zur Ruhe
nieder, wo wir ungestört und sanft gegen drei Stunden schliefen.

Gebirge Edom.

Wir hatten so die theilweise von uns gesehenen Berge
Edom's im Rücken gelassen, und würden, wenn Zeit und Umstände es erlaubt hätten, gern mehr gesehen haben. Die Bil-
dungsart der Bergkette, wo wir sie sahen, ist schon beschrieben
worden; an dem Fufse niedrige Anhöhen von Kalkstein oder
thonartigem Felsen; dann die hohen Porphyrlager, die die Hauptmasse des Berges bilden; darüber Sandstein, in unregelmäfsige
Rücken und groteske Klippengruppen zerrissen; und wieder, weiter zurück und über alle erhaben, lange hohe Rücken von Kalkstein mit sanftern Abfällen. Oestlich von diesen Bergen zieht sich
unübersehbar das hohe Plateau der grofsen östlichen Wüste hin.
Wir schätzten die Höhe der Porphyrklippen auf ungefähr 2000
Fufs über der 'Arabah; die Erhebung von Wady Mûsa über dieselbe beträgt vielleicht 2000 oder 2200 Fufs, während die Kalk-
stein-Rücken weiter hinterwärts wahrscheinlich nicht unter 3000
Fufs hoch sind. Die ganze Breite des bergigten Landstrichs

zwischen der 'Arabah und der östlichen Wüste oben übersteigt nicht fünfzehn oder zwanzig englische geographische Meilen.

Der Charakter dieser Berge ist ganz verschieden von dem der westlich von der 'Arabah liegenden. Letztere, welche nicht mehr als zwei Drittel so hoch zu sein schienen, sind gänzlich wüste und unfruchtbar; während die im Osten sich allem Anschein nach einer Fülle von Regen erfreuen, und mit Büscheln von Kräutern und gelegentlich mit Bäumen bedeckt sind. Die Wady's sind auch voll von Bäumen, Sträuchern und Blumen; während die östlichen und höheren Gegenden zum Theil bebaut werden und gute Ernten hervorbringen. Das allgemeine Aussehen des Bodens ist nicht unähnlich dem um Hebron, obgleich die Gestalt des Landes sehr verschieden ist. Es ist in der That der Landstrich, in Beziehung auf welchen Isaak zu seinem Sohn Esau sagte: „Siehe da, du wirst eine fette Wohnung haben auf Erden, und von dem Thau des Himmels von oben her."[1]

Von dieser Gebirgsgegend, im Süden des Distrikts Kerak (des alten Landes Moab) und von diesem durch den Wady el-Ahsy getrennt, wird heut zu Tage wie von zwei Distrikten gesprochen; obgleich wir nicht erfuhren, dafs dies von irgend einer Anordnung der Regierung herrühre. Der nördliche führt den Namen Jebâl (Berge), beginnt bei Wady el-Ahsy und endigt im Süden, nach Burckhardt beim Wady el-Ghuweir.[2] Jedoch möchte die südliche Grenze wohl nicht sehr bestimmt anzugeben sein; denn von esh-Shôbek, obgleich südlich von diesem

1) 1 Mos. 27, 39; vgl. Vs. 27, 28.
2) Travels p. 410. (688.) Dieser Name entspricht dem alten hebräischen Gebal (גְּבָל) und dem römischen Gebalene, welches Eusebius und Hieronymus als einen Theil von Idumaea beschreiben und zuweilen für Idumaea selbst setzen. Ps. 83, 8. Onomast. Art. Idumen, Altus, Gethaim u. a. Reland Palaest. p. 82—84.

Wady liegend, hörten wir zuweilen sagen, dafs es zu Jebâl gehöre. Der gröfste Ort in Jebâl ist Tüfileh. Südlich von Wady el-Ghuweir folgt der Distrikt esh-Sheråh, welcher sich mit unbestimmter Grenze nach 'Akabah im Süden fortzieht und eigentlich Shôbek, Wady Mûsa, Ma'ân, el-Humeiyimeh und andere Orte umfafst. ¹) Die Gegend el-Hismeh, das Land der oben erwähnten Ma'âz, wurde hier auch als eine Sandstrecke mit Bergen ringsum, im Osten von 'Akabah beschrieben, aber nicht selbst als ein Berg oder als ein besonderer Distrikt, wie Burckhardt angiebt. Jedoch mochten seine Araber höchst wahrscheinlich beim Zeigen der anliegenden Berge von ihnen als wie von Jebel Hismeh oder Tûr Hismeh sprechen; obgleich alle unsere Führer, sowohl von den 'Amrân aus 'Akabah, als von den Haweitât aus der Nähe von Ma'ân, einstimmig die Existenz eines solchen Namens als von einem Berge gebraucht läugneten. ²)

Den Hauptstamm der Bedawîn in dem Distrikt Jebâl bilden die Hejâya. Aufser diesen giebt es hier noch einen Zweig der Ka'âbineh, welche in der Gegend von Wady el-Ahsy wohnen und nahe bei einem Brunnen Namens el-Malîh säen. Sie waren jetzt in Feindschaft mit den Jehâlin; obgleich ihre Stammverwand-

---

1) Die Form esh-Sheråh hat keine Beziehung auf das hebräische Seir (שֵׂעִיר), den alten Namen dieses Distriktes. Das hebräische Wort bedeutet „behaart", und wird mit 'Ain geschrieben, welches niemals ausfällt, während der arabische Name „Landstrich, Besitzung" bedeutet. Vgl. Gesenius Anmerkungen zu Burckhardt, S. 1067. — Sowohl Edrîsi als Abulfeda gebrauchen den Namen esh-Sheråh von allen Bergen südlich von Kerak bis nach Ailah hin; Edrîsi ed. Jaubert I. p. 337, 338. Abulfed. Tab. Syr. ed. Köhler p. 13. Tab. Arab. ed. Hudson p. 20.

2) Burckhardt p. 433, 440, 444. (719, 729, 734.) Laborde Voyage p. 63. (218.) Vgl. oben, Bd. I. S. 286.

ten westlich vom todten Meer die Bundesgenossen der letzteren sind und sich mit ihnen verheirathen. — In dem Distrikt esh-Sheräh sind die Bedawîn alle Haweität, aufser einigen ihnen Verbündeten. Dies ist ein weit verbreiteter Stamm, welcher in mehrere Unterabtheilungen zerfällt und in verschiedenen und entfernten Theilen des Landes wohnt. Die in diesen Bergen wohnenden theilen sich in die Geschlechter Abu Rashîd, el-Jâzy, el-Bedûn und el-'Alawîn. Die letzteren haben eigentlich die Gegend nach 'Akabah zu inne; die Bedûn weiden, wie wir gesehen haben, um Wady Mûsa. Der Sheikh Abu Jâzy bei Laborde [1]) scheint das Haupt der Abtheilung el-Jâzy gewesen zu sein; wir erfuhren die Grenzen nicht, wo sie weiden.

Das eigentliche Land der Haweität Abu Rashîd liegt um Shôbek; aber wir hörten, dafs sie jetzt in der Gegend von Kerak waren. Der muthige Sheikh Muhammed Abu Rashîd, dessen Treue und Ausdauer Irby und Mangles und ihre Reisegefährten ihren Besuch von Wady Mûsa zu verdanken hatten, war das Oberhaupt dieser Abtheilung. [2]) Er ist todt, und sein Geschlecht wurde jetzt von seinen Söhnen beherrscht. — Enge verbunden mit diesen sind die 'Ammârîn, welche nicht selbst Haweität sind, sondern einen unabhängigen Stamm von einigem Ansehen bilden, obgleich sie den Sheikh der Abu Rashîd als ihr Oberhaupt anerkennen. Sie leben in dem nördlichen Theile von esh-Sheräh, und ihnen gehört 'Ain el-Buweirideh in der 'Arabah.

Die Haweität leben nicht nur in diesen Bergen und längs der anstofsenden östlichen Wüste, sondern auch um Muweilih und in Aegypten, und einige finden sich nahe bei Gaza. Der Haupt-

---

1) Der Ebn Jarzee von Irby und Mangles p. 391.

2) Travels p. 383 sq. Legh unter dem 23. Mai. Burckhardt schreibt den Namen unrichtig Ibn Rashîd p. 417. (698.) So auch Legh.

sheikh über alle ist Mansûr Ibn Shedîd, welcher zu Kairo seinen Sitz hat und bereits erwähnt worden ist. [1]) Selbst die hier und zu Muweilih wohnenden Haweitât werden in die Liste der ägyptischen Araber eingetragen. — Die Bedawîn innerhalb dieser Distrikte und auch weiter nördlich sollen jetzt in einem Unterwürfigkeitsverhältnifs zur ägyptischen Regierung stehen und einen jährlichen Tribut bezahlen. Dieser betrug bei den Beni Sükhr im vorigen Jahr ein Kameel für je zwei Zelte.

Sowohl in Jebâl, als in esh-Sherâh sind die Fellâhin auch halbe Bedawîn, da sie nicht nur die wenigen Dörfer bewohnen, sondern auch theilweise, wie die Ta'âmirah nahe bei Bethlehem, in Zelten hausen. So leben in esh-Sherâh die Refâi'a in und um Dibdibah, die Liyâthineh in und um Eljy, die Rawâjifeh an einem gleichnamigen zerstörten Orte, und auch die ganz in Zelten wohnenden Hebâhibeh und Beni Na'im. Aufser diesen erwähnt Burckhardt auch die Sa'udiyeh und die Ja'ilât. [2]) Die Fellâhin in Sherâh sind der Regierung unterworfen, entrichten Tribut und liefern Bedarf an Getreide. — In Jebâl sind die Fellâhin gleichfalls in mehrere Stämme eingetheilt; aber es glückte uns nicht, ihre Namen zu erfahren. Burckhardt erwähnt die Jawâbireh als in Tûfileh lebend, die Beni Hamîdeh in el-Busaireh, und die Melâhîn in Shôbek. [3]) Die Fellâhs von Jebâl waren um diese Zeit noch im Aufruhr gegen die Regierung; und während des letzten Jahres hatte Sheikh Sa'id von Gaza mit den Jehâlîn und Tiyâhah zwei oder drei Monate über den Versuch, sie zu unterjochen, hingebracht. Sie nahmen leicht Besitz von den Dörfern; aber die Einwohner begaben sich ins Gebirge, wo

---

1) Siehe oben, Bd. 1. S. 230.
2) Travels p. 419, 434. (700, 721.)
3) Ebend. p. 405, 407, 416. (680, 683, 696.)

man ihnen nicht beikommen konnte. — Aus diesem Grunde wollten es unsere Jehâlin-Führer nicht wagen, uns nach Shôbek zu bringen. [1]

Dies sind die Raçen, welche jetzt das alte Edomiterland in Besitz haben. Es ist hier nicht der Ort, bei der Folge von Begebenheiten während der vielen zwischenliegenden Jahrhunderte zu verweilen; jedoch werden ein paar Notizen über die hier stattgefundenen Hauptveränderungen dazu dienen, auf die Geschichte und den Charakter jener alten Stadt, deren Ueberreste noch das Hauptinteresse des Reisenden in diesen Bergen auf sich ziehen, einiges Licht zu werfen.

In den Zeiten der biblischen Geschichte wurden die Berge östlich vom todten Meer als zum Moabiterland gehörig betrachtet, dessen nördliche Grenze gegen die Amoriter hin zuletzt der Bach Arnon, jetzt Wady el-Môjib war. [2] Die südliche Grenze von Moab scheint der Bach S a r e d gewesen zu sein; wenigstens wird dieser als die Wanderungsgrenze der Kinder Israel in der Wüste und als der Punkt angegeben, wo sie in das Gebiet Moab's, eines verwandten Volkes, übergingen. [3] Die Physiognomie des Landes scheint darauf hinzuführen, dafs dies wahrscheinlich der W a d y el-A h s y war, welcher jetzt den Distrikt Kerak von Jebâl trennt, und in der That eine natürliche Scheidung zwischen dem Lande im Norden und im Süden bildet. Nahe bei dem Kastell el-Ahsy an der Pilgerstrafse des syrischen Haj in der hohen östlichen Wüste entspringend, bricht er sich durch die ganze Bergkette bis nahe zu dem S. O. Winkel des todten Meers hindurch, einen Theil des Wegs eine tiefe Kluft bildend. [4] Im Norden sind die

---

1) Siehe oben, S. 50.
2) 4 Mos. 21, 13. 26. Richt. 11, 18.
3) 5 Mos. 2, 13. 14. 18. 4 Mos. 21, 12.
4) Burckhardt p. 400, 401. (673, 674.)

Berge Moab's hoch, und endigen hier in einer emporragenden
Klippe nahe bei Khauzîrch, welche mehrere Male als eins unserer Landmerkmale erwähnt worden ist. Weiter südlich sind die
Berge viel niedriger, bis sie über Wady el-Ghuweir hinaus wieder höher werden. — Die Israeliten passirten ohne Zweifel Wady
el-Ahsy (Sared) nahe bei seinem oberen Ende, wo er ihnen keine
Schwierigkeit darbieten mochte.

Im Süden von Moab erstreckte sich das Gebirge Seir oder
das Gebiet der Edomiter bis nach Elath am rothen Meer. [1]) In
dieses Land zog sich Esau vor seinem Bruder Jacob zurück; und
von seinen Nachkommen wird gesagt, dafs sie nach den Horitern
das Gebirge Seir inne hatten; und „sie vertilgeten sie vor ihnen
und wohneten an ihrer Statt." [2]) Die Eifersucht zwischen den Patriarchen Esau und Jacob ging auf ihre Nachkommen über. Als
die Israeliten nach vielen Wanderjahren zum zweiten Mal bei Kades
ankamen, baten sie die Edomiter um Erlaubnifs, über die „Land-
strafse" (wahrscheinlich Wady el-Ghuweir) durch ihr Land zu
ziehen, um Palästina von Osten her zu erreichen. Das Gesuch
wurde abgeschlagen; und die Israeliten sahen sich so genöthigt,
durch 'Arabah nach Elath (Ailah, 'Akabah), und von da durch
das Gebirge hinauf nach der östlichen Wüste zu ziehen, so dafs
sie das Edomiterland umgingen. [3])

In späteren Zeiten bekriegte Saul die Edomiter; David un-
terjochte das ganze Land, und Salomo machte Ezeongeber zu
einem Hafenplatz, von wo er Flotten nach Ophir aussandte. [4])
Nach verschiedenen Anstrengungen gelang es diesem Volk zur

1) 5 Mos. 2, 1 — 18.
2) 1 Mos. 36, 6 — 8. 5 Mos. 2, 12. 22.
3) 4 Mos. 20, 14 — 21; 21, 4. 5 Mos. 2, 1 — 8.
4) 1 Sam. 14, 47. — 2 Sam. 8, 14. 1 Chron. 18, 11 — 13.
1 Kön. 11, 15. — 1 Kön. 9, 26. 2 Chron. 8, 17. 18.

Zeit des Königs Joram, sich von Juda unabhängig zu machen; [1]) denn obgleich Amazia sie mit Krieg überzog und eine ihrer Hauptstädte, Sela (Fels, Petra), eroberte und sie jetzt Jaktheel hiefs; und obgleich Usia, sein Nachfolger, „Elath baute und sie wieder an Juda brachte,“ [2]) so scheinen dies doch nur vorübergehende Eroberungen gewesen zu sein. Unter Ahas machten die Edomiter Einfälle in Juda und führten Gefangene mit sich fort; und um dieselbe Zeit war es, wo Rezin, König von Syrien, „die Juden aus Elath stiefs,“ dessen Besitz jetzt die Edomiter fortwährend behaupteten. [3]) Um diese Zeit scheint ihre Hauptstadt Bozra gewesen zu sein. [4]) Aus den prophetischen Büchern des alten Testaments wissen wir auch, dafs, während das Königreich Juda seinem Untergang entgegeneilte, Edom blühend wurde und sich allem Anschein nach an die Chaldäer unter Nebucadnezar anschlofs, um den jüdischen Staat umstürzen zu helfen. Dadurch wurde der Nationalbafs der Juden gegen Edom noch mehr gesteigert, und die Propheten sprachen die stärksten Drohungen gegen dieses Land aus. [5]) Während des jüdischen Exils scheinen die Edomiter nach Südpalästina vorgedrungen zu sein, wovon sie bis nach Hebron hin Besitz nahmen; hier wurden sie, wie wir schon gesehen haben, später von den Makkabäern angegriffen und unterjocht, und zur Annahme der jüdischen Gesetze und Sitten gezwun-

---

1) 2 Kön. 8, 20—22. 2 Chron. 21, 8—10.

2) 2 Kön. 14, 7. 2 Chron. 25, 11. 12. 14. — 2 Chron. 26, 2.

3) 2 Chron. 28, 17. — 2 Kön. 16, 6 Keri. Hier ist das Keri אֲדוֹמִים, Edomiter statt Aramäer oder Syrier zu lesen. Die Verwechselung rührt ohne Zweifel von der nahen Aehnlichkeit des hebräischen ד und ר her.

4) Jes. 34, 6; 63, 1. Jer. 49. 13, 22. Am. 1, 12.

5) Ps. 137, 7. Obadja Vs. 1 ff. Jer. 49, 7 fl. Hesek. 25, 12—14; 32, 29; 35, 3—15.

gen. [1]) Idumaea, welcher Name jetzt auch den südlichen Theil
von Judaea mit umfaſste, wurde seitdem von einer Reihe jüdischer
Präfekten regiert, deren einer, Antipater, von Geburt ein Idu-
mäer, durch die Gunst Cäsar's zum Procurator von ganz Judaea
gemacht ward; und sein Sohn, Herodes der Groſse, wurde König über die Juden, mit Einschluſs von Idumaea. [2]) Kurz vor
der Belagerung Jerusalem's durch Titus warfen sich Schaaren
von Idumäern in die Stadt, welche sie mit Räuberei und Gewaltthätigkeit anfüllen halfen. [3]) Seit der Zeit verschwinden die Edomiter aus dem Bereich der Geschichte als ein Volk, und in dem
folgenden Jahrhundert beschränkt Ptolemaeus ihr Gebiet auf die
Gegend westlich vom todten Meer. [4])

Aber während die Edomiter so ihre Grenzen im Nordwesten
ausgedehnt hatten, waren sie wiederum aus dem südlichen Theil
ihres eignen Gebietes und aus ihrer Hauptstadt selbst von den
Nabathäern vertrieben, einem arabischen Stamme, Nachkommen
Nebajoth's, des ältesten Sohnes von Ismael. [5]) Dieses nomadische
Volk hatte sich über das ganze wüste Arabien vom Euphrat bis
zu den Grenzen von Palästina und endlich bis zu dem elanitischen Golf des rothen Meeres ausgebreitet. [6]) In welcher Periode

---

1) Siehe oben, Bd. II. S. 695.

2) Joseph. Ant. XIV, 1, 3. XIV, 8, 5. XV, 7, 9. XVII, 11, 4.
— Daher sprechen römische Schriftsteller oft von ganz Palästina unter
dem Namen Idumaea; siehe Reland Palaest. p. 48, 49.

3) Joseph. B. J. IV, 4, 1. 5. VII, 8, 1.

4) Ptolem. V, 16: Ἰδουμαία, ἥτις ἐστι πᾶσα ἀπὸ δύσεως τοῦ
Ἰορδάνου. Reland Palaest. p. 462.

5) 1 Mos. 25, 13. Jes. 60, 7.

6) Jos. Ant. I, 12, 4: Οὗτοι παῖδες Ἰσμαήλου πᾶσαν τὴν ἀπ'
Εὐφράτου καθήκουσαν πρὸς τὴν Ἐρυθρὰν θάλασσαν κατοικοῦσι, Να-
βατηνὴν τὴν χώραν ὀνομάσαντες· εἰσὶ δὲ οὗτοι οἱ τῶν Ἀράβων ἔθνος

sie so die Edomiter aus ihren alten Besitzungen vertrieben, ist
unbekannt; aber schon Antigonus, einer der Nachfolger Alexander's, welcher 301 v. Chr. starb, schickte nach Eroberung von
Syrien und Palästina zwei Kriegsheere gegen die Nabathäer in
Petra; das erste von Athenaeus, und das zweite von seinem eignen Sohne Demetrius befehligt. [1]) Um diese Zeit waren sie eigentlich noch Nomaden und allem Ansehein nach ohne König; aber
sie hatten schon angefangen, sich in Handel einzulassen und
scheinen allmählig eine geregeltere Lebensweise angenommen zu
haben. So bildete sich aus ihnen während des folgenden Jahrhunderts das Königthum des peträischen Arabiens, beinahe dasselbe Gebiet umfassend, welches innerhalb der Grenzen des alten
Edom gelegen hatte. Es nahm wahrscheinlich diesen Namen von
dem seiner Hauptstadt Petra an. Ein König dieses Landes, Aretas, wird als Zeitgenosse des Antiochus Epiphanes, kurz vor
der Makkabäerzeit, um das Jahr 166 v. Ch. erwähnt. [2])

Von dieser Zeit an bis zur Zerstörung von Jerusalem kamen die Beherrscher des peträischen Arabiens, welche gewöhnlich
den Namen Aretas oder Obodas führen, in häufige, feindliche
sowohl als friedliche Berührung mit den Juden und Römern. Das
Land und Volk wird oft bei Josephus erwähnt. [3]) Ihre Beherr-

---

z. τ. λ. Hieron. Quaest. in Gen. XXV, 13. Diod. Sic. XIX, 94. Siehe
mehr darüber bei Reland Pal. p. 90 sq.

1) Diod. Sic. XIX, 94—98.

2) 2 Makk. 5, 8.

3) Alexander Jannaeus focht unglücklich gegen einen Obodas um
das Jahr 93 v. Chr. Antiq. XIII, 13, 5. B. J. I, 4, 4. Antiochus
Dionysius von Syrien wurde in einer Schlacht in Syrien getödtet, und
Aretas (wie es scheint der Sieger) wurde König von Damascus; Antiq.
XIII, 15, 1. 2. B. J. I, 4, 7. 8. Im Jahre 63 v. Chr. überfiel Scau-
rus, ein Feldherr des Pompejus, Arabien, drang bis Petra vor, und schloß

scher scheinen gewissermaſsen von den römischen Kaisern abhängig gewesen zu sein, obgleich nicht gradezu der römischen
Macht unterworfen. Obodas, sechs oder acht Jahre vor der christlichen Zeitrechnung, ein Mann von schlaffem Geiste, überliefs
den ganzen Geschäftsgang einem Günstling, Namens Syllaeus. [1])
Dieser letztere hielt bei Herodes dem Grofsen um die Hand seiner Schwester Salome an; aber da sein Gesuch erfolglos war,
so trat er, vielleicht aus diesem Grunde, feindlich gegen Herodes
auf und klagte ihn einige Jahre später vor Augustus in Rom feind-
seliger Schritte und Mordthaten in Arabien an. Herodes war indefs im Stande, den Sturm zu seinen eignen Gunsten zu lenken,
und Syllaeus wurde zu einer Geldbufse verurtheilt. [2])   Mittlerweile war Obodas gestorben und Aeneas ihm gefolgt, welcher
den Namen Aretas annahm und zuletzt in seinem Königthum
von Augustus bestätigt wurde, obgleich dieser zuerst vorgehabt
hatte, Arabien dem Herodes zu schenken. [3])

Während der Regierung desselben Obodas, drei oder vier
Jahre vor der christlichen Zeitrechnung, veranstaltete Augustus
die berühmte Expedition von Aegypten aus nach Arabien unter
Aelius Gallus, dem Freund des Strabo und damaligen Statthalter von Aegypten. Nach verschiedenen Hindernissen kam Gallus

---

dann Frieden mit Aretas; Antiq. XIV, 5, 1. Dio Cass. XXXVII, 15.
Zwei Jahre später, um das Jahr 61 v. Chr., veranlafste Antipater den
Hyrcanus, Sohn des Alexander Jannaeus, seine Zuflucht zum Aretas in
Petra zu nehmen; Ant. XIV, 1, 4. B. J. I, 6, 2. In den ersten Jah-
ren der Regierung des Herodes war das Königthum von Arabien in den
Händen des Malchus; Ant. XV, 6, 2.

1) Jos. Ant. XVI, 7, 6. Strabo XVI, 4, 23. 24.
2) Jos. Ant. XVI, 7, 6. 9, 2—4. 10, 8. 9. B. J. I, 28, 6.
29, 3.
3) Jos. Ant. XVI, 9, 4. 10, 9. XVII, 3, 2.

mit seinen Truppen zu Wasser in Leuke Kome [1]), einem Handelsplatz der Nabathäer, an. Hier wurde er auf Befehl des Königs Obodas und seines Günstlings Syllaeus, als Bundesgenossen der Römer, freundlich aufgenommen, und er blieb daselbst einen Sommer und Winter über, zur Wiederherstellung seiner von Krankheiten heimgesuchten Truppen. Er marschirte später ins Innere, aber ohne Petra zu besuchen; und nach vieler durch die Treulosigkeit und Verrätherei des Syllaeus herbeigeführter Zögerung und Beschwerlichkeit kehrte er durch das glückliche Arabien wieder zurück. [2])

Der nächste arabische König, von dem wir dann eine Nachricht haben, ist der von Paulus erwähnte Aretas, Herr von Damascus, welches er damals um das Jahr 38 oder 39 durch einen Landpfleger verwalten liefs. [3]) Josephus berichtet, dafs Herodes Antipas sich mit der Tochter dieses Aretas vermählt, dafs er sie aber verstofsen habe, um Herodias zu heirathen, welcher Schritt ihm Johannis des Täufers Rüge zuzog. [4]) Hierauf begann Aretas einen Krieg gegen Herodes und vernichtete sein Heer gänzlich; ein Gericht über Herodes, wie viele der ernstgesinnten Juden es ansahen, wegen der Ermordung des Johannes. Vitellius, damals Proconsul von Syrien, erhielt Befehl, den Aretas zu züchtigen;

---

1) *Λευκὴ Κώμη*, Albus Pagus, Strabo XVI, 4, 24. Arrian. Periplus Maris Erythr. ed. Hudson. p. 11. Wahrscheinlich in oder nahe bei Muweilih, bei der Mündung des Busens von 'Akabah an der östlichen Küste. Dieser Ort war schon den Römern im fünften und sechsten Jahrhundert unter dem Namen Mohaila bekannt; siehe Notit. dignitat. ed. Panciroli p. 216. Reland Palaest. p. 230. Siehe überhaupt Vincent's Commerce and Navig. of the Ancients, Vol. II. p. 258, 259, 295. Lond. 1807. 4.

2) Strabo XVI, 4, 22 — 24. Dio Cass. LIII, 29.

3) 2 Kor. 11, 32. Vgl. Apgsch. 9, 24. 25.

4) Matth. 14, 3. 4. Mark. 6, 17. 18. Luk. 3, 19.

III.   8

aber während er sich zu diesem Zuge rüstete und einige von seinen Truppen vorausgeschickt hatte, kam die Nachricht von dem
Tode des Tiberius, worauf er seine Truppen zurück berief, und
sie in Winterquartiere unterbringend die Provinz verliefs. Wahrscheinlich geschah es in dieser Periode, unter der kraftlosen Regierung des Caligula, dafs Aretas, diese Schwäche zu seinem
Vortheil benutzend, einen Einfall machte und die Stadt Damascus
eroberte, welche er eine Zeitlang in der von Paulus berichteten
Weise inne hatte. Es konnte indefs nur eine vorübergehende
Besitznahme sein; denn das Faktum findet sich bei keinem andern
Schriftsteller erwähnt. [1])

Dem Namen nach dauerte die Unabhängigkeit des König-
thums von Arabien noch einige dreifsig Jahre nach der Zerstörung von Jerusalem fort. Unter der Regierung des Trajan, um
das Jahr 105, wurde es von dem damaligen Statthalter Syriens,
Cornelius Palma, überfallen und erobert, und förmlich zum römischen Reiche geschlagen. [2])

Die Bewohner dieser Gegend traten früh in einen ausgedehnten Handelsverkehr, als Beförderer der reichen Produkte des
Ostens zwischen dem rothen Meer und den Häfen der Phönicier.
Bei dem ersten, von Antigonus veranstalteten Kriegszug waren
die Männer von Petra zu Markte gereist, und Athenaeus fand in
dieser Stadt eine grofse Menge Weihrauch und Myrrhen, und

---

1) Ein aus Josephus zusammengestelltes Verzeichnifs von Herr-
schern über das peträische Arabien findet sich in Vincent's Comm. and
Navig. of the Anc. Vol. II. p. 272 sq.

2) Dio Cass. LXVIII, 14: Κατὰ δὲ τὸν αὐτὸν τοῦτον χρόνον
(A. U. C. 858.) καὶ Πάλμας τῆς Συρίας ἄρχων τὴν Ἀραβίαν τὴν πρὸς
τῇ Πέτρᾳ ἐχειρώσατο, καὶ Ῥωμαίων ὑπήκοον ἐποιήσατο. Amm. Marcell.
XIV, 8. Eutrop. VIII, 2. 9.

500 Talente Silber. [1]) Strabo berichtet, dafs die Waaren Indiens und Arabiens auf Kameelen von Leuke Kome nach Petra, und von da nach Rhinocolura (el-Arish) und andern Orten transportirt wurden. [2]) Unter den Römern scheint dieser Handel noch mehr in Flor gekommen zu sein. Das Land wurde zugänglicher gemacht und die Passage der Kaufleute und Karawanen erleichtert, sowohl durch Militärstrafsen, als durch Anlegung von Militärposten, um die räuberischen Horden der benachbarten Wüsten im Zaume zu halten. Ein grofser Weg, wovon noch Spuren vorhanden sind, nahm seine Richtung nordwärts von Ailah nach Petra und von da nach Damascus; von Petra lief ein Arm längs dem Westen des todten Meers nach Jerusalem, Askalon und andern Theilen des Mittelmeers. [3]) Eine Reihe von Militär-Stationen wurde diesen Weg entlang angelegt, welche zur Beschützung desselben gegen Einfälle von der östlichen Wüste her dienten; und einige derselben wuchsen zu Städten empor. [4])

---

1) Diod. Sic. XIX, 95. Siehe oben, S. 111.

2) Strabo XVI, 4, 18. 23. 24.

3) Siehe die Peutingersche Tafel; und vergl. Rennell's Compar. Geogr. of Western Asia I. p. 89 sq. Ritter, Geschichte des petr. Arabiens in den Abhandl. d. Berl. Akad. 1824. Hist. phil. Kl. S. 204, 205. — Spuren von diesem alten Wege fand Laborde südlich von Wady Mûsa; Voyage p. 62. Nördlich von Wady Mûsa sind Ueberreste davon an vielen Stellen zu sehen; s. Burckhardt p. 374, 419. (636 f. 701.), Irby und Mangles p. 371, 377, 460. Die letzteren Reisenden sahen mehrere Meilensteine aus der Zeit Trajan's und einen von Marc Aurel; p. 461.

4) So finden wir in den Notitiae dignitatum im fünften oder sechsten Jahrhundert Besatzungen von „equites" zu Mohila, Aila, Havana, Zodocatha, Arindela, Areopolis etc. Peutinger's Tafel hat Hauarra und Zadagatta auf der grofsen Strafse zwischen Aila und Petra. Siehe Notitiae dignitatum ed. Panciroli p. 215, 216, 219, 220. Reland Palaest. p. 230, 231. Ritter a. a. O.

8 *

Schon früh im vierten Jahrhundert wurde der Name Palästina bisweilen so weit ausgedehnt, dafs er diese ganze Gegend
mit umfafste; [1]) und im Anfang des fünften Jahrhunderts finden
wir eine neue Eintheilung von Judaea und den anstofsenden Gegenden eingeführt: Palaestina Prima, Secunda, Tertia.
Ersteres begriff Jerusalem und ganz Judaea im Süden und nördlich bis nach Samaria in sich; das zweite schlofs Scythopolis und
den Norden von Palästina ein; während das dritte die früher zum
peträischen Arabien gehörenden Gegenden im Osten und Süden
des todten Meeres umfafste, und sich auch über die 'Arabah hinüber so weit westlich erstreckte, dafs Bersaba und Elusa noch
mit dazu gehörten. [2]) Dies scheint zu gleicher Zeit eine kirchli-
che Eintheilung gewesen zu sein; die drei Palästina's hatten jedes einen Metropolitansitz, zuerst Caesarea, Scythopolis und Petra; und als auf dem Concil zu Chalcedon Jerusalem zu einem
Patriarchat erhoben wurde, erhielt es diese drei Provinzen als sein
Gebiet zugewiesen. [3]) Lange vor dieser Zeit hatte sich daher

---

1) Onomast. Art. Ailah, Arcem, Cades etc.

2) Diese Eintheilung findet sich zuerst in einem im J. 409 bekannt gemachten Gesetze. Leg. III. Cod. Theodos. de erog. milit. an-
non.: „Limitanei milites et possessorum utilitate conspecta per primam,
secundam, et tertiam Palaestinam hujuscemodi norma processit." Reland Palaest. p. 205 sq. — Palaestina tertia wurde zuweilen auch Sa-
lutaris genannt; Reland ibid. p. 206.

3) Siehe oben, Bd. II. S. 222. Diese Eintheilung Palästina's zieht
sich durch alle kirchlichen Notitiae hindurch, Reland Palaest. p. 214 —
226. Der Name Arabien wurde in dieser Periode von der Gegend nördlich von Palaestina tertia, mit Einschlufs von Medaba, Hesbon, Rabbath-
Ammon oder Philadelphia, Gerasa, Bostra etc. gebraucht. Reland p. 217,
219, 223, 226. Jedoch war dieser Sprachgebrauch nicht fest, und einige
Schriftsteller sprechen von den Städten in Palaestina tertia als ob sie noch
zu Arabien gehören; so Sozomenus Hist. Eccl. VII, 15. Reland p. 613.

die christliche Religion in dieser Gegend umher verbreitet, und
es sind in der That die Akten und Urkunden von Concilien im
vierten, fünften und sechsten Jahrhundert und die kirchlichen
Notitiae desselben oder eines spätern Zeitalters, denen wir die
Hauptkenntnifs dieses Landes während dieser Perioden und die
Ueberlieferung von Namen vieler Bischofsstädte verdanken, die
sonst in Vergessenheit hätten versinken müssen.

Wie weit sich das Christenthum unter den nomadischen
Stämmen der östlichen Wüsten ausgebreitet hatte, oder ob sie,
wie die um den Sinai, die Verehrung der Gestirne noch beibe-
hielten, läfst sich nicht mehr bestimmen. Aber noch vor der Mitte
des siebenten Jahrhunderts begann der Islam sich durch Gewalt
des Schwertes zu verbreiten; und bald vereinigten sich alle arabischen Horden, wie unterschieden sie auch in andern Beziehungen sein mochten, zu einer grofsen Gemeinschaft religiöser Zelo-
ten. Im Jahr 630 drang Muhammed selbst gegen die römische
Grenze bis nach Tebûk vor; und dies war für mehrere der christlichen Gemeinden im peträischen Arabien das Signal, den Genufs ihrer Privilegien durch Entrichtung eines Tributs von dem
Eroberer zu erkaufen. Zu diesen gehörte Ailah. [1]) Dieses Beispiel scheint allgemein befolgt worden zu sein; denn vier Jahre
später (634 n. Chr.), als die Eroberungsfluth sich weiter fortwälzte, schlofs das Bisthum zu Bozra im Norden auf gleiche Weise
mit Abu Bekr nach der Schlacht bei Yarmûk Frieden. [2]) Im

1) Abulfed. Ann. Muslem. ed. Adler, 1789, Tom. I. p. 171. Siehe
oben, Bd. I. S. 281. Abulfeda erwähnt Ailah und zwei andere, jetzt
unbekannte Orte. Es existirt auch ein vorgebliches Diploma Secu-
ritatis Ailensibus, welches für ein Patent von Muhammed selbst
zu Gunsten der Christen angesehen sein will; siehe Gibbon chap. L, Anmerk. unter dem Jahr 630 n. Chr.

2) Abulfedae Annal. Tom. I. p. 223, 243, 245. Ritter, Gesch. des
petr. Arab. a. a. O. S. 219.

Jahr 636 unterwarf sich Jerusalem selbst, wie wir gesehen haben, der muhammedanischen Herrschaft. Mit dieser Eroberung gerieth die merkantilische Bedeutung und Blüthe des früheren peträischen Arabiens in Verfall. Muhammedanische Reiche entstanden und gediehen im südlichen Arabien, Syrien und Aegypten. Bei seiner Lage dazwischen behielt dieses Land keine unabhängige Existenz; der Handelsverkehr nahm seinen Lauf über andere Bahnen; die früheren grofsen Verbindungswege wurden verlassen; und die ganze Gegend fiel zuletzt den nomadischen Horden der angrenzenden Wüsten anheim, deren Nachkommen sie noch in Besitz haben. [1] Von der muhammedanischen Eroberung an bis auf die Zeit der Kreuzzüge fällt kein Funke historischen Lichtes auf dieses vergessene Land. [2]

Die Züge der Kreuzfahrer liefsen für den Augenblick ein paar matte Strahlen in die sonst völlige Dunkelheit fallen. Während des zwölften Jahrhunderts drangen sie zu verschiedenen Malen in die Gegenden östlich und südlich vom todten Meer ein, und hielten Theile derselben eine Zeitlang in Besitz. Dazumal war das ganze Land östlich vom Jordan den Kreuzfahrern unter dem Namen Arabien bekannt; den nördlichen Theil um Bozra nannten sie Arabia prima; die Gegend um Kerak, Arabia secunda, und die weiter südliche, Arabia tertia oder Syria Sobal. [3]

---

1) Ritter ebend. S. 209.

2) Wenn nicht etwa in den beiden lateinischen kirchlichen Notitiae, welche sich allem Anschein nach auf die Jahrhunderte vor den Kreuzzügen beziehen, und in welchen der Name Petra's, des früheren Metropolitansitzes, nicht weiter vorkommt; Reland Pal. p. 223, 226.

3) Siehe Jac. de Vitr. c. 96. Auch über Arabia prima ebend. c. 47; über Arabia secunda, Will. Tyr. XI, 26. XV, 21; über Arabia tertia und Syria Sobal, Will. Tyr. XI, 26. XVI, 6. Jac. de Vitr. c. 28. Siehe überhaupt Marin. Sanut. p. 244. Wilken Gesch. der Kreuzz. II. S. 616. III, 1. S. 210.

Die erste Expedition fand unter Balduin I. im Jahr 1100 statt. [1]) Nach einem Marsche von Hebron um das Südende des todten Meers und bei Segor (Zoar) vorbei, kamen die Truppen der Kreuzfahrer in fünf Tagen durch die Berge hindurch mit grofser Schwierigkeit nach Wady Musa, welchem sie schon den Namen „Vallis Moysi" geben. [2]) Es ist eben kein grofser Beweis von ihrer Kenntnifs in biblischer Geographie, dafs sie den angrenzenden Berg mit dem Grab Aaron's für den Berg Sinai, und den das Thal hinunter fliefsenden Bach für das Wasser hielten, welches Moses mit dem Stab aus dem Felsen schlug. [3]) Von diesem Thal, berichtet Albertus Aquensis, marschirten sie noch eine Tagereise weiter bis zu einer Stadt Namens Susum; aber da weder Fulcher von Chartres, welcher dabei war, noch irgend ein anderer Geschichtsschreiber diesen weiteren Marsch erwähnt, und der Name einer solchen Stadt anderweitig unbekannt ist, so scheint die Angabe dieses Schriftstellers, welcher kein Augenzeuge war, von zweifelhafter Autorität zu sein. Fulcher berichtet, dafs sie nach einem Aufenthalt von drei Tagen in Wady Musa über Hebron nach Jerusalem zurückkehrten.

Auf dem zweiten Kriegszuge, welcher unter demselben Kö-

---

1) Siehe überhaupt in den Gest. Dei: Alb. Aq. VII, 41, 42, Fulcher Carn. 23. p. 405. Guibert VII, 36. p. 555. Anon. p. 518. Will. Tyr. X, 8. Wilken a. a. O. II. S. 88. 89.

2) Gesta Dei p 581. Will. Tyr. XVI, 6.

3) Guibert und Fulcher a. a. O. Guibert giebt jedoch als seine eigne Meinung an, dafs dies der Berg Hor sei. Fulcher rühmt sich, dafs an diesem Bache „equos adaquavi meos." Derselbe Irrthum geht indefs zurück bis zur Zeit des Eusebius und Hieronymus; siehe Onomast. Art. Or. Als dies einmal von den Kreuzfahrern angenommen war, verleitete es sie späterhin, Ailah für Elim mit den zwölf Quellen und siebzig Palmbäumen zu halten (Will. Tyr. XI, 29.), und nöthigte sie auch dazu, das alte Petra weiter nördlich bei Kerak aufzusuchen und zu finden.

nig im Jahr 1115 stattfand, scheint Balduin den Jordan überschritten und ganz Arabia secunda der Länge nach durchzogen zu haben. Er war nur von 200 Rittern und 400 Männern zu Fufs begleitet; und mit dieser kleinen Schaar baute er in Arabia tertia binnen achtzehn Tagen ein einst festes Kastell auf einem steilen, vereinzelten Berge wieder auf, mitten in einer an Korn, Oel und Wein fruchtbaren Gegend. Dieser Festung, der ersten von den Lateinern östlich vom Jordan errichteten, gab er den Namen Mons regalis (Mont-royal). Arabische Schriftsteller führen sie unter der noch heut zu Tage ihr beigelegten Benennung Shôbek auf. [1]) — Im nächstfolgenden Jahre (1116) besuchte König Balduin mit einem Gefolge von 200 Mann seine Festung wieder und rückte später bis nach Ailah vor, von welcher Stadt er Besitz genommen zu haben scheint. Er würde bis nach dem Kloster des Berges Sinai vorgedrungen sein; aber er liefs sich durch die Bitten der Mönche davon abbringen. [2])

Zwanzig Jahre hindurch verblieb Shôbek die hauptsächlichste, wo nicht einzige Festung der Lateiner in dieser Gegend. Das Land östlich vom todten Meer und Kerak war dem Ritter Romanus von Puy als Lehen überlassen worden; dieser ward jedoch nebst seinem Sohne Rudolph, in Folge einer vermeintlichen Verschwörung gegen König Fulco um das Jahr 1132, wieder

---

1) Alb. Aq. XII, 21. Fulch. Carn. 42. p. 426. Gesta Dei p. 611. Will. Tyr. XI, 26. Jac. de Vitr. 28. Wilken a. a. O. II. S. 402. — Siehe auch Bohaeddin Vit. Salad. p. 38. 54. Abulfed. Annal. Musl. ad A. H. 567. Abulf. Tab. Syr. ed. Köhler p. 88. Schultens Index in Vit. Salad. Art. Sjanbachum.

2) 'Alb. Aq. XII, 21. Fulch. Carn. 43. p. 216. Gesta Dei p. 611. Will. Tyr. XI, 29. Wilken a. a. O. S. 403. Siehe auch oben, Bd. I. S. 209. 281. — Albertus Aquensis scheint diese beiden Expeditionen Balduin's mit einander zu verwechseln, und läfst ihn das rothe Meer mit nur sechszig Rittern besuchen.

daraus verdrängt. [1]) Es wurde jetzt an einen Edelmann, Paganus (Payen) vergeben, welcher des Königs Mundschenk gewesen war. Drei oder vier Jahre später errichtete er die starke Festung Kerak an der Stelle einer vormaligen Stadt, welche für das alte Petra gehalten wurde. [2]) Dieses Kastell und Shôbek machten eine Reihe von Jahren den Saracenen viel zu schaffen; ihre Besitzer plünderten die reichen, über die benachbarte Strafse zwischen Damascus und Aegypten oder Arabien ziehenden Karawanen, und schnitten alle militärische Verbindung in dieser Gegend ab. Sie waren daher wiederholten Angriffen saracenischer Heere sowohl von Syrien als von Aegypten her ausgesetzt. [3])

Um das Jahr 1144 unternahm König Balduin III. im ersten Jahr seiner Regierung, wo er noch nicht majorenn war, einen Kriegszug über Hebron nach Wady Musa, um ein gewisses, von den Saracenen mit Hülfe der Bewohner dieser Gegend eingenommenes Kastell, Namens „Vallis Moysi", zurückzuerobern. Bei der Annäherung des Königs begaben sich die letztern in das durch eine feste Lage geschützte Kastell. Die Franken bestürmten es mehrere Tage ohne Erfolg mit Steinen und Pfeilen. Dann fingen sie an, die zahlreichen Olivenbäume zu zerstören, welche das Hauptprodukt dieser Gegend ausmachten, um deren Erhaltung willen die Einwohner sogleich die Festung übergaben. Ich weifs nicht, welches Kastell dies gewesen sein mag, wenn nicht etwa das eine, welches wir auf der Felsenschicht nordöstlich von Wady

---

1) Will. Tyr. XIV, 15. 21. Wilken a. a. O. II. S. 608, 609, 616.

2) Will. Tyr. XIV, 21. XXII, 28. Wilken ebend. S. 616.

3) Bohaedd. Vit. Saladin. p. 58, 59. Eine von diesen Festungen oder beide wurden in den Jahren 1172, 1182, 1183, 1184 auf das heftigste angegriffen. Siehe überhaupt Wilken a. a. O. II. S. 616. III, 2. S. 150, 206, 236, 246 u. s. w.

Mûsa erblickten. [1]) — Im Jahr 1182 unternahm Rainald von
Chatillon, damals Herr von Kerak, seinen unglücklichen Feldzug
gegen Ailah, und hatte in den beiden folgenden Jahren (1183,
1184) die furchtbaren Angriffe Saladin's auf Kerak selbst zu bestehen. [2]) Jedoch wurde dieser Sultan 1188, ein Jahr nach der
Wiedereroberung von Jerusalem, auch Herr sowohl von Kerak als
Shôbek, beides nach einer langen Belagerung. [3]) Damit nahm
die Herrschaft der Franken über dieses Gebiet ein Ende. Das
Kastell Kerak blieb fernerhin eine Festung der Saracenen, und
funfzig Jahre später war der Emir desselben, David, im Stande,
sich Jerusalem's eine Zeitlang zu bemächtigen. [4])

Von der Zeit an bis auf das gegenwärtige Jahrhundert ruht
wieder tiefes Dunkel auf dem Edomiterland. Volney scheint zuerst seine Aufmerksamkeit darauf hingelenkt zu haben, veranlafst
durch die Berichte der Araber um Gaza, dafs im Südosten des
todten Meers innerhalb dreier Tagereisen mehr als dreifsig Ruinenhaufen veröfeter Städte zu sehen wären, in deren einigen
es grofse Gebäude mit Säulen gäbe. [5]) Im Jahr 1806 drang
Seetzen von Damascus bis nach Kerak vor, und zog von da um
das Südende des todten Meers nach Jerusalem, ohne jedoch Edom
zu betreten. [6]) Im März 1807 kam derselbe Reisende von Hebron

---

1) Will. Tyr. XVI, 6. Wilken ebend. III, 1. S. 208. Siehe oben,
S. 59.

2) Siehe oben, Bd. I. S. 282. — Will. Tyr. XXII, 28 – 30. Bohaedd. p. 58, 59. Abulf. Ann. Musl. ad A. H. 580. Wilken ebend. III,
2. S. 236, 246.

3) Ganf. Vinis. I, 15. Bohaedd. p. 88, 90. Abulf. Annal. ad A.
H. 584. Wilken ebend. IV. S. 244, 245, 247.

4) Siehe Bd. II. S. 113.

5) Volney Voyage en Syr. c 31. Tom. II. p. 317. Par. 1787.

6) Zach's monatl. Corr. XVIII. S. 433 ff. Seetzen hörte zu Kerak den Namen „B e d r a" als den eines eine Tagereise weiter südlich lie-

auf dem Wege nach Wady Músa bis nach dem Berg Madúrah
nicht weit nördlich von el-Weibeh; und hier beschrieb ihm ein
Araber aus esh-Sheráh Wady Músa und seine Ueberreste, und.
theilte ihm ein langes Verzeichnifs von den verschiedenen Städten und Ruinen in dieser Gegend mit. [1]) Aber es war Burckhardt vorbehalten, im Jahr 1812 zuerst die Gegend von Kerak
bis zum südlichen Wady Ghüründel zu durchziehen und die Wunder von Wady Músa zu erforschen. Ihm folgten in derselben
Richtung 1818 die Herren Bankes, Legh, Irby und Mangles.
Zehn Jahre später, 1828, drangen Laborde und Linant zuerst
von Akabah nach Wady Músa vor, und kehrten auf einem östlicheren Wege durch die Berge zurück.

Ein paar Worte über die alten Städte, deren Lagen in
dieser Gegend aufgefunden sind, mögen hier, als Vorbemerkun-
gen für eine speciellere Notiz von der Hauptstadt Petra, nicht
am unrechten Orte sein.

Südlich von Wady el-Mójib und 6 oder 8 engl. Meilen N.
gen W. von Kerak liegen die jetzt unbedeutenden Ruinen Namens
Rabba, von etwa einer halben Stunde im Umfang, mit den
Ueberresten eines Tempels und mehrerer korinthischer Säulen. [2])
Dies war unstreitig die Ortslage von Rabbath Moab in den
frühen Jahrhunderten, Areopolis bei den Griechen, ein Bischofs-

---

genden Ortes; ebend. S. 434. Aber er gesteht, dafs ihm dies nur auf
eine direkte Nachfrage von seiner Seite nach Petra zur Antwort gegeben
wurde, und bei dem Mangel aller weitern Zeugnisse kann auf diese Aussage kein Gewicht gelegt werden. S. die Bemerkungen oben, Bd. I.
S. 183.

1) Ebend. XVII. S. 133—139.

2) Seetzen a. a. O. XVIII. S. 433. Burckhardt p. 377. (640.) Irby
und Mangles p. 456 sq. — Nach Burckhardt beträgt die Entfernung von
Kerak drei Stunden oder darüber. Irby und Mangles geben sie zu etwa
zwei Stunden an.

sitz in Palaestina tertia, welcher nach der Zerstörung von Petra die Metropolitanstadt dieser Gegend wurde. In noch früheren Zeiten war dies das im alten Testament erwähnte A r in Moab. [1])

In Kerak selbst haben wir das alte KirMoab des alten Testaments, welches schon in der chaldäischen Version und in den griechischen Apokryphen unter der Form Kerakka Moab und Charaka erscheint. [2]) Unter diesem letztern Namen wird es, mehr oder weniger corrumpirt, von Ptolemaeus und andern sowohl kirchlichen als profanen Schriftstellern bis zu den Jahrhunderten vor den Kreuzzügen herab erwähnt. [3]) Die Kreuzfahrer fanden den Namen noch vor und errichteten die noch immer als Kerak bekannte Festung. Aber ihre Unkenntnifs alter Geographie führte sie auch hier irre; und wie sie im Westen die Lage von Bersaba zu Beit Jibrin fanden, so hielten sie hier Kerak für die ehemalige alte Hauptstadt des peträischen Arabiens und gaben

---

1) Jes. 15, 1. 4 Mos. 21, 28. Hieron. Comm. in Isa. XV, 1: „Hujus metropolis civitatis Ar, quae hodie ex Hebraeo et Graeco sermone composita Areopolis nuncupatur" etc. Onomast. Art. Moab: „Porro ipsa civitas (Areopolis), quasi proprium vocabulum possidet Rabbath Moab, id est, grandis Moab." So auch Steph. Byzant. Siehe Reland Palaest. p. 577, 957. Gesenius Comment. zu Jes. 15, 1. — Ueber ihren bischöflichen Charakter siehe die kirchlichen Notitiae, Reland p. 215, 217, verglichen mit p. 223, 226. le Quien Oriens Christ. III, p. 734.

2) Jes. 15, 1. Hebr. קִיר מוֹאָב; Chald. כְּרַכָּא דְמוֹאָב; welches beides Mauer oder Festung bedeutet. — 2 Makk. 12, 17: Χάραχα.

3) Ptol. IV, 17. Reland Palaest. p. 463, 705. Gesenius Comm. zu Jes. 15, 1. — Die kirchlichen Notitiae siehe bei Reland p. 215, 217. Von den beiden spätern lateinischen Notitiae hat eine Karach und die andere Kara; ebend. p. 223, 226. Burckhardt hielt irrthümlich dieses letztere, Kara, für einen ganz andern Namen und einen verschiedenen Ort, welchen er dann in el-Kerr, einer Ortslage mit Ruinen südlich von Wady el-Ahsy, wiederfindet; Travels p. 401. (675.)

ihm daher den Namen Petra deserti. [1]) Sie errichteten hier im
Jahr 1167 ein lateinisches Bisthum von Petra, welches einige
Jahre hindurch bestand; und der Name und Titel hat sich in der
griechischen Kirche bis auf den heutigen Tag erhalten. [2])

In Tüfilch dürfen wir wahrscheinlich das alte Thophel
erkennen, das einmal im alten Testament in Verbindung mit der
'Arabah erwähnt wird. Die Wurzelbuchstaben und die Bedeutung
sind sowohl im Hebräischen als im Arabischen dieselben. [3])

Der Ort el-Busaireh, 2³/₄ Stunden südlich von Tüfileh
gelegen, scheint in seinem Namen entschiedene Merkmale von
Alterthum zu verrathen. Es ist ein Dorf mit etwa fünfzig Häusern auf einer Anhöhe mit einem kleinen Kastell auf dem höchsten Punkte. [4]) Die arabische Form Busaireh ist ein Diminuti-
vum von Busrah, dem heutigen arabischen Namen für Bozra in
Hauran, dem Bostra der Griechen und Römer, welche letztere
als eine Stadt der Edomiter angesehen worden ist, obgleich sie
weit über die Grenzen ihres Gebiets hinaus lag. [5]) Aber der
Name el-Busaireh läfst mit Grund voraussetzen, dafs ein anderes
Bozra hier innerhalb der Grenzen von Edom selbst lag, und eine

---

1) Will. Tyr. XI, 26. XV, 21. Jac. de Vitr. c. 96. Vgl. oben,
S. 119. Anm. 3. Diese Form des Namens entlehnten die Kreuzfahrer
aus der Vulgata, welche Jes. 16, 1. „Petra deserti" statt Sela liest.

2) Will. Tyr. XX, 3. Jac. de Vitr. c. 56. le Quien Oriens Christ. III.
p. 1305. Burckhardt Travels p. 387. (654.) Siehe oben, Bd. II. S. 298.

3) 5 Mos. 1, 1. Die Identität von Thophel und Tüfileh bietet
eine leichte Erklärung dieser sehr schwierigen Stelle dar, auf welche
ich wieder kommen werde. Ich verdanke die Bemerkung der Güte des
Herrn Prof. Hengstenberg in Berlin.

4) Burckhardt's Travels p. 407. (683.) Irby und Mangles p. 443.

5) So Gesenius Comm. zu Jes. 34, 6. Lex. Hebr. Art. בָּצְרָה.
Rosenmüller Bibl. Geogr. II, 2. S. 23 ff. Siehe Reland Pal. p. 665 sq.
Burckhardt p. 226. (364.)

Zeitlang die Hauptstadt des Landes war. Diese Hypothese wird
durch das ›Faktum verstärkt, dafs in der Schrift Bozra so oft
mit dem Lande Edom selbst verbunden wird; während der Prophet Amos ausdrücklich davon im Zusammenhang mit dem Lande
Theman oder dem Süden spricht. [1]) Ferner erwähnen sowohl
Eusebius als Hieronymus ein Bozra ihrer Zeit in den Bergen von
Idumaea, und von dem nördlichen Orte unterschieden. [2]) Auf
diese Weise werden wir, wie es mir scheint, des innern Wider-
spruchs überhoben, der in der Voraussetzung liegt, dafs die Hauptstadt der Edomiter in einer Entfernung von mehreren Tagereisen
aufserhalb ihres Gebietes gelegen habe. [3])

Gehen wir weiter südlich, so finden wir G H ü r ü n d e l, das
schon beschriebene alte A r i n d e l a. [4])　—　In D h â n a, einem
von Burckhardt besuchten Dorfe, am Abhange eines Berges nördlich von Wady el-Ghuweir, haben wir wahrscheinlich die Lage
des alten T h a n a oder T h o a n a, welches von Ptolemaeus dem
peträischen Arabien zugewiesen wird und, wie es scheint, auch

---

1) Jes. 34, 6; 63, 1. Jer. 49, 13. 22. Am. 1, 12: „Sondern
ich will ein Feuer schicken gen Theman, das soll die Paläste zu Bozra
verzehren."

2) Onomast. Art. B o s o r. — Die Vermuthung Burckhardt's, dafs
el-Busaireh das alte Psora, ein Bisthum von Palaestina tertia sei, beruht auf einem Irrthum in einer der kirchlichen Notitiae, welche „Mamo,
Psora" in zwei Worten liest, während alle Andere Mamopsora oder Ma-
mapson lesen; Reland p. 217, vgl. p. 215, 223, 226. Siehe Burckhardt p. 407. (684.)

3) Ein Bozra wird einmal unter den Städten von Moab erwähnt;
Jer. 48, 24. Dies war nicht unwahrscheinlich dasselbe, da der Besitz
von einzelnen Städten in den Kriegen benachbarter Stämme oft aus einer
Hand in die andere überging. Siehe 2 Chron. 20, 33. Am. 2,　　So
auch Sela, Jes. 16, 1. vgl. 2 Kön. 14, 7. Siehe Gesenius a. a. O

4) Siehe oben, S. 39.

in der Peutingerschen Tafel sich verzeichnet findet. ¹) — Shôbek entspricht keinem bekannten alten Orte, obgleich wir im
alten Testament sowohl Sobach, wie auch Sobek als Namen von
Personen antreffen. ²) — Ma'àn, die wohlbekannte Stadt auf
dem Wege des syrischen Haj beinahe östlich von Wady Mûsa,
wird mit gutem Recht als der wahrscheinliche Wohnsitz der in
der Schrift erwähnten Maoniter angesehen. ³) Abulfeda beschreibt
Ma'àn (nach Ibn Haukal) als von den Ommiaden und ihren Va-
sallen bewohnt. ⁴) — Etwa sechs Stunden südlich von Ma'àn
und Wady Mûsa liegt Ŭsdakah, eine schöne Quelle, in deren
Nähe eine Anhöhe mit weitläufigen und aus Haufen behauener
Steine bestehenden Ruinen einer alten Stadt sich befindet. Sowohl der Name als die Lage entsprechen dem Zodoçatha des
fünften Jahrhunderts, welches auch in Peutinger's Tafel unter der
Form Zadagatta 18 röm. Meilen südlich von Petra verzeichnet ist. ⁵)

---

1) Ptol. V, 17. Reland p. 463. Peutinger's Tafel hat Thorma,
wahrscheinlich eine verderbte Lesart. Siehe Burckhardt p. 410. (688)

2) Sobach שׁוֹבָךְ 2 Sam. 10, 16. 18. Sobek שׁוֹבֵק Neh. 10, 24.
Burckhardt vermuthet, Shôbek sei vielleicht das Kastell Carcaria des
Eusebius und Hieronymus eine Tagereise von Petra gewesen. Aber diese
Notiz ist zu unbestimmt, um die Hypothese ganz halten zu können.
Onomast. Art. Carcar. Burckhardt p. 416. (696.)

3) Richt. 10, 12. מָעוֹן Maoniter; 1 Chron. 4, 41. und 2 Chron.
26, 7. מְעוּנִים Meuniter (von Luther an der zweiten Stelle als Appel-
lativum, Wohnung, übersetzt). Sie kommen im Zusammenhang mit den
Amalekitern und Arabern vor. Die Form Ma'àn steht in keiner Bezie-
hung zu dem Namen Theman. Siehe Seetzen in Zach's mon. Corresp.
XVIII. S. 381. Burckhardt's Travels p. 437. (724.) Gesenius Lex. Hebr.
Art. מָעוֹן, und Anmerkungen zu Burckhardt S. 1069. Rosenmüller's
Bibl. Geogr. III. S. 83.

4) Abulfedae Tab. Syr. ed. Köhler p. 14.

5) Notit. dignitat. ed. Panciroli p. 216. Reland Pal. p. 230. Siehe
Burckhardt's Travels p. 435. (722.)

Eine andere Stadt in dieser Gegend, el-Humeiyimeh, wird bei Abulfeda (der aus Ibn Sa'id citirt) als der Stammort der Abbasiden beschrieben, welche später so lange Zeit das Khalifat inne hatten. Ihre Ueberreste, welche von Laborde besucht wurden, findet man noch in der Ebne östlich von den Bergen, beträchtlich im Süden des südlichen Wady Ghüründel, und nördlich von dem Anfang des Wady el-Ithm. Die Ruinen sind sehr beträchtlich, aber ohne alle Spuren von architektonischer Pracht. Es gab hier eine von Norden her aus weiter Ferne kommende Wasserleitung, und der Ort selbst war voll von Cisternen. [1])

P e t r a.

Wir kommen jetzt zu der berühmten Hauptstadt dieses Landes in alten Zeiten, von ihrer merkwürdigen Lage „der Felsen" genannt, im Hebräischen Sela, im Griechischen Petra. [2]) Im alten Testament finden wir von König Amazia erzählt, „er schlug die Edomiter im Salzthal zehntausend und gewann die Stadt Sela mit Streit und hiefs sie Jaktheel bis auf diesen Tag." [3]) Der Prophet Jesaias fordert auch Moab mit den Worten auf: „Schicket, ihr Landesherrn, Lämmer von Sela aus der (durch die) Wüsten, zum Berge der Tochter Zion;" womit er den früher an Israel entrichteten Tribut von Schafen meint. [4]) Es möchte da-

---

1) Abulfedae Tab. Syr. p. 14. Laborde schreibt den Namen Ameimé; Voyage de l'Arab. Pétr. p. 62. — Das Macbert el-Abid bei Laborde ist wahrscheinlich das Khüräbet (Ruinen) el-'Abid in unsern Verzeichnissen; ebend. p. 63.

2) Hebr. סֶּלַע Sela. Griech. ἡ Πέτρα Petra, und auch im Plur. αἱ Πέτραι in den späteren kirchlichen Notizen; Reland p. 215, 217, 533. Vgl. den analogen Fall von Πέλλα und Πέλλαι.

3) 2 Kön. 14, 7.

4) Jes. 16, 1. und Gesenius Comment. zu d. St. Vgl. 2 Kön. 3, 4.

her scheinen, als ob Sela um diese Zeit den Moabitern zugehört
habe; oder wenigstens weideten sie ihre Heerden im Süden bis
nach dieser Gegend hin, ziemlich in der Weise wie die benachbarten Stämme heut zu Tage. [1] — Dieses sind die einzigen
sichern Nachrichten, die über diese Stadt in der Schrift vorkommen; und die letzte derselben kann nicht später fallen, als etwa
700 v. Chr. [2]

Ungefähr vier Jahrhunderte später war die Stadt bereits
den Griechen unter dem Namen Petra bekannt; sie war in die
Hände der Nabathäer übergegangen und ein Handelsplatz geworden. Auf die beiden Kriegszüge, welche Antigonus noch vor
dem Jahr 301 v. Chr. gegen sie unternehmen liefs, ist schon
hingedeutet worden. [3] Auf dem ersten nahm Athenaeus die
Stadt durch Ueberfall ein, während die Männer auf einem benachbarten Markte von Hause abwesend waren, und machte eine grofse Beute an Silber und Waaren. Aber die Nabathäer verfolgten ihn eilends bis zur Zahl von 8000 Mann, und vernichteten
durch einen nächtlichen Angriff auf sein Lager den gröfseren Theil
seines Heeres. [4] Von dem zweiten Feldzuge unter dem Befehl
des Demetrius hatten die Nabathäer vorher Kunde erhalten, und
rüsteten sich gegen einen Angriff, indem sie ihre Heerden in die
Wüsten trieben und ihren Reichthum unter den Schutz einer starken Garnison in Petra stellten; zu welcher Stadt es, nach Diodorus, nur einen einzigen, und zwar durch Menschenhand geschaff-

---

1) So die Ma'âz, siehe oben S. 84. Vgl. auch S. 126. Anm. 3.
2) Richt. 2, 36, und Jes. 42, 11, obgleich zuweilen auf die
Stadt Petra bezogen, sind zu unbestimmt, um in Anschlag gebracht
werden zu können.
3) Siehe oben, S. 111.
4) Diod. Sic. XIX, 95.

III.   9

nen Zugang gab. [1]) Auf diese Weise gelang es ihnen, den ganzen Plan des Demetrius zu vereiteln.

Strabo, wo er von den Nabathäern während der Regierung
des Augustus spricht, beschreibt ihre Hauptstadt folgendermafsen:
„Die Metropolis der Nabathäer ist das sogenannte Petra; denn
sie liegt an einem übrigens flachen und ebnen, ringsum aber von
Felsen eingeschlossenen Orte, von aufsen zwar steil ansteigend,
aber inwendig mit reichlichen Quellen zum täglichen Bedarf und
zur Bewässerung der Gärten versehen. Aufserhalb der Ringmauer ist das Land meistens eine Wüste, und besonders nach
Judaea hin." [2]) In dieser Zeit bildete die Stadt den wichtigen
Durchgangsort für die Produkte des Ostens und wurde oft von
Fremden besucht. [3]) Der Philosoph Athenodorus, Strabo's Freund,
hielt sich eine Zeitlang in Petra auf, und erzählt mit Verwunderung, dafs er hier viele Römer und andere Fremde ansässig gefunden habe; dafs diese oft unter einander und mit den Einwohnern Prozesse führten, während die letzteren unter sich bei
trefflichen Gesetzen in Frieden zusammenlebten. [4])

Aehnlich, aber bestimmter, ist das Zeugnifs des Plinius im
ersten Jahrhundert: „Die Nabathäer bewohnen die Stadt Namens
Petra in einem Thale von etwas weniger als zwei (römischen) Meilen im Umfang, umgeben von unersteiglichen Bergen und von

---

1) Ebend. XIX, 97: οὔσης μιᾶς ἀναβάσεως χειροποιήτου.

2) Strabo XVI, 4, 21: Μητρόπολις δὲ τῶν Ναβαταίων ἐστὶν ἡ
Πέτρα καλουμένη· κεῖται γὰρ ἐπὶ χωρίου τἆλλα ὁμαλοῦ καὶ ἐπιπέδου,
κύκλῳ δὲ πέτρᾳ φρουρουμένου, τὰ μὲν ἐκτὸς κρημνοῦ ἀποτόμου, τὰ
δ' ἐντὸς πηγὰς ἀφθόνους ἔχοντος εἴς τε ὑδρείαν καὶ κηπείαν. Ἔξω δὲ
τοῦ περιβόλου χώρα ἔρημος ἡ πλείστη, καὶ μάλιστα ἡ πρὸς Ἰουδαίᾳ.

3) Siehe oben, S. 114.

4) Strabo a. a. O.

einem Flusse durchströmt." [1]) Um dieselbe Periode wird Petra
oft von Josephus als die Hauptstadt von Arabia Petraea in allen
seinen Nachrichten über dieses Königthum und dessen Zusammenhang mit jüdischen Begebenheiten erwähnt. [2]) Mit diesem
Königthum fiel es während der Regierung Trajan's der unmittelbaren Herrschaft der Römer anheim. Dessen Nachfolger Hadrian
scheint Petra Privilegien verliehen zu haben, was die Einwohner
veranlafste, ihrer Stadt auf Münzen seinen Namen beizulegen.
Mehrere derselben sind noch vorhanden. [3]) Im vierten Jahrhundert wird Petra mehrere Male von Eusebius und Hieronymus erwähnt, und in den griechischen kirchlichen Notitiae der folgenden Jahrhunderte als Metropolitankirche von Palaestina tertia. [4])
Einer von ihren Bischöfen, Germanus, war auf dem Concil von
Seleucia im Jahr 359 zugegen, und Theodorus auf dem von Jerusalem im Jahr 536. [5]) Aber von dieser Zeit an verschwindet
Petra plötzlich von den Blättern der Geschichte. In den beiden,
zum Theil auf die Jahrhunderte nach der muhammedanischen Eroberung und vor den Kreuzzügen bezüglichen lateinischen Notitiae

---

1) Plin. H. N. VI, 28. (32.): „Deinde Nabathaei oppidum in-
colunt Petram nomine in convalle, paulo minus II mill. passuum ampli-
tudinis, circumdatum montibus inaccessis, amne interfluente.

2) S. die Nachweisungen aus Josephus oben, S. 111. Anm. 3.

3) Mionnet Descr. de Médailles Antiques, Tom. V. p. 587. Eckhel
Doctr. Nummor. vet. II. p. 503. Es werden nicht weniger als acht Mün-
zen von Petra beschrieben, nämlich drei zu Ehren des Hadrian, eine
des Marc Aurel und Verus, zwei des Septimius Severus, und zwei des
Geta. Die meisten unter ihnen haben auf der Rückseite die Inschrift
Ἀδριάνη Πέτρα Μητρόπολις. Ueber diesen Gebrauch bei Münzen von
Städten siehe oben, Bd. II. S. 676.

4) Onomast. Art. Petra, Idumea, Theman etc. Reland p.
215, 217. Siehe auch überhaupt den Art. Petra bei Reland p. 926 sq.

5) Reland. Pal. p. 933, 533. le Quien Oriens Chr. III. p. 725.

9 *

kommt der Name Petra nicht mehr vor, und der Metropolitansitz
war nach Rabbah verlegt worden. [1] Ob Petra durch die grau-
same Wuth der fanatischen Eroberer unterging, oder ob es schon
früher bei irgend einem Einfalle der Wüstenhorden zerstört worden
war, ist völlig unbekannt. Das Schweigen aller arabischen Schriftsteller selbst über die Existenz von Petra könnte für die letztere
Annahme zu sprechen scheinen; denn hätte die Stadt noch ihre
Bedeutung behalten, so könnten wir kaum erwarten, dafs sie dieselbe ohne irgend eine Notiz in ihren Nachrichten über das Land
und seine Eroberung übergangen haben sollten. Wie dem auch
sein mag, dieses plötzliche und gänzliche Verschwinden sogar des
Namens und jeder Spur einer so berühmten Stadt bleibt immer
einer der auffallendsten Umstände in seiner Geschichte. [2]

Die Kreuzfahrer fanden, wie wir gesehen haben, Petra in
Kerak, wie sie denn auch Bersaba in Beit Jibrin zu finden
glaubten, wodurch sie eine Confusion über Petra einführten, die
heut zu Tage noch nicht einmal ganz beseitigt ist. [3] Erst nachdem die von Seetzen über die wundervollen Ueberreste in Wady
Mûsa gesammelten Nachrichten durch die Entdeckung und Untersuchung derselben an Ort und Stelle von Burckhardt bestätigt waren, wagte der letztgenannte Reisende zuerst, ihre Identität mit

---

1) Reland Pal. p. 223, 226.

2) Ueber die von Josephus und Andern als die frühesten Namen
von Petra angeführten Formen Arce, Areceme, Recem etc., sowie auch
über die bei arabischen Schriftstellern vorkommende er-Rakîm, siehe
Anmerk. XXXVI. am Ende dieses Bandes. — In gleicher Weise ist der
von arabischen Schriftstellern el-Hijr (nicht el-Hajar, ein Stein) be-
nannte Ort zuweilen irrthümlich für Petra gehalten worden; siehe dieselbe Anm.

3) Siehe oben, S. 124 f. Adrichomius p. 129. Raumer's Palästina S. 424 ff.

der alten Hauptstadt von Arabia Petraea anzunehmen. [1]) Diese
Identität wird jetzt, wie ich glaube, von den meisten Gelehrten
zugestanden, welche dem Gegenstand gehörige Aufmerksamkeit
geschenkt haben; obgleich noch immer gelegentlich die Stimme
des Zweifels sich vernehmen läfst, und die Lage desselben oder
wenigstens eines zweiten Petra zuweilen nach Kerak verlegt
wird. [2]) — Die Beweise für die fragliche Identität sind von
dreifacher Art und liegen nahe zusammen.

Erstlich entspricht der Charakter der Ortslage, wie ihn
Strabo und Plinius in den oben aufgeführten Stellen angeben, —
eine Area in einem von steilen Felsen umgebenen, von einem
Strome durchflossenen Thal, und, wie Diodor erwähnt, ein einziger „durch Menschenhände gemachter" Zugang, [3]) genau der
bereits mitgetheilten Beschreibung von Wady Mûsa. Zugleich
aber ist diese Beschreibung ganz unvereinbar mit der Lage von
Kerak, welches eine auf dem Gipfel eines hohen und steilen Berges gelegene Festung und Stadt ist.

Sodann weisen die alten Entfernungsangaben von Petra bis
nach dem todten Meere sowohl als nach dem elanitischen Busen
alle auf Wady Mûsa hin. Wenn wir die blofs zufälligen und

---

1) Burckhardt p. 431. (717.) Der erste veröffentlichte Bericht von
Burckhardt's Besuch in Wady Mûsa scheint in einem Briefe enthalten
gewesen zu sein, datirt: Kairo den 12. Sept. 1812., der seinen Travels
in Nubia, Lond. 1819. vorgedruckt ist. Aber vor dem Erscheinen die-
ses Werkes hatte schon Ritter, auf Grund der Berichte Seetzen's ¡in
Zach's monatl. Corr. XVII. S. 139, die Identität von Wady Mûsa und
Petra in Anregung gebracht. Siehe Ritter's Erdkunde Th. II. S. 217.
Berl. 1818.

2) Raumer's Palät. S. 424 ff. Auch ein Artikel in dem North-
American Review Jan. 1839. stellt die Identität von Petra und Wady
Mûsa in Abrede, und versetzt ersteres nach Kerak.

3) Siehe oben, S. 129 f.

unbestimmten Schätzungen des Strabo und Plinius übergehen, [1]) so finden wir bei Diodorus Siculus, dafs Demetrius auf seiner Rückreise von Petra 300 Stadien marschirte und dann nahe bei dem todten Meere sich lagerte. [2]) Diese Entfernung kommt ungefähr 15 Stunden mit Kameelen gleich, und erstreckt sich, wenn man sie nordwärts von Wady Mûsa dem alten Wege entlang rechnet, bis beinahe gegenüber dem Südende des Meeres hin. Uebrigens ist dies ohne Zweifel auch eine blofse Schätzung und etwas zu klein; aber auf keinen Fall konnte sie jemals von Kerak gelten. — Genauer findet sich die Lage von Petra in Peutinger's Tafel bestimmt. Die Entfernung von Ailah längs dem alten Wege über die Stationen ad Dianam, Praesidium, Hauara, [3]) und Zadagatta nach Petra wird da auf 99 römische Meilen angegeben, was ungefähr 78²/₃ engl. geographischen Meilen gleich kommt. [4])

1) Strabo setzt es drei oder vier Tagemärsche von Jericho, XVI, 4, 21; Plinius 600 römische Meilen von Gaza, und 130 von dem persischen Meerbusen; H. N. VI, 28. (32.) Hier sind, wie Cellarius vermuthet, die beiden Zahlen wahrscheinlich mit einander vertauscht worden; Cellar. Notit. Orb. II. p. 581.

2) Diod. Sic. XIX, 98: πλησίον τῆς Ἀσφαλτίτιδος λίμνης.

3) Das Ἀυάρα des Ptolemaeus und das Havana der Notitia dignitatum; Ptolem. V, 17. Reland Pal. p. 463, 230.

4) Folgendes ist die genaue Bestimmung der Tafel: Von Haila, XVI ad Dianam; XXI Praesidio; XXIII Hauara; XX Zadagatta; XVIII Petris. Summa XCIX. — Die Station „ad Dianam" gehört beiden Wegen von Ailah an, dem nach Jerusalem und dem nach Petra. Sie mufs demnach in dem grofsen Thale gelegen haben, und die Entfernung von 16 röm. Meilen von 'Akabah würde sie ungefähr dem Wady und Quell el-Hendis gegenüber bringen. Sie ist als ein kleiner Tempel der Diana bezeichnet. Dieser Punkt mufs beträchtlich nördlich der Mündung des Wady el-Ithm gewesen sein. Der römische Weg nach Petra scheint daher den Berg im Norden jenes Wady hinangestiegen zu sein, und die Station Praesidium ist wahrscheinlich in jenen Bergen zu suchen. Folg-

Die wirkliche direkte Entfernung zwischen 'Akabah und Wady Músa in gerader Linie ist ungefähr 64 solche geographische Meilen; und wenn wir die Windungen des Weges und die Steilheit des Gebirges mit anschlagen, ist die Vergleichung hier genau genug. [1]) Auf diesem Wege findet sich auch noch Name und Lage von Zadagatta (Zadocotha) in Usdakah, etwa sechs Stunden südlich von Wady Músa. [2]) Ferner giebt dieselbe Tafel, obgleich im Norden von Petra etwas verwirrt, die Entfernung desselben von Rabbah zu mindestens über 72 röm. Meilen an, welches mit Wady.Músa gut genug übereinstimmt, aber die Verlegung Petra's nach Kerak ganz zu nichte macht.

Endlich bezeugen Josephus sowohl als Eusebius und Hieronymus ausdrücklich, dafs der Berg Hor, wo Aaron starb, in der Nähe von Petra lag. [3]) Und bis auf diesen Tag hebt der Berg, welchen, aufser der Ueberlieferung, auch die begleitenden Umstände als ebendenselben bezeichnen, noch sein Haupt über das einsame Thal Wady Músa empor. In dem ganzen Distrikt Kerak giebt es keinen einzigen Berg, welcher an und für sich als

---

lich möchte el-Humeiyimeh nicht auf der grofsen römischen Strafse gelegen haben, von welcher Laborde weiter nördlich auf dem Gebirge Spuren fand.

1) Die Lage von Petra ist auf unsrer Karte gegeben 30° 25′ N. B. und 33° 18′ 6″ O. L. von Paris. Die Breite ist das Mittel zwischen der aus unsren Routen ermittelten und der von Laborde. Moore und Beke geben dieselbe zu 30° 19′ an, was aber weniger zuverlässig zu sein scheint, als selbst ihre Beobachtungen zu Jerusalem und Hebron. Siehe oben, Bd. II. S. 13. und S. 705. Die Länge ist durch die Vergleichung unsrer Routen mit denen von Laborde und Bertou bestimmt worden.

2) Siehe oben, S. 127.

3) Joseph. Ant. IV, 4, 7. Euseb. et Hieron. Onomast.: „Or, mons in quo mortuus est Aaron juxta civitatem Petram."

der Berg Hor angesehen werden könnte; und selbst wenn dies
der Fall wäre, so würde seine Lage in dieser Gegend mit den
erzählten Wanderungen der Israeliten unvereinbar sein.

. Diese Bemerkungen scheinen mir die Identität von Petra
und Wady Musa zu beweisen und eben so bündig darzuthun,
dafs es nicht in Kerak gelegen haben kann. [1]

Aber wie oder wann der Name Petra unterging, oder in
welchem Zeitalter die Benennung Wady Musa aufkam, sind wir
nicht im Stande zu bestimmen. Die Kreuzfahrer fanden letztere
allgemein in Gebrauch, und sprechen hier nur von dem „Vallis
Moysi." [2] Sie erwähnen auch eines dem Aaron geweihten Gebäudes auf dem benachbarten Berge; aber sie- scheinen nirgendwo eine Spur von einer christlichen Bevölkerung entdeckt zu
haben. [3]

Dann folgten andere Jahrhunderte der Vergessenheit; und
man hörte erst wieder von dem Namen Wady Musa durch die
Mittheilungen Seetzen's im Jahr 1807. Während seiner Reise
von Hebron nach dem Berge Madurah beschrieb sein arabischer
Führer von den Haweitât den Ort, indem er ausrief: „ach wie
ich weine, wenn ich die Ruinen von Wady Musa erblicke!" [4]

---

1) Ueber die Frage, ob es wahrscheinlich mehr als Ein Petra gegeben habe, siehe Anm. XXXVI. am Ende des Bandes.

2) Siehe oben, S. 119. 121.

3) Guibert spricht von jenem Gebände wie von einer Kirche; VII,
36. p. 555. Ein anderer Schriftsteller nennt es ein „Oratorium"; Gesta
Dei p. 581. Fulcher macht es unrichtig zu einem St. Aaron geweihten
Kloster; c. 23. p. 405. Nicht unwahrscheinlich mag hier ursprünglich
eine christliche Kapelle gewesen sein, wie auf dem Jebel Musa und auf
dem St. Katharinenberge; aber es findet sich keine historische Spur von
irgend einem Kloster auf dem Berge. Siehe Anmerk. XXXV. am Ende
des Bandes.

4) Zach's monatl. Corr. XVII. S. 136. Siehe oben, S. 123.

Die nachfolgenden Besuche von Burekhardt, Irby und Mangles, Laborde und Andern haben die Welt mit den meisten Einzelheiten vertraut gemacht; jedoch bin ich der Meinung, dafs das historische und antiquarische Interesse des Ortes noch keineswegs erschöpft ist. Ein mit dem Studium griechischer und ägyptischer Kunst und Architektur vertrauter Gelehrte würde, wenn er dahin ginge, ohne Zweifel im Stande sein, noch eine reiche Ernte neuer Thatsachen einzusammeln, um die Alterthümer und die Geschichte Petra's und seiner Bewohner zu erläutern.

Sonnabend, den 2. Juni. Als der Morgen dämmerte, standen wir von unserm Lager auf dem Sande mitten in der 'Arabah auf, und waren um $4^3/_4$ U. wieder auf unserm Wege nach der Quelle el-Weibeh. Zurückblickend konnten wir den Wady, durch welchen wir von dem Pafs Nemela aus herabgestiegen waren, S. 55° O. liegen sehen. Dies liefs uns die von uns während der Dunkelheit eingeschlagene Richtung erkennen. Wir waren jetzt mehr als halbwegs über die 'Arabah hinüber, und fuhren fort, beinahe W. N. W. durch eine wellenförmige Kieswüste mit gerundeten nackten Bergen von beträchtlicher Höhe zu ziehen. Unsere Führer liefsen gewöhnlich in der 'Arabah einen als Kundschafter vorausgehen; und als wir jetzt näher nach el-Weibeh kamen, waren sie gegen einen etwaigen Feind doppelt auf der Hut, da diese und andere Quellen in dem Thal der gewöhnliche Sammelpunkt von wandernden Schaaren ist

Um 6 U. 30 Min. gelangten wir nach dem hohen, aber nicht steilen Ufer des Wady el-Jeib, welcher sich hier ganz bis nach dem Fufse des Abhanges an der Westseite von el-'Arabah herumbiegt. Wir stiegen von den Kiesbergen hundert oder mehrere Fufs in denselben hinab. Er beträgt hier drei Viertel-

stunden in der Breite, und ist überall mit Kräutern und Sträuchern übersäet. Grade an seiner westlichen Seite, wo der Boden
sehr allmählig sich zu einem Hügelstrich von Kalkstein erhebt,
liegt 'Ain el Weibeh, einer der bedeutendsten Wasserplätze in
dem ganzen grofsen Thal. Es entspringen hier drei Quellen
aus dem Kreidefelsen, woraus der Abfall besteht. Unter denselben, am Rande des Jeib, ist ein Geschlinge von grobem Gras
und Rohrpflanzen, mit ein paar Palmbäumen, von weitem den
Anblick eines schönen Grüns darbietend, in Wirklichkeit aber
sumpfig und voller Moräste. Dieser Abfall erstreckt sich weiter
nach Süden hin, wo er breiter wird und auch mit Kräutern übersäet ist, und wird im Winter von einem Wady Namens el-Ghamr
mit einer kleinen Quelle schlechten Wassers $1\frac{1}{2}$ oder 2 Stunden
südlich von el-Weibeh befeuchtet. Als wir zu dieser letzteren
Quelle herabkamen, konnten wir das Grün um 'Ain el-Ghamr
sehen. [1])

Da unsere Kundschafter berichteten, dafs bei el-Weibeh
Niemand zu sehen wäre, so gingen wir grade darauf zu, und kamen um 7 U. 20 Min. an, wo wir mehr als zwei Stunden anhielten, um zu frühstücken und auszuruhen. Die drei Quellen
liegen einige Schritte auseinander, und fliefsen in kleinen Bächen
von dem Fufse einer niedrigen Bodenerhebung am Anfang des
Hügelstriches hervor. Das Wasser ist nicht im Ueberflufs vorhanden, und hat in den beiden nördlichsten Quellen ein ungesun-
des Aussehen wie die meisten Wüstenquellen, mit 'einem Geschmack von geschwefeltem Wasserstoff. Die Temperatur des
Wassers betrug 19^0 R., während die der Luft fast dieselbe war.
Aber die südlichste Quelle besteht aus drei dünnen Strömen von
klarem, gutem Wasser, welches unten am Boden aus einer klei-

1) Vgl. Burckhardt p. 446. (737, 738.)

nen Höhlung im Felsen fliefst. Der weiche Kreidestein ist weggebröckelt, und bildet eine halbrunde, etwa sechs Fufs hohe Wand um die jetzt ein paar Fufs davon entlegene Quelle. Der Zwischenraum ist gegenwärtig mit Erde ausgefüllt; aber der Felsen stand früher allem Anschein nach so weit vor, dafs das Wasser wirklich an seinem Fufse entsprang. — Wir konnten hier keine Spur von Ueberresten vormaliger Wohnungen finden.

'Ain el-Weibeh liegt grade an der äufsern Seite einer grofsen Biegung des Wady el-Jeib, der hier von S. gen W. herabkommt und sich fast nach O. N. O. herumwendet. In demselben konnten wir in einiger Entfernung unterhalb el-Weibeh das Grün um eine andere Wasserstelle Namens el-Hufeiry sehen. Das Wasser wird durch Graben von Löchern in den Boden gefunden, ist aber spärlich und versiegt im Sommer. — Von diesem Punkt sieht der Hor ausnehmend schön aus, aufgethürmt in vereinzelter Majestät und über alle die 'Arabah unmittelbar umgebenden Spitzen hervorragend, aber selbst niedriger als die östlichern Rücken. In der That scheinen, von hier aus gesehen, diese Spitze und die Felsengruppe um Wady Músa und längs der 'Arabah zu einer westlicheren Bergkette zu gehören, niedriger als die hohe Hauptkette esh-Sheráh. Diese, welche bei Wady el-Ghuweir anfängt, und aus runden Gipfeln und Rücken ohne schroffe Felswände besteht, läuft ununterbrochen nach Süden hin, so weit das Auge reicht. Die unteren Porphyrmassen sind die ganze Strecke entlang durch ein dunkles und fast schwarzes Aussehen bezeichnet. — Die verschiedenen Punkte lagen uns von el-Weibeh wie folgt: Berg Hor S. 25^0 O., ein Wady von dem Pafs Nemela auslaufend S. 60^0 O., Wady el-Ghuweir S. 80^0 O., el-Hufeiry N. 65^0 O.

Wir waren bei el-Weibeh betroffen über die völlige Uebereinstimmung seiner Lage mit der biblischen Erzählung von den

Begegnissen der Israeliten bei ihrer zweiten Ankunft in Kades. [1])
Es gab zu Kades eine Quelle, auch Born Mispat genannt; [2])
diese war, damals entweder theilweise vertrocknet oder von der
Menge Volks erschöpft, so dafs „die Gemeine kein Wasser hatte."
Durch ein Wunder flofs reichlich Wasser aus dem Felsen hervor.
Moses sandte jetzt Botschaft zu dem Könige der Edomiter und
liefs ihm sagen, dafs sie „zu Kades in der Stadt an seinen Grenzen" wären, und um Erlaubnifs bäten, durch sein Land zu ziehen, um alsdann ihren Weg um Moab herum fortzusetzen und
von Osten her nach Palästina zu kommen. Dies verweigerte Edom;
und die Israeliten zogen daher nach dem Berge Hor, wo Aaron
starb, und dann längs der 'Arabah nach dem todten Meer. [3]) —
Hier zu el-Weibeh lagen alle diese Scenen vor unsern Augen.
Hier war die Quelle, sogar noch bis auf den heutigen Tag, der
besuchteste Wasserplatz in der ganzen 'Arabah. Im N. W. liegt
der Berg, über welchen die Israeliten vormals nach Palästina
hinaufzusteigen versuchten und zurückgetrieben wurden. [4]) Uns
gegenüber lag das Land Edom; wir waren an seiner äufsersten
Grenze; und der einen direkten und leichten Durchgang durch
die Berge nach dem Flachland oben darbietende grofse Wady
el-Ghuweir zeigte sich grade vor uns; während weiter südlich
der Hor, in einer Entfernung von zwei guten Tagereisen für ein
solches Heer, einen hervorragenden und frappanten Punkt bildet.
Die kleine Quelle et-Taiyibeh unten am Ende des Passes er-
Rübä'y mag dann entweder das Beroth Bne-Jakan oder das Moseroth der Israeliten gewesen sein. [5]) Die südlicheren Stationen

1) 4 Mos. c. 20.
2) 1 Mos. 14, 7.
3) 4 Mos. 20, 14—29.
4) 4 Mos. 14, 40—45; 5 Mos. 1, 41—46.
5) 4 Mos. 33, 30. 31. 5 Mos. 10, 6. Eusebius und Hierony-

Gudegoda und Jathbath lassen sich vielleicht an der Mündung des Wady Ghürändel, und in dem von Laborde und Schubert weiter nach 'Akabah hin erwähnten sumpfigen Strich Landes mit Palmbäumen wiederfinden, wo wir im Winter wenigstens allenfalls ein „Land, da Bärhe sind" finden möchten. [1]

In Erwägung aller dieser Umstände waren wir geneigt, el - Weibeh als die wahrscheinliche Lage des alten Kades anzusehen, und fühlten, dafs wir hier einen durch viele heilige Erinnerungen geweihten Boden betraten. Einige weitere zur Erhärtung dieser Ansicht dienende Umstände werde ich weiter unten Gelegenheit haben beizubringen. [2] Jedoch hat die umgebende Wüste seitdem längst ihre Rechte wieder behauptet, und alle Spuren der Stadt und selbst ihres Namens sind verschwunden. Es findet sich hier durchaus keine Hinweisung auf einen vormaligen Ort von einiger Gröfse oder einiger Bedeutung, aufser im Zusammenhang mit den Zügen der Israeliten.

Als wir den Pafs Nemela hinaustiegen (den 30. Mai), wurden wir von einem einzelnen Araber eingeholt, welcher denselben Tag von 'Ain el - Weibeh gekommen war. Von ihm erfuhren wir, dafs in der vergangenen Nacht, während welcher wir Wady el - Jeib hinaufzogen, eine Schaar von Beutezüglern (ein „Ghuzu") bei el - Weibeh gelagert habe, bestehend aus vierhundert Männern auf Dromedaren von den Tiyâhah, Terâbin, Dhüllâm und 'Azâzimeh, welche gegen die Hawâzim und 'Anazëh der syrischen Wüste auszogen. Wären wir nicht die Nacht über gereist, so wä-

mus berichten, dafs der Ort Beroth Bne - Jakan noch zu ihrer Zeit 10 röm. Meilen von Petra oben auf dem Berge gezeigt wurde. Onomast. Art. Beroth Filior. Jac.

1) 5 Mos. 10, 7. vgl. 4 Mos. 33, 32. 33. Siehe Laborde's Karte und Voyage p. 53. Schubert's Reise II. p. 399.

2) Siehe unten: Annäherung der Israeliten gegen Palästina.

ren wir wahrscheinlich mit ihnen zusammengestofsen. Diese Beu-
tezüge sind es, welche die 'Arabah und das Ghòr für Reisende
gefährlich machen. Sie ziehen häufig zwischen den feindlichen
Stämmen der Araber im Osten und Westen hin und her, und man
ist immer ihrer Begegnung ausgesetzt. Uns würde diesmal ein
solches Zusammentreffen in keine Gefahr gebracht haben, da
diese Stämme alle Bundesgenossen der Jehàliu sind, unter deren
Schutz wir diese Reise machten.

Bei 'Ain el-Weibeh tritt ein betretner Pfad sogleich in die
Kalksteinhügel ein, und geht weiterhin etwa N. N. W. ohne
Zweifel den Berg hinauf nach der obern Gegend. Unsere Jehà-
lin schienen mit diesem Wege nicht bekannt zu sein, da sie gewohnt waren, von el-Weibeh längs der 'Arabah am Fufse der
Hügel hinzugehen nördlich bis zum Wady el-Khùrâr, und dann
den Pafs es-Sùfàh hinaufzusteigen. Aber da der schon erwähnte
Possenreifser Mohammed, welcher neulich mit Lord Prudhoe hier
gewesen war, erklärte, er habe diesen direkten Weg eingeschlagen und ihn kürzer gefunden, so beschlossen die Führer, demselben jetzt zu folgen. Wir verliefsen die Quelle um 9 U. 45
Min., und kamen auf einmal in die hier niedrigen Hügel hinein,
die aus Kalkstein und Conglomerat bestehen und ohne eine Spur
von Vegetation sind. — Um 10 U. 20 Min. durchzogen wir einen grofsen Wady, Namens el-Mirzaba, welcher einem das Gebirge zur Linken hinauflaufenden Pafs seinen Namen giebt; [1])
und um 11 U. kamen wir nach einem andern sehr grofsen Wady, Namens el-Muhelleh, von einem gleichnamigen Orte in der
Gegend der 'Azâzimeh in demselben Gebirge also benannt. Diese
Wady's nehmen, wie die darauf folgenden, ihren Weg nach Wady
el-Jeib; es wachsen in denselben viele Seyàl- oder Tülh-Bäume,
und darunter einige sehr grofse.

---

1) Siehe oben, S. 52.

Es schien jetzt, als ob unsere Araber besorgt wären, einen unrechten Weg eingeschlagen zu haben. Der Pfad war offenbar sehr betreten; aber wohin er führte, schien Keiner zu wissen. Wir wandten uns daher rechtshin in einer Richtung etwa N. N. O. von aller Fufsspur ab, um den unsern Führern bekannten Pfad wieder zu erreichen, indem wir allmählig und schräg zwischen den Hügeln nach der 'Arabah hinabzogen. Dabei passirten wir mehrere Wady's, deren Namen unsere Araber nicht kannten. In der That schienen sie sich ganz verloren zu haben, als wenn ihnen die Gegend völlig fremd wäre. Wir hatten es immer schwer gefunden, Auskunft von ihnen zu erhalten, theils wegen ihrer Unwissenheit, theils wegen ihrer Nachlässigkeit und manchmal auch, weil es ihnen an Bereitwilligkeit fehlte. Aber sie waren weniger verschlossen und mehr und mehr gesprächig geworden, je länger wir sie bei uns hatten. Alle Araber sind in der Regel unbekannt mit den zwei oder drei Tagereisen von ihrer Heimath entfernten Ortschaften; aber die allgemeine Verstandesbildung unserer jetzigen Führer war die beschränkteste, die uns noch vorgekommen war, und wir trafen beim Einziehen von Erkundigung nie auf gröfsere Schwierigkeit. Auch konnten wir uns ohne viele Kreuz- und Querfragen und andere bestätigende Beweise nicht auf ihre Mittheilungen verlassen. Endlich um 1 U. kamen wir nahe bei der Mündung eines Wady nicht weit von der 'Arabah hinab, wo ein kleines Rohrgebüsch stand, ein Beweis von Wassernähe. Hier geriethen wir auf den von unsern Führern aufgesuchten Weg. Die Stelle heifst 'Ain el-Mureidhah; aber die Araber sagten, das Wasser tauge nichts und sei kaum etwas mehr als eine Feuchtigkeit der Erde. Indem wir jetzt dem bekannten Pfade folgten, wendeten wir uns wieder N. N. W. zwischen die Hügel nach dem Gebirge zu. Wir gingen über den Wady Abu Jeradeh um 1 U. 55 Min., und kamen um 2 U. 40 Min. nach dem Kufâfiyeh, einem grofsen Wady, welcher uns mehr in die Berge hineinführte. Aus diesem heraus zogen wir nach Wady el-Khürâr hinüber, welchen wir um 3 U. 20 Min. erreichten. Zwischen allen diesen Wady's liegen nur wüste Kalksteinhöhen, welche nach Westen hin allmählig jäher und wilder ansteigen.

An der Mündung des Wady el-Khürâr, wo er aus der 'Arabah hervorkommt, eine Stunde oder mehr östlich von dem Punkte, wo wir ihn erreichten, ist die Quelle 'Ain el-Khürâr, kleiner als el-Weibeh, aber mit erträglichem Wasser, welches das ganze Jahr hindurch zu haben ist. Als wir an den Hügeln hinweg und drüber gingen, konnten wir das Grün um diese Quelle sehen, und ebenso auch um das Wasser von Hasb in der Ebne drüber hinaus, etwas weiter nördlich. [1] Die Gewässer des Khü-râr und alle von uns passirten Wady's nehmen ihren Weg nach dem Jeib, allem Anschein nach südlich von Wady Hasb, oder zum Theil vielleicht durch diesen Wady.

Wir folgten dem Wady el-Khürâr etwa eine halbe Stunde bergauf, verliefsen ihn dann, und stiegen einen steilen, aber nicht langen Pafs hinauf, der Pafs Khürâr genannt. So kamen wir um 4 U. nicht eigentlich auf Taffelland, aber auf einen höheren Strich Landes, welcher die erste der verschiedenen Abstufungen bildet, in die der Abhang der Berge in diesem Theile zerfällt. Diese ist hier vielleicht 400 oder 500 Fufs höher als die Ge-gend, die wir eben hinter uns gelassen, und lag nun in einer Breite von $2\frac{1}{2}$ Stunde vor uns, bis an die nächste Bergstufe, mit dem Hauptpafs es-Süfâh. Dieser Landstrich läuft bei-nahe von O. N. O. nach W. S. W. von den Hügeln um Usdum und dem Südende des todten Meeres in unbestimmter Ausdehnung

---

1) Siehe oben, S. 43.

zu unsrer Linken hinauf, indem er sich durchweg sehr beträchtlich hebt. Seiner ganzen Länge nach wird sein Wasser von dem
Wady el-Fikreh abgeleitet, der in den S. W. Winkel des
Ghor hineintritt.[1]) Das Bett dieses Wady liegt jenseits der Mitte
dieses Landstrichs, näher bei dem Fufs der nächsten Bergstufe.
Die Oberfläche ist hier uneben und in einigen Theilen bergig,
wie die der niederen Gegend hinter uns. In einer Entfernung
von einer oder zwei Stunden weiter südlich beginnt ein Rücken
an der Front oder dem S. O. Theile dieses höheren Landstrichs
und läuft parallel mit der nächsten Kette weiter, während der
Anfang des Wady el-Fikreh weit hinauf zwischen ihnen im S. W.
liegt. — Wir kamen bald nach einem kleinen Wady hin, mit
einer Diminutivform Wudey Sik genannt; als wir ihm eine Zeitlang gefolgt waren, lief er rechts nach der 'Arabah ab. Nach
diesem wandten sich alle kleineren Wady's nach dem Fikreh hin,
und die Gegend war hier nicht so uneben als linker Hand.

Der Berg vor uns, welchen man jetzt zunächst hinaufzusteigen hat, bot eine fast unübersteigbare Barriere dar; — ein nackter Kalksteinrücken von nicht weniger als 1000 Fufs Höhe und
sehr steil. Drei Pässe diesen Berg hinauf wurden uns hier gezeigt, nämlich der es-Sûfâh grade vor uns; nicht weit davon
rechts ein anderer, es-Sufey, und links in einiger Entfernung
der dritte, Namens el-Yemen; welcher durch eine tiefe als Wady
el-Yemen bekannte Schlucht hinaufführt. Diese Kluft spaltet den
Berg bis in den Grund, und hier, kann man sagen, hört der hohe
Theil des Rückens auf; denn obgleich er noch weit nach S. W.
hin fortläuft, so wird er doch niedriger und nicht so steil. Der
Wady el-Yemen scheint in der Regenzeit eine grofse Menge Wasser aus den oberen Regionen nach dem Fikreh zu führen. Auf

----

Siehe oben, S. 38.

der Höhe des Passes findet sich gutes und nie versiegendes Wasser in Gruben.

Funfzehn Minuten ehe wir den Fikreh erreichten (um 5 U.
50 Min.), kam ein grade von 'Ain el - Khûrâr hinauflaufender
Weg mit unserm zusammen. Die Stelle machte sich durch eine
ungewöhnliche Zahl von Steinhaufen bemerklich. Sogleich darauf
ging ein, wie es schien, viel benutzter Pfad links ab, nach dem
Pafs el - Yemen hin. Ein Arm davon läuft, wie uns gesagt
wurde, noch mehr nach einer Richtung linker Hand fort, so dafs
er eine Zeitlang den Fikreh hinaufstreift und dann den Berg weiter im S. W. hinansteigt, wo er niedriger und weniger beschwerlich ist. Dieser gekrümmte Weg heifst el - Haudeh, und wird gewöhnlich mit beladenen Thieren eingeschlagen, da er den steilen Aufgang vermeidet. Die Wege, welche alle diese Pässe hin-
anflaufen, fallen in der Gegend oben, wie wir sehen werden,
wieder in einander. Jedoch scheint ein Pfad, grade wo der Haudeh hinaufgeht, nach Gaza hinzuführen; und auf diesem liegt, so
viel wir erfahren konnten, vielleicht in der nächsten Bergkette,
der Pafs el - Ghârib, von dem wir mehrere Male hörten. [1] —
Der Weg, welcher sogleich in die Hügelkette von el - Weibeh
hineinläuft und welchen wir zuerst eingeschlagen hatten, scheint
weiter südlich nach diesem höheren Strich Landes hinzuführen,
auf welchem wir jetzt waren. Lord Lindsay scheint ihn mit Sheikh
Hasein von den 'Alawîn gegangen zu sein; denn er berichtet, dafs
sieben Stunden von el - Weibeh ein Pfad links ab nach Gaza
ging, während er und seine Reisegesellschaft auf ihrem Wege
blieben und den Pafs es - Süfâh hinaufstiegen. Dieser Gaza-Weg
vereinigt sich wahrscheinlich mit dem oben beschriebenen Haudeh.
Eine Stunde nördlich von dem Punkte der Scheidung der Wege

---

[1] Siehe oben, Bd. I. S. 343.

hatten die Reisenden linker Hand den vereinzelten Kreideberg Madürah, unter welchem, wie ihre Führer sagten, Gott einst ein Dorf wegen seiner Laster zermalmen liefs. [1]

Diesen seinem Aussehen nach so merkwürdigen Berg hatten wir auch zu unsrer Linken in einer Entfernung von etwa einer Stunde immerfort gesehn, so lange wir diesen höheren Strich Landes durchzogen; wie eine hohe Citadelle lag er an dem östlichen Ufer des Wady el-Fikreh. Sheikh Hussân theilte uns mit, dafs dort einst eine Stadt stand; aber Gott war erzürnt gegen die Einwohner und schlug sie und zerstörte ihre Stadt mit Steinen vom Himmel herab. Er konnte indefs nicht sagen, ob jetzt in der Nähe Ruinen lägen. [2] — Diese Frage ist, wie ich seitdem gefunden habe, schon ein und dreifsig Jahre früher von Seetzen erledigt worden. Als er im März des Jahres 1807 in Hebron war, hörte er von diesem Berge und von der darauf stehenden Stadt Madürah sprechen, welche aber jetzt durch die Rache Gottes darunter begraben liege; man sprach auch von vielen rings herum befindlichen menschlichen Körpern, die in Stein verwandelt seien. In der Meinung, hier etwas zu entdecken, was die Salzsäule erläutern könnte, reisete er mit Haweität-Führern aus esh-Sheräh dahin, wie es scheint, den Pafs el-Yemen hin-

---

1) Lord Lindsay's Letters etc. II. p. 46. sq. — Schubert erwähnt auch Madürah, und scheint über den Pafs es-Süfah hinaufgestiegen zu sein; aber auf welchem Wege er von el-Weibeh hierher reiste, geht aus seinem Bericht nicht deutlich hervor. Reise II. S. 441—443. Hr. v. Berton folgte unsrer Route, erstieg aber den Pafs el-Yemen. Bull. de la Soc. de Géogr., Juin 1839. p. 321—323.

2) Diesem Berge giebt Hr. v. Berton noch den Namen Kadessa, und hält ihn für die Lage von Kades, aber ohne den mindesten Grund; Bulletin etc. a. a. O. p. 322. Siehe Anmerk. XXXVII. am Ende des Bandes.

10 *

unter. Er untersuchte den Berg sorgfältig, fand aber keine Spur von Ruinen; und statt versteinerter menschlicher Körper zeigte sich nichts als eine kleine Ebne mit runden, kegelförmigen, cylindrischen und linsenförmigen Steinen bedeckt, etwa von der Größe eines Menschenkopfes, bestehend aus Kalkstein mit Sand untermischt. Zum Ersatze für diese getäuschte Hoffnung erzählte ihm jetzt sein Führer von Wady Mûsa und den andern Ruinenstellen seiner Heimath. Aber obgleich der Berg Hor hier grade vor dem Reisenden lag und sich seinen Blicken völlig darbot, zugleich ihm auch von dem Wely Nehy Hârûn auf einem felsigen Gipfel erzählt wurde, so scheint dessenungeachtet sein Blick auf diesen Berg nicht bestimmt gerichtet gewesen zu sein. [1]

Wir kamen nach dem Fikreh fünf Minuten nach 6 U.; er bildet hier ein grofses seichtes Thal, mit Anzeichen von vielem Wasser, und nimmt offenbar seinen Anfang in einer weiten Entfernung linker Hand. Der Berg vor uns bestand, wie wir jetzt sehen konnten, aus nackten, schrägen und sehr unregelmäfsigen Kalksteinlagen, die sogar zuweilen in convexen Kurven emporstiegen, wie wenn sie die äufsere Decke eines Bogens bildeten. Die Lagen werden hie und da von kurzen, aber tiefen Klüften durchschnitten. Dieser Berg ist augenscheinlich die nach dieser Richtung hin fortgesetzte Abstufung, welche wir früher dicht bei dem unteren ez-Zuweirah hinabgestiegen waren, obgleich sie hier viel höher und beschwerlicher ist als dort. [2] — Wir zogen grade

---

1) Seetzen in Zach's monatl. Corr. XVII. S. 133—138.

2) Siehe oben, S. 17. — Wenn die Araber von diesem Berge sprächen, so würden sie sehr wahrscheinlich den verschiedenen Theilen desselben die Namen Jebel es-Sûfâh, Jebel el-Yemen u. s. w. nach den verschiedenen Pässen geben. Aber die ganze Reihe führt, so weit wir erfahren konnten, keinen von diesen als allgemeinen Namen, wie dies von Schubert und Bertou vorausgesetzt zu werden scheint.

auf den mittlern Pafs, es-Süfàh, zu, was auch den kürzesten
Weg ausmacht. Nahe beim Fufse des Berges kamen wir um
6 U. 30 Min. nach den Ruinen eines kleinen Kastells von ge-
hauenen Steinen, mit ein paar andern Grundsteinen rings umher.
Es war augenscheinlich zur Bewachung des Passes bestimmt, wie
das ähnliche zu ez-Zuweirah. — Von diesem Punkte hatten wir
Madürah S. 50⁰ W., den Berg Hôr S. 15⁰ O., das Gebirge
Moab nahe bei Khanzireh N. 80⁰ O.

Wir kamen um 6 U. 40 Min. an den Fufs des Passes,
und fingen sogleich an bergauf zu steigen. Der Weg zieht sich
eine kurze Zeit allmählig dem Rande einer steilen Schlucht rechter Hand entlang, und wendet sich dann auf einmal nach der
nackten Oberfläche des Felsens hin, dessen Schichten hier in einem schiefen Winkel liegend, so steil sind, dafs man sie eben
nur ohne Beschwerlichkeit erklettern kann. Der Pfad, wenn ihm
dieser Name zukommt, zieht sich die übrige Strecke aufwärts
längs diesem nackten Felsen in sehr gekrümmter Richtung hin.
Die Kameele machten ihren Weg mit Mühseligkeit, da sie jeden
Augenblick Gefahr liefen auszugleiten. Der Felsen ist zwar im
Allgemeinen löcherig und rauh, aber doch an vielen Stellen glatt
und gefährlich für Thiere. An solchen Stellen ist in früheren Zeiten ein Pfad in den Felsen gehauen, indem die schräge Oberfläche desselben theils geebnet und theils durch hinein gehauene
Stufen gangbar gemacht ist. Die Spuren dieses Weges sind nahe
beim Gipfel häufiger. Er sieht aus wie ein sehr alter Pafs. Die
ganze Bergseite stellt sich als eine grofse abfällige Felsenfläche
dar, in welcher in Zwischenräumen schmale Streifen von Schichten unter einem steileren Winkel hinauflaufen und nach dem oberen Theil zu in niedrigen Vorsprüngen hervorbrechen; während
sie an anderen Stellen durch irgend eine Naturerschütterung in
phantastischen Gestalten hinaufgeworfen zu sein scheinen.

Wir kletterten den Pafs zu Fufs hinan, indem wir eine
grade Richtung über die Oberfläche des Felsens einschlugen,
während die Kameele langsamer auf dem gekrümmten Wege hin-
anfstiegen. Ein paralleler und noch direkterer Pfad für Fufsgän-
ger wurde von mehreren unsrer Araber eingeschlagen, indem
sie von unten in die Kluft zu unserer Rechten hineingingen und
dann an einer langen, schmalen Felsenspitze oder Schicht, welche sich weit darin herabzieht, hinaufkletterten. Weiter zur rechten Hand, über die Kluft hinaus windet sich der Pafs Sufey über
den Felsen in ähnlicher Weise hinauf. — Der Name dieses Passes, es-Süfâh (arabisch: ein Felsen), ist seiner Form nach
identisch mit dem hebräischen Zephath, auch Harma genannt,
welches wir als den Punkt kennen, wo die Israeliten versuchten,
den Berg hinanzusteigen, als sie von Kades aus in Palästina ein-
dringen wollten, aber zurückgetrieben wurden. [1] Eine Stadt dieses Namens stand hier in alten Zeiten, eine der „Städte Juda's
an der Grenze der Edomiter gegen Mittag," welche späterhin dem
Stamme Simeon zugewiesen wurde. [2] Alle Gründe sprechen daher für die Voraussetzung, dafs wir in dem Namen es-Süfâh
eine Reminiscenz des alten Passes haben, welcher hier existirt
haben mufs und den Namen der angrenzenden Stadt Zephath führte.
Von dem Namen und der Lage von Harma konnten wir keine
Spur finden.

Wir erreichten den Gipfel des steilen Aufganges um $7\frac{3}{4}$ U.,
als das Tageslicht beinahe verschwunden und die Landschaft hinter uns in Dämmerung lag. Unter uns konnten wir die breite
Strecke Landes oder die Stufe, über welche wir eben gekommen
waren, übersehn, wie sie ihrer ganzen Länge nach von dem Fikreh

1) Richt. 1, 17. 4 Mos. 14, 45; 21, 3. 5 Mos. 1, 44.
2) Jos. 12, 14; 15, 30; 19, 4.

durchschnitten war; jenseits lag der niedrigere Hügelstrich, dahinter die 'Arabah und das Gebirge Edom. Im N. O. war natürlich das todte Meer zu sehen. Wir fuhren fort, mehr allmählig durch eine äufserst felsige und öde Gegend hergan zu steigen. Wir wünschten sehr, irgendwo nahe am Rande des Passes zu lagern, um eine vollere Aussicht beim Tageslicht zu erhalten; aber es zeigte sich hier weder Holz zur Feuerung, noch Weidefutter für die Kameele. Wir waren daher genöthigt, weiter zu gehen, nur von dem Lichte des ersten Mondviertels bestrahlt. Dies bedauerten wir sehr; denn die Gegend, welche wir jetzt durchzogen, schien alle bisherigen an Wildheit und Zerrissenheit zu übertreffen. Wir verfolgten dieselbe allgemeine Richtung etwa N. N. W. über einen ebneren Strich Landes, und konnten nach kurzer Zeit tiefe Schluchten zu unsrer Rechten und Linken erkennen, mit schroffen Bergen jenseits, scheinbar bis zum Grunde gespalten. Der Pfad zog sich eine Strecke weit längs einem engen Felsen- Hochweg zwischen zwei solchen Schluchten hin, der kaum für ein Dutzend Mann neben einander breit genug war, mit einem tiefen Abgrund an jeder Seite. Von diesem fanden wir endlich einen Weg abwärts rechter Hand in einen breiteren Wady, den wir alsdann hinaufzogen und nahe dabei um $9\frac{1}{4}$ U. in einer kleinen von Anhöhen umgebenen Ebne lagerten. Hier waren viele Tálh- Bäume und Sträucher. Die Araber wufsten keinen Namen für die Stelle und kannten in der Nähe keine Ruinen; aber wir glaubten nicht lange vorher zwei kleine Thürme rechts von dem Wege gesehen zu haben.

Wir waren äufserst ermüdet, da wir jetzt seit dem vorigen Tag um 11 U. auf unsern Kameelen safsen, ohne im Ganzen mehr als zwei oder drei Stunden angehalten zu haben. Die Kameele hatten auch in den letzten vier und zwanzig Stunden, d. h. seit unserer Rast am vorigen Abend, nichts gefressen; indefs

schienen sie nicht ermattet zu sein. Aller Gefahr jetzt enthoben,
waren wir froh, uns lagern und der Ruhe hingeben zu können;
und nach den Beschwerden der 'Arabah und den aufregenden Er-
lebnissen in Wady Mûsa blickten wir mit Sehnsucht nach dem
morgenden Rasttage hin. Während das Zelt aufgeschlagen wurde,
warf ich mich auf meine Mäntel hin und fiel sogleich in einen
tiefen Schlaf, aus dem es hart schien, geweckt zu werden, um
mich in das Zelt zu begeben und an dem Abendessen Theil zu
nehmen. Aber ich schlief wieder tüchtig die ganze Nacht hindurch, und fühlte später keine weitern Spuren von Müdigkeit mehr.

Von den drei Pässen ist es-Sûfâh der direkteste; aber el-
Yemen ist, obgleich man einen weitern Weg hat, wegen des oben
befindlichen Wassers mehr in Gebrauch. Wir erfuhren nicht, dafs
hinsichtlich der Länge oder Beschwerlichkeit des Hinaufsteigens
selbst, nach unserer Schätzung einer Höhe von 1000 Fufs, ein
grofser Unterschied zwischen ihnen stattfinde.[1]   Die Wege über
die beiden anliegenden Pässe es - Sûfâh und es-Sufey hinauf
sind, wie wir gesehen haben, ähnlich. Der dritte Weg läuft in
die Schlucht des Wady el-Yemen, folgt ihr eine Zeitlang aufwärts, und erklimmt dann auf einem steilen und schwierigen
Pfade die Felsenwand. Seetzen beschreibt diesen Wady als ein
fürchterlich wildes, tiefes und wüstes Thal, von Felsblöcken so
dicht überdeckt, dafs es oft schwer ist, einen Weg zwischendurch
zu finden.[2]

Die hohe Gegend, welche wir jetzt erreicht hatten, ist, wie
wir später sehen werden, von einem andern, nicht so hohen Rü-

1) Die ganze Erhebung von Wady el-Fikreh bis in die Nähe unseres Lagers beträgt nach Schubert's Messungen 1434 Par. Fufs. Reise
II. S. 448.

2) Zach's monatl. Corr. XVII. S. 134, 135. So auch Berton im
Bulletin de la Soc. de Géogr., Juin 1839. p. 323.

cken im N. W. begrenzt, und bildet eine zweite Abstufung in
der ganzen Bodenerhebung nach Palästina hin. Sie ist in der
That die Fortsetzung des breiten, wüsten Landstrichs, welcher
zwischen den beiden Pässen von ez-Zuweirah liegt, und in dieser Richtung hinaufläuft. [1])

Da wir jetzt von der 'Arabah und der Gegend des todten
Meeres wahrscheinlich für immer Abschied genommen hatten, so
mag es passend sein, hier einige Augenblicke zu verweilen, und
Alles, was noch über diese Gegenstände zu sagen ist, sowie auch
einige Bemerkungen über die Katastrophe der Städte in der Ebne
und über den Weg der Kinder Israel bei ihrer Annäherung gegen Palästina in einem Ueberblick zusammenzufassen.

Wady el-'Arabah.

Dieses grofse, zwischen dem todten Meer und dem Meerbusen von 'Akabah liegende Thal bildet eine sehr merkwürdige Erscheinung in der Gestaltung der ganzen Gegend. Eine
theilweise Unterbrechung oder vielmehr Verengung zwischen den
Seen el-Hûleh und Tiberias abgerechnet, kann man sagen, es
erstrecke sich von Baniâs am Fufse des Jebel esh-Sheikh bis
zum rothen Meer. Die nördliche Hälfte wird vom Jordan bewässert, welcher sich in seinem Laufe in die beiden so eben erwähnten Seen süfsen Wassers ausbreitet, und sich zuletzt in den bit-
tern Gewässern des todten Meeres verliert, welches letztere die
Mitte des grofsen Thales einnimmt, ungefähr in gleicher Entfernung von seinen beiden Enden. Von dem See Tiberias bis nach
der Klippenreihe, etwa drei Stunden südlich vom todten Meer,
führt das Thal oder die grofse Kluft unter den Arabern den Na-

---

1) Siehe oben, S. 17.

men el-Ghôr; oberhalb und südlich von der Abstufung dieser
Klippen und so bis 'Akabah ist es nur als Wady el-'Arabah bekannt. Seine Breite zu Jericho und zu 'Ain Jidy ist schon angegeben worden; [1]) wo wir es jetzt durchzogen hatten, etwas
schräg von dem Passe Nemela nach 'Ain el-Weibeh hin hatten
wir gefunden, dafs die Breite nicht viel unter sechs Stunden mit
Kameelen, also beinahe eben so viel als zu Jericho betrage; während es zu 'Akabah, wie wir gesehen haben, vielleicht noch
nicht bis auf die Hälfte verengt ist. [2])

Auf die merkwürdige tiefe Lage des todten Meers mitten
in diesem langen Thale, nach Schubert beinahe 600 Pariser Fufs
unter dem Spiegel des mittelländischen, ist schon aufmerksam gemacht worden. [3])   Nach der allgemeinen Gestaltung, wie der Richtung und dem Laufe des Jordan zu urtheilen, folgt es fast mit
Nothwendigkeit, dafs der See Tiberias und höchst wahrscheinlich
auch der Hûleh auf ähnliche Weise vertieft liegen müssen; obgleich die Messungen bis jetzt so unbestimmt und abweichend
sind, dafs eine Muthmafsung darüber, wie viel diese Vertiefung
wirklich beträgt, kaum möglich ist. [4])   Im Süden des todten

---

1) Siehe oben, Bd. II. S. 449, 536.

2) Siehe oben, Bd. I. S. 248.

3) Siehe oben, Bd. II. S. 455 f.

4) So bestimmt Schubert die Vertiefung des See's von Tiberias
zu 535 Par. Fufs, nur 65 Fufs weniger als die des todten Meers; während nach ihm die Jordanbrücke Jisr Benât Ya'kôb nördlich von dem
erstgenannten See 350 Par. Fufs über dem Mittelmeer liegt — ein Unterschied von 880 Fufs bei einer Entfernung von zwei Stunden! Reise
III. S. 231, 259. Bertou, nach welchem die Vertiefung des todten
Meers 419.8 Mètres oder über 1300 Fufs beträgt, giebt die des See's
von Tiberias zu 230.3 Mètres oder etwa 700 Fufs, und die des Hûleh
zu 6 Mètres oder über 18 Fufs an; Bulletin de la Soc. de Géogr., Oct.
1839. p. 161, 146, 145. Diese verschiedenen Resultate lassen sich durch-

Meeres ist die Erhebung der Wasserscheide, welche nach unsern Arabern jenseits des südlichen Wady Ghüründel liegt, bis jetzt noch nicht bestimmt werden. Schubert giebt die Vertiefung des Bettes von Wady el-Jeib, anderthalb Stunden südlich von el-Weibeh, zu 91 Pariser Fufs unter dem Wasserspiegel des rothen Meeres an, und die des Wady el-Fikreh nahe bei dem Passe es-Sufäh zu 5 Fufs unter eben demselben. [1]) Diese Angaben scheinen mir mit seinem Bericht über die Vertiefung des todten Meeres ziemlich übereinzustimmen. Aber abgesehen von allen diesen bis jetzt noch so ungewissen Barometermessungen, scheint die Gestaltung dieses Theiles des grofsen Thales, da es so nach Norden zu einen gröfsern und stärkern Abfall darbietet, als nach Süden zu, an und für sich anzudeuten, dafs das todte Meer beträchtlich niedriger liegen mufs, als der Busen von 'Akabah.

Das Ghôr zwischen dem See Tiberias und dem todten Meer ist, wie wir früher gesehen haben, an und für sich eine Wüste, die kleinen Strecken ausgenommen, über welche der Jordan und gelegentliche Quellen eine übermäfsige Fruchtbarkeit ergiefsen. [2]) Im Süden des todten Meers, wo wir statt des Jordans nur während der Regenzeit die Strömungen von el-Jeib finden, bietet die Oberfläche der 'Arabah fast ununterbrochen eine noch schauerli-

---

aus nicht mit einander und, wie mir scheint, auch nicht mit der Natur der Gegend vereinigen.

1) Reise II. S. 440, 443. — Von 'Akabah nach dem den Berg Hor hinaufführenden Wady Abu Küsheibeh reiste Schubert längs der Ostseite der 'Arabah, wo der Boden höher ist, als an der westlichen Seite. Natürlich bezeichnen die Messungen von 465, 854 und 2046 Fufs Höhe nicht die eigentliche Erhebung der 'Arabah, namentlich nicht die letztere, die in den östlichen Bergen gemacht zu sein scheint. Ebend. S. 401, 411, 440; vgl. S. 439.

2) Siehe oben, Bd. II. S. 500 f. 531.

chere Wüste dar. In dem Ghôr verbreiten zwar um das Südende des Meeres die lebendigen Ströme aus den Wady's Kerak,
el-Kürâhy und et-Tüfileh Fruchtbarkeit über den angrenzenden
Boden; während im Süd-Westen und längs dem Fufse der schräg
durchlaufenden Klippenreihe die salzigen, unter dem Namen el -
Beida und el-'Arûs umfafsten Quellen weite Strecken von sum-
pfigem Grün bewässern. [1]) Aber in el -'Arabah sind die Quellen, obgleich für eine Wüste zahlreich, doch weniger wasserreich,
und scheinen weniger befruchtenden Einflufs zu äufsern, als die
des nördlichen Ghôr. Im Osten scheint der Bach, welcher den
von den Fellâhin zu Dhâneh bepflügten und besäeten Wady el-
Ghuweir bewässert, die grofse Ebne der 'Arabah nicht zu erreichen, wenigstens nicht auf eine bedeutende Strecke; dann folgt
nach Süden hin 'Ain el-Buweirideh, schon früher beschrieben;
dann die kleine Quelle et-Taiyibeh nahe am Fufse des zum Hor
führenden Passes, und die Gewässer nahe bei der Mündung des
südlichen Wady Ghürûndel. [2]) An der westlichen Seite finden
wir zuerst das Wasser von Hasb in der Ebne der 'Arabah; dann
'Ain el-Khürâr an der Mündung des gleichnamigen Wady; 'Ain
el-Mureidhah; el-Weibeh; 'Ain el-Ghamr; und dann über den
Jerâfeh hinaus auch el-Melihy und el-Ghüdhyân. [3])

---

1) Siehe oben, S. 32, 37, 39.

2) Ueber Wady el-Ghuweir siehe oben, S. 47.; über 'Ain el-
Buweirideh S. 48; über 'Ain et-Taiyibeh S. 77. Ueber die Quellen
nahe bei der Mündung des Wady Ghürûndel siehe Burckhardt p. 441.
(731.) Laborde Voyage p. 53.

3) Siehe oben über Hasb, S. 43, 144; über el-Khürâr S. 144;
über 'Ain el-Mureidhah S. 143; über el-Hufeiry S. 139; über el-Weibeh S. 138 ff.; über el-Ghamr S. 138; über el-Melihy S. 53; über
el-Ghüdhyân Bd. I. S. 280, 301. Siehe auch überhaupt Bd. I. S. 301.
und Burckhardt p. 446. (737.) — Schubert spricht von Wasser, welches
sich durch Graben von Löchern in dem Boden des Jeib anderthalb Stun-

Der Hauptweg, durch welchen Ma'àn und die Umgegend mit Hebron und Gaza in Verbindung stehen, läuft nahe beim Berg Hor die 'Arabah hinunter, zieht sich nach el-Weibeh hin, und geht dann wieder einen der oben beschriebenen Pässe, Haudeh, el-Yemen, es-Süfáh oder es-Snfey hinauf, nach dem Süden von Palästina. Auch führt ein Weg von 'Akabah nach Hebron und Gaza längs der 'Arabah; ein Arm geht durch Wady el-Beyâneh nach der westlichen Ebne hinauf und so nach Rahaibeh; während ein anderer, wie es scheint, wenig bereister in der 'Arabah bleibt und bei el-Weibeh in den Ma'àn-Weg fällt. [1]) Eine alte Strafse zwischen Hebron und Ailah folgte derselben Richtung; sie wird von Eusebius und Hieronymus erwähnt und die Spuren davon zeigen sich noch längs dem Passe es-Süfáh. [2])

Es ist ein auffallender Umstand, dafs dieses grofse Thal zwischen den beiden Meeren bis in das jetzige Jahrhundert herab nirgends ausdrücklich erwähnt zu sein scheint. Unter den alten Schriftstellern gehen weder Strabo, noch Plinius, noch Ptolemaeus, noch Josephus, noch irgend sonst ein Geograph oder Geschichtschreiber die leiseste Andeutung davon; obgleich sie sowohl vom todten Meer, als vom elanitischen Busen oft sprechen und die anliegenden Gegenden beschreiben. [3]) Die Geschichtschreiber

---

den südlich von el-Weibeh gefunden habe, wo das Wasser wahrscheinlich in irgend einem Zusammenhange mit el-Ghamr steht. Er beschreibt auch eine Quelle drei oder vier Stunden nördlich von el-Weibeh in einem Thal, welches er Mirzaba nennt; obgleich der eigentliche Wady dieses Namens nur 35 Minuten von el-Weibeh abliegt. Die Entfernung fällt gut mit der von 'Ain el-Mureidhah zusammen. Reise II. S. 440—443.

    1) Siehe oben, Bd. I. S 327 f.

    2) Siehe oben, S. 149. Onomast. Art. Hazazon - Thamar, vgl. mit Arath. Reland Pal. p. 410, 885.

    3) Ritter citirt eine Stelle aus dem Periplus des Agatharchides, welche sich auf dieses Thal, oder wenigstens auf dessen südliches Ende

des Mittelalters beobachten dasselbe Stillschweigen; obgleich die Kreuzfahrer mit el-'Arabah seiner ganzen Länge nach bekannt gewesen sein müssen. Wir lesen zwar von einem Thal in dieser Gegend, welchem die Kreuzfahrer den Namen „Vallis illustris" gaben; aber dies scheint sich nur auf das Ghôr, grade um das Südende des todten Meers herum zu beziehen, das Salzthal der Schrift. [1])

Arabische Schriftsteller sprechen nicht selten von dem Ghôr, indem sie damit blofs das Jordanthal meinen. [2]) Bei Abulfeda allein finden wir erwähnt, dafs sich das Thal südwärts bis nach dem rothen Meer hin erstreckte. Er beschreibt es folgendermafsen: [3]) „Vom todten Meer und Zoghar (Zoar) bis Beisân und Tiberias heifst der Landstrich, als zwischen zwei Bergen liegend, el-Ghôr. Ein Theil des Ghôr wird zu dem Jordandistrikt, der

nahe bei Ailah beziehen soll. „Jenseits des läanitischen (elanitischen) Golfes, um welchen die Araber wohnen, ist die Gegend der Bythemanäer, eine weite Fläche, wohl bewässert und tief eingesenkt, mit mannshohen Grasungen, mit Obstreichthum, voll wilder Kameele und Wildpret aller Art, mit Schaf-, Rinder-, und Maulthierheerden;" Agatharchidis Peripl. Rubri Maris ed. Hudson p. 57, 58; in Hudson's Geogr. minor. Tom. I. Es scheint jedoch nichts in diesen Worten zu liegen, bis auf das einzige niedrig ($\beta\alpha\vartheta\varepsilon\tilde{\iota}\alpha$), was sich passend auf die 'Arabah beziehen liefse; alles Uebrige, wenn es sich auf dieses Thal beziehen soll, ist übertrieben und fabelhaft. Dieser Umstand und auch der Ausdruck „jenseits ($\mu\varepsilon\tau\dot{\alpha}$) des Busens" scheinen vielmehr darauf hinzuführen, dafs der Schriftsteller von irgend einem östlicheren Theile Arabiens sprach. Siehe Ritter's Erdkunde Th. II. S. 219. Berl. 1818.

1) Siehe oben, S. 24, 25.

2) Edrìsi ed. Jaubert p. 346. Bohaeddin Vit. Salad. p. 221, 222. Jakut Lex. Geogr. angeführt bei Schultens, Index in Vit. Salad. Art. Algaurum. Reland Pal. p. 1041.

3) Abulfed. Tab. Syr. ed. Köhler p. 8, 9.

andere zu Palästina gerechnet. Ibn Haukal sagt: das Ghôr beginnt an dem See Gennesareth, von wo es sich bis Beisân und so nach Zoghar und Jericho, selbst bis nach dem todten Meer, und von da nach Ailah hin erstreckt.“ Dieser Stelle ist in einer Anmerkung ein Scholion, wie es scheint, von Abulfeda selbst beigefügt, nach der Leidener Handschrift, die ein Autographon sein soll [1]): „el-Ghôr ist ein tiefes, von Bergen eingeschlossenes Thal. Dieser Landstrich hat eine Fülle von Palmbäumen, Quellen und Strömen, und Schnee fällt zuweilen darin. Ein Theil erstreckt sich von dem Jordandistrikt bis man Beisân passirt; dann folgt Palästina. Und wenn man in einem fort diesem Thal (südwärts) nachgeht, so kommt man nach Ailah.“ Diese Stellen, die sich jetzt als buchstäblich richtige bewährt haben, wurden lange Zeit übersehen. Büsching, nahe am Schlusse des vorigen Jahrhunderts, bezieht sich blofs darauf. [2])

Allein wenn wir uns zum Grundtext des alten Testaments wenden, so finden wir, dafs die Kenntnifs und der Name der 'Arabah in ein hohes Alterthum zurückgehen. Das hebräische Wort 'Arabah, das im Allgemeinen „eine wüste Ebne, Steppe,“ bedeutet, [3]) wird mit dem Artikel (die Arabah) gradehin als der Eigenname des in Rede stehenden grofsen Thales gebraucht, und zwar in seiner ganzen Länge; und der heutige arabische Name el-'Arabah ist noch genau derselbe. Wir finden im A. T. die 'Arabah in deutlicher Verbindung mit dem rothen Meere und Elath; das todte Meer selbst wird das Meer der 'Arabah genannt; sie erstreckte sich gegen Norden bis zum See von Tiberias, und die 'Arboth (Ebnen) von Jericho und Moab waren Theile da-

---

1) Ebend. p. 9. n. 35. Siehe die Nachricht über diese Handschrift in Köhler's Prooemium.

2) Erdbeschreibung Th. XI, 1. S. 379, 505. Hamb. 1792.

3) Jes. 33, 9. Jerem. 50, 12. 51, 43.

von.[1]) Die 'Arabah der Hebräer war also, wie das Ghôr des Abulfeda, das grofse Thal in seiner ganzen Ausdehnung; durch unsre gegenwärtige Kenntnifs davon erhalten jene Angaben der heiligen Schrift eine bedeutende Erläuterung. [2])

So völlig ungeahnet war jedoch die allgemeine Gestaltung dieser Gegend im Anfang dieses Jahrhunderts, dafs Seetzen, ein scharfer Beobachter und als Reisender wohl ausgerüstet, dieses grofse Thal nicht bemerkt oder doch nicht weiter darnach geforscht zu haben scheint; obgleich, als er von den Bergen von Kerak im Jahr 1806 herabkam und dann wieder auf seiner Reise südlich bis nach dem Berge Madürah im Jahr 1807, es grade vor ihm lag, sich nach Süden hin erstreckend so weit das Auge reichen konnte.

---

1) Hebr. הָעֲרָבָה (ha-'Arabah) in Verbindung mit dem rothen Meere und Elath 5 Mos. 1, I. 2, 8; als bis zum See von Tiberias reichend Jos. 12, 3; auch Vs. 1. 2 Sam. 4, 7. 2 Kön. 25, 4. „Meer der 'Arabah, das Salzmeer," im hebr. Text Jos. 3, 16. 12, 3. 5 Mos. 4, 49. „Ebnen (עֲרָבוֹת) von Jericho" im hebr. Text Jos. 5, 10. 2 Kön. 25, 5.; „Ebnen von Moab," d. h. Jericho gegenüber, wahrscheinlich von den Moabitern zur Weide benutzt, obgleich nicht innerhalb ihres eigentlichen Gebietes, 5 Mos. 34, 1. 8. 4 Mos. 22, 1. Vgl. Gesenius Lex. Hebr. Art. עֲרָבָה.

2) Aufser dieser allgemeinen Erläuterung läfst nun auch die schwierige Stelle 5 Mos. 1, 1. eine leichte Erklärung zu. Die Israeliten waren in den Ebnen von Moab, Jericho gegenüber, und werden auch im Hebräischen beschrieben als „in der 'Arabah gegenüber am Schilfmeer," d. h. in dem Theile dem rothen Meere gegenüber, oder nach dem andern Ende zu. Diese 'Arabah, wird dann gesagt, liege zwischen Paran (Kades) auf der einen Seite, und Thophel (Tûfileh) auf der andern. Die übrigen erwähnten Namen sind alle im Westen, nämlich: Laban, das Libnah von 4 Mos. 33, 20, Hazeroth, d. i. 'Ain el-Hûdherah, und Di-Zahab (דִּי זָהָב) wahrscheinlich Dahab am rothen Meere. — Ich verdanke diese Erklärung der gefälligen Mittheilung des Prof. Hengstenberg.

Dafs er es nicht bemerkt haben sollte, wäre höchst seltsam; oder
wenn dies der Fall war, so ist sein Stillschweigen ebenso uner-
klärlich. [1]) Burckhardt war der Erste, der im Jahr 1812 dieses
Thal besuchte und beschrieb; aber seine Entdeckung wurde der
Welt erst im Jahr 1819, und seine vollständigere Beschreibung
im Jahr 1822 bekannt gemacht. [2]) Vor dieser Zeit hatte indefs
der Scharfsinn Ritter's aus der alleinigen Nachricht des Abulfeda
schon die wahre Gestaltung der besagten Gegend aufgefunden und
sie so beschrieben, dafs selbst jetzt wenig davon abzuändern sein
möchte. [3])

Die Reise Laborde's im Jahr 1828 gab Veranlassung zu
der allerersten und einzig guten Karte der 'Arabah südlich von
Wady Mûsa. Der erste, der das Thal seiner ganzen Länge nach
von einem Meer bis zum andern durchzog, war H. von Berton,
welcher ein paar Wochen vor uns dort war. Bei der Durchsicht
seines publicirten Reiseberichtes habe ich nur Einiges darin aus-
zusetzen gefunden, was ich für irrig ansehen mufs, und was, da
es schon von Letronne angenommen zu sein scheint, in der Geographie dieser Gegend nur Verwirrung hervorbringen kann. [4])

---

1) Ich spreche hier natürlich nur mit Bezug auf seine gedruckten
Briefe in Zach's monatl. Corr. XVII. S. 133 — 140. XVIII. S. 433 — 443.
Sein Stillschweigen rücksichtlich des Berges Hor ist schon bemerkt wor-
den; siehe oben, S. 148.

2) Siehe den vom 12. Sept. 1812 datirten Brief vor seinen Travels
in Nubia, Lond. 1819. Auch Travels in Syria etc. Lond. 1822. p. 441
sq. (731 ff)

3) Erdkunde Th. II. S. 218. Berlin 1818.

4) Diese Punkte sind in Anmerk. XXXVII. am Ende des Bandes
nachgewiesen. — Siehe Bulletin de la Soc. de Géogr., Juin 1839. p.
274 sq. Oct. 1839. p. 113 sq. Letronne im Journal des Savans, Août
1838. Nouvelles Annales des Voyages, 1839. Tom. III. p. 296 sq.

III. 11

Das todte Meer und der Untergang Sodoms.

Mit der oben beschriebenen Gestaltung des Thales 'Arabah steht die Geschichte und der Charakter des todten Meeres in engem Zusammenhang. Man hat gewöhnlich angenommen, dieser See existire erst seit der im ersten Buche Moses erwähnten Zerstörung von Sodom und Gomorra; und die Lieblingshypothese der letzten Jahre ist gewesen, dafs der Jordan vor dieser Zeit durch die ganze Länge des Wady el-'Arabah bis nach dem Busen von 'Akabah geflossen sei, wobei das heutige Bett des todten Meeres eine fruchtbare Ebne bildete. Aber dies konnte, wie wir nun erfahren hatten, nicht der Fall gewesen sein, wenigstens nicht innerhalb der Zeiten, bis wohin die Geschichte zurückreicht. Statt der Fortsetzung des Laufes des Jordan südlich bis nach dem Meerbusen, hatten wir gefunden, dafs sowohl die Gewässer der 'Arabah selbst, als auch die der hohen westlichen Wüste weit im Süden von 'Akabah, alle nordwärts in das todte Meer flossen. [1]) Alle Umstände dienen zum Beweise, dafs lange vor der Katastrophe von Sodom an dieser Stelle ein See gestanden haben mufs, in welchen sich die Gewässer des Jordan ergossen. Die grofse Vertiefung des ganzen breiten Jordanthales und des nördlichen Theiles der 'Arabah, die Richtung ihrer Seitenthäler, sowie auch der Abfall der hohen westlichen Wüste nach Norden zu weisen alle darauf hin, dafs die Gestaltung dieser Gegend in ihren Haupteigenthümlichkeiten eben so alt ist, als die heutige Beschaffenheit der Oberfläche der Erde im Allgemeinen, und nicht die Wirkung irgend einer lokalen Katastrophe in einer spätern Periode.

Es scheint auch eine nothwendige Schlufsfolge zu sein, dafs

---

1) Siehe oben, Bd. I. S. 298. Vgl. auch Bd. III. S. 34.

das todte Meer vor Alters eine geringere Fläche bedeckte, als heut zu Tage. Die Städte, welche zerstört wurden, müssen im Süden des See's gelegen haben, wie er damals beschaffen war; denn Lot floh nach Zoar, welches nahe bei Sodom war; und Zoar lag, wie wir gesehen haben, fast am südlichen Ende des heutigen See's, wahrscheinlich in der Mündung des Wady Kerak, wo er sich nach der Landenge der Halbinsel öffnet. [1]) Die fruchtbare, von Lot für sich auserwählte Gegend, in der Sodom stand und welche gleich wie Aegyptenland wasserreich war, lag daher auch südlich vom See, „bis man gen Zoar kommt."[2]) Selbst noch heut zu Tage fliefsen mehr strömende Gewässer in das Ghôr am Südende des See's von den Wady's der östlichen Berge, als man in ganz Palästina so nahe zusammen findet; und der, wiewohl jetzt meist wüste Landstrich ist doch noch durch diese Strömungen und die vielen Quellen besser bewässert, als irgend ein anderer Distrikt im ganzen Laude. [3])

In derselben Ebne lagen Thongruben, das will aber sagen, Brunnen mit Erdharz oder Asphalt, da das hebräische Wort dasselbe ist, wie das bei der Beschreibung des Bau's der Mauern Babylons vorkommende, die, wie wir wissen, mit Erdharz verkittet waren. [4]) Diese Gruben oder Quellen scheinen von beträchtlicher Ausdehnung gewesen zu sein. Das Thal, in welchem sie lagen, wird zwar Siddim genannt; aber seine Lage wird nahe bei dem Salzsee angegeben, und es enthielt Sodom und Gomorra.[5])

---

1) Mos. 19, 20: „Siehe da ist eine Stadt nahe, darein ich fliehen mag." Ueber die Lage von Zoar siehe oben, S. 21 f., und Anm. XXXIV.

2) 1 Mos. 13, 10 — 12.

3) Siehe oben, S. 31.

4) Hebr. חֵמָר 1 Mos. 14, 10; vgl. 11, 3.

5) 1 Mos. 14, 2. 3. 10 — 12.

11 *

Die in alter Zeit die Ebne tränkenden Gewässer haben sich erhalten, um die Genauigkeit des heiligen Schriftstellers zu bezeugen; aber die Asphaltgruben sind nicht mehr zu sehen. Verschwanden sie vielleicht in Folge der Katastrophe in der Ebne?

Die merkwürdige Gestaltung des südlichen Theiles des todten Meeres habe ich schon beschrieben; — die lange und seltsame Halbinsel mit dem östlichen Ufer durch eine breite, niedrige Landenge verbunden; die sich weiter südlich erstreckende, in manchen Theilen sehr seichte Bai; und weiterhin die niedrigen flachen Ufer, über welche der See, wenn er durch den winterlichen Regen angeschwollen ist, eine Stunde oder weiter sich ausbreitet. In der That hat dieser ganze Meerestheil, wie ich gesagt habe, von den westlichen Bergen aus gesehen, viel Aehnlichkeit mit der gekrümmten Mündung eines grofsen amerikanischen Stromes, wenn die Fluthzeit vorbei ist und die Untiefen blofs liegen. [1]) Ich habe auch das plötzliche Erscheinen von Asphaltmassen, die auf dem See schwimmen, angeführt, welches heut zu Tage nur selten, und unmittelbar nach Erdbeben statt zu finden scheint, und zwar, so viel die Araber wufsten, nur im Südtheile des See's. [2]) Der Charakter der Ufer, der lange Berg von Steinsalz, und die verschiedenen mineralischen Produkte sind auch schon beschrieben worden. [3])

In Rücksicht auf alle diese Fakta, nämlich die nothwendige Existenz eines See's vor der Katastrophe von Sodom, die wasserreiche Ebne nach Süden zu, in welcher die Städte Sodom und Gomorra und nicht weit davon die Asphaltquellen lagen, der eigenthümliche Charakter dieses Theiles des todten Meers, wo allein heut zu Tage Asphalt zum Vorschein kommt; — ich sage,

---

1) Siehe oben, Bd. II. S. 435 ff.
2) Ebend. S. 463 f.
3) Ebend. S. 450 ff. und Bd. III. S. 23 ff.

in Rücksicht auf alle diese Fakta ist es nur ein Schritt bis zu
der einleuchtenden Hypothese, dafs die fruchtbare Ebne jetzt zum
Theil von der südlichen Bai oder dem südlich von der Halbinsel
liegenden Meerestheile bedeckt wird; und dafs durch irgend eine
mit der wunderbaren Zerstörung der Städte zusammenhängende
Erderschütterung entweder die Oberfläche dieser Ebne ausgehöhlt,
oder der Boden des Meeres emporgehoben wurde, so dafs nunmehr
die Gewässer austraten und fortan einen gröfseren Landumfang
bedeckten als bisher. In jedem Falle würde folgen, dafs die Asphaltquellen in gleicher Weise von dem See bedeckt wurden; und
von der schleimigen, durch die Berührung mit dem Wasser verhärteten und fixirten Substanz liefse sich erwarten, dafs sie gelegentlich emporkommen und auf der Oberfläche dieser schweren Fluth schwimmen würde. Schon die Alten berichten, dafs
die Asphaltmassen so von dem Boden des See's heraufkamen,
wie es scheint in gröfserer Menge, als heut zu Tage; obgleich
sich dieser Umstand vielleicht durch die Voraussetzung erklären
läfst, dafs das Erdharz in alter Zeit nicht, wie jetzt, begierig auf-
gelesen und fortgebracht wurde. [1])

Das Land ist, wie wir wissen, Erdbeben unterworfen, und
bietet häufige Spuren vulkanischer Erscheinungen dar. In der
ganzen Gegend um den See Tiberias sind diese Spuren entschieden; und eine kurze Strecke N. W. von Safed stiefsen wir später auf den Krater eines ausgelöschten Vulkans. Es würde keine
ungewöhnliche Wirkung einer von beiden Ursachen gewesen sein,
den Boden des alten See's emporzuheben und so das besagte Phänomen herbeizuführen. Aber die historische Nachricht von der Zerstörung der Städte schliefst auch die Mitwirkung von Feuer in sich:
„Da liefs der Herr Schwefel und Feuer regnen von dem Herrn

_____

1) Siehe oben, Bd. II. S. 464.

vom Himmel herab, auf Sodom und Gomorra," und auch Abraham „schaute und siehe, da ging ein Rauch auf vom Lande wie ein Rauch vom Ofen. [1]) Vielleicht wirkten beide Ursachen zusammen; denn vulkanische Wirkungen und Erdbeben gehen Hand in Hand, und die begleitenden elektrischen Entladungen machen gewöhnlich Blitze spielen und Donner rollen. Auf diese Weise haben wir alle Phänomene, welche die buchstäblichste Auslegung der heiligen Erzählung verlangen kann.

Ferner, wenn wir voraussetzen dürfen, dafs sich vor dieser Katastrophe das Erdharz um die Quellen angehäuft und vielleicht eine Strecke weit auf der Ebne ausgebreitete Schichten gebildet hatte; dafs diese Schichten möglicher Weise in einigen Theilen unter dem Boden hinliefen und so leicht bis in die Nähe der Städte reichen mochten; — wenn wir in der That das Alles voraussetzen können, dann vermochte das Entzünden einer solchen Masse von Brennstoffen, durch vulkanischen Prozefs oder durch den Blitz vom Himmel, einen Brand herbeizuführen, der nicht nur im Stande war, die Städte zu verschlingen, sondern auch zur Zerstörung der Oberfläche der Ebne hinreichte, so dafs „ein Rauch aufging vom Lande wie ein Rauch vom Ofen," und der überströmende See konnte dann die Ebne in eine Wasserfläche verwandeln. Die Voraussetzung einer solchen Erdharz-Anhäufung mag zuerst als übertrieben erscheinen; aber die Hypothese verlangt nichts mehr (und sogar noch weniger), als die Natur selbst wirklich unsern Blicken darbietet in dem wunderbaren Erdharzsee, welcher sich auf der Insel Trinidad findet. [2]) — Die

---

1) 1 Mos. 19, 24. 28.

2) Siehe Transactions of the Royal Geological Society, Lond. 1811, Vol. I. p. 63 sq. Der Bericht über diesen merkwürdigen Pechsee erläutert so treffend, was der frühere Charakter eines Theiles der alten

spätere Unfruchtbarkeit des noch übrigen Theiles der Ebne läfst sich leicht aus dem Vorhandensein solcher Massen von Steinsalz erklären, welche vielleicht erst um dieselbe Zeit aus Licht traten. Die vorstehenden Ansichten und Andeutungen sind nicht das Resultat blofser Hypothesen, sondern beruhen auf einer Basis von Fakten und Analogieen, welche die Wissenschaft festgestellt hat. Noch auch stützen sie sich blofs auf meine alleinige Autorität, die in einer derartigen Sache nicht in Anschlag kommen könnte. Durch die Güte des ausgezeichneten Geologen Leopold von Buch, dessen Untersuchungen sich namentlich vulkanischen Phänomenen zugewandt haben, wurde mir gestattet, ihm eine Uebersicht der in diesem Werke vollständiger beschriebenen Fakta vorzulegen; und folgendes Antwortschreiben enthält seine Bemerkungen darüber. [1])

Berlin, den 20. April 1839.

Mein Herr! —

Nachfolgende Zeilen übersende ich Ihnen viel mehr als Erwiederung auf das geehrte Vertrauen, dessen Sie mich würdigen, als in der Hoffnung, Ihnen irgend eine bemerkenswerthe Beobachtung vorlegen zu können.

Das Jordanthal ist eine Erdspalte (*crevasse*), welche sich von dem Libanon bis zum rothen Meer ununterbrochen ausdehnt.

Ebne von Sodom gewesen sein mag, dafs ich einige Auszüge am Schlusse von Anmerkung XXXVIII. beifüge.

1) Das Original dieses Schreibens, sowie auch mein eigner vorheriger Brief, worauf jenes die Antwort ist, findet man in Anmerkung XXXVIII. am Ende des Bandes. — Einige der in den oben dargelegten Ansichten enthaltenen Hauptandeutungen verdanke ich meinem Freunde und Reisegefährten Hrn. Smith, dessen Aufmerksamkeit sich in einer früheren Periode dem Gegenstande zuwandte, als die meinige. Eben diese seine Mittheilungen veranlafsten mich, dem Verfasser des obigen Briefes den Gegenstand vorzulegen.

Dies ist, wie mir scheint, das Resultat Ihrer Untersuchungen sowohl wie der des Hrn. von Bertou und H. Callier, welche dessenungeachtet Ritter darüber tadeln, dasselbe gesagt zu haben. Diese langen, namentlich in den Kalksteinbergen häufigen Spalten geben unsern Festlanden ihre Gestaltung. Wenn sie sehr grofs und tief sind, so gewähren sie einen Durchgang für die Urgebirge, welche aus diesem Grunde in einer von der Spalte ihnen vorgeschriebenen Richtung Ketten bilden. Wir könnten daher eine gröfsere Entwicklung vulkanischer Kräfte an dem Boden dieser Spalte, als auf den Höhen, erwarten.

Das Steinsalz ist, nach den neuesten Untersuchungen, das Erzeugnifs eines vulkanischen oder plutonischen Prozesses längs einer Oeffnung dieser Art. Aber die Asphalt- oder Erdharzquellen sind es auch, wie dies die Menge der Erdharzquellen von dem Fufse des Zagros in den Umgebungen von Bassora bis nach Mosul und auch zu Baku beweist; wie dies ferner aus der Asphaltquelle in dem Meerbusen von Neapel oder zu Mellilli nahe bei Syracus hervorgeht; wie dies die Erdharzquellen auf der Insel Zante, und selbst das zu den Trottoirs in Paris benutzte Erdharz aus Seyssel darthun.

Der Asphalt des todten Meeres ist wahrscheinlich nur das auf dem Meeresgrunde consolidirte Erdharz, welches nicht fortfliefsen kann, und eben darum eine Lage auf dem Boden bildet, wie auf der Insel Trinidad. Es ist ziemlich wahrscheinlich, dafs diese Anhäufung in entfernten Zeiten ebenso stattgefunden habe, wie in unsern Tagen; und wenn vulkanische Bewegungen, eine Bodenerhebung und Erdbeben analoge Asphaltmassen, wie die von Ihnen beschriebenen, zu Tage gefördert haben (ein bis jetzt unbekanntes Phänomen von der gröfsten Wichtigkeit), so läfst sich die Einäscherung von ganzen Städten durch die Entzündung von so vorzüglich brennbaren Stoffen wohl begreifen.

Wenn man irgend eine Basaltmasse in dem südlichen Theile oder gegen das südliche Ende des todten Meeres hin entdecken könnte, so sollte man glauben, dafs eine „*Dyke*" von Basalt damals bei der berühmten Katastrophe hervorgetreten sei, wie dies im Jahre 1820 nahe bei der Insel Banda, und zu einer andern Zeit am Fufse des Vulkans zu Ternate der Fall gewesen ist. [1]) Die den Ausbruch eines solchen „*Dyke*" begleitenden Erschütterungen vermögen wohl alle Phänomene, welche diese interessante Gegend umgewandelt haben, hervorzubringen, ohne auf die Form und Gestaltung der Gebirge ringsum einen sehr hervortretenden Einflufs auszuüben.

Die Fruchtbarkeit des Bodens hängt zuweilen von sehr unbedeutenden Zufälligkeiten ab. Es ist nicht wahrscheinlich, dafs das Erdharz geeignet sei, sie zu vermehren. Aber es ist wohl möglich, dafs die Erderschütterungen eine gröfsere Masse Steinsalz haben zu Tage fördern können, welche, von den Gewässern nach dem Thalgrunde hingetrieben, hinreichen würde, demselben seine Produktivität zu benehmen. Lot würde nicht so betroffen gewesen sein über das Steinsalz, um an eine Verwandlung seiner Frau in Salz zu denken, wenn man vor der denkwürdigen Katastrophe von seiner Existenz zwischen den Schichten des Berges Kenntnifs gehabt hätte.

Es ist zu hoffen, dafs die sehr thätige geologische Gesellschaft zu London einst eines von ihren Mitgliedern aussenden wird, um mit der Fackel der Geologie Thatsachen zu beleuchten, welche Jederman interessiren. Aber man müfste alsdann die ganze geologische Formation sowohl des Libanon, als des ganzen Jordanthales von Tiberias bis nach 'Akabah untersuchen.

---

1) Description des isles Canaries etc. par L. de Buch. Paris 1836. p. 412, 433.

Ich sehe wohl ein, mein Herr, dafs alles dies Sie kaum befriedigen kann. Aber ich glaube, es würde vorschnell sein, eine Theorie auf Thatsachen aufzubauen, deren Resultate man wenigstens noch nicht selbst beobachtet hat.

(Unterz.) **Leopold von Buch.**

Annäherung der Israeliten gegen Palästina.

Ich habe früher versucht, den Weg der Israeliten nach dem Sinai zu beschreiben, auch bereits ihre wahrscheinliche Richtung vom Sinai nordwärts bei 'Ain el-Hüdhera vorbei, entsprechend dem alten Hazeroth, bemerklich gemacht. [1] Eben so habe ich meine Ueberzeugung ausgesprochen, dafs, was auch immer die Richtung ihres Zuges nach der Abreise von dieser Quelle gewesen sein mag, — ob nach dem Ufer des östlichen Busens und so die 'Arabah entlang, oder über den Tih und auf der hohen westlichen Wüste nördlich von diesem Berge heraus, — sie doch nicht auf der Westseite des Jebel 'Aráif und des weiter nördlichen bergigten Landstrichs gekommen sein konnten. Ein solcher Weg würde sie gradezu nach Bersaba und nicht nach Kades „der Stadt an den Grenzen Edom's" hingebracht haben. [2]

Den gebirgigten Landstrich nördlich von Jebel 'Aráif und westlich von der 'Arabah, der den Bezirk der 'Azázimeh bildet, hatten wir jetzt von allen Seiten gesehen. Er fängt bei der Klippe el-Mükráh und der Quelle 'Ain esh-Shahibiych an, und erstreckt sich nordwärts beinahe oder ganz bis nach dem Punkte, wo wir jetzt waren, eine wüste Kalksteingegend voll von steilen Rücken,

---

1) Siehe am Ende von Abschnitt II, und den ersten Theil von Abschn. III. Ueber el-Hüdhera siehe Bd. I. S. 248 ff.

2) Siehe Bd. I. S. 309.

durch welche nie ein betretener Weg gegangen. [1]) Wir wurden
daher in der Ueberzeugung bestärkt, dafs die Israeliten, selbst
wenn sie zuerst auf dem grofsen westlichen Plateau herauskamen,
doch nothwendig den Jeráfeh bis nach seiner Vereinigung mit der
'Arabah dem Berge Hor gegenüber hinabgezogen, und dann in
jedem Fall der Grenze Palästina's längs dem letztern Thal nahe
gekommen sein müfsten. Höchst wahrscheinlich zogen sie jedoch
an dem rothen Meere weg und durch die 'Arabah; denn die Bibel scheint anzudeuten, dafs ihr Weg dem Gebirge Seir entlang
ging. [2])

Auf denselben Schlufs führen uns die biblischen Nachrichten über die Lage von Kades, wohin sie zuerst kamen. Dieser
Ort war „eine Stadt an den Grenzen von Edom." [3]) Die südliche Gegend von Juda lag der Schrift zufolge gleichfalls „an
der Grenze Edom;" und „ihre Mittagsgrenzen waren von der
Ecke an dem Salzmeer, das ist von der Zunge, die gegen mittagwärts gehet; und kommt hinaus von dannen hinauf zu Akrabbim, und gehet durch Zin, und gehet aber hinauf von mittagwärts gegen Kades-Barnea." [4]) Ferner gingen die Kundschafter von Kades aus bergaufwärts nach Palästina; und die murren-
den Israeliten, welche ein Gleiches versuchten, wurden von den
Amalekitern und Canaanitern und später, allem Anschein nach,

---

1) Siehe Bd. I. S. 308 ff. Nicht als ob sie nicht zuweilen durchzogen werden könnte und würde, denn die 'Azázimeh leben darin; aber
andere Araber vermeiden die Gegend und gehen auf ihren Zügen darum
herum. Callier scheint auf seiner Reise in diesem Lande in diese Berge
gekommen zu sein; Journ. des Savans, Jan. 1836. Nouv. Annal. des
Voyages 1839. Tom. III. p. 272.

2) 5 Mos. 1, 2.
3) 4 Mos. 20, 16.
4) Jos. 15, 1—3; vgl. 4 Mos. 34, 3. 4.

von dem Könige von Arad bis gen Harma, damals Zephath genannt, zurückgetrieben. [1]) Es gab auch eine, lange vor dem
Auszug der Israeliten erwähnte, Quelle in Kades; und die wunderbare Versorgung mit Wasser fand nur bei ihrem zweiten Besuche statt: worin liegt, dafs bei ihrer ersten Annäherung kein
besonderer Wassermangel stattfand. [2]) Von Kades kehrten sie
nach dem Berge Hor zurück, und zogen von da auf das rothe
Meer zu.

Diese Umstände gehen alle zusammen darauf hin, die Lage
von Kades bei einer Quelle in dem nördlichen Theile des grofsen
Thales zu setzen; und ich habe schon auf die merkwürdige Uebereinstimmung zwischen der Lage der Quelle el-Weibeh und allen
diesen Einzelheiten hingewiesen. Hier würden die Israeliten den
Hor im S. S. O. grade vor sich aufgethürmt gesehn haben; jenseits der 'Arabah ist der Wady el-Ghuweir, der einen leichten
Uebergang durch das Land Edom darbietet; im N. W. erhebt
sich der Berg, wo sie versuchten, nach Palästina hinaufzusteigen,
mit dem noch so genannten Pafs Süfah (Zephath); während wir
weiter nördlich auch den Tell 'Arâd finden, der die Lage des alten Arad bezeichnet. Zu dem Allen kommt dann noch die Nähe
der südlichen Bai des todten Meers; die das Ghôr von der 'Arabah trennende Klippenreihe oder Abstufung, entsprechend dem
Hinaufgang nach Akrabbim; [3]) und die Wüste Zin mit dem
gleichnamigen Orte zwischen Akrabbim und Kades, nicht unwahrscheinlich an dem Wasser von Hasb in der 'Arabah. [4]) — Auf
diese Weise wird alles leicht und natürlich, und die biblische

---

1) 4 Mos. 13, 17; 14, 40—45; 21, 1—3. 5 Mos. 1, 41—44.
Vgl. Richt. 1, 17.

2) 1 Mos. 14, 7. 4 Mos. 20, 1—11.

3) Siehe oben, S. 46.

4) Siehe oben, S. 43. 144. Vgl. 4 Mos. 20, 1.

Erzählung stimmt vollkommen mit dem Charakter der Gegend
überein.

Ich habe bis jetzt angenommen, dafs die Israeliten zweimal
in Kades waren; denn dies scheint aus einer Vergleichung der verschiedenen Berichte hervorzugehen. Sie brachen vom Sinai am
zwanzigsten Tage des zweiten Monats im zweiten Jahre ihres Auszugs aus Aegypten, entsprechend dem Anfange Mai, auf; [1]) sie
kamen in die Wüste Paran, von wo Kundschafter auf das Gebirge
nach Palästina gesandt wurden „um die Zeit der ersten Weintrauben;" und diese kehrten nach vierzig Tagen in das Lager
zu Kades zurück. [2]) Da die Weintrauben im Gebirge Juda im
Juli anfangen zu reifen, so hat man sich die Rückkunft der Kundschafter im August oder September zu denken. Das Volk murrte
jetzt bei dem Bericht der Kundschafter, und vernahm von Jehova
den Ausspruch, dafs ihre Leiber in der Wüste verfallen, und
ihre Kinder vierzig Jahre in derselben wandern sollten. [3]) Sie
erhielten den Befehl, umzukehren in die Wüste „auf dem Wege
zum Schilfmeer;" doch waren sie „eine lange Zeit" in Kades
geblieben. [4])

Die nächste Nachricht von den Israeliten ist, dafs sie im
ersten Monate in die Wüste Zin kamen und wieder zu Kades lagerten; hier starb Mirjam; Moses und Aaron bringen Wasser
aus dem Felsen; der Durchzug durch das Land Edom wird nach-
gesucht und verweigert; und sie ziehen darauf von Kades nach
dem Berg Hor, wo Aaron starb im vierzigsten Jahr des Auszugs
aus Aegypten, am ersten Tage des fünften Monats, entsprechend

---

1) 4 Mos. 10, 11; vgl. 9, 1.
2) 4 Mos. 13, 1. 3. 18. 24. 26. 27. nach Luther.
3) 4 Mos. 14, 20. 32. 33.
4) 4 Mos. 14, 25. 5 Mos. 1, 40. 46.

einem Theil des August und September. [1]) Hier haben wir nun, zwischen dem August im zweiten und dem August des vierzigsten Jahres, eine Zwischenzeit von acht und dreifsig Wanderungsjahren in der Wüste. Damit stimmt eine andere Nachricht überein. Von dem Berge Hor gingen sie nach Elath am rothen Meer und so um das Land Edom nach dem Bache Sared an der Grenze von Moab; und die Zeit zwischen ihrer Abreise von Kades (was natürlich von ihrer ersten Abreise zu verstehen ist) und ihrer Ankunft nach dem Bache Sared wird in der Schrift zu acht und dreifsig Jahren angegeben. [2])

Auf diese Weise wird die biblische Erzählung von den Zügen der Israeliten vollkommen übereinstimmend und verständlich. Die blofs in dem allgemeinen Verzeichnisse des 4. B. Mose angegebenen achtzehn Stationen vor der Ankunft zu Kades sind dann ohne Zweifel auf diese acht und dreifsig Wanderjahre zu beziehen, während welcher das Volk zuletzt in die Nähe von Ezeongeber kam und später zum zweiten Mal nordwärts nach Kades zurückkehrte, in der Hoffnung, grade durch das Edomiterland zu ziehen. [3]) Ihre Wanderungen erstreckten sich ohne Zweifel über die westliche Wüste, obgleich die genannten Stationen wahrscheinlich nur diejenigen Hauptquartiere sind, wo das Zelt aufgeschlagen wurde, und Moses und die Aeltesten und Priester lagerten, während die Hauptmasse des Volks sich nach verschiedenen Richtungen hin zerstreute. [4])

Wie in diesen grofsen Wüsten eine solche Schaar von mehr als zwei Millionen Seelen, ohne Handel oder Verkehr mit den umwohnenden Horden, einen zu ihrem Unterhalt hinreichenden Be-

---

1) 4 Mos. 20, 1 — 29; 33, 37. 38.
2) 4 Mos. 21, 4. 5 Mos. 2, 8. 13. 14. 18.
3) 4 Mos. 33, 18 — 36.
4) Siehe Bd. I. S. 117. Vgl. ebend. S. 82.

darf an Speise und Wasser, ohne ein fortwährendes Wunder, finden konnten, bin ich für meinen Theil nicht im Stande zu errathen. Dabei lesen wir nur von gelegentlichen Wünschen und Klagen unter ihnen, während die jetzt in denselben Gegenden herumstreifenden Stämme, obgleich kaum ein paar tausend Mann stark, Hungersnoth und Entbehrungen jeder Art ausgesetzt sind, und im besten Falle nur eine armselige und ungewisse Subsistenz finden. [1])

Sonntag, den 3. Juni. Nach den Anstrengungen der vorhergehenden beiden Tage schliefen wir fest bis um $6\frac{1}{2}$ Uhr, und standen in der frohen Erwartung auf, den christlichen Sabbath über ausruhen zu können. Aber diese Ruhe sollte heute nicht von langer Dauer sein. Nach dem Frühstück ging einer von den Arabern, Muhammed, mit den Kameelen nach dem Wasser am obern Ende des Passes Yemen, beinahe eine Stunde von unserm Zelt im S. W. entfernt. Hier traf er, seiner Aussage nach, einen Araber, der während der Nacht den Paſs hinauf gekommen war und ihm mittheilte, gestern gegen Abend habe er einen Trupp Männer mit Pferden und Dromedaren an dem Wasser von Hasb in der 'Arabah lagern sehen, welche allem Anschein nach auf einem Beutezuge begriffen seien. Unsre Araber schlossen sogleich, sie wären von den Sülit oder Hejâya, welche zur Wiedervergeltung für die Einfälle der Tiyâhah gegen diese auszögen. Sollten sie etwa den Süfâh hinaufsteigen, so würden sie grade auf uns zukommen; oder wenn den Yemen, so würden ihre Kundschafter ohne Zweifel unser Zelt entdecken; und da sie auch mit den Jehâlin in Fehde wären, so würden wir natürlich

---

3) Eine synoptische Zusammenstellung der verschiedenen Stationsangaben während der Wanderungen der Israeliten siehe in Anmerkung XXXIX. am Ende des Bandes.

†

der Plünderung, wo nicht noch etwas Schlimmeren, ausgesetzt
sein. Wir hatten jedoch starken Verdacht, dafs diese Geschichte
von Muhammed, dem nichtswürdigen Spafsmacher, der allein
den Fremden gesehen hatte, erdacht sei, nur uns zum Weiter-
ziehen zu veranlassen. Indefs konnte es bei alle dem wahr sein,
und wir hielten es daher unter den Umständen für räthlich, weiter zu gehen und der Nähe jeglicher Gefahr auszuweichen. Dies
war das einzige Mal, dafs wir uns genöthigt sahen, unsern
Grundsatz, am christlichen Sabbath nicht zu reisen, zu verletzen.
— Es hiefs, die Leute würden die Höhe des Passes erst Nachmittags erreichen. Ein Kameel wurde jetzt mit den Schläuchen
abgeschickt, sie aus dem Wasser des Yemen füllen zu lassen.
Die Araber schienen nichts weniger als Eile zu verrathen, und
erst nach langen Zögerungen ging es endlich vorwärts. Wir
wissen übrigens bis auf diesen Tag noch nicht, ob die Geschichte
von dem feindlichen Trupp wahr oder erdichtet gewesen ist.

Wir brachen endlich um 10 U. 45 Min. auf und zogen in
einer Richtung etwa N. N. W. vorwärts. Wir kamen bald nach
einem freien und ziemlich ebnen Strich Landes, Namens et-Tü-
räibeh, welcher, obgleich hauptsächlich mit losem Sand bedeckt,
allenthalben viele Kräuter zur Weide für die Kameele darbot.
Er gehört den Arabern, welche Sa'idiyeh heifsen. Vor uns lag
ein anderer, von O. N. O. nach W. S. W. laufender, langer
Bergrücken, seinem allgemeinen Aussehen nach ähnlich dem in
der letzten Nacht von uns erstiegenen, obgleich nur etwa halb
so hoch. Dieser Landstrich zwischen dem Gipfel des einen Rückens und dem Fufse des andern bildet die zweite Abstufung der
ganzen Erhebung des Landes zwischen der 'Arabah und Palästina,
und ist, wie wir gesehen haben, die Fortsetzung der breiten Region wüster Hügel zwischen den beiden Pässen von ez-Zuweirah,
indem der untere Rücken hier viel höher, und der obere viel

niedriger ist, als auf jenem Wege. Weiter nördlich werden die
Gewässer desselben durch Wady el - Fâ'iya, einen Arm des Mu-
hauwat, abgeleitet, welcher letztere am Nordende von Usdum ins
todte Meer läuft; [1] aber in diesem Theile werden die Gewässer
durch einen der Hauptanfänge von Wady el - Yemen, welcher dem
Fuſse des nächsten Rückens entlang läuft, südwärts hinabgebracht.
Auf dieser Ebne kommen die Wege von den drei Pässen Sufey,
Süfäh und Yemen alle zusammen; und wir hörten auch, daſs ein
Arm von dem Haudeh einlaufen soll. [2]

Um 12 U. 25 Min. durchzogen wir den Arm des Wady
el - Yemen, welcher nicht weit rechter Hand anfängt, und sogleich
begannen wir durch eine niedrige Einsenkung in dem Rücken vor
uns, die el - Muzeikah heiſst, bergan zu gehen. Man steigt allmählig und leicht hinauf; um 12 U. 45 Min. waren wir ganz
oben, und kamen nach einer andern, höheren Strecke Flachlandes oder vielmehr einem Becken, im S. O. von Hügeln eingeschlossen, die den obern Theil des Rückens bilden. Sie sind hier
verhältniſsmäſsig niedrig; aber weiter nach W. S. W. wird der

---

1) Siehe oben, S. 17, 22.

2) Im Jahr 1834 reiste Hr. Callier von Hebron nach „Dariyé"
(Dhoheriyeh), von da S. S. W. nach Wady „Kalassa" (Khŭlasah, Kŭrn,
s. Bd. I. S. 335.) an dem Fuſse der Berge, wo er am dritten Tage lagerte. Am vierten Tage folgte er diesem Wady in die Berge hinauf, und
dann stieg er ostwärts längs einem andern Wady, Namens „Traybé"
(Tŭráibeh) hinab, worauf er in die Nähe des Ghôr kam. Es könnte
scheinen, als ob dies in einiger Beziehung zu dem Strich Landes stehe,
über welchen wir jetzt zogen, und der ungefähr in der Breite des Wady
Khŭlasah liegt; der Reisende kam wahrscheinlich in die Nähe des Passes Yemen. Aber von Hebron bis nach diesem Punkte machte seine
Route über Dhoheriyeh einen merkwürdigen Umweg, da er vier Tage
gebrauchte, wo wir mit zwei Tagen ausreichten. Siehe Journ. des Savans, Jan. 1836. p. 47. Nouv. Annal. de Voy. 1839. Tom. III. p. 274.

III. 12

Rücken höher, und breitet sich in einen bergigten Strich Landes aus, durch welchen unsere Araber keinen Weg kannten. Jedoch glaubten wir schliefsen zu müssen, dafs der Pafs el - Ghârib, von welchem wir mehrere Male hörten, wahrscheinlich mit diesem Bergstrich zusammenhängt. [1]) Wir zogen N. N. W. über das Becken hinüber, um welches Kieshöhen liegen und welches an der andern Seite in einer Entfernung von etwa einer Stunde von einem andern niedrigen Rücken oder Hügelzuge, parallel dem von uns eben erstiegenen, begrenzt wird. Zu unsrer Rechten hatte der Boden einen allmähligen Abfall; und hier begann ein Wady, der N. O. zum Wady el - Fâ'iya abläuft und einen seiner Anfänge bildet. Zur Linken konnten wir einen seichten, aus Norden kommenden Wady, Namens Abu Terâifeh, bemerken, welcher durch die Hügelreihe des von uns erstiegenen Rückens etwa eine halbe engl. Meile weiter S. W. zum Wady el - Yemen hinabgeht. Ein anderer Weg folgt diesem Wady aufwärts, und einige unserer Araber schlugen ihn ein. Grade am obern Ende dieses letztern Passes konnten wir deutlich die Ruinen einer Stadt, Namens Kurnub, sehen, auf einem flachen Hügel nahe am Wady. Unsre Führer sagten, es gäbe hier lebendiges Wasser in Gruben (Themâil), und aus diesem Grunde hatten sie sich sehr darnach gesehnt, diese Stelle noch den Abend vorher zu erreichen. Mit unsern Telescopen konnten wir zwei oder drei verfallene Mauern, wie es schien, von gehauenen Steinen, unterscheiden, welche uns wie die Ueberreste von Kirchen oder anderen öffentlichen Gebäuden vorkamen. [2]) Dieser Ort ist

---

1) Siehe oben, Bd. I. S. 345. und Bd. III. S. 146.

2) Lord Lindsay scheint den mehr südlichen Pafs direkt nach Kurnub hinaufgegangen zu sein; er beschreibt es als weitläuftige Ruinen einer alten ummauerten Stadt, etwa drei Stunden von der Höhe des Passes es - Sûfâh, mit Fragmenten von Säulen, aber keinen Inschriften; er

auf Seetzen's Karte angemerkt und mag höchst wahrscheinlich das Thamara des Ptolemaeus und anderer Schriftsteller, sowie auch das Thamar des alten Testaments gewesen sein. [1]) Die Gründe, auf welchen diese Voraussetzung beruht, werden weiter unten im Zusammenhang mit den Bemerkungen über el-Milh besser verstanden werden.

Indem wir über dieses offne Land oder Becken zogen, sahen wir die ersten Spuren von Gras, jetzt aber verdorrt. Um 1 U. 20 Min. zogen wir schräg über das Bett des Wady et-Teráifeh. Hier läuft ein grade nach der Landschaft der Jehâlin hinführender Pfad rechts ab; während der, welchem wir noch immer folgten, der Hebron- und Gaza-Weg ist. Um 2 U. kamen wir auf die Höhe des oben erwähnten Hügelzuges oder Landrückens, Kubbet el-Baul genannt; und hatten vor uns ein kleineres, den Anfang von Wady 'Ar'ârah bildendes Becken. Wir mußten jetzt in dieses Becken und so längs dem breiten Wady leise bergab steigen. Hier kam zuerst Erdreich zum Vorschein; und längs diesem Strich Landes fanden wir um 2 U. 30 Min. Spuren von alten Mauern, wahrscheinlich einst Dämme oder Terrassen, verbunden mit Landbau. In der That fingen die Spuren von ehemaligem Anbau des Bodens allenthalben an sichtbar zu werden.

---

sah eine grofse, gewölbte, unterirdische Kammer nahe bei einem verfallenen Gebäude, und einen starken Damm in einer Schlucht südlich von der Stadt. Letters etc. II. p. 46. Als Schubert diesen Weg zog, fand er hier ein arabisches Lager; Reise II. S. 449.

1) Hesek. 47, 19; 48, 28. Reland Palaest. p. 1031. — Es erhebt sich nicht unnatürlich die Frage: Ob diese Ruinen nicht die Lage von Harma, dem alten Zephath, bezeichnen? Aber diesen Ort würde man passender weiter südlich, näher bei dem Passe Sûfâh (Zephath) zu suchen haben. Es kann kaum erwartet werden, dafs noch irgendwie deutliche Ruinen von einer zuletzt 1 Sam. 30, 30, erwähnten Stadt vorhanden sein sollten. Siehe Reland Pal. p. 721.

12*

Nach dem westlichen Theile zu passirten wir um 3 U. 5 Min.
die Grundmauern eines früheren Dorfes von ungehauenen Steinen,
jetzt el-Kuseir (kleines Kastell) genannt nach einem kleinen
Bau nahe dem Fuße des Berges, welcher ein Thurm gewesen
sein mag. Dieser Strich Landes gehört den Dhüllâm. Wir fanden darin ein verlaufenes weibliches Kameel mit seinem Füllen,
welches unsere Araber anfangs geneigt waren, mit sich fortzutrei-
ben. Sie fingen es auf, untersuchten seine Zeichen, und ließen
es wieder laufen, als sie fanden, daß es den 'Azâzimeh gehörte.
Jeder Stamm hat ein besonderes Zeichen für seine Kameele; und
die von dem einen Stamme laufen in Friedenszeiten nicht Gefahr,
von einem andern fortgenommen zu werden.

Um 3 U. 15 Min. lief ein andrer Pfad rechter Hand grade
nach el-Milh hin; dies ist der direkte Hebron-Weg. Wir blieben noch auf dem Gaza-Weg, der el-Milh rechts liegen läßt.
Der Wady biegt sich bald mehr nach N. O. herum und später
N. W. Wir erstiegen den niedrigen Landrücken zur Linken,
und hatten von der Höhe um 3 U. 45 Min. eine weite Aussicht
über die breite, offne, wellenförmige Gegend, welche sich im
Nordosten bis in die Nähe von Tell 'Arâd, und im Westen nach
Bersaba zu ausbreitete, mit dem Gebirge Juda im Norden. Es
war dies der südliche Theil desselben breiten Landstrichs, welchen wir früher von dem Berge südlich von Carmel überblickt
hatten; [1]) und derselbe Bergrücken lag jetzt grade vor uns, linker Hand in eine niedrige Klippe auslaufend, und gleichsam eine
andere Abstufung in der ganzen Bodenerhebung bildend. Das
hohe Lager der Jehâlin war etwa in der Richtung N. N. O. zu
sehen. — Indem wir sehr allmählig eine Stunde lang nach Norden hinabstiegen, trafen wir wieder Wady 'Ar'ârah um 4¾ U.,

---

1) Siehe oben, S. 5.

hier N. W. laufend, und dann W. N. W., um mit Wady es-
Seba' zusammenzutreffen, von dem er einer der Hauptarme ist.

Hier in dem breiten Wady sind viele Gruben für Wasser
(Themáil), welche 'Ar'àrah genannt werden und dem Thal seinen
Namen geben. Das Wasser ist gut; aber die meisten der Gruben
waren jetzt trocken. In dem Thal und auf dem westlichen Berge
finden sich offenbar Spuren einer alten Ortschaft, jetzt zwar nur
aus sehr zerstreuten Grundmauern ungehauener Steine bestehend,
aber doch genug an ihren Stellen, um sie als Grundmauern zu
erkennen. Kleine Scherben sind auch allenthalben zu sehen.
Bei dieser Ortslage läfst der Name wenig Raum übrig, an der
Identität mit dem alten Aroer im Süden von Juda zu zweifeln,
wohin David nach der Wiedereroberung der in Ziklag gemachten
Beute Geschenke sandte. [1] — Dieses Wasser wird hauptsächlich von den Dhüllàm besucht. An der Westseite des Wady-
Bettes ist ein den Sa'idyeh gehörender Begräbnifsplatz, auf welchem mehrere frische Gräber waren. Die Todten werden aus
einer grofsen Entfernung hierher gebracht.

Wir hatten den Gaza-Weg so weit verfolgt, um die Trümmer von Aroer zu besuchen. Nach einem Aufenthalt von zehn
Minuten zogen wir über die Landschaft N. O. hinüber nach Milh
zu, um wieder den Hebron-Weg zu gewinnen. Die Gegend war
wellenförmig, mit sanften Schwellungen und breiten Thälern.
Hier trafen wir wieder auf ein irre gegangenes Kameel, welches
sich an die unsrigen anschlofs, obgleich die Araber es fortzutrei-
ben suchten. Um 6 U. lagerten wir in einem entlegenen, von aller
Aussicht abgeschnittenen Thale, und befanden uns jetzt aufserhalb
des Bereichs aller wirklichen sowohl als fingirten Beutezügler.

Montag, den 4. Juni. Wir standen früh auf, und sa-

---

1) 1 Sam. 30, 26. 28.

hen uns in einen dicken Nebel eingehüllt, den ersten, den wir
bis jetzt in Palästina bemerkten, aufser dafs wir früher einmal
zu Beit Nettîf die Nebel in den Thälern unten gesehen hatten.
Das fremde Kameel war noch bei uns; indessen hatte sich das
Dromedar meines Reisegefährten während der Nacht verlaufen,
und war nirgends zu finden. Es war das Eigenthum des Sheikh
Hüssân, und dieser ging jetzt fort, es aufzusuchen. Da wir indefs die Wasserschläuche nicht länger zu füllen brauchten, so
waren wir im Stande, mit vier Kameelen weiter zu reisen, und
machten uns demnach um 5 U. auf den Weg, während Hüssân,
der zurückblieb, uns wieder einholen sollte. Wir zogen N. O.
durch eine noch immer wellenförmige Gegend; und nach einer
Stunde, um 6 Uhr, erreichten wir die Brunnen el-Milh. Hier
hielten wir an, um zu frühstücken und auf Hüssân zu warten;
aber wir sahen heute nichts mehr von ihm, und erfuhren später,
dafs er nach langem und vergeblichem Suchen seines Kameels
die Hoffnung aufgegeben habe, uns einzuholen und graden Wegs
nach dem Lager seines Stammes gegangen sei.

Bei Milh sind zwei etwa 40 Fufs tiefe und rund ausgemauerte
Brunnen, einer von ihnen hat $7\frac{1}{2}$ und der andere 5 Fufs im Durch_
messer. Das Wasser schien nicht gut zu sein, und die Araber sagten,
es wäre säuerlich; aber wir hatten weder Seil noch Eimer, um etwas
zu schöpfen. Die Araber von den Tiyâhah tränken hier; sie kommen früh im Herbst hierher, schicken im Anfange der Regenzeit ihre
Kameele für den Winter nach dem Ghôr es-Sâfieh, und gehen selbst
nach dem Sherî'ah südlich von Gaza, um hier zu säen. [1] — Der
breite, seichte Wady, bei welchem die Brunnen liegen, Wady
el-Milh, kommt von N. O. und läuft S. S. W. fort, um sich mit

---

[1] Zu gleicher Zeit wurde uns gesagt, dafs die Kudeirât in Bersaba tränken, und dafs die Terâbin hauptsächlich in dem Fari'a leben.

dem 'Ar'àrah zu vereinigen, und späterhin mit dem Wady es-Seba'. Er zieht sich um die Klippe am südwestlichen Ende des Rückens vor uns, nämlich des südlich von Kurmul liegenden Rückens, welcher jetzt nicht weit entfernt war. Hier und auf dem weitern Wege flogen grosse Schaaren von den Vögeln, welche die Araber Kütâ nennen, eine grosse Rebhuhnart, sehr niedrig in allen Richtungen herum; unsere ägyptischen Diener, welche nur an Wasservögel gewöhnt waren, hielten sie für Enten, und schossen zu wiederholten Malen unter sie, obgleich ohne Erfolg. Diese Vogelart hat man oft für die Wachteln gehalten, welche heraufkamen und das Lager der Israeliten bedeckten; aber für diese Meinung scheint man keinen andern Grund zu haben, als die heutige Menge derselben in Gegenden, die von dem Wege der Israeliten nicht weit entfernt liegen. [1]

Auf der neben den Brunnen im Süden liegenden Ebne finden sich die Steine einer verfallenen Stadt oder eines grofsen Dorfes, einen Raum von beinahe einer Viertelstunde ins Geviert einnehmend; alle sind unbehauen und liegen zerstreut umher. Grade bei den Brunnen ist eine runde Anhöhe wie ein hoher Grabhügel, auf welchem die Grundsteine einer in Quadratform um den

1) 2 Mos. 16, 13. 4 Mos. 11, 31. 32. Ps. 105, 40. — Der Kütâ ist die Tetrao alchata bei Linnée, Syst. Nat. Tom. I. P. II. p. 745. No. 11. Hasselquist nennt diesen Vogel „Tetrao Israelitarum", und beschreibt ihn vollständig, Reise S. 331 — 333. Aber der hebräische Name des Vogels der Israeliten ist Selav (שְׂלָו), Wachtel, und der heutige arabische Name für die Wachtel ist Selwa. Die alten Uebersetzer verstanden auch die Wachtel; Sept. ὀρτυγομήτρα, Vulg. coturnix, und so auch Luther. Es scheint daher kein hinreichender Grund vorhanden zu sein, diese Uebereinstimmung bei Seite zu setzen, und aus blofser Conjektur eine andere Erklärung anzunehmen. S. Gesenius Anmerk. zu Burckhardt S. 1067. Vgl. Niebuhr's Beschr. von Arabien S. 176. Rosenmüller's Bibl. Alterth. IV, 2. S. 346 ff.

ganzen Gipfel laufenden Mauer zu sehen sind. Auf dieser Anhöhe ist jetzt ein arabischer, von den Dhüllâm benutzter Begräbnifsplatz. — Von dem Gipfel erhielten wir folgende Ortsbestimmungen: Lager der Jehâlin etwa N. 38⁰ O., Tell el - Kuseifeh
N. 54⁰ O., Tell 'Arâd N. 59⁰ O. Tell el - Kuseifeh ist eine etwa
eine Stunde entlegene Anhöhe, mit einer beträchtlichen Ruine.
Tell 'Arâd liegt etwas mehr entfernt, und bezeichnet wahrscheinlich, wie wir gesehen haben, die Lage der alten Stadt Arad. [1])
Die Araber sagten zwar, dafs es hier keine Ruinen gäbe; aber
sie hatten dasselbe von 'Ar'ârah und Milh gesagt. Zwei andere
Orte, Rükhama und 'Aslûj, wurden als S. W. von Milh auf dem
Wege nach 'Abdeh liegend erwähnt.

Diese Brunnen und Ruinen zu el - Milh bin ich geneigt als
die Lage des alttestamentlichen Molada, des Malatha der Griechen und Römer anzusehen. Es zeigt sich hier auf den ersten
Blick eine anscheinende Namensähnlichkeit, aber keine etymologische Verwandtschaft, es müfsten denn die Araber den letzten
Buchstaben in der populären Aussprache corrumpirt haben, um
so eine gewöhnliche und bezeichnende Form zu erhalten. [2]) Aber

---

1) Siehe oben, S. 12.

2) Die Form Milh stimmt etymologisch weder mit Moladah
(מוֹלָדָה) noch mit Malatha (Μάλαθα). Schwerlich giebt es ein Beispiel von dem Uebergange des ד oder des ϑ in das arabische Ha. Sollte
es eine Corruption aus dem Griechischen sein (Milh für Μαλϑ), so müssen wir dies als ein Beispiel des gewöhnlichen Bestrebens populärer Aussprache ansehn, fremden Eigennamen eine Bedeutung zu geben; wie
im Deutschen Mailand für Milano, und wie im Englischen die Pflanze
Asparagus (Spargel) unter dem gemeinen Volke meist als „Sparrow-grass"
(Sperlings - Gras) bekannt ist. Milh (Salz) und seine Derivata dienen
bei den Arabern oft zu Ortsnamen; so haben wir aufser Milh in mehreren Fällen Mâlih, Mâlhah, Muweilih und Mawâlih. — Aber selbst
bei der Voraussetzung einer solchen Corruption aus dem Griechischen,

die Zeugnisse alter Schriftsteller über die Lage von Malatha sind ziemlich bestimmt. Molada war im äussersten Süden von Juda nach Edom zu; es wurde späterhin Simeon überwiesen, und nach dem Exil wieder bewohnt. [1]) Josephus erwähnt auch das Malatha seiner Zeit als ein Kastell von Idumaea. [2]) Eusebius und Hieronymus sprechen mehrere Male davon, und setzen es 4 röm. Meilen von Arad, auf dem Wege von Hebron nach Aila über Thamara; während Arad selbst nach ihnen 20 röm. Meilen von Hebron lag. [3]) Noch später wird Malatha als die Station einer römischen Cohorte erwähnt. [4]) Allen diesen Umständen entspricht, wie mir scheint, die Lage von el-Milh sehr genau. Wir haben hier die Spuren einer umfangreichen Stadt mit bedeutenden Brunnen, auf der grofsen Route von Hebron nach dem rothen Meer durch die 'Arabah, und in N. O. gen O. finden wir noch Tell 'Arâd etwa $1\frac{1}{2}$ Stunden von Milh und etwa 8 Stunden von Hebron auf einer andern Route entfernt. [5])

ist noch Folgendes einzuwenden. In allen andern Beispielen, wo der heutige arabische Ortsname seinen Ursprung einem griechischen Namen verdankt, war dieser griechische Name ganz verschieden von dem ursprünglichen hebräischen, wie in Nâbulus und Sebüstieh für das alte Schechem und Samaria. Aber hier ist die griechische Form eine blofse Corruption der hebräischen, und die arabische würde natürlicher der letztern folgen.

1) Jos. 15, 26. vgl. V. 21; 19, 2. 1 Chron. 4, 28. Nehem. 11, 26. Siehe überhaupt Reland Palaest. p. 885, 886.

2) Antiq. XVIII, 6, 2.

3) Onomast. Art. Arath (Αραμα), Hazazon-Thamar. S. nachher S. 186. Anm. 1.

4) Notitia Dignitatum ed. Panciroli p. 217, 219. Reland Pal. p 231. — Die Notitia liest Moleaha, und eine andere Handschrift hat Molcathia.

5) Dem blofsen Namen nach zu schliefsen, könnte el-Milh wohl die Jos. 15, 62 erwähnte „Salzstadt" (עִיר הַמֶּלַח) sein. Diese Stadt

Nach Eusebius und Hieronymus war Thamara eine Stadt
und Festung, eine Tagereise von Malatha auf dem Wege von
Hebron nach Ailah, und hatte damals eine römische Besatzung. [1])
Es wird gleichfalls in derselben Gegend von Ptolemaeus und in
der Peutingerschen Tafel erwähnt [2]), und scheint das Thamar
des Propheten Hesekiel gewesen zu sein, von wo die südliche
Grenze des Landes an einer Seite bis Kades und an der andern
bis nach dem westlichen Meer gemessen werden sollte. [3]) Wenn
wir nun annehmen, dafs Malatha gelegen, wo el-Milh liegt,
dann sprechen alle Umstände dafür, die Lage von Thamara nach
Kurnub, der 6 Stunden südlich von Milh nach dem Pafs es-
Süfah hin liegenden Ruinenstelle, zu setzen. An diesem Orte
finden wir die Ueberreste einer mit Mauern und Wasser versehenen Stadt an der grofsen Route von Hebron nach 'Akabah durch

---

lag jedoch nicht im Süden von Juda, sondern in der Wüste, nahe beim
todten Meer (vgl. Vs. 21. 61.), und ich habe schon von ihrer wahrscheinlichen Lage in oder nahe bei dem Salzthal am Südende des todten Meeres gesprochen. Siehe oben S. 25.

1) Onomast. Art. Hazazon-Thamar. Der Text beider Schriftsteller ist hier in diesem Eigennamen auffallend entstellt. Eusebius hat:
Λέγεται δέ τις Θαμαρά κώμη διεστῶσα μόλις (al. Μάλις) ἡμέρας ὁδὸν
ἀπιόντων ἀπὸ Χεβρών εἰς Ἀλλάμ. Hieronymus: „Est et aliud castellum Thamara unius diei itinere a Memphis oppido separatum pergentibus Ailam de Chebron". Aber diese Entstellungen dienen glücklicher-
weise zur gegenseitigen Berichtigung; das Memphis des Hieronymus deutet darauf hin, dafs hier ein Eigenname gestanden haben mufs, während das μόλις oder Μάλις des Eusebius nicht minder deutlich zeigt,
dafs dieser Name Malatha war. Vgl. le Clerc zu dieser Stelle des Onomasticon, und Reland Palaest. p. 1031.

2) Ptolem. IV, 16. Reland Pal. p. 462.

3) Hesek. 47, 19; 48, 28.

die 'Arabah, in der Entfernung einer gewöhnlichen Tagereise
von el-Milh. [1])

Aus allen diesen Bemerkungen wird es wahrscheinlich, dafs
der alte östliche Weg von Hebron nach Ailah und auch nach Petra derselben allgemeinen Route folgte, wie der heutige; indem
er über Malatha und Thamara und so herunter nach Kades ging,
grade wie er jetzt el-Milh, Kurnub, und el-Weibeh berührt,
und von da sich nach 'Akabah und Wady Mûsa abzweigt. [2])

Nachdem wir mehr als anderthalb Stunden vergebens auf
Hüssân gewartet hatten, gingen wir endlich um 7 U. 40 Min. weiter. Die Führer wünschten sehr, uns nach dem Lager ihres
Stammes zu bringen, um hier zu übernachten; während unser
Wunsch war, über Semû'a zu gehn und heute Hebron zu erreichen, sowohl um Zeit zu ersparen, als auch um so der Beschwerlichkeit Bedawinischer Gastlichkeit zu entgehen, die sich im
Schlachten und Essen eines Schafes ihrerseits darthun würde, wofür wir dann eine tüchtige Bezahlung unter dem Namen eines
Geschenkes zu machen hätten. Jedoch so erpicht waren die Araber auf ihr Vorhaben, dafs sie zuerst Ausflüchte machten und
sagten, es gebe keinen Weg über Semû'a; obgleich sie uns,
wie sie sagten, über den Berg westlich von ihrem Lager hinüber und so durch Súsieh und Yütta nach Hebron bringen könnten. Endlich erinnerten sie sich jedoch, dafs auch ein Weg nach
Semû'a führe, und diesen schlugen wir ein. Unsere Richtung
war etwa N. N. O. $\frac{1}{2}$ O., wobei wir den Berg linker Hand hatten und ihm allmählig und sehr schräg über eine ganz ebne Fläche näher kamen. Um $9\frac{1}{2}$ U. erreichten wir den Fufs der Anhöhe, und hatten zu unserer Rechten nicht weit davon eine frühere Ortslage Namens Mak-hûl, die aus wenig mehr bestand,

---

1) Siehe oben S. 178 f.
2) Siehe oben S. 157.

als aus einigen Höhlen in der Bergseite. In der That bilden
solche Höhlen das Hauptmerkmal mehrerer alter Ortslagen in
dieser Gegend. Der Pfad geht hier längs einer Einsenkung etwas steil, aber nicht lang hinauf. Wir gelangten um 9 U. 45 Min.
auf die Höhe des steilen Abhanges, hielten eine Zeitlang an,
um die Gegend hinter uns zu übersehen, und nahmen folgende
Ortsbestimmungen auf: Tell Milh S. 26⁰ W., Tell Kuseifeh S.
2⁰ O., Tell 'Arâd S. 70⁰ O., Südende des Gebirges Moab S. 57⁰ O.

Nach Ersteigung dieser Anhöhe kamen wir gegen unsere
Erwartung nicht nach einem Rücken, wie bei unserm Aufsteigen
südlich von Carmel und Ma'in, sondern nur unter höhere Berge.
Nach funfzehn Minuten zogen wir weiter und fuhren fort allmählich den Wady hinaufzusteigen, an jeder Seite von Bergen eingeschlossen, die uns alle Aussicht ringsum abschnitten. Hier sprang
auf einmal ein Schakal nahe bei unsrem Pfad hervor und lief in
voller Hast links eine Höhe hinauf, wo er etwa auf halbem Wege
bis zum Gipfel zu unserem grofsen Ergötzen still stand, sich
dumm-schüchtern umblickte, ob wir noch zu sehen wären, dann
aber bei unserm Anblick aufs Neue mit noch gröfserer Eile fort-
rannte, ohne sich nochmals umzusehen. Um 10½ U. waren wir
durch die Berge und kamen in das Gebirge Juda, in seiner Höhe
und den nackten Felsen der Gegend um Hebron ähnlich, aber dem
Anschein nach nicht so fruchtbar. Hier hatten wir von dem Berg-
zug hinter uns nicht bergab zu gehen; vielmehr hatten wir jetzt
eine neue Stufe der ganzen Bodenerhebung zwischen dem todten
Meere und Hebron erreicht.

Bei der Untersuchung des im Buche Josua aufgeführten Verzeich-
nisses der Städte in Juda und Simeon scheint es, dafs alle Städte
des „Gebirges", so weit ihre Lage bekannt ist, nördlich von
dem Punkte lagen, wo wir jetzt waren, während die im äufsersten Süden entweder hinter uns oder zu unsrer Linken weiter

südlich lagen. [1]) Dies führt auf die wahrscheinliche Vermuthung hin, dafs dieser nicht weit von Carmel anfangende und W. S. W. nach der Breite von Bersaba hinlaufende Bergrücken die natürliche Grenze an dieser Seite des höheren Landstrichs oder „Gebirges" Juda bildete; während die niedere Gegend weiter südlich, die sich ringsum bis Bersaba ausbreitet, eigentlich die äufsersten Städte „an der Grenze der Edomiter gegen Mittag" enthielt.

In dieser trocknen Jahreszeit sah die Gegend nackt und verödet aus; im Norden und Westen ruhte das Auge nur auf verdorrten und felsigen Höhen. Jedoch war es offenbar eine schöne Weidegegend; Spuren von altem Anbau waren überall in den längs den Bergseiten aufgeworfenen Terrassen zu sehen. Unsre Richtung war jetzt im Allgemeinen etwa N. 20⁰ O. Um 11 U. 20 Min. zeigten sich uns die ersten Spuren von frischem Anbau, und nahe dabei waren Hirsefelder, besäet von den Leuten von Semú'a. Um 11 U. 40 Min. hatten wir in einem Thal rechter Hand, acht oder zehn Minuten entfernt, die Ruinen eines Dorfes Namens el-Ghuwein [2]); und zu derselben Zeit war die Lage von 'At-

---

1) Jos. 15, 21 — 32. 48 — 60.

2) Dieser Name el — Ghuwein erinnert an das Ain im Süden von Juda, Jos. 15, 32; 19, 7. Es ist blofs eine Deminutivform, entsprechend dem hebräischen עַיִן. Ain wird zwar unter den Städten des Südens erwähnt, welche, wie ich oben vermuthet habe, vielleicht eigentlich jenseits des von uns so eben erstiegenen Rückens lagen. Aber Jos. 21, 16. wird Ain als eine Priesterstadt neben Juta, Jathir, Esthemoah, Debir, welche alle nördlich von diesem Berge lagen, angeführt, während keine von den anderen Städten des Südens den Priestern gegeben wurde. Nicht unwahrscheinlich mag daher Ain, nahe bei der natürlichen Grenze liegend, zum Süden gerechnet worden sein, obgleich streng genommen nicht dazu gehörend; grade wie das Gibea (Jeb'ah) in Juda zu dem Gebirge gerechnet wurde, obgleich es in Wirklichkeit am Fufse desselben in Wady el-Musürr lag. Siehe oben, Bd. II. S. 580.

tîr zu unsrer Linken, etwa in der Richtung nach Westen in einer Entfernung von $1\frac{1}{2}$ Stunden, bezeichnet durch Höhlen auf einer Anhöhe. [1]) Hier trafen wir auf mehrere kleine Schwärme junger Heuschrecken, die ersten, welche wir auf unsrer Reise sahen. Sie waren ganz grün, mit oben hervorwachsenden Flügeln; sie sahen völlig so aus wie Grashüpfer und sprangen munter von unserm Pfade fort. Unsere Araber bezeugten auf unsere Frage, ob sie dieselben äfsen, ihren Abscheu vor dem Gedanken, sagten aber, die Ma'âz thäten es, und auch die Sherârât, ein Stamm in Wady Sirhân im Osten.

Von einem hohen Punkte des Weges zeigten sich um 12 U. 15 Min. mehrere Orte in folgenden Richtungen: Semû'a N. 20^0 O., Mejd el-Bâ'a N. 4^0 O., Shuweikeh N. 51^0 W., Dhoheriyeh N. 57^0 W., Za'nûtah N. 85^0 W. Mit diesen Namen und Ortslagen waren wir schon vertraut, und wir sahen, dafs wir Hebron nahten, wornach wir, als dem Ende unsrer Reise, uns sehnten.

Um 12 U. 30 Min. passirten wir eine Ruine auf einem Hügel linker Hand Namens Râfât; und dicht am Wege war eine in den Felsen gehauene Cisterne mit Regenwasser, nebst einem grofsen runden gehauenen Steine nahe dabei, der wahrscheinlich zu einem Brunnenrand dienen sollte, aber nie fertig gemacht war. Zehn Minuten später kamen wir nach einer andern Ruinenstelle mit demselben Namen Râfât, an der Seite einer flachen Höhe dicht bei dem Pfad. Diese Ruinen sind von einiger Ausdehnung, mit Ueberbleibseln von Mauern und Bogen. Ein viereckiges Gebäude von grofsen gehauenen Steinen steht noch da; der Thorweg ist zugemauert worden, aber darüber findet sich ein runder Bogen von guter Arbeit, getrennt von der Mauer und gleichsam

---

1) Siehe oben, Bd. II. S. 422.

gegen dieselbe gelehnt. Das Gebäude sieht aus, als wenn es einmal eine Kirche gewesen wäre.

Wir erreichten Semü'a, den ersten bewohnten Ort auf dem Wege nach Hebron von dieser Gegend her, um 1 Uhr. Es ist ein ansehnliches Dorf, auf einer kleinen Erhöhung gelegen, mit breiten Thälern rings umher, zwar keines starken Anbaus fähig, aber voll von kleinen und grofsen Heerden, alle gut im Stande. Wir machten unter den Olivenbäumen in dem seichten südlichen Thale Halt und waren froh, einmal wieder Milch und frisches Obst für unser Mittagsmahl zu bekommen. Nach Tische durchzogen und umgingen wir das Dorf. An mehreren Stellen sahen wir Ueberreste von Mauern aus sehr grofsen geränderten, aber in der Mitte rauh gelassenen Steinen gebaut. Wir mafsen mehrere der letztern und fanden sie über zehn Fufs lang. Diese alten Grundmauern scheinen hier die Lage einer umfangreichen alten Stadt zu bezeichnen, wahrscheinlich, wie ich schon gezeigt habe, das Esthemoah des alten Testaments. [1]

Den hervortretendsten Gegenstand bilden heut zu Tage die Ruinen eines Kastells, wovon jedoch nur noch ein viereckiger Thurm einigermafsen erhalten ist. Dieser und die andern Theile der Wände sind aus gut gearbeitetem Mauerwerk gebaut und mit Schiefsscharten versehen; aber es finden sich jetzt keine Bogen, bis auf einige kleine von moderner Konstruktion. Die Arbeit sieht nicht alt aus, und liefse sich vielleicht den Kreuzfahrern zuschreiben, könnte man irgendwie beweisen, dafs diese weiter südlich als Hebron Vorposten und Festungen hatten. Sie ist höchst wahrscheinlich sarazenischen oder türkischen Ursprungs. — Es machte uns einige Schwierigkeit, oben auf den Thurm zu gelangen, da alle dahin führenden Thüren verschlossen waren und

---

1) Siehe oben, Bd. II. S. 422.

wir von aufsen keine Stelle finden konnten, um hinaufzuklettern.
Die Leute, welche wir befragten, schienen die Mühe zu scheuen,
uns den Weg zu zeigen. Endlich jedoch erbot sich Einer aus
freien Stücken, uns hinaufzubringen, und ging voran, indem er
die Aufsenseite der Mauer hinaufklomm und über die flachen Dächer mehrerer Häuser schritt. Er schien mit der Umgegend gut
bekannt zu sein und erwies sich als ein verständiger Führer.

Die Aussicht von dem Thurme ist ziemlich umfangreich,
und wir hatten die verschiedenen Orte in folgenden Richtungen:
Ma'in N. 87° O., Sûsieh N. 80° O., Beni Na'im N. 41° O.,
Yûtta N. 30° O., Hebron, nicht sichtbar, etwa N. 20° O., Mejd
el-Bâ'a N. 5° W., Shuweikeh N. 75° W., Dhoheriyeh N. 77° W.
— In Sûsieh, sagte man uns hier sowohl als in Ma'in, liegen
auf einer grofsen Strecke Ruinen mit Säulen und andern Anzeichen einer alten Stadt. [1])   Unser Führer berichtete uns auch, dafs
es zu Ma'an und Tawâneh Brunnen lebendigen Wassers gäbe,
welche den Jehâlin gehörten, und andere ähnliche zu Deirat und
Abu Shebbân im Besitz der Ka'âbineh, während beide Stämme
zu Kurmul gemeinschaftlich tränkten. Dies stimmt jedoch nicht
mit den uns von den Jehâlin selbst gegebenen Nachrichten überein. [2])   Als wir von dem Thurme herabkamen, safs unten ein alter Mann, auf einer Kemenjeh spielend, einem kleinen musikali-
schen Instrument etwa wie eine Geige, welches auch in Aegypten
gewöhnlich und von Lane beschrieben ist. [3])   Wir verliefsen Semû'a um 2 U. 15 Min., indem wir zuerst in ein tiefes S. W.
laufendes Thal allmählig hinabstiegen, dem Ansehen nach der

---

1) Siehe oben, Bd. II. S. 422.
2) Siehe oben, S. 7.
3) Mann. and Cust. of the Mod. Egyptians, Vol. II. p. 63 sq.

grofse Ableiter des Beckens westlich von Carmel und Zif; [1])
dann ging es nach dem höheren Strich Landes jenseits wieder
hinauf. Hier lag nach etwa drei Viertelstunden Yütta rechter
Hand vor uns, ein grofser, moderner, muhammedanischer Flecken, auf einer niedrigen Anhöhe mit Bäumen ringsum. Unser
Führer zu Semû'a sagte uns, dafs es hier alte Grundsteine und
Mauern gäbe, wie die im vorigen Orte. Wir haben schon gesehen, dafs dies das alttestamentliche Jutta, eine Priesterstadt,
ist, welche man seit den Tagen des Hieronymus aus dem Gesicht
verloren hat; und es scheint wenig Grund vorhanden zu sein, die
Richtigkeit der Meinung Reland's, dafs dies vielleicht der Wohnsitz des Zacharias und der Elisabeth und der Geburtsort Johannes des Täufers war, anzuzweifeln. [2])

Wir waren hier bedeutend höher, als die Ebne von Carmel
liegt. Nach 3 U. kamen wir zwischen Gebüsch, dessen Grün
wir bei unsrer Annäherung schon lange von weitem gesehen hatten. Indem wir um 3 Uhr 20 Min. in ein bebautes Thal hinabstiegen, wandten wir uns von dem Wege erst westlich und
dann W. S. W. nach Um el - 'Amad, „Säulenmutter," eine
35 Minuten entfernte Ruinenstelle. Hier stand auf einer niedrigen, runden Anhöhe einst ein Ort, wie es scheint, von nicht bedeutender Gröfse, mit Häusern aus gehauenen Steinen, wovon die
Grundmauern noch vorhanden sind. Der Ort hat seinen Namen
von den Ruinen einer kleinen Kirche, welche ursprünglich vier
Säulen an jeder Seite des Schiffes hatte; hiervon sind an der
Südseite noch drei mit dem Architrav, und eine an der Nordseite

---

1) Siehe oben, S. 7.

2) Jos. 15, 55; 21, 16. S. oben, Bd. II. S. 417, 423. Auch Reland Palaest. p. 870. Reland vermuthet, dies sei die πόλις Ἰούδα bei
Luk. 1, 39, indem diese Lesart durch eine Textcorruption oder eine
weichere Aussprache aus πόλις Ἰούτα entstanden sei.

III. 13

zu sehen. Sie bestehen alle aus gewöhnlichem Kalkstein, verrathen eine rohe Architektur und keine Ordnung. Nahe dabei ist ein ausgehöhltes Grab oder Magazin. — Diese Stelle ist nicht weit von der Südseite des grofsen Wady el-Khülil. Von hier fanden wir Dhoheriyeh S. 74° W., Mejd el-Bâ'a S. 25° O., Beit 'Amreh N. 44° O. Letzteres besteht aus den Ruinen eines grofsen Dorfes auf einer Höhe nahe bei Wady el-Khülil, vielleicht 20 Minuten von Um el-'Amad entfernt.

Nach einem Aufenthalt von zehn Minuten kehrten wir, Beit 'Amreh links liegen lassend, in der Richtung O. N. O. nach dem Hebron-Wege zurück, welchen wir um 4 U. 40 Min. 'an einem Punkte zwanzig Minuten nördlich von da, wo wir ihn verlassen hatten, erreichten; wobei wir im Ganzen etwa eine Stunde verloren. Wir kamen bald nach dem grofsen Wady el-Khülil, hier S. W. laufend und ganz tief; wir erreichten den Boden um 5 Uhr. Auf einer Anhöhe rechts an dem Südufer des Wady liegen die Ruinen eines Dorfes, dessen Namen wir nicht erfuhren. Indem wir das Thal durchzogen, erreichten wir den von Norden einlaufenden Wady Kirkis; zur Linken ist ein Tell mit den Ruinen eines Dorfes, Namens Kirkis, welche wir um 5 U. 15 Min. passirten. Unser Weg führte uns den Wady hinauf, welcher sich jedoch bald mehr N. N. W. wendet, während unser Pfad schräg längs dem östlichen Abfall nach der Höhe des Rückens hinaufging, wohin wir um 6 U. kamen. Hier lagen dicht zu unsrer Rechten die Grundmauern eines andern verfallenen Dorfes.

An diesem Punkte beginnen die Getreidefelder und der Anbau an dieser Seite von Hebron. Wir zogen jetzt um die Anfänge zweier S. O. ablaufender bebauter Wady's, und erreichten um 6 U. 20 Min. die Höhe eines andern Rückens, von welchem wir in einen breiten, fruchtbaren Wady voller Weizenfelder hinabstiegen, der in das Thal, worin Hebron liegt, hinuntergeht.

Wir trafen viele von ihrer Arbeit zurückkehrende Leute an, einige
darunter mit Eseln, welche Lasten von Garben heimschleppten.
Dies zeigte, dafs jetzt eben die Weizenernte begonnen hatte. Wir
kamen nun nach den Olivenhainen und Weingärten; und indem
wir die Hügelspitze zwischen den beiden Thälern umgingen, betraten wir das, worin Hebron liegt. Endlich um $7^{1}/_{4}$ U. lagerten wir auf unsrer alten Stelle an dem grünen Abfall westlich
von der Stadt.

Unser Freund Elias stand schon auf der Lauer, und besuchte uns bald; und wir waren froh im Allgemeinen zu vernehmen, dafs Alles beim Alten geblieben war. Die Pest in Jerusalem hatte, wie es hiefs, ihre Verheerungen nicht vermehrt, obgleich die Stadt noch fortwährend abgesperrt war.

Dienstag, den 5. Juni. Unsere erste Sorge war jetzt,
über unsere weitere Reise von Hebron einen festen Entschlufs zu
fassen; und da die Rückkehr von Wady Mûsa, in Folge unseres
ununterbrochenen Marsches, weniger Zeit gekostet hatte, als wir
erwartet, und von dieser Woche noch ein gutes Stück übrig war,
so beschlossen wir von Hebron nach Ramleh, und von da nach
Yâfa oder Jerusalem zu gehen, wie es grade kommen würde.
In Hebron waren jedoch keine anderen Thiere zu haben als Kameele oder Esel; und wir schickten daher sogleich Komeh auf
einem Esel nach Jerusalem ab, uns Thiere, Geld und unsere
Briefe zu holen, und so schnell als möglich zurückzukehren. Wir
hatten Beschäftigung genug, und für heute mehr als zuviel, da das
Ausfüllen unserer Tagebücher auf unsrer letzten raschen Reise
sehr ins Stocken gerathen war.

Im Laufe des Vormittags kamen die Sheikhs der Jehâlin,
Defa' Allah und unser Führer Hüssân zu uns, um ihr Geld zu
empfangen und Abschied zu nehmen. Sie und die Leute aus Hebron, von denen uns viele besuchten, sprachen sich sehr unwil-

13 *

lig über das Betragen der Araber in Wady Mûsa aus und machten uns viele Komplimente, dafs wir uns ihren Klauen so glücklich entwunden hätten. Wir vertheilten an Sheikh Hüssân und
seine Leute ein Bakhshish, worauf sie völlig befriedigt zu sein
schienen, mit Ausnahme des nichtswürdigen Mohammed, welchen
wir absichtlich übergingen, und dessen getäuschte Erwartung den
Sheikhs Spafs zu machen schien. Elias hatte uns auch einen
Wink gegeben, dafs aufser dem allen ein Geschenk von zehn
oder zwölf spanischen Thalern für den Hauptsheikh passend sein
würde; aber da der Gedanke sehr nahe lag, dafs, wenn der besagte Sheikh ein solches Geschenk verdiene, dem Elias selbst
noch um so vielmehr ein ähnliches zukommen würde, so konnten
wir den Wink als einen nicht ganz uninteressirten ansehen, und
nahmen keine weitere Notiz davon. Defa' Allah selbst machte
keinen solchen Anspruch.

Was den Preis der Kameele betraf, so konnten wir diesen
erst am folgenden Tage nach Ankunft unsres Geldes bezahlen.
Mittlerweile entstand zwischen Elias dem Christen und Defa' Allah dem Bedawy ein Wettstreit im Intriguiren, an wen das Geld
ausgezahlt werden sollte. Die Araber wünschten nach Hause zu
gehen und wollten Jemand zum Empfang des Geldes zurücklassen; und Elias hielt sich für berechtigt, dieser Empfänger zu
sein, weil sie ihm, wie er sagte, mehrere tausend Piaster schul-
deten, während der Sheikh aus eben diesem Grunde das Geld
nicht in seine Hände kommen lassen wollte. Aber die Politik des
Elias gegen uns war so verschlagen, dafs dadurch der Sheikh
im Vortheil über ihn war, wie wenig er es auch sonst verdienen
mochte. Wir zweifelten in der That eine Zeitlang an der Geschichte mit der Schuld, obgleich uns Elias später eine schrift-
liche Schuldverschreibung vorzeigte. Was wir zu thun hatten,
war klar genug; wir hatten den Kontrakt mit Defa' Allah hin-

sichtlich seiner Kameele abgeschlossen, und unsere Pflicht war, das Geld nur an ihn oder an seine Order auszuzahlen. Demgemäfs brachte er uns einen Mann mit Zeugen, welche feierlich bekräftigten, dafs diese Person dem Sheikh das Geld vorgestreckt habe; und nun wies uns der Sheikh in ihrer Gegenwart an, das Geld bei der Ankunft demselben Mann auszuzahlen. Elias war sehr unwillig bei der Nachricht von dieser Unterhandlung, und sagte, wir sollten ihm auf jeden Fall das Geld einhändigen, weil der Kontrakt durch ihn, als den Agenten der Franken in Hebron, abgeschlossen sei.

Der, an den wir das Geld auszahlen sollten, war der schon früher einmal erwähnte Kameelbesitzer. [1]) Er war in seinem Leben ein grofser Reisender gewesen, und gab uns jetzt besondere Auskunft über 'Abdeh in der südlichen Wüste, in Beziehung auf welches wir bisher einige Zweifel gehegt hatten. Es war ihm sehr darum zu thun, uns für unsere weitere Reise nach Damascus und Beirût mit Kameelen zu versehen. Aber von diesem Auerbieten wünschten wir keinen Gebrauch zu machen.

Wir waren nun für immer mit den Kameelen fertig, und ich kann nicht anders sagen, als dafs ich mich darüber freute. Bewundernswürdig geeignet für die wüsten Gegenden, welche ihre Heimath sind, bilden sie doch eins der Uebel, welche das Reisen in der Wüste mit sich führt. Ihr langer, träger, schaukelnder oder wackelnder Tritt, obgleich anfangs nicht sehr unangenehm, ermüdet auf die Dauer ungemein, so dafs ich mich oft auf sechs deutsche Meilen beim Reiten eines Kameels mehr erschöpft habe, als auf einer Reise von zwölf Meilen zu Pferde. Jedoch wie wollte man ohne sie überhaupt solche Reisen zu Stande

---

1) Siehe Anmerk. XXI. am Ende des ersten Bandes.

bringen? Die Wüste ist ihre Heimath, und sie wurden von der
Weisheit des Schöpfers dazu bestimmt, die Träger in der Wüste
zu sein. Die groben und stachligen Sträucher in derselben sind
für sie die gröfsten Leckerbissen, und selbst von diesen fressen
sie nur wenig. So geringe Bedürfnisse hat ihre Natur, dafs ihre
Ausdauer auf der Reise ohne Nahrung wie ohne Wasser wunderbar ist. Sie scheinen nie zu ermatten, sondern marschiren gewöhnlich am Abend so rüstig als am Morgen. Das einzige, mir
gegenwärtige Beispiel vom Gegentheil sah ich gestern nach unsrer langen Reise auf der Rückkehr nach Hebron, wo mein junges Kameel bei der Ankunft an dem Lagerplatze müde zu sein
schien und sich ganz von selbst hinlegte, um seiner Last enthoben zu werden. Wenn sie einmal anfangen zu ermatten, so legen sie sich gewöhnlich gleich hin und sterben. So starben zwei
Kameele von unserm Zuge zwischen Suez und 'Akabah, welche
ein paar Stunden zuvor mit vollen Lasten gegangen waren. Auf
unsrer ganzen letzten Reise nach Wady Mûsa nährten sich die
Kameele nur von Sträuchern, und kosteten nie irgend ein Ge-
treidefutter, obgleich sie einmal 36 Stunden lang unter ihrer Last
blieben, und in all dieser Zeit nur eine Stunde weideten. Ihre
wohlbekannte Sitte, sich auf die Brust niederzulegen, um ihre
Bürden zu empfangen, ist nicht blofs, wie oft angenommen wird,
die Folge der Abrichtung derselben; es ist eine bewundernswür-
dige Angemessenheit ihrer Natur für ihre Bestimmung als Lastträger. Denn das ist ihre natürliche Lage beim Ausruhen, wie
es auch aus den Knorren an den Schenkelgelenken und den harten Theilen an der Brust hervorgeht, welche als Stütze und Un-
terlage der schweren Körperlast dienen. Kaum minder wunderbar ist die Angemessenheit ihrer breiten gepolsterten Füfse für
den trocknen Sand und Kiesboden, dessen Durchwanderung hauptsächlich ihr Loos ist.

Das Kameel ist in sehr vielen Rücksichten dem Schafe nicht
unähnlich. Es ist ein dummes, furchtsames Thier, in Heerden
lebend, und werden sie beunruhigt, so laufen sie wie die Schafe
alle zusammen und drängen sich aneinander. Sie werden gewöhnlich als geduldig dargestellt; aber damit kann nur die Geduld der Dummheit gemeint sein. Sie sind vielmehr äufserst ungeduldig, und stofsen laute Töne des Unwillens aus, wenn sie
ihre Lasten erhalten, und nicht selten, wenn sie niederknieen
sollen. Sie sind auch widerspenstig und oft bösartig; und der
Versuch, sie vorwärts zu treiben, ist oft ebenso mühsam als der,
Schafe auf einen Weg zu bringen, den sie nicht gehen wollen. —
Das Schreien des Kameels lautet wie das dumpfe Blöken des
Schafes, zuweilen wie das Brüllen des Rindviehs, oder das heisere
Quicken des Schweins. Aber die Araber achten nicht auf sein
Schreien, sowie überhaupt dem armen Thiere in ihren Händen
nicht viel Mitleid zu Theil wird. Schwere und wundreibende Lasten und magere Kost sind sein beschiedenes Loos, und Gott hat
es dazu abgehärtet. Die Kameele der Fellâhin scheinen ein er-
träglicheres Schicksal zu haben; sie sind meistens grofs, fett und
stark, während die der Bedawin in den Wüsten vergleichsweise
dünn und schmächtig sind. Die merkwürdige Ausdauer des Kameels auf der Reise ohne Wasser scheint nicht minder auf eine
ähnliche Natur hinzudeuten, wie die des Schafes, wenigstens wie
sie sich darthut, obgleich in weit gröfserem Grade. Der Thau
und Saft des Grases und der Kräuter ist in gewöhnlichen Fällen
hinreichend für sie; obgleich die Araber, wenn das Weidefutter
trocken geworden ist, ihre Heerden alle zwei, und die Kameele
alle drei Tage tränken. Die längste Probe, der wir unsere Kameele rücksichtlich des Wassers unterwarfen, bestanden sie auf
der viertägigen Reise von Kairo bis nach Suez; jedoch tranken
einige von ihnen selbst dann noch nicht, obgleich sie nur das

trockenste Futter hatten. [1]) Aber jederzeit fressen und trinken
die Kameele wenig, und sondern wenig ab; es ist ein kaltblü-
tiges, schwerfälliges, mürrisches Thier, von geringem Gefühl
und geringer Empfänglichkeit für den Schmerz. Disteln, stach-
lige Sträucher und Dornen sieht man es mit größerer Begierde
abbeifsen und kauen, als das weichste grüne Futter; auch scheint
es keinen Schmerz von Schlägen oder Stichen zu fühlen, aufser
wenn sie sehr heftig sind. Man findet keine Anmuth·oder Le-
bendigkeit an irgend einem, alten oder jungen Kameel; alles ist
ungestaltet, linkisch und ungeschickt. Die jungen haben nichts
Munteres oder Spielendes, sondern sind in allen ihren Bewegungen so ernsthaft und nüchtern wie ihre Mütter, in dieser Beziehung also freilich dem Schaflamme sehr unähnlich.

Als Lastträger des Ostens, als das „Schiff der Wüste,"
hat das Kameel eine andere, wichtige Eigenschaft, seinen sichern
Tritt. Ich war überrascht, sie mit so vieler Leichtigkeit und Sicherheit die rauhesten Gebirgspässe auf- und absteigen zu sehn.
Sie suchen ihren Weg nicht mit gleichem Scharfsinn auf, wie
das Maulthier, oder selbst wie das Pferd; aber sie treten viel
sicherer und gefahrloser auf, und gleiten oder straucheln fast nie.
Ich erinnere mich auf allen unsern langen Reisen mit denselben
keines einzigen Beispieles; und doch kann es keine schlechteren
Wege geben, als die Gebirgspässe zwischen Hebron und Wady
Mûsa. Die Araber regieren ihre Kameele durch wenige, sehr
gutturale Laute. Das Zeichen für das Niederknieen ist nicht unähnlich einem sanften Schnarchen, und wird hervorgebracht, indem sie den Athem stark gegen den Gaumen hinziehen, aber nicht
durch die Nase. Das Zeichen zum Anhalten ist eine Art von gut-
turalem Glucken, welches ich nie nachmachen konnte.

---

1) Siehe oben, Bd. I. S. 73.

Gemäfs einer Einladung des Elias gingen wir gegen 6 Uhr Nachmittags, um bei ihm zu speisen. Das Zimmer, in welchem er uns empfing, war klein und lag in dem dritten oder Hauptstockwerk des Hauses; es war sein alltägliches Wohnzimmer. Wir fanden drei andere Gäste schon versammelt, gewöhnliche Muhammedaner des Ortes. Das weibliche Personal der Familie kam nicht zum Vorschein. Das Essen wurde bald aufgetragen. Eine grofse Serviette wurde auf dem Teppich des Zimmers ausgebreitet und auf diese ein roher, hölzerner Schemel mit einem grofsen Präsentirbrett aus überzinntem Kupfer gestellt. Brod wurde für jede Person in dünnen Fladen auf die Serviette unten hingelegt. Auf dem Präsentirteller standen drei Schüsseln Pilaw ohne Fleisch, drei Schüsseln Hammelfleisch mit Zwiebeln geschmohrt, drei Schüsseln einer Art Wurst gefüllt mit Reis und zerhacktem Fleisch, und ein grofser Napf mit Lebben oder saurer Milch. Die Gesellschaft safs rings herum, so gut es ging, im Ganzen sechs Personen. Teller waren nicht da, sondern jeder hatte einen hölzernen Löffel und seine Finger. Nur wir als Fremde hatten silberne Gabeln und einen silbernen Löffel neben uns. Unsere Mitgäste schienen gewandter mit ihren Fingern als mit dem Löffel zu sein; der letztere wurde gebraucht, um ein wenig Lebben auf den Reis in der Schüssel zu thun und dann einen Löffelvoll von dem so befeuchteten Reis zu nehmen. Darin bestand das Mittagsessen; und sobald Einer mit Essen fertig war, zog er sich vom Tische zurück. Eine einzige Schale Kaffee folgte, worauf wir uns auch bald empfahlen. Als wir die Treppe hinuntergingen, standen die jüngeren Frauenzimmer der Familie nahe bei der Küche im zweiten Stockwerk, und erwiederten unsere Begrüfsungen, indem sie uns von der Reise wieder willkommen hiefsen.

Die Dreschtennen nahe bei unserm Zelt, bei unserm vori-

gen Besuch voll von Gerste und Linsen, [1]) fingen jetzt eben an
mit Weizengarben bedeckt zu werden. Die Ernte war, wie es
schien, sehr gut und alle Aussicht auf eine glückliche und ge-
schäftsvolle Zeit während der Weizenernte sowohl als auch der
Weinlese. In der That zeigte die Gegend um Hebron herum im
Allgemeinen mehr von betriebsamem Anbau und wirklicher Produktivität, als irgend ein anderer ebenso ausgedehnter Theil des
Gebirges Juda, welchen wir besuchten.

Mittwoch, den 6. Juni. Vormittags. Während wir
diesen Morgen zeitig beim Frühstück safsen, kam Komeh, versehen mit Pferden, Geld, und auch vielen Briefen aus Europa
und Amerika von Jerusalem zurück. Das Frühstück wurde sogleich über den Briefen vergessen, und wir freuten uns von der
Gesundheit und dem Wohlergehn entfernter Freunde sowohl in
der alten als neuen Welt zu hören. Mit einem Ausbruch freudi-
ger Rührung dankten wir Gott und fafsten neuen Muth.

Komeh war natürlich nicht nach Jerusalem hineingekommen,
sondern hatte mit Hrn. Whiting am Thore Communication gehabt.
Die Pferde hatte er auch aufserhalb gefunden, da die Eigenthümer bei der Absperrung der Stadt sie hinaus geschickt hatten,
um auf den Feldern um die Mauern zu bleiben. Wir freuten uns
nicht besonders darüber, jetzt wieder einen von unsern früheren
Mukáry's zu bekommen, waren aber leicht geneigt, uns so gut
es ging darein zu schicken. Wir erfuhren auch, dafs Hr. Lanneau und unser Reisegefährte eine strenge Quarantäne unter einem Wächter in des ersteren Hause hielten, um fortzukommen
und sich bei unsrer Rückkehr in unserm Zelt an uns anzu-
schliefsen.

Im Laufe des Morgens kam Elias wieder mit dem Manne,

---

1) Siehe oben, Bd. II. S. 720.

welcher das Geld für die Kameele bekommen sollte. Sie waren
einig darüber, dafs wir dem Elias das Geld einhändigten, worauf
er es sogleich dem Mann übergeben sollte. Dies fand demgemäfs
statt. Der einzige Grund dafür schien der zu sein, dafs Elias
im Stande sein möchte zu sagen, die Bezahlung sei durch ihn
als den Agenten der Franken entrichtet. Der Mann zahlte ihm
in unserer Gegenwart 150 Piaster zurück, wie wir hörten, als
Provision für unsern mit den Arabern abgeschlossenen Kontrakt,
was auf jedes Kameel dreifsig Piaster machte. Es geschah wahrscheinlich zum Theil, um dem Defa' Allah diese Pille weniger
unschmackhaft zu machen, dafs Elias uns gestern hinsichtlich eines Extrageschenkes für diesen Sheikh den Wink gegeben hatte. [1])

Wir wurden mit dem Ausfüllen unserer Tagebücher fertig,
und machten unsere Einkäufe an Lebensmitteln für die Reise bis
nach Nâbulus hin, da wir jetzt in Jerusalem nichts bekommen
konnten. Grade als wir im Begriff waren aufzubrechen, traten
zwei englische Reisende von Bersaba ein. Wir hatten ihr Zelt
schon gestern hier gefunden und erfahren, dafs sie diesen Ausflug gemacht hatten. Da Reisende unter solchen Umständen sich
nicht an die Etikette binden, so sprachen wir in ihrem Zelte ein,
und fanden den ,Dr. Mill und Oberst Hezata, welche auf der

---

1) Ich habe seitdem gehört, dafs für die nächsten zwei Jahre Alles mit unsrem Freunde Elias aufs Beste ging und dafs er das Ziel seines Ehrgeizes erreichte, indem er zum Agenten des neuen brittischen
Consuls in Jerusalem gemacht wurde. Aber im Frühjahr 1840 wurde er
in Folge der Beschuldigung eines Unterschleifes ergriffen und gefangen
gesetzt. Er fühlte wohl, dafs er in Hebron wenig Freunde hatte; daher bat er die amerikanischen Missionäre in Jerusalem, sich dahin für
ihn zu verwenden, dafs seine Sache der Obrigkeit der heiligen Stadt
übertragen werde. Sie bewirkten dies auch mit Hülfe des Mufti. In
der Mitte des Sommers befand sich Elias noch dort im Gefängnifs.

Rückkehr von Indien über Aegypten jetzt den Weg durch Palästina eingeschlagen hatten. Unser gegenwärtiger Besuch war nur
ein kurzer; aber wir hatten später das Vergnügen, sie wieder in
Jerusalem und Beirût zu treffen, und auch in ihrer Gesellschaft
die Reise von Beirût nach Alexandria und Smyrna zu machen.

Dreizehnter Abschnitt.

Von Hebron nach Ramleh und Jerusalem.

Mittwoch, den 6. Juni 1838. Nachmittags. Wir beschlossen auf unsrer Reise von Hebron nach Ramleh unsere Schritte zuerst nach el-Burj zu wenden, dem Orte, an dessen Besuch wir früher in Dawâimeh gehindert worden waren. [1]) Wir hörten von den Arabern viele übertriebene Berichte darüber, so dafs es wichtig genug schien, die Sache zu untersuchen. Wir waren jetzt zum Aufbruch bereit, fanden es aber sehr schwierig, einen Führer zu bekommen. Mehrere Personen boten uns ihre Dienste an; aber da dies in Hebron eine neue Art von Beschäftigung zu sein schien, wofür noch kein Preis festgesetzt oder irgendwie regulirt war, so forderten sie wenigstens dreifachen Lohn; selbst, wie es schien, ohne mit der Route wohl bekannt zu sein. Wir boten doppelt so viel als wir früher bezahlt hatten, was aber nicht angenommen wurde. Da wir jedoch wufsten, dafs wir unterwegs Leute antreffen, oder wenigstens sicher im Stande sein würden, einen Führer in Dûra zu erhalten, so brachen wir die Sache mit den Hebroniten kurz ab, beluden unsere Thiere und verliefsen die Stadt allein um 1 Uhr.

Unser Weg ging den westlichen Berg hinauf über denselben Pfad, den wir früher bei der Ankunft von Dhoheriyeh hinabgestiegen waren. Oben theilen sich jedoch die Wege; wir schlugen den mehr rechts liegenden ein, welcher nach Dûra führt, und

---

1) Siehe oben, Bd. II. S. 668.

gingen in einer allgemeinen Richtung etwa W. gen S. vorwärts.
Wir kamen jetzt durch eine Reihe schöner, sanft nach Westen
abfallender Weinberge, während der Weg überall zwischen ihren Mauern eingeschlossen war. Unsere neuen Mukârîn hatten
das Zelt und anderes Gepäck so ungeschickt aufgeladen, dafs die
Last beim Passiren dieses engen Weges zuerst sich an die Mauern
streifte und vom Pferde gezogen wurde, und dann bald nachher
beim Hinuntersteigen an einer steilen Stelle abglitt. Dies hielt
uns eine halbe Stunde auf. Um 2 U. 40 Min. kamen wir nach dem
Anfang eines westwärts im Norden von Dûra nach der Ebne hin
laufenden Thales. Es wurde bald tief; und als wir durch dasselbe hinunterblickten, konnten wir die fernen Sandhügel längs
der Küste gewahr werden. Hier lagen zu unsrer Rechten die
verfallenen Grundmauern eines Dorfes; und fünf Minuten weiter
zur Linken fanden wir eine schöne kleine Quelle mit einem kleinen unsern Pfad durchschneidenden Bache. Wir erfuhren von
einem Hirten, dafs die Quelle Nunkur heifst und auch dem Thal
seinen Namen giebt. Der Weg zog sich ferner längs dem hohen
Boden im Süden dieses Wady hin; und um 3 U. 15 Min. passirten
wir eine andere Stelle mit Quellen am Anfang eines kleinen Armes desselben Wady. Nach einem weitern Zuge über einige Anhöhen hinüber, kamen wir nach der schönen eine halbe Stunde
weit im Osten von Dûra ausgebreiteten Ebne. Sie war jetzt
mit Weizenfeldern bedeckt, auf denen die Landleute geschäftig
in der Arbeit begriffen waren, da die Weizenernte eben begonnen hatte.

Wir durchzogen diese Ebne und erreichten um 4 Uhr das
Dorf Dûra, das auf dem allmähligen östlichen Abfall eines bebauten Hügels liegt, rings umgeben von Olivenhainen und Getreidefeldern. Oben liegt nicht weit davon der Mukâm oder Wely
des Neby Nûh (Noah), welchen wir früher von Dawâimeh gese-

hen halten. Das Dorf ist eins der gröfsten in dem Distrikt Hebron, und eigentlich der Hauptort, da er die Residenz der Sheikhs
aus dem Hause des Ibn 'Omar ist, der Häuptlinge der Keisîyeh
von den Bergen, die vormals über alle Dörfer herrschten. [1]) Wir
fanden hier einen Haufen ägyptischer Soldaten, sahen aber keine
Spuren von Alterthum, aufser etwa einen grofsen gehauenen Stein
über einem Thorweg mit einer ausgehauenen Ornamental-Figur
darauf. Es gelang uns nicht, in dem Dorfe selbst einen Führer
zu bekommen; aber als wir es durchritten hatten, fanden wir einen der vornehmsten Sheikhs mit einer Anzahl Einwohner in einem Olivenhain sitzend, und trugen ihm unser Anliegen vor. Er
behandelte uns mit grofser Artigkeit, und lud uns, mit Wieder-
holung der gewöhnlichen Geschichte von der Unsicherheit des Weges, höflich zum Uebernachten hierselbst ein, schickte aber, als wir
es ablehnten, sogleich den Diener seines Bruders, des Hauptsheikhs,
welcher letztere abwesend war, mit uns. Dieser Mann war ein
Nubischer Sklav, pechschwarz, von langer, imponirender Gestalt;
er erwies sich als ein sehr verständiger und zuverlässiger Führer und war uns von grofsem Nutzen. Er sagte uns, sein Herr,
der Hauptsheikh, sei Besitzer von fünf Sklaven und sechs Skla-
vinnen, zweihundert Schafen, dreihundert Ziegen, ein und zwanzig Stück Rindvieh, drei Pferden und fünf Kameelen.

Dûra war kürzlich der Schauplatz eines heftigen Streites
gewesen, in welchem die Bewohner, obgleich dem Namen nach
entwaffnet, zu den Gewehren griffen und einander zu tödten begannen. Dies zog natürlich die Aufmerksamkeit der Regierung
auf sich; und hier war es, wo die drei früher von uns in Hebron
getroffenen Gouverneure einige Wochen beschäftigt gewesen waren, das Volk zum zweiten Mal zur Auslieferung seiner Waffen

---

1) Siehe oben, Bd. II. S. 617.

zu nöthigen. Sie hatten auf diese Weise von einer Partei ungefähr zweihundert Flinten, und von der andern beinahe hundert mehr
zusammengebracht, welche wir auf Kameelen in Hebron hatten
einbringen sehen. [1]) Der Ursprung des Streits war, wie uns erzählt wurde, folgender. Eine Familie von Sheikhs, nicht aus
dem Hause des Ibn 'Omar, hatte die Oberhand; und einer aus
derselben war Mutesellim zur Zeit der letzten Aushebung; bei
welcher er und seine Anhänger es so einrichteten, dafs sie alle
zu Soldaten verlangten Leute von der Gegenpartei nahmen. In
Folge des dadurch entstandenen Unwillens liefs er auch das
Haupt des Hauses 'Omar ins Gefängnifs bringen. Darauf ging
der Bruder des letztern, der Sheikh, welchen wir sahen, nach
Damascus zum Sherif Pascha, Gouverneur von ganz Syrien, und
erhielt von ihm die Loslassung des Gefangenen. Der letztere begab sich jetzt selbst nach Damascus und kehrte als Mutesellim
an der Stelle seines Feindes zurück. In den jetzt erfolgenden
Unruhen griffen die Parteien zu den Waffen; sechs Mann wurden
getödtet, alle von der nun in Uugnade gefallenen Partei. Die
Einwohner von Yûtta nahmen auch an dem Streite Theil. Die
Regierung griff mit nachdrücklicher Strenge ein, liefs sich die
Waffen von beiden Parteien ausliefern; und die Anhänger des
abgesetzten Mutesellim zogen sich nach Burj und andern Orten in
der Ebne zurück. Wahrscheinlich schilderte der Sheikh aus diesem Grunde den Weg nach Burj als unsicher. [2])

---

1) Siehe oben, Bd. II. S. 716. Vgl. ebend. S. 671.

2) Im Juli 1839 stand dieser Häuptling von Dûra, Abd er-Rah-
mân, gegen die Regierung auf, bemächtigte sich mit seinen Anhängern
Hebrons, und behauptete es eine Zeitlang. Der Gouverneur von Damascus zog gegen ihn und zwang ihn, Hebron zu verlassen und sich in
die Wüste gegen 'Ain Jidy zurückzuziehen. Hier umgab ihn ein Kreis

Obgleich wir keine besonderen Spuren von Alterthum unter den Gebäuden in D û r a sahen, so bezeugt doch der allgemeine Eindruck des Dorfes und der anliegenden Gegend, dafs
der Ort zu.den schon lange existirenden gehört. Ich finde wenig
Grund an der Identität desselben mit dem A d o r a i m des alten
Testaments zu zweifeln, das im Zusammenhang mit Hebron und
Maresa als eine der von Rehabeam befestigten Städte erwähnt
wird. [1]) Unter dem Namen A d o r a wird es in den Apokryphen,
und auch oft bei Josephus erwähnt, welcher gewöhnlich die beiden Orte Adora und Maressa als Städte des spätern Idumaea zu-
sammenstellt. [2]) Um diese Zeit wurde es zugleich mit Maressa
von Hyrcanus erobert, und von Gabinius wieder aufgebaut. [3])
Nach dem Josephus scheint weder bei Eusebius noch Hieronymus,
noch sonst einem andern Schriftsteller bis auf den heutigen Tag
herab irgend eine Erwähnung vorzukommen. Doch ist der Name
ganz entscheidend. Das Ausfallen des ersten schwachen Buchstaben ist nicht ungewöhnlich, und scheint auch sogar theilweise
in den Tagen des Josephus gangbar gewesen zu sein, in dessen
Schriften wir an mehreren Stellen die Form Dora finden.[4])

von 7000 Mann auf der Lauer, durch welche er sich zuletzt seinen Weg
brach und nach der Gegend östlich der 'Arabah entkam.

1) 2 Chron. 11, 9.

2) 1 Makk. 13, 20. Joseph. Ant. VIII, 10, 1. XIII, 6, 4. 9, 1.
15, 4. XIV, 5, 3. B. J. I, 2, 6. 8, 4.

3) Jos. Ant. XIII, 9, 1. XIV, 5, 3. B. J. I, 8, 4. Vergl. oben
Bd. II. S. 692.

4) *Δῶρα*, Dora, Antiq. XIII, 6, 4. in allen Handschr., XIV, 5, 3.
im Text. *Δωρεός*, Doreus, B. J. I, 2, 6 und 8, 4. in den Handschr.
Siehe überhaupt Reland Palaest. p. 547, 739. — Josephus spottet über
Apion, dafs er das Dora (Dor) Phönicien's nach Idumaea versetze; woraus wenigstens hervorzugehen scheint, dafs Apion von diesem Namen
dort gehört haben mochte, c. Apion. II, 9.

III.   14

Nach einem Aufenthalt von vierzig Minuten verliefsen wir
Dûra um 4 U. 40 Min., indem wir in einer S. W. Richtung um den
Anfang eines im Süden des Dorfes westlich ablaufenden Wady's
und über einen niedrigen Rücken jenseits weiter zogen. Hier hatten wir eine Aussicht über das westliche Meer. Um 5 U. zeigte
sich eine Ortslage mit Grundmauern zu unsrer Linken Namens
Khûrsah; und in derselben Zeit war Dhoheriyeh in der Richtung S. 35⁰ W. sichtbar. Die Berge um uns waren jetzt grün
von Sträuchern, und die Bäume höher, als wir sie gewöhnlich
gesehen hatten. Um 5 U. 35 Min. waren wir andern verfallenen
Grundmauern gegenüber, Namens el-Hadb, an dem Fufse eines Hügels linker Hand. Um 5³/₄ U. zogen wir zwischen zwei
bedeutenderen Anhöhen an dem Rande des steilen Abhanges des
Gebirges nach dem Anfang eines beinahe westlich in die niedere
Region hinablaufenden Wady Namens el-Keis. Von dem Gipfel der südlichen Anhöhe erhielt ich folgende Ortsbestimmungen:
Yûtta S. 70⁰ O., Semû'a S. 36⁰ O., Dhoheriyeh S. 23⁰ W.

Wir folgten dem Wady el-Keis hinunter, indem wir in
einer westlichen Richtung sehr allmählig thalab stiegen. Die angrenzenden Höhen waren wie zuvor mit Sträuchern und grofsen
Bäumen bedeckt. Dieser Pafs erwies sich als der mindest steile
und schroffe und darum als der gangbarste von allen, die wir
bisher bergauf oder bergab durchzogen hatten. Der Pfad blieb
den ganzen Weg über in dem Wady, worauf wir um 6 U. 40 Min.
in die niedere, mitten zwischen dem Gebirge und der grofsen Ebne
liegende Hügel- und Thälerregion kamen, ähnlich der weiter
nördlich früher von uns durchreisten. Die Hügel waren, wo kein
Anbau stattfand, buschig und grün, und mit zahlreichen Heerden
übersäet; die Thäler breit und mit einer reichen Weizenernte bedeckt; die Felder voll von Schnittern und Aehrenlesern mitten in
der Ernte begriffen, mit Eseln und Kameelen, welche ihre Gar-

benlasten bekamen, und ohne Maulkorb und ungehindert von dem reifen Getreide frafsen. [1] Diese Landleute waren meistens aus Dâra, Leute von der geflohenen Partei, und jetzt an verschiedenen Orten in dieser Gegend zerstreut. Unser Pfad führte uns S. W. über eine breite Beckenartige Ebne, um welche viele der Höhen durch Ruinen bezeichnet waren, ein Beweis, dafs dieser Landstrich einst stark bewohnt war. Unter diesen lag eine, Namens Deir el-'Asl, um 6 U. 55 Min. zu unsrer Rechten; eine andre, Beit er-Rûsh genannt, zehn Minuten später linker Hand; um 7 U. 30 Min. hatten wir Khurbet en-Nûsrâny auf derselben Seite, und um 7 U. 40 Min. nahmen einige Grundmauern Namens Beit Mirsim einen Teil zu unserer Linken ein.

Hier gingen wir von der Ebne hinauf über einen nördlich von diesem Tell laufenden Rücken. Es war ganz dunkel geworden. Beim Hinaufsteigen forderte der Führer auf einmal eine Pistole, lief vorwärts und feuerte auf ein Thier, wie er glaubte, eine Hyäne, aber ohne Erfolg. Wir kamen jetzt in ein anderes etwa S. gen W. laufendes Thal, und erreichten um 8 U. el-Burj, auf einem sehr felsigen Vorsprung, einer langen nach Westen vorstehenden Bergspitze gelegen. Der Boden war so rauh und so sehr mit Felsen überdeckt, dafs wir nur mit grofser Schwierigkeit im Finstern einen Ort für unser Zelt finden konnten. Es dauerte eine volle Stunde, bevor das Zelt in Ordnung gebracht werden konnte oder etwas von den sich hier aufhaltenden, aber noch nicht von den Feldern zurückgekehrten Landleuten zu haben war. Hier zeigte sich unser treuer Nubier thätig und brauchbar.

Donnerstag, den 7. Juni. Als wir diesen Morgen die Ruinen von el-Burj untersuchten, sahen wir uns in unsern Erwartungen getäuscht. Die Araber hatten uns viel davon erzählt,

---

1) Ps. 65, 14: „Die Anger sind voll Schafe, und die Auen stehen dicke mit Korn, dafs man jauchzet und singet."

14 *

aber einen äufserst übertriebenen Bericht davon gemacht. In der That ist es in gewöhnlichen Fällen unmöglich zu wissen, wie viel Glauben man ihren Nachrichten schenken kann; und es zeigt sich oft, dafs die Wahrheit ihre Mittheilungen eben so weit übertrifft, wie sie in diesem Fall hinter ihnen zurückblieb. Die Ruinen bestehen aus den Ueberresten einer viereckigen Festung von etwa 200 Fufs an einer Seite, und liegen grade auf dem oben beschriebenen Felsenvorsprung. An der östlichen und südlichen Seite ist ein Laufgraben in den Felsen ausgehauen worden, welcher sich einst ganz um die Festung erstreckt zu haben scheint. Die Mauern sind meistens abgebrochen, und es finden sich hier keine Bogen mehr, so wie es auch nichts giebt, was mit Bestimmtheit das Zeitalter oder selbst den Charakter der Architektur bezeichnen könnte. Die Steine, aus welchen die Mauer besteht, sind nicht grofs, und waren auf einander gelegt, mit kleinen Steinen dazwischen zur Ausfüllung der Ritze; oder möglicher Weise sind diese letztern in einer späteren Periode hineingetrieben worden. [1])

Jedoch ist das allgemeine Aussehen der Ruinen entschieden das eines sarazenischen Bauwerks; und ich bin geneigt, sie als zu der Reihe von starken sarazenischen oder türkischen Festungen gehörig anzusehen, welche einst längs der südlichen Grenze von Palästina angelegt gewesen zu sein scheinen. Von diesen hatten wir jetzt vier besucht, nämlich die zu Kurmul, Semu'a, Dhoheriyeh und el-Burj. Wann oder zu welchem besonderen Endzweck diese Festungen errichtet wurden, darüber haben wir keine geschichtliche Nachricht. Es könnte auf den ersten Blick scheinen, dafs sie in den Jahrhunderten vor den Kreuzzügen während der langen Fehden und blutigen Kriege zwischen

---

1) Vgl. die ähnlichen Mauern zu Teffûh, Bd. II. S. 700.

den verschiedenen Parteien des muhammedanischen Reichs und
der Beherrscher von Syrien und Aegypten entstanden seien. Jedoch bin ich nicht im Stande gewesen, eine Hindeutung auf eine
derselben bei irgend einem Schriftsteller, weder christlichen, noch
arabischen aufzufinden; und es ist möglich, dafs sie sogar erst nach
der Ottomannischen Eroberung im 16. Jahrhundert aufgeführt sind,
wie damals die Festung zu Beit Jibrin wieder aufgebaut wurde. [1]

Von andern Festungen oder Ruinen in dieser ganzen Gegend konnten wir nichts erfahren. Doch sagte man uns, es habe
früher ein Thurm oder Kastell zu el-Khuweilifeh gestanden,
ein Ort, den wir im S. S. W. in einer Entfernung von etwa $1\frac{1}{2}$
Stunden an dem Rande der grofsen Ebne sehen konnten; aber
die Festung ist jetzt mit dem Boden gleich geworden, und nur
ein paar lose Steine und Grundmauern bezeichnen ihre vormalige
Existenz. Der Ort ist jetzt hauptsächlich als ein Brunnen auf
dem Wege zwischen Dhoheriyeh und Gaza bekannt, wo die Tiyâ-
hah-Araber ihre Heerden tränken. Er scheint indefs immer eine
Tränke von Bedeutung gewesen zu sein, und wird als solche im
Zusammenhang mit den Bewegungen von Saladin's Truppen südlich von el-Hasy nahe am Schlusse des 12. Jahrhunderts erwähnt. [2] Wir würden gern dahin gegangen sein; aber unsere
Zeit erlaubte uns diesen Abstecher nicht.

Von el-Burj erhielten wir nur wenige Ortsbestimmungen,
nämlich el-Khuweilifeh etwa S. 25⁰ W., Um er-Rümâmin etwa
S. 25⁰ W., Za'k S. 60⁰ W., Beit Mirsim N. 15⁰ O.

Die Ruinen von el-Burj liegen sehr nahe bei der Grenze
der Hügellandschaft nach der westlichen Ebne hin, welche letztere wir hier auf eine grofse Strecke übersehen konnten. Um

1) Siehe oben, Bd. II. S. 614.
2) Bohaeddin Vita Salad. p. 231, 233. Vgl. Bd. I. S. 345.

das Kastell finden sich einige Ueberreste von Hütten und viele
Höhlen in dem Felsen, welche einst als eine Art von Dorf bewohnt gewesen zu sein scheinen, und jetzt gewöhnlich ein paar
armen Familien aus Dûra zum Aufenthalte dienen, welche hierher kommen, um ihre Heerden zu weiden und Tabak zu bauen.
Gegenwärtig hatten auch andere Familien von der besiegten Partei in Dûra an diesem Orte ihr Quartier aufgeschlagen. Die
Leute versammelten sich diesen Morgen um uns, und waren
freundlich in ihrem Benehmen. Grade als wir weiter ziehen wollten, erhob sich jedoch ein grofser Lärm, als eine von unsern
Pistolen nicht zu finden war. Sie war gestern in der Obhut unsers Dieners Ibrahim gewesen und wurde jetzt vermifst; und unsere Diener und Maulthiertreiber beschuldigten die Leute und
namentlich einen Mann, sie gestohlen zu haben. Dies war nicht
unwahrscheinlich; denn diese Fellâhîn sind auf nichts so erpicht,
als auf Waffen, namentlich jetzt, wo sie so ganz neuerdings wieder entwaffnet waren. Der Lärm wurde sehr stark, und endigte
zuletzt mit einem Beschlufs von Seiten unsrer Begleiter, den Sheikh
und die verdächtige Person nach einem eine Stunde entfernt wohnenden höheren Sheikh zu führen. Da aber diese Zeitverschwen-
dung für uns ein gröfserer Verlust gewesen wäre, als beide Pistolen, und zudem kein Beweis vorlag, dafs nicht Ibrahim selbst
die abhanden gekommene verloren hatte, so legten wir den Streit
bei, und setzten unsere Reise weiter fort. Unser Plan war, bis
nach 'Ain Shems uns zwischen den Hügeln zu halten, und dabei
auf dem Wege Terkûmieh und Beit Nüsib zu besuchen.

Wir verliefsen el-Burj um 6 U. 40 Min. und kehrten auf dem
gestern Abend gekommenen Wege 20 Minuten lang nach dem
mit dem Tell von Beit Mirsim zusammenhängenden Rücken zurück.
Hier gingen wir von dem früheren Pfade mehr links ab, indem
wir nach N. N. O. eine Gegend von schwellenden Hügeln und

offnen Wady's, bedeckt mit Getreide, durchzogen. Um 7 U. 40 Min.
erreichten wir Um esh-Shûkf auf einem breiten bebauten
Rücken, wo einst ein Dorf stand. Hier sahen wir viele reichlich
mit Getreide bedeckte Tennen; aber das Dorf selbst ist zur Zeit
dem Boden gleich. Eine grofse Schaar von den Leuten aus
Dûra war jetzt hier mit dem Ausdreschen des in den umliegenden
Thälern geschnittenen Weizens beschäftigt, ohne Häuser unter
freiem Himmel, oder in kellerartigen Höhlen lebend. Sie fragten
eifrigst, wann wir (die Franken) kommen würden, um von dem
Lande Besitz zu nehmen. — Hier hatten wir Taiyibeh N. 60° O.,
Idhna N. 40° O., Wely (den wir von Dawâimeh gesehen) N. 20° W.

Nach einem Aufenthalt von 20 Minuten zogen wir weiter;
und da wir drei Pfade vor uns sahen, so riefen wir den Leuten
zu, um sie zu fragen, welches der Weg nach Idhna sei. Die
Antwort war: ,,Doghry, Doghry"! d. h. grade zu! obgleich dies
auf jeden der Wege vor uns, streng genommen aber auf keinen
derselben pafste. Es dauerte eine Weile, ehe wir eine bestimm-
tere Anweisung gewinnen konnten. In der That scheint diese
Unbestimmtheit und dieser Mangel an Präcision ganz mit dem
Genius der Sprache und des Charakters der Araber verwoben zu
sein. So oft wir nach dem Weg fragten, war die erste Antwort
stets das immerwährende Doghry! grade zu! wenn wir auch vielleicht fünf Minuten später in einem rechten Winkel abgehen mufsten. Als wir unsern Weg gefunden hatten, zogen wir weiter
und kamen um 8 U. 45 Min. nach den Ruinen von Beit 'Auwa,
welche niedrige Hügel an beiden Seiten des Weges bedecken und
mit Grundmauern aus gehauenen Steinen versehen sind, wobei
alles darauf hindeutet, dafs hier einst eine ausgedehnte Stadt
stand. Um 9 U. 20 Min. zeigte sich eine andere Ortslage mit zerstreuten Grundmauern auf dem Wege, Namens Deir Sâmit.
Bald darauf glitt beim Ersteigen einer Anhöhe das Zelt und Ge-

päck herunter, und hielt uns 15 Minuten auf. Wir kamen um
9 U. 40 Min. nach einer Cisterne am Wege, auf dem Plateau eines
breiten Rückens. Dicht dabei lagen andere umher zerstreute Ruinen, welche eine Ortslage, el-Môrak, bezeichneten; hier waren
auch viele Dreschtennen in voller Thätigkeit. . Funfzehn Minuten
weiter sahen wir eine andere ähnliche Ortslage, nachdem wir
von dem Rücken hinabgestiegen waren. Um 10 U. 20 Min. geriethen wir auf den Weg von Dawâimeh nach Idhna, und erreichten den letzteren Ort 15 Minuten später.

Hier machten wir Halt an der Thür unseres alten Freundes, des Sheikh, dessen gastfreundschaftliches Frühstück wir das
vorige Mal in Stich gelassen hatten. [1]) Er bewillkommte uns
mit einem freundlichen Lächeln, und erbot sich, auf unsre Frage
nach einem Führer zum nächsten Dorfe, selbst mit uns zu gehen.
So „stand er auf und gürtete seinen Esel", oder warf vielmehr
seinen Mantel über das Thier, und in zehn Minuten waren wir
wieder unterwegs, indem der Sheikh beim Aufsteigen zu verstehen gab, er hoffe von uns eine „Liebesspende", womit er einen
Bakhshish meinte. Als wir um $10^3/_4$ U. aufbrachen, führte uns
unser Weg den breiten Wady Feranj N. N. O. bis 11 U. 10 Min.
hinab, wo wir ihn bei seinem weitern Fortlauf nach Beit Jibrîn
verliefsen, und uns einen Neben-Wady nach Terkûmieh zu in
einer beinahe östlichen Richtung hinaufwandten. In diesem kamen wir nach 10 Minuten zu einem Brunnen auf dem Pfade, Namens Bir es-Sifala, 10 bis 12 Fufs tief mit gutem Wasser, und
von vielen Heerden umgeben. Um 11 U. 35 Min. wurde unsre Richtung O. N. O. und grade jenseits des Thalanfanges kamen wir
um 11 U. 50 Min. nach Terkûmieh.

---

1) Den Bericht über unsern früheren Besuch in Idhna (Jedna)
siehe Bd. II, S. 696 ff.

Dieses Dorf liegt nahe am Fufse des Gebirges auf einer niedrigen felsigen Bodenerhöhung, die sich von Osten nach Westen erstreckt, zwischen dem Anfange des eben ersfiegenen Wady und einem anderen nördlich liegenden, der westlich nach dem Ferauj hinabläuft. Der gewöhnliche Weg von Gaza durch Beit Jibrin nach Hebron zieht sich durch dieses nördliche Thal hinauf. Die Entfernung von Beit Jibrin wird $2\frac{1}{2}$ Stunden gerechnet. Taiyibeh auf den Bergen lag uns S. 40° O. Wir konnten hier keine Ruinen bemerken; aber die Steine von früheren Bauten sind nicht unwahrscheinlich zum Bauen der heutigen Häuser benutzt worden. Der Name identificirt diesen Ort mit Tricomias, einem Bischofssitz in Palaestina prima, welcher in den frühesten und spätesten kirchlichen Notitiae aufgeführt wird, von dem sich aber bis auf unsere Zeit hin nirgendwo eine weitere Notiz findet. Reland konnte nur, und mit Recht vermuthen, dafs der Ort irgendwo in der Gegend von Gaza lag. [1])

Hier machten wir längere Zeit Halt, um auszuruhen, da der Tag äufserst warm war. Wir breiteten unsere Teppiche unter dem Schatten der grofsen und schönen Feigenbäume aus, und wurden bald von dem Sheikh und andern der angesehensten Einwohner besucht: alle artig und höflich in ihrem Benehmen. Es wehte ein starker N. W.-Wind, der grade vom Meere her über die grofse Ebne und Hügelreihe strich, aber so heifs war, dafs er keine Erfrischung gewährte. Um Mittag stand das Thermometer, geschützt von dem Stamme eines grofsen Feigenbaumes,

---

1) Reland Palaest. p. 1046. Siehe die kirchlichen Notit. ebend. p. 215, 223, 325. le Quien Oriens Chr. III. p. 678. — Cedrenus spricht von einem Tricomis (Τρίζωμις) in Palästina, scheint aber diesen Ort nicht gemeint zu haben; p. 135 ed. Par. Reland a. a. O p. 1045. Ein anderes Tricomias lag der Notitia Dignitatum zufolge im Peträischen Arabien in der Gegend von Areopolis; p. 220 ed. Panciroli Reland. a. a. O. p. 231.

an der kühlsten Stelle, die wir finden konnten, auf 29⁰ R., und
stieg, dem Winde ausgesetzt, obgleich noch immer im Schatten,
auf 31.½ ⁰ R. In der That war die von den weifslichen Felsen
und Steinen ringsum reflektirte Hitze fast unerträglich.
Wir zogen um 2 U. 25 Min. weiter, indem wir etwa N.
$^2/_3$ W. über den Hebron-Weg und den Wady, in welchem es
liegt, fortgingen; worauf wir nach Ueberschreitung einer andern
Bodenerhebung nach dem Anfang eines in nördlicher Richtung fortlaufenden breiten bebauten Thales, Wady es-Sûr, gelangten.
Auf der ansteigenden Thalseite finden sich rechter Hand nicht
weit von dem Wady die Ruinen von Beit Nüsib, welche wir
um 3 Uhr erreichten. Hier liegt ein verfallener Thurm etwa
60 Fufs im Gevierte, massiv gebaut; einige von den gröfseren
Blöcken sind gerändert, aber die Ritzen sind mit kleinen Steinen
zugeflickt. Das Innere war dunkel und schien einen massiven
Bogen zu haben; wir versuchten hineinzugehen, wurden aber durch
Myriaden von Flöhen zurückgetrieben. Nahe dabei sind die Grundmauern eines massiven Gebäudes allem Anschein nach von höhe-
rem Alterthum, 120 Fufs lang und 30 breit; seinen Zweck konnten wir nicht errathen. Es lagen hier auch Bruchstücke von
Säulen; und verfallene Grundmauern zeigten sich auch weiter süd-
lich auf einer andern Erhöhung. — Von dieser Stelle hatten wir
Beit 'Atâb N. 21⁰ O., Jeb'ah N. 41⁰ O., Beit Ûla N. 76⁰ O.,
Terkûmieh S. 7⁰ W., Um Burj N. 29⁰ W.

Ich habe schon Veranlassung gehabt, die Identität dieses
Ortes mit dem Nezib der Ebne Juda, dem Nasib des Eusebius
und Hieronymus bemerklich zu machen. [1]) Eusebius setzt es 9,
Hieronymus 7 röm. Meilen von Eleutheropolis. Das letztere mag
wohl richtig sein; denn die Entfernung von Beit Jibrîn scheint

---

1) Jos. 15, 43. Onomast. Art. Neesib. Siehe oben, Bd. II.
S. 600, 665.

etwas weniger zu betragen, als die von Terkûmieh, welche zu
2¹/₂ Stunden gerechnet wird.

Bis jetzt war unsere heutige Reise durch die Hügelregion
zwischen dem Gebirge und der Ebne gegangen, indem wir dem
ersteren allmählig näher kamen. Der Weg hatte uns bei Thälern
vorbei und über Hügel hinüber geführt; wobei die Wady's überall
voll von Getreide waren, welches die Landleute einsammelten, oder
mit Hirse bepflanzt, während man die Höhen meistens zur Weide
dienen läfst. Es ist eine gesegnete und fruchtbare Gegend, welche, einst von einer zahlreichen Bevölkerung erfüllt war, wie aus
den unzähligen frühern, jetzt zerstörten oder dem Erdboden gleich
gewordenen Ortslagen hervorgeht. Wir waren mächtig ergriffen
von der Menge dieser traurigen Hinweisungen auf ehemaliges
Wohlsein, was mit dem heutigen Zustande der Verödung und des
Verfalls einen so scharfen Contrast bildete. — In Terkûmieh
und Beit Nûsîb waren wir sehr nahe bei der steilen Erhebung
der Berge; aber unser Weg führte uns den noch übrigen Theil
des Tages in einer nördlichen Richtung den Wady es-Sûr hinab,
was uns allmählig wieder von dem Gebirge ab und näher zur
Ebne brachte.

Wir verliefsen Beit Nûsîb um 3¹/₄ U., indem wir unsern
Freund, den alten Sheikh von Idhna, mit einer „Liebesspende"
entliefsen, welche, wie wir mit Bedauern bemerkten, in seinem
Gemüth keinen günstigen Eindruck von unserm Wohlthätigkeits-
sinn hinterliefs. Wir gingen das Thal eine halbe Stunde lang
in einer Richtung N. N. W. hinunter. Es war breit und urbar,
mit schwellenden Hügeln an den Seiten. Dann wandten wir uns
N. N. O., und um 3 U. 55 Min. passirten wir einen Brunnen,
Namens Bir el-Kaus. Fünf Minuten weiter war ein anderer,
Bir el-Ghaul, und um 4 U. 5 Min. kamen wir nach einem dritten, Bir es-Sûr, welcher dem Thal seinen Namen giebt. Ge-

genüber dem ersten Brunnen liegen rechter Hand verfallene
Grundmauern auf einer Anhöhe. In dem Bette des Wady oberhalb dieser Brunnen zeigten sich Spuren von stehendem Wasser,
mit Schlamm und Flecken von Unkraut.

Der Name dieses Brunnens und Wady (es-Sûr) veranlafste
uns zur Nachsuchung auf den anliegenden, hier grade sehr felsigen Höhen, um zu entdecken, ob da früher irgend eine Stadt
oder Festung, welche vielleicht den Namen Bethzur führte, gestanden habe; obgleich die Hauptfestung dieses Namens, eine der
stärksten in Judaea, augenscheinlich auf den Bergen nicht weit
von Halhul und Hebron lag. [1]) Unser Suchen war vergebens;
wir konnten keine Spur von Grundmauern weder in dem Thal
noch auf den Hügeln bemerken, aufser den Ruinen eines kleinen
wohlgebauten Dorfes auf einer etwa 20 Minuten nach O. S. O.
entfernten Anhöhe.

Wir verliefsen den Brunnen um 4 U. 35 Min., und zogen
N. gen O. das Thal hinab, welches sich hier mehr rechtshin öffnet, und mehrere breite, bebaute, aus der Nähe der Berge hervor-
kommende Nebenthäler aufnimmt. Nach 15 Minuten bekamen wir
Beit Nettif, das Ende unsrer heutigen Reise, grade im Norden
zu Gesicht. Um 5¼ U. kamen wir auf die Strafse von Jerusalem nach Gaza, welche hier das Thal kreuzt und unsern Weg
durchschneidet; der letztere ist der gewöhnliche von Hebron nach
Ramleh und Yâfa. Jene Gaza-Strafse ist ein Arm des alten Weges, den wir früher, als wir von Jerusalem kamen, gesehn hatten; der andere Arm läuft nach Askalon den Wady el-Musürr

---

1) Siehe Bd. I. S. 360. Anm. 2. Vgl. Joseph. Ant. XII, 9, 4.
Reland Palaest. p. 658. — Das Bethzur der Kreuzfahrer und der folgenden Jahrhunderte lag an der Quelle St. Philipp im Wady el-Werd;
siehe oben, Bd. II. S. 689.

hinab. [1]) In einiger Entfernung rechter Hand war eine Ruine auf einem Hügel zu sehen, in deren Nähe, wie wir hörten, dieser Weg hinführte.

Hier in dem breiten Thal an dem Durchschnittspunkt der Wege steht ein ungeheurer Butm - Baum (Pistacia Terebinthus), der gröfste uns irgendwo in Palästina zu Gesicht gekommene, welcher seine Zweige weit und breit wie eine stattliche Eiche entfaltet. Der Butm ist ohne Zweifel die Terebinthe des alten Testaments, und unter dem Schatten eines solchen Baumes mochte wohl Abraham sein Zelt zu Mamre aufgeschlagen haben. [2]) Der Butm ist kein immergrüner Baum, wie er oft dargestellt wird, sondern seine kleinen, federigen, lanzettförmigen Blätter fallen im Herbste ab und erneuern sich im Frühling wieder. Die Blüthen sind klein, und auf sie folgen kleine ovale Beeren, in Büscheln von zwei bis fünf Zoll Länge herabhängend, sehr ähnlich den Weintrauben, wenn sich die Beeren eben angesetzt haben. Aus Einschnitten, die man in den Stamm macht, soll eine Art von durchsichtigem Balsam fliefsen, woraus man eine sehr feine Sorte Terpentin von angenehmem Geruch wie Citronen oder Jasmin und mildem Geschmack erhält, welches sich allmählig zu

---

1) Siehe oben, Bd. II. S. 596, 606.

2) Hebr. אֵלָה Terebinthe, unterschieden von אַלּוֹן Eiche, Jes. 6, 13. Hos. 4, 13. An der ersten Stelle hat Luther Linde, an der zweiten Buche; sonst gewöhnlich Eiche, 1 Mos. 35, 4. Richt. 6, 11. 19. 2 Sam. 18, 9. 14. — Ueber die Identität des Butm der Araber mit der Pistacia Terebinthus der Botaniker siehe Celsii Hierobot. I. p. 36, 37. Dies ist mir durch den ausgezeichneten Naturforscher Prof. Ehrenberg in Berlin bestätigt worden. Siehe überhaupt Linn. Syst. Nat. Edit. 10. Tom. II, p. 1290. Willd. Spec. Plant. T. IV, 2. p. 752. Eine Beschreibung und Zeichnung in Hayne's Beschreibung der Arznei-Gewächse. Bd. XIII, 19.

durchsichtigem Gummi verhärtet. [1]) In Palästina scheint man von diesem Produkt des Butm nichts zu wissen. Der Baum soll auch in Kleinasien, Griechenland, Italien, Süd-Frankreich, Spanien und in Nord-Afrika gefunden werden. Man behauptet, dafs er gewöhnlich nicht höher als zwanzig Fufs werde; [2]) aber selbst in den Bergen, wo wir ihn sahen, überstieg er oft diese Höhe, und hier in den Ebnen war er noch bedeutend gröfser.

Wir zogen den Wady es-Sûr hinunter, und erreichten um 5½ U. den Punkt, wo er sich mehr N. W. hinbiegt. Wir kamen jetzt schräg über die niedrige Hügelspitze, die hier zwischen diesem Wady und dem Musürr hinabläuft; passirten (um 5 U. 45 Min.) den letztern Wady, der mit dem andern Arme des alten Weges von Osten her hereintritt; und weiterhin einen andern kleineren, welcher von N. O. längs dem Fufse des Berges von Beit Nettif herkommt. Diese drei laufen zusammen und bilden Wady es-Sümt, eine schon beschriebene fruchtbare und schöne Ebne. [3]) Wir erstiegen jetzt den steilen Berg, worauf Beit Nettif liegt, und lagerten um 6 U. 25 Min. wieder auf unserer alten Stelle, jetzt von Dreschtennen voller Weizengarben umgeben. Unsere früheren Bekannten empfingen uns mit einem Willkommen. Wir fanden die Lage des Ortes höher als wir bei unsrem ersten Aufenthalt vorausgesetzt hatten, da das Wetter damals dunstig und nebelig gewesen war. Die Atmosphäre war jetzt klar, und wir genossen einen prachtvollen Sonnenuntergang; während die grofse westliche Ebne von den sanften Strahlen er-

---

1) Terebinthia Cypria, seu Pistacia, seu de Chio. — Dies ist gewöhnlich verfälscht, und wird jetzt selten in den Läden gefunden.

2) Hayne a. a. O. Ehrenberg fand den Butm an der Nordküste von Afrika und um das Libanon-Gebirge.

3) Siehe oben, Bd. II. S. 605 f.

hellt war, und die Sonne selbst in den glänzenden Wogen des
mittelländischen Meers zögernd Abschied nahm. [1]

Freitag, den 8. Juni. Für unsere heutige Reise hatten
wir uns zum Ziele gesetzt, die Ruinen von 'Ain Shems zu besuchen, uns nach dem lange verlornen Ekron umzusehen und dann
Ramleh zu erreichen. Wir standen früh auf, und fühlten uns
nicht behaglich bei der Aussicht eines sehr warmen und drücken-
den Tages. Das Thermometer stand in unserm Zelt auf $19\frac{1}{2}^0$
R., stieg aber in der freien Luft vor Sonnenaufgang auf $22\frac{2}{3}^0$.
Wir hatten über Nacht Jemand gefunden, der uns nach 'Ain
Shems und 'Âkir führen wollte; aber obgleich wir um $4\frac{1}{2}$ U.
fertig waren, so kam doch der Führer nicht zum Vorschein, und
es wurde daher 5 U. 5 Min. als wir endlich aufbrachen. Die
Sonne ging prachtvoll auf; und die zahlreichen Heerden des Dorfes, auf dem Wege nach der Weide in den Bergen begriffen, boten einen belebenden und reizenden Anblick dar.

Von Beit Nettif hat man 'Ain Shems N. 12^0 W.; unser Weg
ging in derselben Richtung bergab und schlängelte sich dann
längs und über mehrere kleine, alle linkshin laufende Wady's
und über die niedrigen dazwischenliegenden Rücken. Yarmûk,
Neby Bûlus und Beit el-Jemâl, lauter Ruinen, lagen zu unsrer
Linken auf den Hügeln oder dazwischen. Endlich kamen wir in
einen breiteren von links her kommenden und nördlich laufenden
Wady, welcher, wie es scheint, weiter oben die kleineren, von
uns passirten aufnimmt. In diesem Thal war ein halb stillste-
hender, schlammiger Bach und ein Brunnen, Namens Bir en-
Nahl, in welchem das trübe Wasser mit der Oberfläche des Bodens gleich stand. Hier hielten wir um 6 U. 10 Min. eine halbe

---

1) Ueber unsern vorigen Besuch zu Beit Nettif siehe oben, Bd. II.
S. 696 f.

Stunde zum Frühstücken an, wo uns die Trümmer von 'Ain Shems nur 15 Min. entfernt im Gesicht lagen, in der Richtung N. 30° O. Wir erreichten sie endlich um 6 U. 55 Min. in anderthalb Stunden von Beit Nettif.

Der Name 'Ain Shems deutet auf eine Quelle; aber es findet sich jetzt hier kein also genanntes Wasser irgend einer Art. Der Ort, welchem die Araber diesen Namen geben, besteht aus den Ruinen eines modernen arabischen Dorfes von mäfsiger Gröfse, mit einem Wely, alles offenbar mit alten Materialien aufgebaut. Aber grade im Westen dieses Dorfes zeigen sich, auf dem Plateau eines niedrigen Hügels, zwischen dem Sürâr im Norden und einem kleinen Wady im Süden, die deutlichen Spuren einer alten Ortslage, die Anzeichen einer frühern ausgedehnten Stadt, aus vielen Grundmauern und den Ueberresten alter Mauern von gehauenen Steinen bestehend. Die Materialien sind zwar hauptsächlich bei den wahrscheinlich wiederholten Bauten des neueren Dorfes fortgenommen worden; aber es bleibt doch noch genug übrig, um hier eine der gröfsten und deutlichsten Ortslagen zu finden, wie wir sie noch irgendwo gesehen hatten. Im Norden läuft der grofse Wady es - Sürâr, selbst eine Ebne, erst westlich und dann N. W. nach der grofsen Ebne hin; im Süden kommt der kleinere Wady von S. O. herab, und nach der Vereinigung mit dem von uns abwärts durchzogenen, laufen beide in den Sürâr unterhalb der Ruinen. Jenseits des grofsen Thals sieht man auf dem hohen nördlichen Rücken einen Wely in der Richtung N. 20° O., die Lage von Sürâh bezeichnend, wovon die Ruinen grade an der andern Seite des Berges, etwas unterhalb des Wely liegen. — Andere Winkelmessungen waren: Bütâsheh N. 45° W., Um Jina S. 82° W., Kheishûm S. 50° W., Beit el-Jimâl S. 8° W.

Sowohl der Name als auch die Lage dieses Ortes scheint

darauf hinzudeuten, dafs hier das alttestamentliche Beth-Semes
gelegen hat. Diese Stadt wurde, nach der Beschreibung des Ensebius und Hieronymus, auf dem von Eleutheropolis nach Nicopolis ('Amwâs) führenden Wege 10 röm. Meilen weit von der erstern Stadt gesehen; und da sie beinahe dieselben Entfernungen
von Eleutheropolis nach Zarea, Sanoah und Jarmuth annehmen,
so ist es augenscheinlich, dafs Beth-Semes in der Nähe dieser
Orte lag. Und so hatten wir es schon von Zânû'a im Osten, Sür-
'ah im N. N. O. und Yarmûk in S. W. umgeben gefunden. Ja
aus der Existenz dieser Namen und ihrer Uebereinstimmung mit
den Berichten des Eusebius und Hieronymus waren wir hauptsächlich im Stande gewesen, die Lage von Eleutheropolis in Beit
Jibrîn aufzusuchen und zu bestimmen. [1]) — Die Worte Beit (Beth)
und 'Ain sind so-sehr gewöhnlich in den arabischen Namen von
Palästina, dafs es nicht zu verwundern wäre, wenn hier eine Vertauschung stattfinden sollte, selbst ohne irgend einen augenscheinli-
chen Grund. Auf dieselbe Weise ist das alte Beth-Semes (He-
liopolis) in Aegypten bei arabischen Schriftstellern als 'Ain Shems
bekannt; obgleich heut zu Tage der Name ganz speciell nur von
einem Brunnen in einiger Entfernung gebraucht wird. [2])

Beth-Semes lag an der Grenze von Juda und gehörte zu
diesem Stamme; obgleich es in dem Verzeichnisse seiner Städte
nicht aufgeführt wird, aufser als eine von ihm den Priestern über-
wiesene Stadt. [3]) In den Tagen Samuel's wurde es berühmt durch
die Rückkehr der Bundeslade von den Philistern und durch das
Vergehen der Einwohner gegen dieselbe, wofür sie vom Herrn

---

1) Siehe oben, Bd. II. S. 599 ff.

2) Jer. 43, 13. Siehe oben, Bd. I. S. 41.

3) Jos. 15, 10; 21, 16. 1 Chron. 6, 59. Nicht erwähnt wird es
in den Gründen neben Esthaol und Zarea und andern ringsum liegenden
Städten, Jos. 15, 33 — 35.

III.   15

geschlagen wurden. [1])   In späteren Zeiten war es die Residenz
eines der zwölf Amtleute Salomo's, und wurde der Schauplatz
der Besiegung des Amazia, des Königs von Juda, durch Joas,
König in Israel; die Philister eroberten es auch vom König Ahas
mit andern Städten der Ebne. [2])   Wir hören nichts weiter von
Beth-Semes bis auf die Zeit des Eusebius und Hieronymus, welche es unrichtig zum Stamme Benjamin rechnen; [3]) und von ihren Tagen an bis zu den unsrigen hin scheint es ganz unbekannt
geblieben oder vergessen worden zu sein. [4])   — Das an der
Grenze von Dan und Juda einmal erwähnte Irsames scheint ohne
grofse Frage mit Beth-Semes identisch gewesen zu sein. [5])   Von

---

1) 1 Sam. 6, 9—20. Joseph. Ant. VI, 1, 3. Josephus erwähnt
sonst Beth-Semes nirgends weiter.

2) 1 Kön. 4, 9. 2 Kön. 14, 11. 12. 2 Chron. 25, 21. 28, 18.

3) Onomast. Art. Bethsamis.

4) Brocardus erwähnt es zwar, aber in einer so verworrenen Weise,
dafs man sieht, er hat keine persönliche Kenntnifs davon; c. X. p. 186.
Er versetzt Gath vier Lieues S. von Joppe (nahe bei Jabneh), und Beth-
Semes zwei Lieues südlich von Gath, wodurch es natürlich nahe ans
Meer hin zu liegen käme. Dann läfst er Accaron (Ekron) vier Lieues
westlich von Beth-Semes liegen. Die Absurdität ist so handgreiflich,
dafs man eine Textesverfälschung argwöhnen sollte.

5) Jos. 19, 41. — Aus Jos. 15, 10. sehen wir, dafs die Nord-
grenze Juda's über Beth-Semes, Thimna, Ekron und Baala nach dem
Meere hinablief; und von diesen Orten werden Beth-Semes und Ekron
ausdrücklich Juda zugeschrieben; Vs. 45. 46; 21, 16. In der Stelle Jos.
19, 41 — 44 haben wir dieselben Orte längs „der Grenze" von Dan:
Irsames, Thimnatha, Ekron, Baalath. Natürlich können hier Irsames
(Beth-Semes) und Ekron nur als Bezeichnung der Grenze erwähnt werden, und nicht als ursprüngliche Städte von Dan, obgleich sie späterhin
diesem Stamme zufielen. Ferner finden wir an derselben Stelle Irsames,
Saelabin und Ajalon (אַיָּלוֹן) zusammengestellt, und 1 Kön. 4, 9. haben
wir auch Saalbim, Beth-Semes und Elon (אֵילוֹן). Dieses Zusammen-

Esthaol, welches auch in der Nähe lag, konnten wir keine Spur finden. [1]

Wir verliefsen die Trümmer von 'Ain Shems um 7 U. 10 Min., und erreichten, schräg über die Ebne des Sürâr N. N. W. ziehend, in 10 Minuten sein Wasserbett nahe bei den nördlichen Bergen. Hier liegt ein bis zur Wasserfläche etwa 15 Fufs tiefer Brunnen, nicht, wie man erwarten sollte, Bir Shems oder 'Ain Shems, sondern Bir eth-Themed genannt. Der Pfad läuft jetzt allmählig und schräg den Berg von Sür'ah in derselben Richtung hinau, der sich hier leise nach Westen absenkt; es ist derselbe Vorsprung des Gebirgs, welcher, wie früher beschrieben, längs dem Sürâr nach der Ebne ausläuft. [2] Als wir beinahe oben waren, hatten wir um 7 U. 45 Min. die weit ausgebreiteten Ruinen von Râfât zu unserer Rechten. Hier konnten wir den Sürâr N. W. und dann N. N. W. durch die Ebne fortlaufen sehen, ein breiter niedriger Strich Landes von äufserst fruchtbarem Boden, umgeben von niedrigen Hügeln und sanften Bodenschwellungen. Aber ich erinnere mich nicht, dafs wir irgend ein Anzeichen von

---

treffen scheint höchst entschieden Irsames und Beth-Semes zu identificiren. — Zwar verwirft Reland diese Identität auf Grund einer Bemerkung des Hieronymus, Comm. in Ezek. XLVIII, 21. 22; wo er, über das Gebiet von Dan sprechend, aufzählt „Ailon et Selebi et Emmaus, quae nunc appellatur Nicopolis", als wenn diese wie oben statt Elon, Saalbim und Beth-Semes ständen. Aber man hat hier keinen Beweis, dafs Hieronymus überhaupt auch nur einmal an Beth-Semes dächte, und wenn er es so wirklich mit Emmaus verwechselte, so rührte dies wahrscheinlich von der in der Septuaginta vorkommenden Form πόλις Σαμμαύς (Σαμές) Jos. 19, 41 her, welche er für Ἡμμαούς oder Ἐμμαούς nahm. Siehe Reland Palaest. p. 168, 656. Münchner Gel. Anzeigen 1836. No. 245. p. 926, 927.

1) Jos. 15, 23; 19, 41. Richt. 14, 31. Onomast Art. Esthaul.
2) Siehe oben, Bd. II. S. 579.

15*

einem andern ähnlichen aus dem Süden hineinlaufenden Thal sahen, wie es sehr wahrscheinlich der Fall gewesen wäre, wenn
Wady es - Sümt sich wirklich mit demselben vereinigte. [1]) Wir
stiegen jetzt in ein Thal zwischen Hügeln hinab, wo wir um
8 U. an einer kleinen Quelle fliefsenden Wassers einen Augenblick anhielten.

Wir kamen sehr bald nach der eigentlich so genannten
grofsen Ebne hin, obgleich sie hier wellenförmiger und sogar
hüglicher ist, als wir sie weiter südlich nach Gaza hin gesehen
hatten. Wir zogen noch immer N. N. W. weiter. In einiger Entfernung zu unsrer Rechten erstreckte sich eine lange, felsige Hügelreihe, ein Auslaufer von dem Berge westwärts nach der Ebne
hin. Die Gegend war meistens beackert, obgleich nicht völlig.
Um 8 U. 30 Min. passirten wir die Ruinen eines Dorfes, Namens Beit Fär; und hatten um 9 U. zu unserer Rechten das
grofse Dorf Khulda auf einem Hügel, der 10 Minuten von uns
lag und der, wie es scheint, mit dem eben beschriebenen Auslaufer
zusammenhängt. Fünfzehn Minuten später kamen wir nach einem grofsen Brunnen in einem Thale dieses Wellenlandes, versehen mit Trögen und Wasserbehältern und umgeben von wartenden Heerden. Hier sahen wir auch zwei Männer, welche, wie
früher beschrieben, vermittelst einer grofsen Haspel „mit dem
Fufse" Wasser schöpften, indem sie den obern Theil mit ihren
Händen nach sich hinzogen, und mit ihren Füfsen den unteren
Theil von sich stiefsen. [2]) Wir hielten hier 10 Minuten an, um
unsere Thiere zu tränken. In einer kurzen Entfernung nach
N. O. vielleicht 8 oder 10 Minuten lag das grofse Dorf Saidôn.
Wir zogen um 9 U. 25 Min. wieder weiter, und verliefsen

---

1) Siehe oben, Bd. II. S. 579.

2) Siehe oben, Bd. II. S. 609. u. Anm. II. am Ende des 1. Bd.

bald den in derselben Richtung fortlaufenden Ramleh-Weg, indem wir
uns mehr linker Hand etwa N. W. gen W. nach dem Dorfe 'Ākir
hinwandten. Nach ein paar Minuten hatten wir eine deutliche
Aussicht auf Ramleh. Um 10 U. zeigte sich eine Quelle in einem Thal auf unserm Pfade; und zehn Minuten weiter ein armseliges Dorf linker Hand, Namens el-Mansûrah. Wir zogen
jetzt über einen breiten Strich niedrigen, flachen Landes, das
ebene Bett eines breiten Wady, der von N. O. herkommt und
auf seinem weitern Laufe mit dem Sürâr zusammentrifft, wo letzterer über die Ebne läuft und sich schräg nach dem Meere hinzieht. Vor uns lag in der Entfernung von einer Stunde oder weiter eine kurze beinahe mit der Küste parallel laufende Hügelreihe, welche die Gegend von Yebna unsern Blicken entzog. Der
Sürâr läuft hinter dieser Hügelreihe fort, indem er links von ihr
zuerst den Wady aufnimmt, in dem wir jetzt waren, und dann den
Namen Wady Rûbin erhält. 'Ākir liegt auf der Bodenerhebung
an der nordwestlichen Seite des Wady, welchen wir durchzogen,
und als wir näher kamen, führte der Pfad durch gutbestellte Gä-
ten und Felder von dem gesegnetsten Boden, alle in dieser Niederung, bedeckt mit Gewächsen und Früchten von grofser Mannigfaltigkeit und hoher Vollkommenheit. Wir erreichten 'Ākir
um 11 Uhr.

Hier machten wir eine Mittagspause von mehreren Stunden
unter einigen dem Winde völlig ausgesetzten Bäumen im Norden
des Dorfes. Unsere Befürchtungen eines Tages von drückender
Hitze waren nur zu wahr. Ein leichter Nebelschleier lag über
der Sonne, und der Wind blies stark aus N. W. grade von dem
nahen Meer herüber; dennoch schien er mit einer Gluth behaftet
zu sein, als wenn er aus einer versengten Wüste käme. Das
hinter dem Stamm eines Baumes geschützte Thermometer stand
um Mittag auf $32\frac{1}{2}^{0}$ R. und stieg, gegen die Sonne gehalten,

nur auf $33\frac{2}{3}^0$. Der Schatten der umher zerstreuten Olivenbäume
war so klein und schwach, dafs er uns zum Schutze gegen die
Sonnenstrahlen wenig half. — 'Àkir liegt nicht weit von der
oben beschriebenen Hügelreihe, welche hier die Ebne im Westen begrenzt, und hinter welcher der Sürâr schräg nach dem
Meere hinläuft. Es ist von beträchtlicher Gröfse; aber in dem
Dorfe selbst konnten wir nichts bemerken, wodurch es sich von
andern modernen Dörfern der Ebne unterschiede. Wie diese ist
es mit ungebrannten Backsteinen oder Lehm aufgebaut, und bietet den Blicken des Reisenden keine Anzeichen von Alterthum dar.
Wir waren nicht im Stande, die Richtung von Yebna zu bestimmen [1]), und Ramleh wurde uns durch die zwischenliegenden Erhöhungen entzogen. Andere Orte lagen uns in folgenden Richtungen: Sür'ah S. 50^0 O., el-Mansûrah S. 45^0 O., Kheishûm
S. 33^0 O., Tell Zakarîya S. 25^0 O., Tell es-Sâfieh S. 1^0 W.,
Küfrah S. 50^0 W., Mughâr S. 65^0 W.

Man hat wohl keinen Grund zu zweifeln, dafs 'Àkir dem

----

1) Yebna liegt auf einer kleinen Anhöhe an der Westseite des
Wady Rûbîn, eine Stunde oder weiter vom Meere entfernt; Irby und
Mangles p. 182. Corresp. d'Orient, V. p. 373, 374. Nach Scholz finden
sich hier die Ruinen einer früheren Kirche, nachmals eine Moschee;
Reise S. 146. Zwischen diesem Orte und dem Meer liegen die Ruinen
einer römischen Brücke über dem Wasser des Wady Rûbîn, mit hohen
Bogen, aus sehr grofsen Steinen erbaut; Irby und Mangles ebend. Scholz
p. 147. An der östlichen Seite des Wady sieht man auf einer kleinen
Anhöhe das Grab oder den Wely von Rûbîn (Ruben), dem Sohne des
Jacob, von welchem der Wady hier seinen Namen hat; es war, dem
Mejr ed-Dîn (im Jahr 1495) zufolge, früher ein grofser Wallfahrtsort
für die Muhammedaner, und ist es in gewissem Grade noch immer;
Fundgr. des Or. II, S. 138. Irby und Mangles p. 183. — Ueber das
alte Jabneh siehe Reland Pal. p. 822; le Quien Oriens Chr. III. p. 587.
Die Kreuzfahrer errichteten hier die Festung Ibelin; s. Bd. II, S. 691. Anm. 1.

alten **Ekron** entspricht. Die Radicalbuchstaben des arabischen Namens sind dieselben, wie die des hebräischen, und die Lage stimmt mit allem überein, was wir von Ekron wissen. Diese Stadt war die nördlichste von den fünf Städten der Fürsten der Philister; sie lag an der nördlichen Grenze von Juda, während die andern vier innerhalb des Gebietes dieses Stammes gelegen haben [1]. Eusebius und Hieronymus beschreiben es als ein Dorf von Juden zwischen Azotus (Asdod) und Jamnia nach Osten hin, das will sagen im Osten einer graden Linie zwischen diesen Orten; und dies ist die wirkliche Lage von 'Âkir in Beziehung zu Esdûd und Yebna heut zu Tage. [2]

Das alte **Ekron** wurde zuerst Juda zuertheilt, als an seiner Grenze liegend, nachher aber allem Anschein nach Dan übergeben, obgleich von Juda erobert. [3] Später wurde es merkwürdig bei der Eroberung der Bundeslade durch die Philister, welche von Ekron auf einem neuen Wagen, gezogen von zwei säugenden Kühen, zurückgeschickt wurde; und diese letzteren, welche man gehen liefs, wohin sie wollten, gingen „stracks Weges" nach Beth-Semes, dem nächsten Eingangspunkt in das Gebirge Juda. [4] Als wir daher von 'Ain Shems nach 'Âkir zogen, konnte man fast sagen, wir seien dem Geleise des Wagens gefolgt, auf welchem die Bundeslade damals zurückgeschickt wurde. Nach David's Sieg über Goliath in Wady es-Sümt, wurden die Philister bis Ekron verfolgt; und in einer spätern Zeit sprechen die Propheten über diesen Ort nebst den übrigen Städten der Phi-

---

1) Jos. 13, 3; 15, 11. 47.

2) Onomast. Art. Accaron.

3) Jos. 15, 11. 45; 19, 43. Richt. 1, 18. Joseph. Ant. V, 1, 22. 2, 4.

4) 1 Sam. 5, 10; 6, 1—18.

lister Drohungen aus. [1]) Aber von da an bis zu den Kreuzzügen herab findet sich aufser der oben berührten flüchtigen Notiz
des Eusebius und Hieronymus keine weitere Erwähnung von Ekron.
Diese grofse Ebne und die Städte der anliegenden Küste waren
der Schauplatz vieler Thaten der Kämpfer des Kreuzes; und in
den Schriften dieses Zeitalters kommt der Name Accaron (Ekron)
als in der Gegend noch vorhanden vor, wo wir jetzt 'Âkir finden. [2]).

Von der Zeit an bis auf den heutigen Tag ist Ekron wieder von allen Fränkischen Reisenden gänzlich übersehen worden, obgleich mehrere auf ihrem Wege zwischen Esdûd und Ramleh sehr nahe vorbeigekommen sein müssen. [3]) Jedoch haben
die Christen sowohl in Gaza als Ramleh die Ueberlieferung, dafs
'Âkir das alte Ekron sei; und der muslimitische Sheikh des
Dorfes selbst sagte uns von freien Stücken, dafs dieses von den
Bewohnern so geglaubt werde. Der Mangel an allen Ueberresten
des Alterthums mag sich aus dem Umstand erklären lassen, dafs
wahrscheinlich die alte Stadt, wie die heutigen Dörfer der Ebne
und wie das heutige Gaza, nur aus ungebrannten Ziegeln gebaut
war. Esdûd, dessen Identität mit Asdod Niemand bezweifelt, hat
gleichfalls keine Ueberreste von Alterthum; und das alte Gath
ist, so viel wir wissen, von der Oberfläche der Erde ganz ver-

1) 1 Sam. 17, 52. Jer. 25, 20. Am. 1, 8. Zeph. 2, 4. Zach. 9,
5. 7. Vgl. oben, Bd. II. S. 691.

2) König Balduin zog im Jahr 1100 von Jerusalem nach Askalon
durch Azotus (Esdûd), „inter quam et Jamniam, quae super mare sita
est, Accaron dimisimus"; Fulch. Carnot. 23, in den Gest. Dei p. 404.
Brocardus sagt auch, der Name sei noch an einem Orte vier Lieues westlich von Beth-Semes vorhanden gewesen; c. X. p. 186. Marin. Sanut. p. 165.

3) So von Troilo im Jahr 1666. p. 349. Volney Voyage II. p. 310.
Richardson im Jahr 1818, Travels II. p. 207. Irby und Mangles reiseten
in demselben Jahr mehr linkshin über Yebna; Travels p. 182.

schwunden. [1]) Derselbe Sheikh, ein verständiger Mann, sagte uns indefs, dafs man zu 'Akir oft Cisternen, Steine von Hand-mühlen und andere Ueberbleibsel des früheren Ortes entdeckte. [2])

Die grofse Ebne wird in der Gegend, wo wir sie jetzt durchzogen hatten, wie in der Richtung nach Gaza, ganz zum Anbau von Getreide, hauptsächlich von Weizen und Gerste be-nutzt; und die Ernte war sehr gut. Viele Hirsefelder mit ihrem schönen Grün lagen dazwischen zerstrent; und an manchen Stel-len bemerkten wir auch Sesam. Die Landleute waren jetzt mit-ten in der Weizenernte oder vielmehr beinahe damit zu Ende; die Schnitter waren noch beschäftigt in den Feldern, und es folgten ihnen, wie gewöhnlich, fast eben so viele Aehrenleserinnen. Wir sahen auch eine Menge Schnitterinnen. An einigen Stellen liefsen die ärmeren Landleute, aus Mangel an Rindvieh, ihr Getreide durch Esel austreten; und wir sahen oft die Frauen eine aufge-lesene Hand voll Aehren mit einem Stock ausschlagen. [3]) Ein-mal hatten wir ein Beispiel, dafs eine arme Frau die Körner mit einem Stein ausstiefs.

Wir zogen um 2 U. 50 Min. von 'Akir nach Ramleh in einer Richtung etwa N. O. $\frac{1}{2}$ N. Zwischen diesen Orten ist die Ebne nicht so fruchtbar, und verhältnifsmäfsig wenig bebaut. Man nähert sich Ramleh über eine Strecke schweren Sandbodens,

---

1) Siehe oben, Bd. II. S. 629, 691.

2) Richardson's Vermuthung, dafs Ekron vielleicht in einem ver-fallenen Dorfe nahe bei Esdûd, dessen Namen er „Tokrair" schreibt, gelegen haben möge, bedarf der Widerlegung nicht; Travels II. p. 205. Er hätte auch eben so gut aus demselben Dorf Gath oder Eleutheropo-lis oder irgend einen andern alten Ort machen können. Wir fragten oft nach diesem Namen „Tokrair"; aber keiner von den Arabern hatte je etwas dem ähnliches gehört.

3) Siehe oben, Bd. II. S. 650. Ruth 2, 17.

welcher sich sogar zwischen den um die Stadt auf dieser Seite liegenden Olivenhainen und Gärten fortzieht. Wir erreichten Ramleh um 4 U. 40 Min.

Mit einiger Schwierigkeit fanden wir den Weg nach dem
Hause des amerikanischen Consular - Agenten 'Abûd Murkus (Mar-
cus), eines ehrlichen, wohlhabenden Armeniers, dessen Bekannt-
schaft wir schon zu Jerusalem gemacht hatten. Er war mit seinem ältesten Sohne nach Yâfa verreist; aber wir wurden mit grofser Artigkeit von der Familie aufgenommen. Der zweite Sohn,
ein Jüngling von achtzehn oder zwanzig Jahren, machte den Wirth
des Hauses, und führte uns in ein „Oberzimmer," einen grofsen
luftigen Saal, welcher eine Art von drittem Stockwerk auf dem
flachen Dache des Hauses bildete. Als wir hineingingen, kam
die Hausfrau aus ihrem Gemach und bewillkommte uns; aber wir
bekamen sie späterhin nicht mehr zu sehen. In unserm grofsen
Zimmer hatten wir zum ersten Male wieder Gelegenheit, unsre
Toilette ein wenig zu ordnen, nachdem wir drei Wochen unter
einem Zelte zugebracht und meistens Wüsten durchreist hatten. Es
wurde Scherbet gebracht, welches in diesem Fall Limonade war,
und dann Kaffee. Unser jugendlicher Wirth schlug jetzt, im
ächten Stil alter orientalischer Gastfreundschaft, vor, dafs ein
Diener unsere Füfse waschen sollte. Dies überraschte mich; denn
es war mir nicht bekannt, dafs die Sitte noch hier herrschte;
auch ist sie in der That keine allgemeine Regel. Wir nahmen
den Vorschlag gern an, sowohl der Erfrischung wegen, als weil
wir darin eine Erläuterung der Schrift sahen. Eine nubische
Sklavin brachte demgemäfs Wasser, welches sie über einem grofsen, flachen Becken von überzinntem Kupfer auf unsere Füfse
gofs, indem sie vor uns niederkniete, dieselben mit ihren Händen
rieb und mit einer Serviette abtrocknete. Es war eins der über-

raschendsten unter den kleinern Ereignissen auf unserer ganzen Reise. [1])

Während das Mittagsessen zubereitet wurde, hatten wir Zeit, auszugehen und eine Ansicht der Stadt zu gewinnen, sowie auch den weit und breit von Reisenden, die sich Ramleh nahen, gesehenen hohen Thurm zu ersteigen. Unser Wirth begleitete uns, und auch ein jüngerer Bruder, ein Knabe von zwölf oder vierzehn Jahren. Die Stadt liegt auf der östlichen Seite einer breiten niedrigen Erhöhung in der sandigen, aber dabei fruchtbaren Ebne, und die Strafsen haben daher einen sehr geringen Abfall nach Osten. Wie Gaza und Yâfa, wird sie von Olivenhainen und Gärten mit Gewächsen und köstlichen Früchten umgeben, letztere von undurchdringlichen Hecken von Cactus eingeschlossen; hie und da zeigten sich auch Palmbäume, sowie der Kharûb- und Sykomorenbaum. Strafsen hat der Ort wenige; die Häuser sind von Stein, viele darunter grofs und gut gebaut. Es stehen hier mehrere Moscheen, unter denen eine oder etliche einst Kirchen gewesen sein sollen. Auch findet man hier eins der gröfsten lateinischen Klöster in Palästina, welches wir jedoch nicht besuchten. [2]) Die gewölbten Cisternen im Norden der Stadt bekamen

---

1) 1 Mos. 18, 4: „Man soll euch ein wenig Wassers bringen und eure Füfse waschen;" c. 19, 2. Luk. 7, 44. Vergl. 1 Sam. 25, 41. Joh. 13, 5.

2) Die meisten fränkischen Reisenden halten bei diesem Kloster an. Als solches reicht es nicht über das 18. Jahrhundert hinauf. Vor dieser Zeit gab es hier nur einen Khân oder ein Hospitium für Pilger, welches von Philipp dem Guten, Herzog von Burgund, nach dem Jahr 1420 gekauft oder erbaut, und von den Mönchen des lateinischen Klosters in Jerusalem bedient wurde; indefs blieb es oft unbewohnt. So Gumpenberg, Tucher, Breydenbach und Fabri, Reisb. S. 442, 657, 104, 240. Quaresmius II. p. 7, 8. Cotovic. p. 142. B. de Salignac fand es im Jahr 1522 leer, und auch Sandys im J. 1610; de Salignac Tom. VI.

wir auch nicht zu sehen. [1]) Man schätzt die Zahl der Einwohner auf etwa 3000, unter denen beinahe der dritte Theil Christen sind, hauptsächlich von der griechischen Kirche, und ein paar Armenier. Die grofse Karawanenstrafse zwischen Aegypten und Damascus geht durch Ramleh.

Der Hauptgegenstand unsrer Aufmerksamkeit war der oben erwähnte Thurm, welcher etwa 10 Minuten westlich von der Stadt auf der höchsten Stelle der Gegend liegt. Er steht mitten unter den Ruinen einer grofsen viereckigen Ringmauer, welche sehr das Aussehen eines vormaligen prachtvollen Khân hat; auch sind an der südlichen und östlichen Seite die Bogen noch stehen geblieben. Unterhalb der Mitte der Area oder vielleicht näher bei der südlichen Seite liegen ausgedehnte unterirdische Gewölbe, auf Bogen von massivem Mauerwerk ruhend und von oben erhellt. Diese sind von guter Arbeit, und vollkommen trocken und reinlich; sie haben viel Aehnlichkeit mit Vorrathshäusern oder Magazinen zur Aufbewahrung von Waaren, welche einst in dem Khân abgeladen sein mochten. Der Thurm liegt nach dem N. W. Theile der Ringmauer hin, und steht gegenwärtig ganz vereinzelt, wie auch immer der ursprüngliche Bau gewesen sein mag.; Er ist von sarazenischer Architektur, viereckig, und aus wohlbehauenen Steinen erbaut; seine Fenster sind von verschiedenen Formen, aber alle mit zugespitzten Bogen. Die Ecken des Thurmes werden durch hohe, schlanke Strebepfeiler gestützt; während

c. 3. Sandys p. 118. Noch im Jahr 1697 beschreibt es Morison als „un hospice passablement bien bâti et commode;" p. 543. Nach Korte wurde das heutige Gebäude nicht lange vor seiner Zeit, d. h. in der ersten Hälfte des 18. Jahrhunderts errichtet; Reise, S. 47, 48. Vgl. van Egmond und Heyman I. S. 310. — Nach den Mönchen nimmt ihr Kloster die Stelle des Hauses von Nicodemus ein. Quaresmius a. a. O. etc. etc.

1) Pococke II. p. 4. fol. Prokesch S. 38.

die Seiten durch mehrere Stockwerke bis oben hin immer schmäler zulaufen. Das Aeußere erinnerte mich nicht wenig an den alten „rothen Thurm" in Halle; obgleich der in Ramleh schlanker, leichter und auch mehr verziert ist. Er ist aus massivem Mauerwerk erbaut; bis auf eine schmale Treppe, die sich inwendig nach der äußeren Gallerie hinaufwindet. Letztere ist auch von Stein und geht ein paar Fuß unter dem Gipfel, ganz um den Thurm herum. Wir schätzten die Höhe des ganzen Thurms auf etwa hundert und zwanzig Fuß. [1]

Oben von diesem Thurme herab genießt man eine weite Aussicht nach jeder Seite, wie sie an Reichthum und Schönheit selten übertroffen wird. Ich konnte sie nur mit der großen Rheinebne bei Heidelberg vergleichen, oder besser noch mit den großen Ebnen der Lombardei, wenn man sie von der Kathedrale zu Mailand oder sonstwo erblickt. Im Osten erhob sich drohend das steile Gebirge Juda, die Hügellandschaft zu seinen Füßen; während im Westen, in schönem Contrast, die glänzenden Wogen des mittelländischen Meers unsere Gedanken nach Europa und entfernten Freunden hinüberschweifen ließen. Nach Norden und Süden lag die schöne Ebne, so weit das Auge reichen konnte, wie ein Teppich zu unsern Füßen ausgebreitet, bunt von braunen Streifen, von welchen die Aehren eben abgeerntet waren, und mit Feldern, welche noch das Gelb des reifen Korns, oder das Grün der hervorsprießenden Hirse schmückte. Unmittelbar unter

---

1) Prokesch sagt, es seien hier 128 Stufen, jede von 9 Zoll, welches zusammen mit dem Fundament und dem Theil oberhalb der Gallerie von unsrer Schätzung nicht wesentlich abweichen würde. Aber auf die Genauigkeit der Angabe von 9 Zoll für jede Stufe ist kein Verlaß. S. Prokesch Reise u. s. w. S. 39. Scholz giebt die Zahl der Stufen zu 125 an, Reise S. 148; van Egmond und Heyman zu 122, Reisen I. S. 312.

uns ruhte das Auge auf den ausgedehnten Olivenhainen von Ramleh und Lydda, und den malerischen Thürmen, Minaretten und
Kuppeln dieser grofsen Dörfer. In der Ebne selbst waren nicht
viele Dörfer; aber die Hügellandschaft und die Bergseite jenseits,
namentlich in N. O., waren völlig damit besäet; und jetzt, in
den reflektirten Strahlen der untergehenden Sonne, sahen sie wie
weifse Villa's und Weiler aus den dunkeln Hügeln heraus, einen
Anblick von Betriebsamkeit und Schönheit darbietend, welcher bei
einer genaueren Untersuchung gewifs nicht Stich halten würde.

Wir erhielten hier eine grofse Zahl von Ortsbestimmungen,
und hätten noch weit mehr aufnehmen können. Unser junger
Wirth war mit der Umgegend gut bekannt; aber er war jetzt so
beschäftigt mit der Besichtigung entfernter Gegenstände durch
unsere Teleskope, dafs er sich nicht immer so viel Zeit nahm,
nach einem Orte hinzusehen, wenn er seinen Namen nannte. Aus
diesem Grunde kann man wohl an der Genauigkeit einiger von
den folgenden Ortsnamen, zumal der kleineren und entfernteren
zweifeln; obgleich sie im Allgemeinen richtig sind. Wir wünschten sehr die Richtung von Yâfa zu erhalten, welches ungefähr
nach N. N. W. drei Stunden entfernt liegt, waren aber nicht im
Stande, zu einiger Gewifsheit darüber zu kommen, da nichts zur
Bezeichnung seiner Lage zu sehen war. Durch eine der Oeffnun-
gen zwischen den Gipfeln der östlichen Berge hindurch konnten
wir nach unserm Dafürhalten die hohe Spitze und Moschee zu
Neby Samwil unterscheiden, mit welcher wir schon bekannt waren; und im Süden waren mehrere bekannte Orte sichtbar, welche zur Verbindung unserer früheren Routen mit Ramleh dienten.
— Die folgenden Ortsbestimmungen fangen in N. W. an und
gehen dann rechter Hand weiter: Beit Dejan [1] $1\frac{1}{2}$ Stunden

---

1) Die Form Beit Dejan ist augenscheinlich das hebräische Beth
Dagon; aber kein Ort dieses Namens kommt in der Schrift in dieser

entfernt N. 5⁰ W., Safirîyeh N. 11⁰ O., el-Mejdel [1]) N. 35⁰
O., el-Muzeiri'ah N. 40⁰ O., Kûleh N. 46⁰ O., Deir Tureif
N. 53⁰ O., Ludd N. 57⁰ O., Beit Nebâla [2]) N. 64⁰ O., Deir
Abu Mesh'al N. 68⁰ O., Na'lîn N. 76⁰ O., Budrus N. 80⁰ O.,
Dâniyâl O., Râs Kerker S. 86⁰ O., Jimzu S. 82⁰ O., Neby
Samwil S. 66⁰ O., 'Anâbeh S. 65⁰ O., Yâlo S. 55⁰ O., el-
Kubâb S. 54⁰ O., Lâtrôn S. 46⁰ O., Kheishûm S. 15⁰ O., Tell
Zakariya S. 9⁰ O.

Von diesen Orten sind, aufser den in den Anmerkungen berührten, Jimzu und Yâlo alt; und wir sahen sie vollständiger auf
unserm Wege nach Jerusalem. Kubâb, oder wie es gleichfalls
genannt wird, Beit Kubâb, und auch Lâtrôn [3]) liegen auf dem

Gegend vor. Es gab ein Beth-Dagon in der Ebne Juda weiter südlich,
Jos. 15, 41; und ein anderes in dem Stamme Asser, Jos. 19, 27. Eu-
sebius und Hieronymus setzen indefs ein grofses Dorf Namens Caphar
Dagon (arabisch: Kefr Dejan) in die Gegend zwischen Diospolis und
Jamnia, wovon wahrscheinlich dieser Name und Ort die Ueberreste ent-
halten. Onomast. Art. Beth Dagon.

1) Dies ist das hebräische Migdal, griechisch Magdala; aber die
Schrift erwähnt keinen Ort dieses Namens in diesen Landestheilen.

2) Ist dies vielleicht das Neballat, welches Neh. 11, 34. 35. zugleich mit Lod oder Lydda erwähnt wird?

3) Diese arabische Form scheint von dem Namen „Castellum s.
Domus boni Latronis," welchen die Mönche dem Orte gegeben haben,
herzukommen; aber ich bin nicht im Stande gewesen, diesen Namen vor
der letzten Hälfte des 16. Jahrhunderts aufzufinden; so z. B. bei Cotovic.
p 143. Siehe mehr unter Beit 'Ûr, den 9. Juni. Die früheren Pilger
sprechen von dem Orte als dem „Castellum Emmaus," oder der Kirche
oder Stadt der Makkabäer; Tucher im Reifsb. S. 658. Breydenbach
ebend. S. 105. Breydenbach erwähnt das letztere als Modin; und es ist
nicht unmöglich, dafs diese Ueberlieferung von den Makkabäern einigen
Grund haben mag. So auch allem Anschein nach Jacob de Vitry c. 63.
p. 1081. Siehe oben, Bd. II. S. 582.

graden Wege nach der letzteren Stadt; jenes auf einer der ersten Anhöhen 2 Stunden von Ramleh, und dieses 1 Stunde weiter am Anfang des Wady 'Aly, durch welchen der Weg in die Höhe geht, obgleich noch eine Stunde vom „Thore des Thales," wie es genannt wird. 'Amwâs, das alte Emmaus oder Nicopolis, welches wir von Tell es-Sâfieh gesehen hatten, ermittelten wir hier nicht; es liegt etwa eine Stunde von Lâtrôn nach Süden hin. [1])

Wir verweilten auf dem Thurme bis nahe gegen Sonnenuntergang, indem wir uns an der ausnehmenden Schönheit erfreuten, worin das Gebirge Juda und die Ebne Saron sich vor uns enthüllten. Wir kehrten jetzt nach dem Hause unserer Freunde zurück und fanden hier, dafs ihre Gastfreundschaft mittlerweile nicht unthätig gewesen war; ein Mahl von vielen Gerichten erwartete uns, in der That das reichlichste, welches uns je in Palästina geboten ward. 'Abûd Murkus selbst kehrte gegen 9 U. zurück, mit der Nachricht, dafs die Pest jetzt in Yâfa aufgehört habe, und dafs die Stadt (welche, wie Jerusalem, lange abgesperrt gewesen war) am Sonntag wieder geöffnet werden würde. [2])

1) Siehe oben, Bd. II. S. 623. Prokesch S. 40. Ueber diese Stadt Emmaus oder Nicopolis (nicht der Flecken Emmaus bei Lucas) siehe Reland Palaest. p. 427 sq. 758. Münzen von dieser Stadt sind noch vorhanden; siehe Mionnet Médailles Antiq. V. p. 550. Die Kreuzfahrer und späteren Pilger scheinen es zu Lâtrôn nahe bei der Kirche der Makkabäer gefunden zu haben; Jac. de Vitr. 63. p. 1081. Siehe die vorhergehende Anmerkung. So auch noch Michaud und Poujoulat, welche die Lage von 'Amwâs und Lâtrôn gerade umkehren; Corresp. d'Orient. IV. p. 179, 180.

2) Wir erfuhren nichts weiter von Yâfa, als was oft erzählt worden ist. Die Bevölkerung wird, wie wir von verschiedenen Seiten hörten, auf etwa 7000 Seelen geschätzt; wovon die Hälfte Christen sind, Griechen, Griechisch-Katholische, Armenier und ein paar Lateiner. — Die geographische Lage von Yâfa ist 32° 03' 06" N. B. und 32° 24' O. L. von Paris. S. Berghaus Memoir S. 26.

Mehrere Nachbarn fanden sich ein, um die Neuigkeit zu erfahren; und Teppiche und Matten wurden für die Gesellschaft auf dem flachen Dache neben dem Zimmer, welches wir inne hatten, ausgebreitet. Hier schwelgten wir in der angenehmen Kühle des Abends nach der schwülen Hitze des Tages.

Die häusliche Einrichtung unseres Wirths war grofs und in ihren Anordnungen sehr anständig. Von den vielen Frauenzimmern der Familie sahen wir nur die Hausfrau, welche uns beim Eintritt bewillkommte, und die nubische Sklavin, welche uns die Füfse wusch. Obgleich die Leute Christen sind, so schienen hier doch die Sitten einer orientalischen Lebensweise vorherrschend zu sein, und das weibliche Personal wurde mit einiger Sorgfalt den Blicken der Fremden entzogen. So oft wir von unserm oberen Zimmer die Treppen hinabstiegen, ward es unten gemeldet, dafs sie aus dem Wege gehen konnten. Der älteste Sohn war verheirathet, und seine Frau lebte wie eine Tochter in der Familie. Dies ist in der That die gewöhnliche Sitte, — die Ueberbleibsel des alten Patriarchenlebens; und es ist nicht selten, dafs Aeltern so mehrere Kinder und viele Enkel um sich heranwachsen und ihr Haus sich mehren sehen, so dafs hier eine Familie bildet, was unter andern Umständen aus sechs oder acht bestehen würde. Aus diesem Grunde mufs jede Volksschätzung eines Ortes in Palästina nach der Zahl der Haushaltungen als auf keinem festen Grunde beruhend angesehen werden.

Es war beinahe 11 U., bevor die Gesellschaft sich trennte, so dafs wir uns zur Ruhe niederlegen konnten, obgleich wir von der Hitze und Last des Tages äufserst ermattet waren. Während des Abends schickten wir Komeh und einen Mukäry mit dem Zelt und Gepäck auf dem direkten Wege über Kuryet el-'Enab nach Jerusalem ab, damit das Zelt in Bereitschaft sein möchte, Hrn. Lanneau und unsern Reisegefährten aufzunehmen, deren

III.   16

Quarantäne morgen früh abgelaufen war. Wir beschlossen unsrerseits den grofsen alten Weg über Lydda und Bethhoron einzuschlagen, und nahmen uns vor, recht früh aufzubrechen, da wir wieder einen schwülen Tag zu erwarten hatten. Unsere Diener durften, als Muhammedaner, nicht in das Haus kommen, aufser auf unser ausdrückliches Geheifs; und nur mit einiger Schwierigkeit erhielten wir für Ibrahim die Erlaubnifs, vor unserer Thür zu schlafen, damit er am Morgen zur Hand sein möchte. Wir würden gern selbst auf dem Dache unter freiem Himmel geschlafen haben, lieber als in der verschlossenen Luft eines Zimmers; aber diese bevorzugte Stelle war schon von Anderen in Beschlag genommen. Für uns waren Betten in dem obern Zimmer ausgebreitet, bestehend aus dicken untergelegten baumwollnen Decken und einer andern von Seide zum Zudecken. Aber die Nacht unter einem Dache war heifs, und das Haus, wie alle andere in Palästina, nicht frei von Flöhen, so dafs ich mich die ganze Nacht nur in einem fiebrischen Halbschlummer herumwarf. Hier war mein Reisegefährte bei seiner langen Erfahrung unter ähnlichen orientalischen Beschwerden besser daran, und er schlief viel ruhiger als ich. Ich stand mehrere Male auf und sah durch die Gitter, wie das helle Mondlicht auf die schlafende Gruppe des Daches fiel, und beneidete ihr Loos.

Wir wollen jetzt einen Augenblick bei den mit er - Ramleh zusammenhängenden historischen Fragen verweilen.

Der Name er - Ramleh bezeichnet „das sandige." [1]   Der

---

[1] Wir behalten die gewöhnliche Schreibung des Namens er - Ramleh bei; nur mufs das a beinahe wie in dem englischen „Water," oder wie in einigen Dialekten des Plattdeutschen, z. B. im Braunschweigischen ausgesprochen werden. Streng genommen würde es nach unserm orthographischen System er - Rămleh sein.

Ort wird zuerst unter diesem Namen von dem Mönch Bernard um das Jahr 870 erwähnt; [1]) Adamnanus um das Jahr 697 hat nichts davon, obgleich er von den Denkmälern des heil. Georg in Lydda spricht. [2]) Alles dieses pafst gut zu dem aus früheren arabischen Schriftstellern entlehnten Bericht des Abulfeda, dafs Ramleh keine alte Stadt ist, sondern von Suleimân, dem Sohne des Khalifen 'Abd el-Melek, in der ersten Hälfte des 8. Jahrhunderts, nachdem er Ludd zerstört, gegründet wurde. Ein Palast des 'Abd el-Melek hatte schon die Stelle eingenommen. [3]) Wilhelm von Tyrus und Marinus Sanutus bezeugen dasselbe. [4]) Der Ort wurde bald blühend und wird von arabischen Schriftstellern gerühmt. [5]) Edrisi nennt um das Jahr 1150 Ramleh und Jerusalem die beiden bedeutendsten Städte in Palästina, und beschreibt die erstere als gut bevölkert, mit Märkten, Handel und Einkünften. [6]) Vor der Zeit der Kreuzzüge war sie von einer Mauer umgeben mit einem Kastell und zwölf Thoren, und an je-

---

1) Bernardus de Loc. Sanct. 10: „Deinde venerant Alarixa (el-'Arîsh); de Alarixa in Ramula, juxta quam est Monasterium beati Georgii Martyris."

2) Adamnanus III, 4. p. 521. ed. Mabillon.

3) Abulfedae Tab. Syr. ed. Köhler p. 79. 'Abd el-Melek und seine beiden Söhne el-Welid und Suleimân hatten vom Jahr 705—720 den Thron inne.

4) Will. Tyr. X, 17: „Est autem Ramula civitas — quam post tempora seductoris Mahumeth, ejus successores Arabum principes, veteres tradunt historiae, fundasse." Marin. Sanut. p. 152: „Hanc civitatem aedificaverunt Arabes prope Lyddam, quum peregrini primo iverunt ad partes illas post tempora Mahumeti."

5) Einige setzen hierhin das Grab des Weisen Lokman; siehe d'Herbelot Biblioth. Orient. Art. Ramlah.

6) Edrîsi par Jaub. p. 339. Abulfeda a. a. O. Mejr ed-Dîn in den Fundgr. des Orients II. S. 135.

16 *

des der vier Hauptthore, nach Yâfa, Askalon, Jerusalem und Nà-
bulus, schlossen sich Märkte und eine Moschee an. [1]

Nachdem die Kreuzfahrer im Jahr 1099 auf ihrem schnel-
len Marsch von Antiochien nach Jerusalem in Caesarea das Pfingstfest gefeiert hatten, wandten sie ihre Schritte nach Lydda, wo
sie das prachtvolle Grab und die Kirche des heiligen Georg fanden. Graf Robert von Flandern wurde mit 500 Rittern vorausgeschickt, um das benachbarte Ramleh zu recognosciren; er fand
die Thore offen und die Stadt von Einwohnern verlassen. Das
Heer der Kreuzfahrer folgte und schlug drei Tage lang seine
Quartiere in Ramleh auf, indem sie sich mit dem Ueberflufs an
Lebensmitteln versahen, welche die Einwohner auf ihrer Flucht
zurückgelassen hatten. Hier begingen sie ein Fest, dem h. Georg
zu Ehren, der ihnen schon in der Schlacht bei Antiochien beige-
standen hatte, und mit gebührender Feierlichkeit setzten sie ihn
zu ihrem Schutzheiligen ein. Sein Grab zu Lydda wurde zum
Sitz des ersten Lateinischen Bisthums in Palästina erhoben; und
Robert, ein Priester aus Rouen in der Normandie, wurde auf der
Stelle zum Bischof ernannt und erhielt Zehnten von den Pilgern,
welche den neuen Sitz mit den Städten Ramleh und Lydda und
den ihnen gehörenden Ländern beschenkten. Am vierten Tage
brach das Heer nach Jerusalem auf. [2]

---

1) Mejr ed-Dîn a. a. O. S. 136.

2) Siehe in den Gest. Dei: Rob. Monach. p. 73. Babric. p. 130.
Raimund de Ag. p. 173. Fulch. Carn. p. 396. Will. Tyr. VII, 22. Auch
Wilken Gesch. der Kr. I. S. 268. — Die dem h. Georg von den Kreuzfahrern geleistete Huldigung vergröfserte wahrscheinlich seinen Ruf auch
in Europa, wo er zum Schutzheiligen England's und mehrerer anderer
Länder erhoben wurde. In Folge des nahen Zusammenliegens von Ramleh und Lydda sind diese beiden Orte zuweilen verwechselt, und ist die
Kirche und Geschichte des h. Georg nach dem ersteren hinversetzt worden; so Phocas de Loc. Sanct. 29. Anna Comnena in Alexiade lib. XI.

Bei seiner Lage zwischen Jerusalem und der Küste, bildete Ramleh einen bedeutenden Posten für die Kreuzfahrer; und es blieb im Allgemeinen so lange in ihren Händen, als sie die heilige Stadt im Besitz hatten, und noch lange nachher. Um das Jahr 1177 wurde der Ort von dem Renegaten Ivelin in Brand gesteckt. [1]) Im Jahr 1178 wurde Saladin in der Nähe von den Christen unter dem Könige Balduin IV. völlig besiegt; aber im Jahr 1187, nach der entscheidenden Schlacht bei Hattin, fiel die ganze Ebne mit Yâfa, Askalon und auch Jerusalem in seine Hand. [2]) Bei der Annäherung des Richard Löwenherz im Jahr 1191 liefs Saladin die Befestigungswerke von Askalon niederreifsen, und die Festung zu Ramleh und die Kirche in Lydda, wie auch andere Kastelle in der Ebne schleifen. [3]) Bei dem im folgenden Jahr zwischen Richard und Saladin geschlossenen Waffenstillstand wurde festgesetzt, dafs die Ebne und Küste von Tyrus bis Yâfa, mit Einschlufs der Hälfte von Ramleh und Lydda, in den Händen der Christen verbleiben sollte. [4]) Im Jahr 1204 wurde ihnen Ramleh ganz überlassen, und scheint bis zum Jahr 1266 hauptsächlich in ihrem Besitz geblieben zu sein, worauf es ihnen

---

p. 328. Willebr. ab Oldenb. in L. Allat. Symmikta Col. Agr. 1653. p. 145. Acta Sanctor. Apr. Tom. III. p 142. Schweigger im Reyfsb. II. S. 113. Vgl. Reland Palaest. p. 960.

1) Will. Tyr. XXI, 21.

2) Will. Tyr. XXI, 23, 24. Bohaedd. Vit. Salad. p. 46. Abulfed. Annal. A. H. 573. Wilken a. a. O. III, 2, S. 186. — Bohaedd. a. a. O. p. 72. Abulfed. a. a. O. A. H. 583.

3) Bohaedd. p. 202. Abulfed. Annal. A. H. 587. Reinaud Extraits p. 331. Mejr ed-Din in den Fundgr. des Or. II. S. 136. Gaufr. Vinisauf p. 362. Wilken, Gesch. der Kreuzz. IV. S. 426.

4) Bohaedd. p. 258, 259. Reinaud Extraits p. 356. Gaufr. Vinisauf p. 422. Abulfed. Annal. A. H. 588. Wilken IV. S. 569.

endlich durch Sultan Bibars entrissen wurde. [1]) In den nachfolgenden Jahrhunderten wird es oft als Rastort der Pilger und
Reisenden auf ihrem Wege zwischen Yâfa und Jerusalem erwähnt. [2]) Um das Jahr 1547 fand es Belon fast verödet, da
kaum zwölf Häuser bewohnt waren, und die Felder meistens unbebaut lagen. [3])

Mit der Geschichte des muhammedanischen Ramleh steht
der oben beschriebene Thurm im Westen der Stadt in enger Verbindung. Dieses Bauwerk ist für Reisende lange Zeit ein Stein
des Anstofses gewesen; meistens haben sie sich in diesem Fall,
wie in so vielen andern, damit begnügt, einer unbestimmten
klösterlichen Ueberlieferung zu folgen. Bei keinem fränkischen
Schriftsteller bis auf die Mitte des sechszehnten Jahrhunderts herab
finde ich eine Anspielung darauf. In dieser Zeit, um das Jahr
1555, spricht Bonifacius von Ragusa davon als der Ortslage einer frühern, den vierzig Märtyrern von Sebaste in Armenien geweihten christlichen Kirche; dies wird von Zuallardo und Cotovicus wiederholt, von Quaresmius mit Beifall citirt, und die meisten andern Reisenden sind dem gefolgt. [4]) Im Anfang des achtzehnten Jahrhunderts finden wir zuerst die Meinung, dafs dies
eine von den Kirchen der Helena sei. [5]) In dem jetzigen Jahr-

---

1) Abulfed. Ann. A. H. 601. Reinaud Extraits p. 498. Wilken
VII. S. 493.

2) Vgl. oben, S. 235. Anm. 2.

3) Observat. p. 140. Paulus Samml. I, S. 256.

4) Bonifac de perenn. Cultu Terrae Sanct. lib. II. Quaresmius
II. p. 7, 8. Zuallardo p. 112. Cotovicus p. 141. So Monconys I. p. 299.
Doubdan p. 488. Pococke II. p. 4. Chateaubriand I. p. 419. Par. 1837.
etc. etc.

5) Dies ist wahrscheinlich eine blofse Hypothese der Mönche; ich
finde sie zuerst bei Van Egmond und Heyman, I. p. 311 erwähnt; und
dann wieder einzig und allein ganz neuerdings bei Salzbacher im Jahr

hundert ist es Mode geworden, diese Ruinen auf die Zeit der
Kreuzzüge zu beziehen, als seien sie ein von den Tempelrittern
errichtetes und den vierzig Märtyrern geweihtes Kloster mit einer Kirche gewesen. [1]) Der besagte Thurm soll nach der gewöhnlichen Annahme der alten Kirche als Glockenstuhl gehört haben. [2])

Daſs es vor dem Zeitalter der Kreuzzüge in Ramleh christliche Kirchen gab, wissen wir aus dem Zeugniſs des Patriarchen
von Alexandria, Eutychius. Er berichtet, daſs während der Regierung des ägyptischen Khalifen el-Muktüdir im Anfang des
zehnten Jahrhunderts die Muslimiten einen Aufstand erregten,
und die Kirchen des heil. Cosmas und heil. Cyriacus in Ramleh,
und andere in Askalon und Caesarea zerstörten, welche der Khalif, als man sich bei ihm beklagte, wieder aufbauen lieſs. [3])

1838; II. S. 24. Prokesch spricht zwar von einer Kirche der Helena
in Ramleh, scheint aber irgend ein anderes Gebäude zu meinen; S. 39.
Scholz schreibt der Helena nur Cisternen zu; S. 148.

1) Diese allem Anschein nach unter den Mönchen gangbare Nachricht scheint zuerst in Turner's Tour in the Levant, 1815. Tom. II.
p. 282, erwähnt zu sein. Scholz giebt denselben Bericht ganz umständ-
lich S. 148; und ihm folgen Prokesch S. 39; Monro I. p. 94; Salzbacher II. S. 24. Der letztere Reisende hat das Verdienst, beide hypothe-
tische Ueberlieferungen zu verbinden, indem er Helena zuerst die Kirche
erbauen, und von den Templern dieselbe wiederherstellen läſst. — Nach
Michaud finden sich hier die Ueberreste von mehreren Gräbern christli-
cher Ritter; aber ich kann nicht finden, daſs dieser Bericht sich auf
irgend eine bessere Autorität stützt als Surius im Jahr 1645, welcher
dasselbe behauptet. Kein anderer Reisender spricht von irgend solchen
Ueberresten, so wie wir auch von keinen sahen noch hörten. Surius
Pelerin p. 358. Corr. d'Orient IV. p. 176.

2) Monconys I. p. 209. Von Troilo p. 85. Morison p. 544. Cha-
teaubr. I. p. 419.

3) Eutychii Annales II. p. 512, 513. Oxon. 1658.

Dafs während des langen Besitzes der Stadt von den fränkischen Christen andere Kirchen und auch Klöster errichtet wurden, ist sehr wahrscheinlich; obgleich ich nicht im Stande gewesen bin, irgend eine historische Spur davon aufzufinden. Die erste christliche Notiz von dem Thurm und dem umgebenden Viereck stammt, wie wir gesehen haben, aus dem sechszehnten Jahrhundert; und die erste Beziehung desselben auf die Templer kommt im neunzehnten Jahrhundert vor. Jedoch scheint kein Beweis dafür vorhanden zu sein, dafs die Templer sich jemals zu Ramleh festgesetzt hatten. Es findet sich in keinem Verzeichnifs ihrer Besitzungen, obgleich ihre Häuser zu Yâfa, Gaza und anderwärts in der Nachbarschaft angeführt werden; und eine so grofse Niederlassung, wie dies augenscheinlich einst war, hätte nicht gut übergangen werden können, wenn sie zu ihrem Eigenthum gehört hätte. [1]) So findet sich kein historischer Beweis, dafs an der besagten Stelle jemals überhaupt eine christliche Kirche gestanden hat, und auch kein traditioneller Beweis, der über das sechszehnte Jahrhundert zurückreicht.

Auf der andern Seite sind entschieden, sowohl historische, als architektonische Zeugnisse da, von dem muhammedanischen Ursprung des ganzen Bauwerks, wie es heut zu Tage beschaffen ist. Die hinterbliebenen Bogen des Vierecks sind augenscheinlich sarazenisch; und der Thurm selbst verräth nicht minder den Zweck als Minaret errichtet worden zu sein, obgleich Form und Styl eigenthümlich sind. Er ist inwendig massiv, bis auf die Treppe, hat die gewöhnliche äufsere Gallerie oben, und weder Raum für eine Glocke noch irgend sonst etwas mit dem Thurm einer Kirche gemein. Ferner steht über der Thür eine arabische

---

1) Siehe ein Verzeichnifs der Besitzungen der Templer in der Provinz Jerusalem, in Münter's Statutenbuch des Ordens der Tempelherrn, I. S. 418, 419. Berl. 1794.

Inschrift, welche wir lasen, mit dem Datum J. d. H. 710, entsprechend dem J. 1310 n. Chr., was auf die Zeit hinweist, wo der Thurm angefangen wurde. Dies wird ferner bestätigt durch das Zeugnifs des Mejr ed - Dìn, Verfasser einer schätzbaren arabischen Geschichte Jerusalems und mehrerer anderer Städte aus dem Jahre 1495. Er berichtet, dafs der Khalif Nâsir Muhammed Ibn Kalâwûn, (welcher im Jahr 1310 wieder auf den ägyptischen Thron gelangte), hier einen hinsichtlich seiner Höhe und Pracht einzigen Minaret erbaute, welcher im J. d. H. 718 vollendet wurde. Dies ergiebt acht Jahre für die Ausführung des Werkes. [1])

Derselbe Schriftsteller berichtet uns, dafs die alte Moschee, mit welcher dieser Minaret verbunden war, aufserhalb der Stadt lag, umgeben von vielen Gräbern. Zu seiner Zeit war sie als die weifse Moschee bekannt, obgleich wenig mehr von dem alten Bau übrig war. Sie war ursprünglich von Suleimân, dem Sohne des 'Abd el - Melek, des Gründers von Ramleh, bei seiner Gelangung zum Khalifat, im Jahr 717 n. Chr. errichtet worden, und wurde während der Regierung Saladin's durch einen seiner Hofleute 1190 n. Chr., ein Jahr bevor dieser Sultan Ramleh schleifen liefs, wieder erneuert. [2]) Ein anderer arabischer Schriftsteller, el - Khulîl Ibn Shâhin edh - Dhâhery, um das Jahr 1450, spricht von derselben weifsen Moschee zu Ramleh als besonders bewundernswerth, und erwähnt auch ihre unterirdischen Grüfte,

---

1) Mejr ed - Dìn in den Fundgr. des Orients II. S. 136. — Volney erwähnt, die Ueberschrift über der Thür berichte, dafs der Thurm von Seif ed - Dìn erbaut worden; Voyage II. p. 308. Wenn dieser Name wirklich in der Inschrift steht, so geschieht es wahrscheinlich in Verbindung mit der Erwähnung Kalâwûn's, des Vaters von Nâsir, welcher so benannt wurde und im J. d. H. 689 oder 1290 n. Chr. starb.

2) Mejr ed - Dìn a. a. O. S. 136, 137.

worin vierzig Gefährten des Propheten begraben liegen sollen. [1] Es herrscht hier wahrscheinlich einiger Zusammenhang zwischen dieser Legende und der von den vierzig christlichen Märtyrern, welche nach der Meinung der Lateiner hier beerdigt worden sind; aber welche von beiden die ursprüngliche ist, mag schwer zu entscheiden sein.

Ich habe oben bemerkt, dafs die Ueberbleibsel des Vierecks sehr das Aussehen eines grofsen, prachtvollen Khân haben, während die unterirdischen Gewölbe Magazinen ähnlich sind; und ein solcher Khân würde hier auf der grofsen Karawanenstrafse zwischen Aegypten und Damascus ganz an seiner Stelle sein. Jedoch haben wir keinen historischen oder traditionellen Beweis für irgend ein derartiges Faktum. Wenn nun, wie arabische Schriftsteller es darzustellen scheinen, das Ganze einst eine Moschee war, so bildete dieses Viereck wahrscheinlich eine Ring-mauer, ähnlich der bei dem Haram esh-Sherîf zu Jerusalem, um einen Hof, in welchem die Moschee oder Moscheen errichtet wa-ren. Die Kammern längs den Mauern des Vierecks mögen dann für die Aufseher der Moscheen und für Derwische gedient haben, wie es noch in Jerusalem der Fall ist. Die Moscheen selbst sind verschwunden; vielleicht sind ihre Materialien zur Errichtung an-derer Gebäude in der Stadt selbst verwandt worden. Scholz be-richtet, dafs hier Inschriften darauf hindeuten, die Muhammeda-ner hätten nach den Kreuzzügen drei Moscheen innerhalb dieses Vierecks errichtet, eine grofse im Norden und zwei kleinere an der südlichen Seite, mit zwei Heiligenkapellen in der Mitte. Dies würde der heutigen Einrichtung des Haram zu Jerusalem sehr ähnlich sein; aber unsere Aufmerksamkeit war zu der Zeit

---

1) Siehe die Auszüge in Rosenmüller's Analecta Arabica, Pars III. p. 18. Arab. p. 37, 38. Lat.

nicht hierauf gerichtet, und ich bedaure, dafs die Inschriften unsrer Kenntnifs entgingen. [1]) Mejr ed-Din dient auch als Zeuge
für das Bauen von Moscheen in Ramleh zur Zeit des oben erwähnten Khalifen Nâsir Muhammed, die aber in den Tagen des
Schriftstellers, wie der ganze übrige Ort, in Ruinen lagen. [2])

Wir können nun fragen, welcher Beweis dafür vorhanden
ist, das heutige Ramleh mit dem alten Rama, entweder dem Ramathaim Zophim des Samuel, oder dem Arimathia des neuen Testaments in Zusammenhang zu bringen? Seit der Zeit der Kreuzzüge ist ein solcher Zusammenhang im Allgemeinen angenommen worden, hauptsächlich auf Grund einer vermeintlichen Aehnlichkeit der beiden Namen, gestützt durch die alte Erwähnung
eines Rama oder Ramathem in dieser Gegend.

Dafs es einen Ort Namens Ramathem oder Ramatha vor
Alters unweit Lydda gab, läfst sich wenig bezweifeln. In dem
sowohl im ersten Buch der Makkabäer als bei Josephus erhaltenen Schreiben des Demetrius Nicator an Lasthenes ist ausdrücklich die Rede von den drei Distrikten Apherima, Lydda und Ramathem, welche von Samaria zu Judaea geschlagen worden waren. [3]) Ferner erwähnt sowohl Eusebius als Hieronymus ein Armatha Sophim in der tamnitischen Gegend nahe bei Lydda, und
sie betrachten es als die Stadt Samuel's und das Arimathia des

---

1) Scholz Reise u. s. w. S. 148. Es läfst sich vielleicht an der
Erklärung, wo nicht an der Existenz dieser Inschriften einigermafsen
zweifeln.

2) Fundgr. des Or. II. S. 136.

3) Καὶ τοὺς τρεῖς νόμους, Ἀφείρεμα καὶ Λύδδαν καὶ Ῥαμαθέμ,
αἵτινες προσετέθησαν τῇ Ἰουδαίᾳ ἀπὸ τῆς Σαμαρείτιδος, 1 Makk. 11, 34.
Joseph. Ant. XIII, 4, 9. Auf diese drei Distrikte wird anderwärts mehrere Male hingedeutet, ohne sie zu benennen, z. B. 1 Makk. 10, 30. 38.
und Jos. Ant. XIII, 2, 3. 4, 9. Siehe Reland's Anmerkungen, Pal.
p. 178, 179.

neuen Testaments. [1]) Dieses Zeugnifs ist entscheidend für die
Existenz eines Ortes und Distriktes, Namens Ramathem [2]) nicht
weit von Lydda und innerhalb der Gegend oder Toparchie von
Thamna.

Aber dient dieser Beweis dazu, irgend einen Zusamenhang
zwischen diesem Ramathem und dem heutigen Ramleh zu zeigen?
An und für sich gewifs nicht; und nach langer Erwägnng des
Gegenstandes sehe ich mich genöthigt zuzugeben, dafs die über-
wiegende Wahrscheinlichkeit gegen die Identität beider ist.

Erstlich sind die beiden Namen Rama (Ramathem) und
Ramleh, statt identisch oder auch nur verwandt zu sein, gänzlich
verschieden sowohl in Etymologie als Bedeutung. Ramleh heifst
so viel als „das sandige," und wird so passend von der Stadt
als einer auf sandiger Ebne gelegenen gebraucht; [3]) während

---

1) Onomast.: „Armatha Sophim, civitas Elchanae et Samue-
lis in regione Tamnitica, juxta Diospolim, unde fuit Joseph qui in Evan-
geliis ab Arimathia esse scribitur." So auch Hieronymus in Ep. 86,
ad Eustoch. Epitaph. Paulae, p. 673: „Et Lyddam versam in Diospolim (vidit) — haud procul ab ea Arimathiam viculum Joseph qui domi-
num sepelivit; et Nobe urbem quondam Sacerdótum, nunc tumulum oc-
cisorum; Joppen quoque," etc. — Das Rama, welches Hieronymus einmal mit Bethhoron verbindet, bezieht sich ohne Zweifel auf er-Râm
nördlich von Jerusalem, das Rama von Benjamin; siehe oben, Bd. II. S. 567.
Jedoch soll es nach Dr. Clarke auf Ramleh gehen! Travels II, 1. p.
634, 4to.

2) Der Name Ramathem (Ῥαμαθὲμ) ist einfach die griechische
Form für das hebr. רָמָתַיִם Ramathaim. Mit dem Artikel davor
(הָרָמָתַיִם) konnte dies leicht in das griechische Ἀριμαθαία, Arimathia des neuen Testaments übergehen.

3) Es wird auch zuweilen von einer sandigen Ebne selbst gebraucht, z. B. von dem grofsen sandigen Landstrich südlich von Jebel
et-Tih nach dem Sinai hin. Siehe Bd. I. S. 125.

Rama „eine Höhe" bezeichnet, und daher hier gar keine Anwendung findet. Die Namen stammen auch von verschiedenen
Wurzeln, und haben keine nähere etymologische Verwandtschaft,
als etwa Rama und Brahma, oder Irland und Island. Die arabische Geschichte der Gründung von Ramleh gewährt eine leichte
Erklärung, warum der Name angenommen sein mochte; während
in Beziehung auf Rama die Voraussetzung weit wahrscheinlicher
sein möchte, dafs es auf einer der Anhöhen nicht weit von Lydda
nach Osten hin entfernt lag.

Es ist auch einigermafsen merkwürdig, dafs, wenn dies alte
Rama an der Stelle von Ramleh lag, so nahe bei Lydda und
von diesem Orte aus völlig zu sehen, keiner der früheren Pilger
seiner gedenken sollte. Sowohl der Bourdaux-Pilger im Jahr 333,
als auch St. Willibald um das Jahr 765 erwähnen Lydda und
Emmaus (Nicopolis); und es läfst sich kaum denken, dafs sie
Rama oder Arimathia, welches fast mitteninne liegen mufste, übergangen haben sollten, ohne irgend eine Notiz davon als der Stadt
Samuels und Joseph's zu nehmen. Indefs lassen sie den Namen
oder Ort ungenannt; und die erste Erwähnung davon findet sich,
wie wir gesehen haben, bei dem Mönch Bernard ein Jahrhundert später, welcher dasselbe nur als Ramleh aufführt. Alles dies
dient dazu, das Zeugnifs des Abulfeda und Wilhelms von Tyrus
zu stützen. [1])

Ferner scheint aus der Vergleichung mehrerer Notizen des
Eusebius und Hieronymus zu folgen, dafs das Rama (Arimathia),
von welchem sie sprechen, wirklich, wie oben vermuthet, irgendwo ostwärts von Lydda gelegen hat. Es lag, wie wir gesehen
haben, in der tamnitischen Gegend nahe bei Lydda. Aber Thamna, welches einer Toparchie ihren Namen gab, wird von densel-

1) Siehe oben, S. 243.

ben Schriftstellern als ein grofses Dorf an den Grenzen von Lydda auf dem Wege nach Jerusalem beschrieben. [1]) Und aus einer andern Stelle scheint hervorzugehen, dafs der tamnitische Distrikt sich nicht weniger als 15 röm. Meilen im Norden (oder Nordosten) von Lydda erstreckte, welchen Punkt sie noch beschreiben als an den Grenzen der letztern Stadt befindlich, obgleich diese die Hauptstadt einer verschiedenen Toparchie war. [2]) Da sich nun der Distrikt, in welchem Rama lag, so weit im Osten und Norden von Lydda ausdehnte, so sind wir kaum zu der Annahme berechtigt, dafs er sich auch ringsum nach dem S. W. dieser Stadt hin erstreckte, so dafs er einen in dieser Richtung ihr so nahen Ort als Ramleh in sich begriff. Auch ist ihr Ausdruck „nahe bei Lydda" (juxta Diospolim) nicht übermäfsig zu urgiren; von Lydda selbst wird gesagt, es liege „nahe bei Joppe," obgleich die beiden Orte drei Stunden von einander entfernt sind. [3])

Da nun Rama im Osten von Lydda gelegen zu haben scheint und der Name die Lage auf einer „Höhe" in sich schliefst, so haben wir uns höchst wahrscheinlich in der Hügellandschaft zwischen dem Gebirge und der Ebne darnach umzusehen. Wir stiefsen indefs auf keine weitere Spur desselben; und meine Absicht ist hier nicht sowohl, die Nachweisung zu geben wo es lag, als die Umstände darzulegen, welche es unwahrscheinlich machen,

1) Onomast.: „Thamna — ostenditur hodieque praegrandis vicus in finibus Diospoleos euntibus Aeliam." — Ebend.: „Aenam — proximus Tamnae vico grandi, qui situs est inter Aeliam et Diospolim."

2) Onomast.: „Bethsalisa — est autem villa in finibus Diospoleos, quindecim ferme ab ea milibus distans contra septentrionem in regione Thamnitica." — Ueber die Namen der Toparchien, Emmaus, Thamna, Lydda, Joppe, etc. siehe Ptol. V, 14. Joseph. B. J. III, 3, 5. Reland Pal. p. 176.

3) Siehe oben, S. 252. Anm. 1. Apostg. 9, 38: 'Εγγὺς δὲ οὔσης Λύδδης τῇ 'Ιόππῃ.

dafs Rama mit Ramleh identisch war. — In Uebereinstimmung
mit dieser Ansicht und mit dem Zeugnifs des Abulfeda sprechen
die meisten der frühesten Kreuzfahrer von dem Orte nur als Ramleh, und scheinen an kein Rama gedacht zn haben.[1]) Jedoch
mufs die Hypothese von ihrer Identität bald aufgekommen sein;
denn Benjamin von Tudela spricht nicht lange nach dem Jahr
1160 von dem Orte als dem alten Rama, und erzählt die Fabel
von den Gebeinen Samuel's.[2]) Indefs stimmen die Gelehrten des
Zeitalters der gewöhnlichen Ansicht nicht bei; denn zwanzig Jahre
später verwirft sie Wilhelm von Tyrus ausdrücklich, und folgt
dem Zeugnifs arabischer Schriftsteller, dafs Ramleh zuerst von
den Muhammedanern gegründet sei.[3]) Aber der Einflufs dieses
Schriftstellers konnte den Strom der legendensüchtigen Leichtgläu-
bigkeit nicht aufhalten; und in der Zeit des Brocardus, ein Jahrhundert später, finden wir Ramleh vollständig als das Arimathia
des Joseph und auch als das Ramathaim Zophim des Samuel im
Gebirge Ephraim anerkannt![4]) Jedoch hielt man schon lange
vor dieser Zeit das heutige Neby Samwil für den letztern Ort.

Ich habe schon Gründe genug vorgebracht, um zu zeigen,
dafs die Stadt Samuel's nicht zu Neby Samwil, und noch weniger
in dem Ramathem (Armatha) des Eusebius und Hieronymus nahe
bei Lydda, wo dies auch immer gewesen sein mag, gelegen haben

---

1) Siehe oben, S. 244. Anm. 2.

2) Siehe oben, Bd. II. S. 360. Anm. 3. Benj. de Tudèle par
Barat. p. 102, 103.

3) Will. Tyr. X, 17: „Est autem Ramula civitas in campestribus sita, juxta Liddam, quae est Diospolis; hujus antiquum nomen
non reperi; sed neque ipsam priscis fuisse temporibus, frequens habet opinio, quam post tempora seductoris Mahumeth, ejus successores
Arabum principes, veteres tradunt historiae, fundasse."

4) Brocardus c. IX. p. 184. Adrichomius p. 29. So auch als Arimathia, Raumer Paläst. 2. A. S. 214.

kann. [1]) Die Ansicht, dafs dieses Rama das Arimathia des neuen Testaments war, ist an und für sich nicht unwahrscheinlich; und es läfst sich auch sagen, dafs diese Väter dem apostolischen Zeitalter nahe standen, wo eine richtige Ueberlieferung noch bestehen mochte. Jedoch soll nach ihnen, auf der andern Seite, in eben demselben Artikel, der Ort auch die Stadt Samuel's gewesen sein, welches unmöglich ist; und sie erklären ferner Nicopolis für das Emmaus des neuen Testaments, in gradem Widerspruch mit der Angabe der Schrift; denn das Emmaus des Lukas lag nur sechszig Feldweges (Stadien) von Jerusalem entfernt, während Nicopolis nicht weniger als hundert und sechszig. [2]) Daher mufs man, wie ich glaube, die Bestimmung der Lage beider biblischer Orte, Arimathia und Emmaus, für noch unerledigt halten.

Statt von Ramleh grades Wegs nach Jerusalem zu gehen, hätten wir uns gern zuerst die Gelegenheit zu Nutze gemacht, Yáfa, die Ruinen von Caesarea (Kaisariyeh) und andere Punkte längs der Küste zu besuchen, sowie auch nach der Lage von Antipatris und andern alten Localitäten in der Ebne uns umzusehen. Aber unsre Zeit war beschränkt; und wir wufsten, dafs grade die Küste bisher besser untersucht worden war, als irgend ein anderer Theil von Palästina. Zudem hatte sich schon die Sommerhitze eingestellt; und die Erfahrung der letzten beiden Tage warnte uns vor dem, was wir in dieser Hinsicht zu erwarten hatten, wenn wir länger in der Ebne blieben. Ungern wandten wir uns also für diesmal nach den Bergen und der heiligen Stadt hin,

---

1) Siehe oben, Bd. II. S. 358 ff.

2) Onomast. Art. Armatha Sophim und Emaus. Luk. 24, 13. Das Itin. Hieros. giebt die Entfernung von Nicopolis ('Amwâs) bis Jerusalem zu 22 röm. Meilen an; ed. Wesseling p. 600. Von Jerusalem bis Lâtrôn sind sechs Stunden, und 'Amwâs liegt eine Stunde oder etwas weiter südlich.

indem wir die Untersuchung der Ebne künftigen Reisenden unter
günstigeren Auspicien überliefsen. Ein paar Bemerkungen sind
Alles, was ich hier mittheilen kann.

Wir haben oben gesehen, dafs bei der Zerstörung von Eleutheropolis, Gaza und Askalon, welche im Jahr 796 erfolgte, eine
Stadt, Sariphaea genannt, dasselbe Schicksal theilte, welche
daher wahrscheinlich irgendwo in der Ebne lag. ¹) Der Name
eines Stephan, Bischofs von Sariphaea, findet sich in den Unterschriften des Concils von Jerusalem im Jahr 536; obgleich diese
Stadt in keinem der kirchlichen Verzeichnisse von Palästina als
Bisthum vorkommt. ²) Reland vermuthet mit Wahrscheinlichkeit,
dafs es der Ort gewesen sein möge, welcher jetzt Sûrafend
heifst, ein Dorf auf dem Wege von Ramleh nach Yâfa, eine halbe
Stunde von Ramleh und eine Stunde von Beit Dejan. ³) Oder,
wenn eine Versetzung der Buchstaben zulässig wäre, so könnten
wir es vielleicht in Sâfirîyeh, einem von Ramleh N. 11⁰ O.
liegenden Dorfe in dem Distrikt Ludd, wiederfinden. ⁴)

In dem Distrikt Ludd, und allem Anschein nach nicht weit
von dieser Stadt enthalten unsere Verzeichnisse den Namen eines
Dorfes, el - Yehûdîyeh. Ist dies vielleicht das Jehud der
Kinder Dan? ⁵)

Antipatris wurde an der Stelle eines früheren Ortes, Namens Capharsaba, von Herodes dem Grofsen erbaut und zu Eh-

---

1) Siehe oben, Bd. II. S. 680.

2) Στέφανος ἐπίσκοπος Σαριφαίας, Lat. Stephanus episcopus
Scarphiensis et Sariphaeensis; Labb. Concilior. Coll. Tom. V. col. 283. C.
Reland Palaest. p. 987. le Quien Oriens Chr. III. p. 630.

3) Reland Pal. p. 987, 988. Unsere Verzeichnisse enthalten zwei
Ortslagen, Namens Sûrafend, eine in Ruinen, und die andere von Muhammedanern bewohnt.

4) Siehe oben, S. 239.

5) Jos. 19, 45.

III.   17

ren seines Vaters Antipater so benannt. Der Ort war wasserreich und fruchtbar; ein Strom flofs um die Stadt; und Wäldchen von grofsen Bäumen standen in der Nähe. [1]) Es lag 150 Stadien von Joppe; und zwischen diesen beiden Orten zog Alexander Balas einen Laufgraben mit einer Mauer und hölzernen Thürmen zur Vertheidigung gegen die Annäherung des Antiochus. [2]) Nach Antipatris brachten die Soldaten den Paulus während der Nacht von Jerusalem (ohne Zweifel über Bethhoron) auf den Weg nach Caesarea, und kehrten dann zurück, indem sie die Reiter allein mit ihm ziehen liefsen. [3]) Antipatris lag zwischen Caesarea und Lydda; und die Entfernung von Caesarea betrug, nach dem Pilger von Bourdeaux, 26 röm. Meilen. [4]) — Alle diese Umstände führen darauf hin, dafs Antipatris mitten in der Ebne, nicht an der Küste lag, so dafs es also nicht zu Arsûf gestanden haben kann, wo die Kreuzfahrer es zu finden meinten. [5])

---

1) Joseph. Ant. XVI, 5, 2: Καφαρσαβὰ — ποταμοῦ τε περιῤῥέοντος τὴν πόλιν αὐτὴν, καὶ κ. τ. λ. Diese Angabe eines Stroms mufs nicht zu buchstäblich urgirt werden. Es war blos ein Wady, welcher von den Bergen kommend, nur eine Zeitlang im Jahre Wasser enthielt.

2) Joseph. Ant. XIII, 15, 1. B. J. I, 4, 7.

3) Apgsch. 23, 31. 32.

4) Hieron. Epitaph. Paulae p. 673. ed. Mart. Itin. Hieros. ed. Wesseling p. 600. Reland Pal. p. 417. — Dasselbe Itinerarium giebt die Entfernung von Antipatris bis Lydda zu X röm. Meilen an; wo aber wahrscheinlich XX stehen soll, da eine X ausgefallen sein mag. Zehn Meilen von Lydda würde nur 36 röm. Meilen zwischen Lydda und Caesarea ergeben; während die wirkliche Entfernung vielmehr über 35 Minuten Breite, oder etwa 44 röm. Meilen in grader Linie beträgt.

5) Will. Tyr. IX, 19. XIV, 16. Jac. de Vitr. c. 23. p. 1067. Marin. Sanut. p. 152. Brocardus c. X. p. 186. Vgl. Reland Palaest. p. 569, 570. — Arsûf, in der Geschichte der Kreuzzüge so berühmt, ist jetzt ein verödetes Dorf an der Mündung des Nahr Arsûf, eines kleinen Stroms 2½ Stunden nördlich von dem Dorfe el-Haram, oder etwa

In der That scheint die wahre Lage von Antipatris von der
Zeit des Hieronymus an bis in das jetzige Jahrhundert sich gänz-
lich verloren zu haben; obgleich aus unsern Listen hervorzugehen
scheint, dafs der alte Name Capharsaba unter der arabischen Form
Kefr Sâba noch auf der Ebne in der Provinz Nâbulus existirt. Ein
Theil dieser Provinz erstreckt sich ganz bis nach der Küste hinab, und umfafst die Ortslagen von Arsûf und el-Haram [1]) nahe am
Ufer des Meeres. Prokesch passirte auf seiner Reise nordwärts von
Ramleh durch die Ebne ein Dorf in einiger Entfernung nördlich
von Râs el-'Ain, dessen Namen er „Kaffr Suba" schreibt; und
nicht weit von derselben Stelle hat die grofse Karte von Jacotin
den Namen eines. Dorfes „Soufi." Dies mag sehr möglich ein
und derselbe Name sein, der für Kefr Sâba steht. Die Lage
auf der Karte von Jacotin (obgleich zu weit östlich) entspricht
ziemlich den alten Angaben über die Entfernung von Antipatris
bis Caesarea, Joppe und Lydda, letztere wie oben berichtigt. [2])

---

6 Stunden von Yâfa. Siehe Irby und Mangles Travels p. 189. Der
Strom heifst auf Jacotin's Karte el-Haddar. Arsûf ist wahrscheinlich
das alte Apollonia; Reland Pal. p. 573.

1) Der vollständige Name dieses Dorfes ist el-Haram 'Aly Ibn
'Aleim; es liegt beinahe vier Stunden nördlich von Yâfa.

2) Siehe vorhin S. 258, Anm. 4. Prokesch Reise S. 125, 127.
Dieser Schriftsteller giebt die Entfernung von Kefr Sâba bis Râs el-
'Ain, oder vielmehr bis zu der verfallenen Brücke über den Flufs 'Aujeh nicht sehr genau an. Er scheint sie zu 1½ Stunden zu rechnen,
was wohl zu kurz ist, da das „Soufi" der französischen Karte nicht
weniger als 2½ Stunden von der Brücke entfernt liegt. — Es mufs
hier bemerkt werden, dafs die Orthographie arabischer Namen auf
Jacotin's Karte, selbst wo sie mit arabischen Buchstaben geschrieben
sind, nur mit grofser Vorsicht angenommen werden darf; und ich bin
nicht sicher, ob das fragliche „Soufi" nicht etwa für Sûfin oder Saufin
steht, ein Dorf, das unsere Verzeichnisse in diese Gegend setzen.

17 *

Der Strom um die Stadt würde dann wahrscheinlich ein von den Bergen kommender Wady sein, im Sommer trocken und einen der Arme des Nahr Arsûf bildend. Es scheint weder dem Franzosen noch Prokesch beigefallen zu sein, dafs dies die Lage von Antipatris sein könne; aber die Identität ist in jüngerer Zeit von Raumer angedeutet worden. [1])

In derselben Nachbarschaft findet sich in unsern Verzeichnissen der Name eines Dorfes Jiljûleh, entsprechend dem alten Galgala, welches Ensebius und Hieronymus 6 röm. Meilen nördlich von Antipatris setzen. [2]) Dies war, wie es scheint, das Gilgal in der Gegend von Naphoth-Dor, dessen König von Josua unterworfen wurde. [3]) Es mufs irgendwo in der Nähe des von Jacotin verzeichneten Dorfes Külünsaweh gesucht werden.

Da wir nichts weiter von diesem Theile der grofsen westlichen Ebne erfuhren, und auch unser Weg von Ramleh nach Jerusalem nicht der gewöhnliche war, so füge ich in einer Anmerkung zwei Itinerarien bei, welche auf diese Gegenden Bezug haben. Das eine ist aus den Notizen meines Freundes Hn. Smith entlehnt, die derselbe auf einer Reise im Jahr 1835 längs der Küste von 'Akka nach Yâfa und von da auf dem graden Wege nach Jerusalem aufgezeichnet hat; das andere, welches ich der Güte des Hn. Lanneau verdanke, enthält die gewöhnlichen Zeitentfernungen längs dem Wege vou Jerusalem bis Yâfa. Mit Pferden oder Maulthieren, wenn sie ihren gewöhnlichen Schritt gehen, kommt man von der heiligen Stadt nach Ramleh in neun, und von Ramleh nach Yâfa in drei Stunden. Jedoch mag Einer, der

---

1) Palästina 2. A. S. 144, 462.

2) Onomast. Art. Gelgel. Im Griech. Γαλγουλή. Jacotin's Karte zeigt ein Jiljûleh in ungefähr derselben Entfernung im Süden.

3) Jos. 12, 23. Wahrscheinlich war das Gilgal in Neh. 12, 29. und 1 Makk. 9, 2. dasselbe. Vgl. oben, Bd. II. S. 532 f.

mit Mufse reist, leicht länger unterwegs sein, und ein Andrer wieder mag die Strecke in kürzerer Zeit durcheilen. Es ist auch zu bemerken, dafs auf den sechs Stunden von Yâfa bis Lâtrôn der Weg meistens eben ist, während die übrige Hälfte bis nach Jerusalem ein schwieriger Gebirgsweg ist.[1])

Sonnabend, den 9. Juni. Nach ein paar Stunden unruhigen Herumwerfens auf unsrem Lager hielten wir es für besser, die kühle Nachtluft draufsen zu geniefsen und das schöne Mondlicht zu benutzen, als diese Zeit mit vergeblichen Versuchen, unter einem Dache eingesperrt zu schlafen, hinzubringen. Wir standen daher bald nach 2 U. auf, machten uns fertig, und schickten Ibrahim nach dem Mukâry und den Pferden ab. Wir hatten vor abzureisen, ohne die Familie zu stören; aber als wir die Treppe hinabstiegen, fanden wir, dafs unser Wirth mit seinen beiden Söhnen darauf wartete, uns abreisen zu sehen. Kaffee wurde gebracht; und wir sagten endlich unsern Freunden Lebewohl, nicht ohne Achtung und Dankbarkeit für ihre wahrhafte Güte und Gastfreundschaft. Um 3 U. waren wir auf dem Wege und fühlten uns durch die kühle Morgenfrische sehr erquickt. Unser Weg ging über das ebene Land in einer graden Richtung nach Ludd. Unterwegs sahen wir mehrere Kameel-Karawanen, die hier ihr Nachtlager aufgeschlagen hatten; sie reisten, wie es schien, auf der grofsen Karawanenstrafse von Aegypten nach Damascus, welche Gaza, Ramleh und Ludd berührend, nordwärts sich durch die Ebne zieht, und dann nahe bei el-Lejjûn in die Ebne Esdrelon, und so nach dem Fufse des Berges Thabor hinläuft.

Wir erreichten Ludd um 3¾ Uhr, grade als die ersten Dämmerungsstreifen am östlichen Himmel aufschossen, obwohl

1) Siehe Anm. XL. am Ende des Bandes.

noch nicht stark genug, um den milden Glanz des abnehmenden
Mondes zu hemmen. Ludd ist ein ansehnliches Dorf mit kleinen
Häusern, hat aber nichts, wodurch es sich von gewöhnlichen muhammedanischen Dörfern unterscheidet, anfser den Ruinen der
berühmten St. Georg's-Kirche. Es ist noch jetzt dem Namen
nach der Sitz eines griechischen Bischofs, welcher jedoch in Jerusalem residirt. [1]) Alles lag jetzt still in Schlaf und Schweigen.
Wir gingen gradezu nach den Ruinen im östlichen Theil der
Stadt und fanden ohne Schwierigkeit einen Zugang dahin. Das
Gebäude mufs sehr grofs gewesen sein. Die Mauern des östlichen Endes stehen nur noch in den Theilen nahe bei dem Altar,
mit Einschlufs des Bogens über dem letztern; aber das westliche
Ende ist besser erhalten, und zu einer grofsen Moschee umge-
baut worden, deren hoher Minaret die Landmarke von Ludd
bildet. Die zwischenliegenden Theile der Mauern haben sich
verloren; aber mehrere Säulen sind noch vorhanden, und ein
hoher zugespitzter Bogen im Süden des Schiffes. Die Säulen
längs diesem Schiffe sind von einer eigenthümlichen Construktion,
— ein viereckiger Schaft als Hauptmasse, und dann an jeder
der vier Seiten eine Art Wandpfeiler mit einer Säule daran. Wir
fanden, dafs die Breite des Schiffes zwischen den Centren der
Säulen 36 Fufs betrug, und dafs der nördliche Seitengang bis
an die Mauer 21 Fufs enthielt, woraus sich die inwendige Breite
der Kirche von 78 Fufs ergiebt. Die Länge konnten wir nicht
bestimmen. Wir sahen diese herrlichen Ruinen bei dem hellen,
aber milden Licht des vollen Mondes; der hohe, noch erhaltene
Bogen thürmte sich in imposanter Majestät empor, und der Effekt des Ganzen, obgleich traurig, war doch unbeschreiblich eindringlich. Er versetzte mich nach der ähnlichen, aber weit voll-
kommnern Mondscheinpracht des Colosseums zurück.

---

1) Siehe oben, Bd. II. S. 298 f.

Die Geschichte der Stadt Lydda ist kurz folgende. Sie scheint zuerst von Benjaminiten erbaut worden zu sein, obgleich sie ausserhalb der Grenzen dieses Stammes lag; sie führte im Hebräischen den Namen Lod, und wurde nach dem Exil wieder von Benjaminiten bewohnt. [1]) Demetrius Nicator schlug sie, wie wir gesehen haben, mit ihrem Distrikt von Samaria zu Judaea. [2]) Nach dem Tode des Julius Caesar war Cassius eine Zeitlang in Palästina und bedrückte das Land sehr, indem er ganze Städte in Knechtschaft brachte, und die Einwohner von Gophua, Emmaus, Lydda und Thamna als Sklaven verkaufte, welche jedoch in einer spätern Zeit durch ein Dekret des Antonius wieder in Freiheit gesetzt und in ihre Heimath zurückgeschickt wurden. [3]) Die nächste Nachricht über Lydda macht es zu der Scene, wo Petrus durch ein Wunder den Aeneas heilte. [4]) Einige Jahre später nahm Cestius Gallus, der römische Proconsul unter Nero, als er von Caesarea gegen Jerusalem auszog, auf seinem Wege Lydda und legte es in Asche. [5]) Es muss sich bald wieder erholt haben; denn wir finden es nicht lange nachher als den Hauptort einer der Toparchieen des spätern Judaea; als solcher übergab es sich dem Vespasian. [6]) In dieser Zeit wird es von Josephus als ein Dorf beschrieben, das an Grösse einer Stadt nichts nachgiebt; auch wird es berühmt als ein Sitz jüdischer Gelehrsamkeit. [7])

Bei der allgemeinen Namenvertauschung, die in Palästina

---

1) 1 Chron. 8, 12. Esra 2, 33. Neh. 11, 35.
2) Siehe oben, S. 251.
3) Joseph. Ant. XIV, 11, 2. 12, 2—5.
4) Apgsch. 9, 32. 35.
5) Joseph. B. J. II, 19, 1.
6) Ebend. III, 3, 5. IV, 8, 1.
7) Jos. Ant. XX, 6, 2. Lightfoot Opp. II. p. 145.

unter der römischen Herrschaft stattfand, ging Lydda in Diospolis über. Als solches findet sich sein Name auf Münzen, die
unter Septimius Severus und Caracalla geschlagen sind, und wird
es oft von Eusebius und Hieronymus erwähnt. [1] Es war früh
ein Bischofssitz in Palaestina prima, und auf den verschiedenen
Concilien unterschrieben sich seine Bischöfe bald als Bischöfe von
Lydda, bald als Bischöfe von Diospolis. [2] In den griechischen
kirchlichen Notitiae kommt es als Diospolis vor, in den spätern
lateinischen wieder als Lydda. [3] In den allerfrühesten wird es
natürlich der Metropolis Caesarea untergeordnet, aber späterhin
als Suffragansitz bezeichnet, d. h. als unmittelbar unter dem Patriarchen von Jerusalem stehend, ohne Vermittlung eines Metro-
politen. Der späteste, ausdrücklich erwähnte Bischof ist Apollo-
nius im Jahr 518. [4] — Im Jahr 415 erschien hier Pelagius
vor einem stürmischen Concil. [5]

Lydda wurde früh in der Geschichte mit der Verehrung
des heil. Georg in Verbindung gesetzt, jenes gefeierten Mär-
tyrers, nicht weniger berühmt im Morgenlande, als in einer
spätern Periode im Occident. Die frühesten Kalender und Le-

---

1) Ueber die Münzen siehe Vaillant Numism. Imp. et Caes. p. 350.
Eckhel Nummor. Doctr. III. p. 432. Mionnet Médailles Antiq. V. p. 497.
Belley in den Mém. de l'Acad. des Inscr. XXVI. p. 429 sq. — „Lyddam
versam in Diospolim;“ Hieron. Ep. 86. Epit. Paulae p. 673. ed. Mart.
Vgl. Reland Palaest. p. 877. — Die Zeit, in der dieser Namenwechsel
stattfand, ist unbekannt. Der Abbé Belley beruft sich (p. 433.) auf Josephus, als welcher schon den Namen Diospolis gebrauche; B. J. I, 6, 4.
Aber an einer andern Stelle, wo Josephus dieselbe Begebenheit berichtet,
steht im Text Delion, ein davon verschiedener Ortsname; Ant. XIV, 3, 3.
2) Siehe Reland Pal. p. 888. le Quien Oriens Chr. III. p. 582 sq.
3) Reland p. 215, 220, 222, 227.
4) Labb. Concil. Coll. Tom. V. p. 194. le Quien a. a. O. p. 585.
5) Siehe oben, Bd. II. S. 223.

genden berichten, dafs dieser Heilige in Lydda geboren war, und
den Märtyrertod zu Nicomedien in der Verfolgung unter Diocle-
tian und Maximian nahe am Schlusse des dritten Jahrhunderts er-
litt. Von da brachte man seine Ueberreste nach seinem Geburts-
orte und baute ihm zu Ehren später eine Kirche daselbst.[1] Wie
verschieden auch immer die Berichte der Legenden über seine
Herkunft und sein Leben sein mögen, darin stimmen doch alle
überein, dafs Lydda der Ort seines Begräbnisses sei. Aber in
welcher Zeit die St. Georgskirche zu Lydda erbaut wurde, läfst
sich nicht mehr ermitteln. Wilhelm von Tyrus behauptet zwar,
dafs sie von Justinian gegründet worden; aber Procopius, der eine
Abhandlung über die von diesem Kaiser errichteten Gebäude schrieb,
erwähnt nur eine St. Georgskirche in Armenien.[2] Dies zeigt
hinreichend, dafs der Ruf des Heiligen schon weit verbreitet war,
und dafs daher wahrscheinlich die Kirche oder wenigstens sein
Grabmahl zu Lydda aus einer noch frühern Zeit herrührt.[3] Die

---

1) Ich folge hier durchweg den Resultaten Papebroch's, des Bol-
landisten; Acta Sanctorum Aprilis Tom. III. p. 100 sq. Siehe namentlich p. 106 — 108. Jeder, der mehr von St. Georg zu wissen wünscht,
wird genug in den dort gesammelten Legenden und Acten finden. Siehe
auch Heylin's Hist. of St. George, edit. 2. Lond. 1633. 4. — Der Versuch Gibbon's (Chap. XXIII.), den heil. Georg von England mit dem
Gegner des heil. Athanasius zu verknüpfen, welcher im 4. Jahrhundert
in einem Volksaufruhr zu Alexandrien getödtet wurde, scheint vielmehr
aus seiner Geistesrichtung als aus seinem Urtheil hervorzugehen.

2) Will. Tyr. VII, 22. Procop. de Aedif. Just. III, 4: καὶ ἱερὸν
Γεωργίῳ τῷ μάρτυρι ἐν Βιζανοῖς ἐδείματο. Procopius spricht hier aus-
drücklich von Armenien; bei der Aufzählung der in Palästina errichteten
Gebäude erwähnt er Lydda nicht. Siehe lib. V, 7.

3) Papebroch ist geneigt, sie dem Constantin selbst zuzuschreiben; a. a. O. p. 109. Aber das Stillschweigen des Eusebius steht hier
entschieden im Wege; der Schmeichler dieses Kaisers würde solch ein

allerersten historischen Nachrichten, welche Lydda mit dem heil.
Georg zusammenbringen, finden sich bei Antoninus Martyr, Adamnanus und St. Willibald; sie sprechen von Lydda als der Stadt,
wo er begraben liegt, erwähnen aber die Kirche nicht ausdrücklich. [1]) Mittlerweile hatte sich die muhammedanische Herrschaft
im 7. Jahrhundert über Palästina ausgebreitet; Lydda war durch
Suleimân, Sohn des Khalifen 'Abd el-Melek, in Trümmer verwandelt; und das nahegelegene Ramleh in der ersten Hälfte des
8. Jahrhunderts aufgebaut worden. [2]) Gegen den Schlufs des
9. Jahrhunderts spricht der Mönch Bernard von dem St. Georgs-
kloster nicht weit von Ramleh; es stand wahrscheinlich mit der
Kirche in Verbindung. [3]) Die Kreuzfahrer fanden bei ihrer Ankunft in Lydda das prachtvolle Grabmahl des heil. Georg; die
Kirche war kurz zuvor durch die Sarazenen dem Erdboden gleich
gemacht worden, damit sie den Christen keine Materialien und
Gelegenheit darbieten möchte, die Stadt zu bestürmen. Daraus
scheint zu folgen, dafs die Kirche damals aufserhalb der Stadt
stand. [4]) Die Kreuzfahrer errichteten zugleich ein Bisthum von
Lydda und Ramleh, wie bereits angeführt; und lateinische Bischöfe behielten diesen Titel noch mehrere Jahrhunderte hindurch
bei. [5]) Die Kirche scheint bald wieder aufgebaut worden zu sein,
obgleich ich keinen direkten historischen Beweis für dieses Fak-

---

Verdienst seines Patrons, welches fast unter seinen eignen Augen stattgefunden haben müfste, nicht übergangen haben.

1) Antoninus Mart. um das Jahr 600, Itin. 30. Adamnanus III, 4.
St. Willibald Hodoepor. 21. p. 377. ed. Mabillon.

2) Siehe oben, S. 245.

3) De Loc. Sanct. 10. Siehe oben, S. 243.

4) Will. Tyr. VII, 22.

5) le Quien Oriens Chr. III. p. 1271 sq. Siehe überhaupt oben,
S. 244 f.

tum finde. [1]) Die Kreuzfahrer erwiesen dem heil. Georg, wie
wir gesehen haben, grofse Verehrung, und übertrugen auf ihn
die Würde ihres Patrons; und von dieser Zeit an scheint sich
sein Ruhm noch weiter über Europa ausgebreitet zu haben, wo er
in gleicher Weise nicht nur England's, sondern auch mehrerer
anderer Staaten und Königreiche Schutzpatron wurde. [2])

Da Lydda so nahe bei Ramleh lag, scheint es während der
Kriege der Kreuzzüge ziemlich die Schicksale des letztern Ortes
getheilt zu haben. Um das Jahr 1177 wurde es von dem Renegaten Ivelin gewaltsam gestürmt, und die Einwohner begaben
sich alle nach der St. Georgskirche, jetzt natürlich innerhalb der
Stadt. [3]) Es fiel mit Ramleh in die Hände Saladin's nach der
Schlacht bei Hattin. Dieser Sultan liefs bei der Annäherung Richard's im Jahr 1191 die einer starken Festung ähnliche Kirche
zu Lydda zugleich mit dem Kastell zu Ramleh schleifen; und
Bohaeddin erzählt ausdrücklich, dafs beide noch in Trümmern
lagen, als er schrieb. [4]) Es kam später mit Ramleh nochmals
in den Besitz der Christen, erst nur theilweise, dann völlig; und
wahrscheinlich fiel es mit diesem Orte wieder im Jahr 1266, wo
nicht früher, der muhammedanischen Herrschaft anheim. [5]) Im
Jahr 1271 wurde es von den Mongolen verwüstet, mit welchen

---

1) Im Jahr 1123 haben wir einen unter andern von „Rogerus Lid-
densis St. Georgii episcopus" unterschriebenen Akt. Will. Tyr. XII, 25.

2) z. B. Malta, die Republik Genua, das Königreich Arragonien
und Valencia u. s. w. Papebroch a. a. O. p. 160.

3) Will. Tyr. XXI, 21: „Contulerat sane se populus omnis super ecclesiam beati martyris Georgii."

4) Bohaeddin p. 258, 259. Siehe oben, S. 245.

5) Siehe oben, S. 245 f.

Prinz Eduard von England (später Eduard I.) ein Bündnifs zum
Beistande der Christen geschlossen hatte. [1])
Von dieser Zeit hören wir wenig mehr von Lydda. [2]) Gegen die Mitte des 14. Jahrhunderts spricht Rudolf de Suchem
von der St. Georgskirche als mit Marmor und Mosaikarbeit verziert, ohne jedoch zu sagen, ob sie in Ruinen lag oder nicht,
oder ob er selbst sie sah. Als Fabri im Jahr 1483 sie besuchte,
hatten die Griechen die verfallene Kirche zum Theil inne, und
es wurden beständig Lampen brennend erhalten. [3]) Die Moschee
war schon in dem westlichen Theile mit einem hohen Minaret
errichtet; jedoch scheint die Ausdrucksweise des Mejr ed - Din
darauf hinzudeuten, dafs die Kirche als solche nach ihrer Zerstörung durch Saladin nie wieder aufgebaut wurde. [4]) In der
Mitte des 16. Jahrhunderts finden wir zuerst eine Andeutung, dafs
diese Kirche des heil. Georg zu Lydda von einem Könige England's erbaut wurde. Dies wird von Bonifacius behauptet, welcher jedoch nicht im Stande war, den Namen des Monarchen zu
bestimmen; und dasselbe wird ihm von späteren Schriftstellern
nachgesprochen. [5]) Diese Lücke wird jedoch durch Cotovicus in

---

1) Hugo Plagon p. 745. Marin. Sanut. p. 224. Wilken Gesch.
der Kr. VII. S. 598.

2) Brocardus erwähnt nur Lydda, c. X. p. 186. Marinus Sanutus
nennt es St. Georg als Geburtsort dieses Heiligen, p. 249. So auch
Jacob de Vitr. c. 57. p. 1078.

3) Reyfsbuch S. 240.

4) „Il y avait une église richement dotée des chrétiens et en
grande renommée chez eux; elle fut ruinée par Salaheddin. Aujourd'hui -
il y a une mosquée qui était autrefois une église grecque, avec un minaret très - élevé." Mejr ed-Din in der Uebersetzung von Hammer's,
Fundgr. des Or. II. S. 136.

5) Bonifacius de perenni cultu Terrae Sanctae, lib. 2: „Perhi-
bent Terrae Sanctae Annales istam Ecclesiam fabricatam esse a quodam

demselben Jahrhundert ausgefüllt, der den Namen Richard's von
England angiebt; [1]) und dasselbe Gerücht ist unter den Franken
in Palästina bis auf den heutigen Tag in Umlauf.

Ueber diese Legende, — denn es ist wahrscheinlich weiter
nichts, — möchte ich bemerken, dafs sie leicht in der hohen
Ehre, die man in England dem heil. Georg als Schutzheiligen
des Landes erwies, ihren Ursprung haben kann. Es war auch
sehr natürlich, die Wiedererbauung der Kirche dem Richard zuzuschreiben, da dieser selbst im heiligen Lande gewesen war,
und sich als der berühmteste und ritterlichste von allen Kämpfern
des Kreuzes ausgezeichnet hatte. Unglücklicherweise aber stehen
alle dahin gehörigen Fakta mit jener Erzählung im Widerspruch.
Vinisauf, der Augenzeuge und Geschichtschreiber der Thaten Richard's in Palästina, hat keine Silbe von der Kirche des heil.
Georg; [2]) und wir haben eben gesehen, dafs das Gebäude nach
seiner Zerstörung durch Saladin gewifs in der ersten Zeit noch
nicht wieder aufgebaut wurde, und wahrscheinlich niemals. Daher scheint das Höchste, was sich bei dieser Sage mit Grund
voraussetzen läfst, dies zu sein, dafs von England vielleicht zur
Unterstützung der ursprünglich von den Kreuzfahrern errichteten
Kirche Geldsummen abgeschickt sein mögen. Aber das erste Erscheinen der Sage drei oder vier Jahrhunderte später in einem
durch seine leichtgläubigen Erzählungen berüchtigten Werke, und

---

Rege Anglorum, cujus nomen non inveni;" angeführt bei Quaresmius II.
p. 9. Siehe Zuallardo Viaggio p. 110.

1) Cotov. Itin. p. 138. Der Verfasser ist bedacht, sich durch
Hinzufügung der Clausel zu verwahren: „Ut aliqui putant."

2) Dafs Vinisauf selbst mit Richard in Palästina war, scheint
aus lib. VI. c. 33. hervorzugehen, wo er den Besuch der zweiten Pil-
gerschaar in Jerusalem in der ersten Person Plur. als Augenzeuge erzählt. Gale Hist. Angl. Scriptores II. p. 425.

das Faktum, dafs selbst bis jetzt keine andere Autorität oder
Zeugnifs aufgefunden ist, giebt dem ganzen Bericht einen fabel-
haften Anstrich. Man ist fast versucht zu vermuthen, dafs die
Geschichte vielmehr nach einem Gesetz des Widerspiels aus der
wirklichen Verbindung des Prinzen Eduard mit der Zerstörung
von Lydda im Jahr 1271 entstanden sei.

Wir verliefsen Ludd um 4 U., indem wir sogleich einen
Wady, eine enge Niederung, durchzogen, welcher nordwärts läuft
und sein Wasser nach dem Flusse el-'Aujeh führt (zuweilen auch
Betras, St. Peter genannt). Dieser tritt 2 Stunden nördlich von
Yáfa ins Meer. Von Ludd läuft die grofse Kameelstrafse nach
Jerusalem grade über Jimzu; aber unser Mukáry führte uns, sei
es aus Irrthum oder um uns auf einen andern Weg zu bringen,
beinahe eine halbe Stunde um, indem er uns weiter südlich nach
Dâniyâl brachte. Wir zogen noch immer längs der Ebne hin;
um 4 U. 40 Min. erreichten wir den grofsen zu dem letztern Orte
gehörenden Brunnen in der Ebne westlich von den Hügeln, wo
ein Joch Ochsen Wasser schöpfte, indem sie mit dem Seil in
einer graden Linie von dem Brunnen fortgingen und dann wieder
zurückkamen. Als wir die so überschrittene Bodenstrecke mafsen,
fanden wir, dafs die Tiefe des Brunnens 160 Fufs betrug. Hier
verloren wir einige Minuten. Das Dorf liegt etwa fünf Minuten
weiter östlich auf einer Anhöhe an der äufsersten Grenze der Hügellandschaft zwischen der Ebne und den Bergen. Es ist klein,
und hat wahrscheinlich seinen Namen Neby Dâniyâl (Daniel) von
irgend einem Wely, obgleich wir jetzt keinen bemerkten. — Von
Dâniyâl hatten wir Ludd N. 3° W., Jimzu S. 85° O.

Wir kamen hier nach der Hügelregion, ähnlich der, welche wir im Süden des Wady es-Sürâr durchzogen, obgleich etwas weniger fruchtbar, und wie diese voll von Dörfern, unter
denen viele in Ruinen liegen. Wir verliefsen Dâniyâl um 4 U.

50 Min. und erreichten **Jimzu** um 5 U. 20 Min. und einer halben Stunde. Dies ist ein gewöhnliches, ziemlich grofses Dorf, und liegt auf einer Anhöhe, so dafs es in einiger Entfernung sehr ins Auge springt. Der Weg geht unter dem Dorfe an der Nordseite entlang. Hier waren viele Tennen in voller Geschäftigkeit, sowie auch viele unterirdische Getreidemagazine, cisternenartig, wie man sie in den meisten Dörfern findet. Von hier lag uns Ludd in der Richtung N. 50° W. — Der Name Jimzu scheint bisher der Kenntnifs der Reisenden entgangen zu sein; aber es läfst sich unmöglich verkennen, dafs dies das einmal im alten Testament erwähnte **Gimso** ist, welches von den Philistern zugleich mit Beth-Semes, Ajalon und andern Städten der Berge und Ebne eroberte wurde. [1])

Grade über Jimzu hinaus theilt sich der grofse Weg in zwei Arme; der eine geht in grader Richtung weiter und läuft bei Beit 'Ûr den Berg hinan, der andere wendet sich mehr nach Süden ab und führt durch Wady Suleimân hinauf; aber sie vereinigen sich wieder oben in el-Jib. Wir hatten vor, den über Beit 'Ûr laufenden Pfad einzuschlagen; aber der Mukâry mufste seine Gründe haben, uns zu hintergehen und den andern Weg nach dem Wady Suleimân hin einzuschlagen, wahrscheinlich weil es der leichteste war. So kamen wir um 6 U. 20 Min. nach dem Dorfe Berfilya zu unsrer Rechten. Bald nachher fingen wir an allmählig in eine breite offne Thalebne hinabzusteigen. Als wir hier unsern Mifsgriff entdeckten, beschlossen wir unsere Richtung zu ändern und linker Hand nach dem andern Weg hinüberzugehen. Dies wollte der Maulthiertreiber durchaus nicht thun; er zog seinen Weg weiter, indem er uns überliefs, ihm zu folgen oder zu machen was uns beliebte. Wir lenkten in die Fel-

---

1) 2 Chron. 28, 18.

der hinein und fanden bald einen Zwischenweg in einer östlichen Richtung. Dieser brachte uns um 7 U. 20 Min. nach einem kleinen Dorfe, Namens el-Burj, das auf einer vereinzelten Anhöhe, umgeben von offnen Thälern und Ebnen, lag. Der Name ist neueren Ursprungs; aber es finden sich hier offenbare Spuren einer, allem Anschein nach, einst befestigten Ortslage. [1]) Eine halbe Stunde weiter in derselben Richtung erreichten wir den öffentlichen Weg, nach dem wir suchten, nahe bei einem Brunnen und einer Ruine, Namens Um Rûsh, wie es schien, einst ein Mukâm. Hier machten wir um 7 U. 50 Min. Halt, um zu frühstücken, nachdem wir etwa 20 Minuten durch das Einschlagen des unrechten Weges verloren hatten. Von dem Brunnen aus konnten wir folgende Orte sehen: el-Burj S. 85⁰ W., Deir Ma'in S. 50⁰ W., Ras Kerker N. 62⁰ O., Deir Abu Mesh'al N. 18⁰ O., Deir Kadis N. 15⁰ O. [2])

An diesem Orte hatten wir die Auswahl zwischen drei grofsen und ausgebreiteten Bäumen, um darunter zu frühstücken, einem Feigenbaum, einer Eiche und einem Kharûb. [3]) Wir wähl-

---

1) Wer weifs, ob dies nicht das alte Thamna gewesen sein mag, welches auf dem Wege zwischen Lydda und Jerusalem lag? Siehe oben, S. 253 f.

2) Ueber diese letzten drei Orte siehe andere Winkelmessungen zu Beit 'Ûr und auch zu Ram Allah Bd. II. S. 349.

3) Der Ceratonia Siliqua des Linné, engl. Carob, franz. Caroubier, deutsch Johannisbrodbaum, welcher in Syrien, Aegypten, Griechenland und allen südlichen Theilen Europa's gewöhnlich ist, und zuweilen sehr grofs wird. Der Baum bringt dünne horn- oder sichelförmige Hülsen hervor, welche ein süfsliches Mark und mehrere kleine, glänzende Samenkörner enthalten. Diese Hülsen werden zuweilen acht oder zehn Fufs lang und einen Finger breit. Sie werden von dem gemeinen Volke gern gegessen, aber nicht als eigentliches Nahrungsmittel. Wir hatten sie trocken an Bord unsers Bootes auf dem Nil

ten die Eiche, weil der Boden unter ihr ebener und bequemer
war. Ein Mann und ein Knabe schöpften Wasser an dem Brunnen; sie versorgten auch uns und unsre Pferde mit Wasser, obgleich wir in Ermangelung eines Troges oder Gefäses letztere
nur durch Ausgiefsen des Wassers aus dem engen ledernen Eimer
auf den Boden tränken konnten.

Wir zogen um 9 U. 20 Min. weiter, und fingen fast sogleich an, in ein nach Süden laufendes Thal hinabzusteigen.
Hier lag nach 8 oder 10 Minuten ein andrer Brunnen am Wege,
wo ein Landmann sein junges Vieh aus einem hölzernen Becken
statt aus einem Troge tränkte; nur ungern und verdriefslich liefs
er auch unsern Pferden einen Theil zukommen. Um 9½ Uhr
hatten wir linker Hand etwa 15 Minuten entfernt ein Dorf, Namens Süffa. Wir waren mit zwei oder drei Frauen zusammen-
getroffen, welche denselben Weg gingen; und als wir jetzt aus
dem Wady hinaufstiegen, fanden wir, dafs sie von Rümmôn waren. Eine unter ihnen hatte einen Sohn, der als Soldat fortgeführt war; sie war jetzt in Yâfa gewesen, um ihn zu besuchen,
und kehrte nun traurig zurück, da sie keine Hoffnung hatte, ihn
je wiederzusehen. Um 10 U. 20 Min. kamen wir nach einem
Dorf auf einem niedrigen Rücken, Namens Beit 'Ûr et-Tahta
(das untere). Es ist klein, aber die Grundmauern von grofsen
Steinen weisen auf eine alte Ortslage hin, ohne Zweifel das „niedere Bethhoron" des alten Testaments. [1]

Dieser Ort ist von dem Fufse des hohen Gebirges noch

---

im Januar; in Wasser eingeweicht gewährten sie einen angenehmen Trank.
Dies sind die Luk. 15, 16. vorkommenden κεράτια, Luther unrichtig
„Träber," womit die Schweine gefüttert wurden, wie es noch heut zu
Tage nicht ungewöhnlich ist. Siehe Celsii Hierob. I. p. 226. Hassel-
quist Reise S. 531 u. s. w.

1) 1 Chron. 8, 24. Siehe mehr auf der nächstfolgenden Seite.

III. 18

durch einen von dem Berge etwas weiter linker Hand kommenden und südlich hinlaufenden Wady getrennt. [1]) Diesen durchzogen wir und fingen dann an, den langen und steilen Pafs hinaufzusteigen. Der Weg windet sich an dem Ende einer Art von Vorsprung hinauf, welcher zwischen zwei tiefen Thälern bei ihrem Auslauf aus dem Gebirge hervorragt, von denen eins das von uns eben passirte war. Der Aufgang ist sehr felsig und rauh; aber der Felsen ist an vielen Stellen weggehauen, und ein Pfad mit Stufen angelegt, ein Beweis, dafs dies ein alter Weg ist. Um $10^3/_4$ U. erreichten wir die erste Stufe der Bodenerhebung; hier liegen Grundmauern von grofsen Steinen, vielleicht die Ueberreste eines einst den Pafs bewachenden Kastells. Um 11 Uhr 20 Min. kamen wir nach dem höchsten Punkt des Vorsprunges, wo das Dorf Beit 'Ûr el-Fôka (das obere) auf einer Erhöhung an dem äufsern Rande des Gebirges steht, mit einem tiefen Thal au jeder Seite, sowohl nördlich als südlich. Weiter östlich nach der Ebne zu um el-Jib steigt der Boden noch zu felsigen Bergen empor, aber viel allmähliger.

Das Dorf ist klein, zeigt aber Spuren von alten Mauern und Grundsteinen. Grade unter der kleinen Erhöhung, auf welcher es steht, nach Osten hin liegt ein kleines, aber sehr altes Wasserbehältnifs. Es kann keine Frage sein, dafs dieses Dorf und das ganz unten am Berge, — Beit 'Ûr das obere und untere — als das alte obere und niedere Bethhoron anzusehen sind. [2]) In dem Namen finden wir den mehr ungewöhnlichen Uebergang von einem harten hebräischen Gutturalbuchstaben zu einem noch tieferen und zäheren im Arabischen; [3]) in allen andern Beziehun-

---

1) Dieser Wady oder der nächste jenseits gelegene ist das tiefe Thal, welches im Norden von Ram Allah hinabgeht.

2) 1 Chron. 8, 24. Jos. 16, 5; 17, 13.

3) Hebr. בֵּית חוֹרֹן; das ח ist in das arabische 'Ain übergegan-

gen stimmen Name, Lage und andere Umstände überein. Das niedere Bethhoron lag an der N. W. Ecke des Gebietes Benjamin; und zwischen den beiden Orten war ein Pafs, welcher sowohl der Hinaufgang nach, als der Hinabgang von Bethhoron genannt wurde, und der aus der Gegend von Gibeon (el-Jib) nach der westlichen Ebne hinabführte. [1] Diesen Pafs hinab trieb Josua die fünf Könige der Amoriter, welche Gibeon mit Krieg überzogen. [2] Sowohl die obere als die niedere Stadt wurde späterhin von Salomo befestigt. [3] Bei einer derselben wurde Nicanor von Judas Makkabaeus angegriffen; und dieselbe wurde späterhin von dem Syrer Bacchides befestigt. [4] Cestius Gallus, der römische Proconsul von Syrien unter Nero, erstieg auf seinem Kriegszuge von Caesarea gegen Jerusalem, nach Verbrennung von Lydda, den Berg bei Bethhoron und lagerte nahe bei Gibeon. [5] Ueber dieselbe Route wurde ohne Zweifel der Apostel Paulus auf seinem Wege nach Caesarea in der Nacht nach Antipatris gebracht. [6] In den Tagen des Eusebius und Hieronymus waren die beiden Bethhoron kleine Dörfer; und Hieronymus läfst die Paula beim Hinaufsteigen von Nicopolis nach Gibeon und Jerusalem beide passiren. [7] Die Entfernung von Jerusalem nach (Ober-) Beth-

---

gen, indem zwischen diesen beiden Lauten in den Corruptionen des heutigen Arabisch einige Verwandtschaft stattfindet.

1) Jos. 18, 13. 14. — Jos. 10, 10. 11. Hebr. מוֹרָד‎, מַעֲלֵה‎. Griech. ἀνάβασις καὶ κατάβασις Βαιθωρών, 1 Makk. 3, 15. 24.

2) Jos. 10, 1 — 11.

3) 2 Chron. 8, 5. 1 Kön. 9, 17.

4) 1 Makk. 7, 39 ff. 9, 50. Joseph. Ant. XII, 10, 5. XIII, 1, 3.

5) Jos. B. J. II, 19, 1.

6) Apgsch. 23, 31. 32.

7) Onomast. Art. Bethhoron. Hieron. Comm. in Zeph. 1, 15. 16; Hieron. Ep. 86, Epit. Paulae, p. 673 ed. Mart.

18*

horon betrug nach diesen Schriftstellern **12** röm. Meilen; nach Josephus **100** Stadien, oder **50** Stadien von Gibeon. Wir gebrauchten 5 Stunden bis nach Jerusalem; obgleich wir, da Theile des Weges sehr schlecht ' sind und unsere Pferde müde und matt waren, hier nicht schneller reisten, als man mit Kameelen zu thun pflegt, was mit dem Josephus genau übereinstimmen würde.

Aus alle dem scheint hervorzugehen, dafs in alten Zeiten, wie heut zu Tage, der grofse Weg zur Communication und zum schweren Transport zwischen Jerusalem und der Seeküste über den Pafs von Bethhoron ging. Ob der Weg durch Wady Suleimân, das zweite Thal südlich von Beit 'Ûr, welches nur ein Arm desselben Wegs ist, damals in Gebrauch war, wird uns nirgendwo gesagt; aber es war vermuthlich der Fall. Gegenwärtig wird dies für die leichtere Route gehalten. Der direkte Weg von Jerusalem nach Yâfa über Kuryet el-'Enab und Wady 'Aly wurde wahrscheinlich vor Alters, wie noch jetzt, nur von Reisenden ohne schweres Gepäck benutzt. Dafs er in alter Zeit existirte, kann kaum bezweifelt werden, obgleich ich keine direkte Notiz darüber finde. [1])   Wir hörten von keinem andern Pafs hinauf zwi-

---

1) Die direkteste Hindeutung auf einen solchen Weg ist vielleicht die Nachricht des Eusebius und Hieronymus, dafs Kiriath-Jearim 9 röm. Meilen von Aelia auf dem Wege nach Diospolis liege. Wenn Kiriath-Jearim mit dem heutigen Kuryet el-'Enab identisch ist, so würde diese Notiz entscheidend sein. Onomast. Art. Cariathiarim. — Auf jeden Fall ist das Faktum, dafs Hieronymus die Paula von Nicopolis nach Jerusalem über Bethhoron reisen läfst (siehe oben im Text) für den Beweis, dafs der direkte Weg damals nicht vorhanden war, von keinem Gewicht; sie schlug die längere Route ein, um merkwürdige Orte zu besuchen, wie sie schon zwischen Caesarea und Nicopolis gethan hatte, wo sie sich nach verschiedenen Richtungen in der Ebne hinwandte. Es läfst sich kaum voraussetzen, dafs es keinen direkten Weg zwischen Ni-

schen den Wady's Suleimân und 'Aly; aber Pococke berichtet, dafs er von el-Kubeibeh (dem Emmaus der Mönche) oben auf dem Gebirge gradezu auf einen Pfad hinabstieg, der ihn eine Strecke nördlich von Lâtrôn hinbrachte, so dafs dieser Ort ihm im Gesicht lag, und dann nach Ramleh.. Doch kann ihn auch dieser Weg möglicherweise über Wady Suleimân geführt haben. [1])

Von der Zeit des Hieronymus an bis in das jetzige Jahrhundert findet sich nichts mehr von Bethhoron erwähnt. Die Kreuzfahrer scheinen den Namen nicht wiedererkannt zu haben; wenigstens berühren sie ihn nicht. Brocardus und Marinus Sanutus sprechen zwar von der unteren Stadt, aber allem Anschein nach nur mit Bezug auf biblische Auctorität, und nicht als Augen- oder Ohrenzeugen [2]) Die lange Reihe von wallfahrenden Reisenden seit den Kreuzzügen hat fast sammt und sonders die direkte Route zwischen Ramleh und Jerusalem eingeschlagen und nichts von Bethhoron gehört. Im Jahr 1801 verirrte sich Dr. Clarke zufällig von Kuryet el-'Enab hierher, und erkannte die alte Benennung in dem heutigen Namen Beit 'Ûr wieder. [3]) Seitdem scheint es nicht wieder besucht worden zu sein, bis einige mit uns befreundete Missionare ein paar Tage vor unserm Aufbruch zu dieser Reise auf ihrem Wege von Yâfa nach Jerusalem es berührten. [4])

Die Einwohner von Beit 'Ûr schienen meistens nicht zu Hause zu sein; wahrscheinlich waren sie in den Feldern oder auf

---

copolis und Jerusalem, wie jetzt, gegeben haben sollte, obgleich der bequemere über Bethhoron gegangen sein mag.

1) Descript. of the East, Vol. II p. 50, vgl. p. 6.
2) Brocard. c. IX. p. 184. Marin. Sanut. p. 249.
3) Clarke's Travels etc. Pt. II. Vol. I. p. 628 sq. 4to.
4) Die Herren Nicolayson und Paxton. Siehe Paxton's Letters. Lett. XX. p. 227. Lond.

der Ebne mit der Ernte beschäftigt. Wir fanden mehrere Frauen,
und zuletzt einen thätigen alten Mann, welcher an einem benachbarten Brunnen Wasser schöpfte. Er führte uns auf das Dach
eines Hauses, wo wir eine weite und sehr deutliche Aussicht über
die Gegend um Bethhoron und nach dem Meere hin hatten, in
der ihm alles wohl bekannt zu sein schien. Unsere Blicke um-
faſsten die Hügellandschaft und die Ebne so weit zur Rechten und
Linken, als das Auge reichte. Die hervorragenden Städte waren
Ramleh und Lydda; Yâfa konnten wir nicht auffinden. Nach
Norden hin lagen mehrere Orte, welche wir früher von Ram-
Allah gesehen hatten, namentlich Râs Kerker, ein Kastell in
den Hügeln. [1]) Zwischen uns und Ramleh blickten wir zu unsern Füſsen über ein breites, schönes Thal hinab, gebildet durch
die Vereinigung von Wady Suleimân, den Wady's im N. und S.
von Beit 'Ûr und andern. Diese Thalebne läuft W. gen N. ganz
durch die Hügellandschaft, und biegt sich dann S. W. durch die
westliche Ebne. Sie heiſst Merj Ibn Ömeir; und wir konnten
bemerken, wie ihre fernere Richtung rechts von der Hügelreihe,
auf welcher Khulda steht, fortging, so daſs es ohne Zweifel dieselbe fruchtbare Niederung ist, welche wir bei der Annäherung
nach 'Âkir passirten. [2])

Das Interesse dieser schönen Thalebne wird erhöht durch
ihren wahrscheinlichen Zusammenhang mit einer merkwürdigen
Begebenheit der biblischen Geschichte. Auf der Seite der langen
Anhöhe, welche das Thal im Süden einschlieſst, konnten wir ein
kleines Dorf in W. S. W. Namens Yâlo bemerken, was nicht

1) Ist dies vielleicht das Calcalia der Kreuzfahrer, wohin der Re-
negat Ivelin nach der Verbrennung von Ramleh und der Belagerung von
Lydda marschirte? Will. Tyr. XXI, 21.

2) Siehe oben, S. 229.

wohl etwas anders sein kann, als das alte Ajalon. [1] Aber ob dies die alte Stadt dieses Namens im Stamme Dan war, ist viel- leicht zweifelhaft. Wir finden diese Stadt mit Beth-Semes, Za- rea, Socho und Ekron zusammengestellt, [2] woraus man schlie- fsen möchte, dafs sie viel weiter südlich lag, obgleich sie sich auch mit Gimso verbunden findet, welches wir heute passirt hat- ten. [3] Hieronymus berichtet uns, dafs die Hebräer seiner Zeit Ajalon etwa zwei röm. Meilen von Nicopolis auf dem Wege nach Jerusalem setzten; und wenn man dies auf der Route über Beth- horon rechnet, so würde es einigermafsen mit der Lage von Yálo übereinkommen. Eusebius läfst das Ajalon des Stammes Dan in derselben Gegend liegen. [4] Es kann daher wenig Zweifel dar- über entstehen, dafs dieses Dorf die Lage eines alten Ajalon be- zeichnet, und dafs der breite Wady im Norden desselben das in der Geschichte des Josua so berühmte Thal Ajalon ist. Hier war es, wo dieser Führer Israels bei der Verfolgung der fünf Könige, nachdem er bis zu irgend einem Punkt nahe bei Ober-Bethhoron gekommen war, rückwärts nach Gibeon und über das herrliche Thal vor sich hinabblickte, und den berühmten Ausspruch that: „Sonne, stehe stille zu Gibeon, und Mond, im Thal Ajalon!" [5]

Ein wenig rechts von Yálo, und wenn ich mich recht erin- nere, am Fufse derselben langen Anhöhe nahe bei dem Thal wurde uns ein Dorf gezeigt, Namens Beit Nûbah. Dies ist

---

1) Die Septuag. und Eusebius schreiben diesen Namen *Aïlóv*. Epiphanius hat die Form *Ialó*, adv. Haer. lib. II. p. 702. Reland Pal. p. 553.

2) Jos. 19, 42. 2 Chron. 11, 10; 28, 18.

3) 2 Chron. 28, 18.

4) Onomast. Art. Ailon (*Aïlóµ*).

5) Jos. 10, 12. Eusebius und Hieronymus setzen das Thal Aja- lon östlich von Bethel, nahe bei Gibea und Rama Benjamin, in einer

wahrscheinlich mit dem vier oder, wie einige sagten, acht röm.
Meilen östlich von Diospolis gelegenen Bethoannaba des Eusebius
und Hieronymus identisch. [1]) Der letztere scheint denselben Ort
zu meinen, wenn er die Paula in der Nähe von Lydda und Arimathia den Ort Nobe erblicken läfst, wo er vorauszusetzen scheint,
dafs die Priester erschlagen worden; obgleich das Nob der Priester, wie wir gesehen haben, im Angesicht von Jerusalem gelegen haben mufs. [2]) Im Zeitalter der Kreuzzüge wurde Beit Nû-
bab berühmt; erstlich als die Lage des Castellum Arnaldi, das
von dem Patriarchen und den Bürgern in Jerusalem zum Schutze
der Zugänge zu dieser Stadt errichtet worden; [3]) und sodann als
der Ort, wohin Richard Löwenherz im Juni 1192 sein Heer von
Askalon auf dem Wege zur Belagerung Jerusalem's brachte. Nach
einer mehrwöchentlichen ruhmlosen Verzögerung hierselbst wandte
sich der englische König mit seinen Truppen nach Ramleh und
Joppe zurück, und verliefs bald nach Abschliefsung eines Waffen-
stillstandes mit Saladin das Land. [4]) Aus den mit diesem Marsch

---

Richtung, die der, in welcher Josua die Amoriter verfolgte, (ganz ent-
gegengesetzt ist; Onomast. Art. Aialon (*Ἀιλώμ*). Jedoch läfst Hieronymus, wo er erzählt, dafs Paula von Nicopolis über die beiden Beth-
horons nach Jerusalem reiste, dieselbe das Ajalon und Gibeon, wo Josua die Sonne und den Mond stille stehen hiefs, zu ihrer Rechten liegen; Epitaph. Paulae p. 673 ed. Mart.

1) Onomast. Art. Anob. Reland Pal. p. 661.

2) Hieron. Ep. 86, Epitaph. Paulae p. 673 ed. Mart. Siehe oben,
Bd. II. S. 368 f.

3) Will. Tyr. XIV, 8. Er nennt den Ort „Nobe, qui hodie
vulgari appellatione dicitur Bettenuble." Wilken Gesch. der Kreuzz. II.
S. 615.

4) Gaufr. Vinisauf V, 49 sq. p. 399 sq. VI, 69. p. 408 sq. Dieser Schriftsteller nennt den Ort Betenoble und Betenopolis. Jac. de Vitr.
100. p. 1123. Bohaeddin Vit. Salad. p 203, 230, 243. Wilken Gesch.
der Kr. IV. S. 508—533.

zusammenhängenden Notizen geht hervor, dafs Beit Nûbah nahe
bei der Ebne auf dem grofsen Wege zwischen el-Jib und Ramleh lag. Willebrand von Oldenburg erwähnt es auf demselben
Wege im Jahr 1211, und dann wieder Brocardus;[1] es scheint
sich aber von der Zeit an bis auf unsere Tage den Blicken der
Reisenden ganz entzogen zu haben.

Unter den auf dem Berge südlich von Beit 'Ur liegenden
Städten wurde uns, wiewohl fälschlich, eine im S. S. W. als el-
Kubeibeh gezeigt, wo es den Mönchen früher gefallen hat, die
Ortslage des neutestamentlichen Dorfes Emmaus anzunehmen, nach
welchem die beiden Jünger von Jerusalem hingingen, als Jesus
ihnen nahte und mit ihnen wandelte.[2] Nach Pococke, welcher
den Ort besuchte, liegt er etwa eine Stunde in einer westlichen
Richtung von Neby Samwil; und auf seiner Reise dorthin von
dem letztern Orte liefs er das Dorf Biddu rechts liegen, und Beit
Sûrîk links; weiter westlich und mehr im Norden sah er Beit
'Enân, welches wir auch jetzt sehen konnten.[3] — Gegen die
Hypothese der Mönche sprechen zwei unwiderlegliche Einwürfe:
erstlich, dafs während das Emmaus des Lukas nur sechszig Stadien von Jerusalem ablag, el-Kubeibeh wenigstens drei Stunden
oder mehr als siebzig Stadien von dieser Stadt entfernt ist; und
zweitens, dafs die Lage von Emmaus und jegliche richtige Tradition darüber sich schon vor der Zeit des Eusebius und Hieronymus verloren hatte, da sie es mit der mehr als 160 Stadien

1) Willebr. ab Oldenb. Itin. p. 146, in Allatii Symmikta, Col.
Agr. 1653. Brocardus c. X. p. 186. Brocardus schreibt „Bethnopolis,"
und läfst es mit Nobe identisch sein.

2) Luk. 24, 13—35.

3) Descr. of the East, II. p. 49, 50. fol. Pococke sagt: „drei
(engl.) Meilen," so viel als er gewöhnlich für eine Stunde rechnet. Vgl.
auch Nau Voyage p. 502 ff.

von Jerusalem entlegenen Stadt Emmaus oder Nicopolis identificiren. [1]) Dazu können wir noch hinzufügen, dafs nie der min-
deste Grund vorhanden war, el-Kubeibeh irgendwie mit Emmaus
zu verbinden; auch findet sich keine Spur von einer solchen Verbindung beider vor dem 14. Jahrhundert. [2])

1) Onomast. Art. Emaus. Hieron. Ep. 86, Epit. Paulae p. 673.
— Man ist fast versucht zu argwöhnen, die gewöhnliche Lesart bei
Luk. 24, 13. möge 160 statt 60 Stadien gewesen sein, welches alsdann
auf Nicopolis hinführen würde. Aber es findet sich keine Variante
zur Begründung einer solchen Ansicht; siehe die Ausgaben von Wet-
stein und Griesbach. Zudem erwähnt auch Josephus einen Ort Am-
maus 60 Stadien von Jerusalem entfernt; B. J. VII, 6, 6. Siehe Reland Pal, p. 427. 760.

2) Die Kreuzfahrer und die Pilger der folgenden Jahrhunderte
scheinen Emmaus und Nicopolis nach Lâtrôn gesetzt zu haben, auf dem
Wege von Ramleh nach Jerusalem, nahe bei der den Makkabäern geweihten Kirche, welche nicht unwahrscheinlich die traditionelle Lage von
Modin bezeichnen mag; s. oben Bd. II. S. 582. So Fulcher Carnot. 18.
p. 396. Will. Tyr. VII, 24. Jac. de Vitry c. 63, p. 1081. Brocardus
c. X. p. 186. Marin. Sanut. p. 146, 249. Tucher im Reisb. S. 658.
Breydenbach ebend. S. 105. Jedoch zeigen sich im 14. Jahrhundert Spuren, als ob schon eine neue Hypothese angefangen hätte, die Ortslage
hinauf nach Kubeibeh zu verlegen. So scheint Rudolf de Suchem von
Emmaus als in der Gegend von Neby Samwîl zu sprechen; Reysb. S.
850. So auch Fabri im Jahr 1493; ebend. S. 241. Tschudi im J. 1519
setzt es ausdrücklich zwei italiän. Meilen nördlich von dem gewöhnlichen·
Wege nach Jerusalem; p. 115. St. Gallen 1666. Im Laufe des 16. Jahrhunderts wurde die Verlegung vollständig; Kubeibeh erscheint seitdem
als Emmaus, und der Ort am Fufse des Berges erhielt den Namen „Castellum boni Latronis;" woher der heutige arabische Name Lâtrôn. So
Zuallardo p. 242, vgl. p. 113. Cotovicus p. 315, vgl. p. 143. Quaresmius II. p. 719 sq. vgl. p 12 sq. — Alle diese Schriftsteller und Reisenden betrachten Emmaus, wo sie es auch hinversetzen mögen, als
Nicopolis, indem sie zwischen dem Dorf und der Stadt Emmaus keinen

Die Lage aller dieser und anderer von dem oberen Beit 'Úr gesehenen Orte war folgende, wobei wir von S. O. anfangen und dann weiter rechtshin fortgehen: Biddu S. 24⁰ O. (?), et-Tireh S. 10⁰ O., Beit 'Enân S. 11⁰ W., Yâlo S. 66⁰ W., Beit Nûbah S. 70⁰ W., el-Kubâb W., Khŭrbata N. 85⁰ W., Ramleh N. 71⁰ W., Ludd N. 64⁰ W., Beit 'Úr das niedere N. 60⁰ W., Süffa N. 57⁰ W., Deir Kadis N. 30⁰ W., Deir Abu Mesh'al N. 10⁰ W., Râs Kerker N., Beit Ellu N. 8⁰ O., Deir Bezi'a N. 10⁰ O., Jânieh N. 12⁰ O., Abu Zeitûn ein Wely O.

Das Land um das obere Bethhoron ist äufserst felsig und bietet wenig Gelegenheit zum Anbau dar. Wir verliefsen den Ort um 12 U. und fuhren fort unter felsigen und öden Bergen, alle das Charakteristische einer Wüste an sich tragend, allmählig hinaufzusteigen. Der Boden war im Allgemeinen so mit Felsen übersäet, dafs es zuweilen schwierig war den Weg zu finden; einmal kamen wir vom Pfade ab und verloren beim Wiederaufsuchen zehn Minuten. Dazu kam noch, dafs der Weg sich krümmte und unsere Pferde müde waren, so dafs wir von Bethhoron nach el-Jib nicht schneller reisten, als es mit Kameelen der Fall ist. Um 1 U. 50 Min. erreichten wir die Höhe des Gebirges, und gelangten nach dem Rande der Ebne im Westen von el-Jib. Hier hatten wir Beit 'Úr, el-Jib und Neby Samwil alle auf einmal im Gesicht in folgenden Richtungen: Beit 'Úr N. 65⁰ W., el-Jib S. 27⁰ O., Neby Samwil S. 5⁰ O. — An dieser Stelle waren auch die Trümmer eines früheren Dorfes, dessen Namen wir nicht erfahren konnten, da wir keinen Führer hatten und keine Landleute trafen. Wir konnten hier rechter Hand in den Wady Suleimân hinabblicken, welcher grade von dem west-

---

Unterschied machen, auch nicht einmal eine Frage aufwerfen, ob es 60 oder 160 Stadien von Jerusalem entfernt lag.

lichen Ende der Ebne sich zu senken anfängt, und auch den andern Weg sehen, wo er dieses Thal hinaufgeht.

Wir zogen auf unserem Wege nach el - Jib weiter, und wandten uns um 2 U. 25 Min. von unserm Pfade ab nach den Feldern zur Rechten, um den bereits erwähnten vernachlässigten Brunnen Bir el-'Özeiz zu besuchen. [1]) Er enthält 19 Fuſs im Durchmesser, und ist beinahe mit Schutt ausgefüllt, während bis zum Wasser, welches auch sehr spärlich ist, nur 8 Fuſs sind. Nachdem wir durch diesen Umweg zehn Minuten verloren hatten, zogen wir an der nördlichen Seite des Berges von el - Jib weg, und hielten um 2 U. 50 Min. ein paar Minuten bei der Quelle in der Höhle an. [2])

Von el - Jib bis Jerusalem hatten unsere Pferde den Instinkt, daſs die Reise nach Hause ging, und waren etwas muntrer, obgleich noch immer ermattet. Wir hatten diesmal keine Lust, die steile Anhöhe von Neby Samwil zu erklimmen, und schlugen daher den Weg über Beit Hanína ein, welcher durch das Thal an dem N. O. Ende des Rückens von Neby Samwil hinuntergeht. Dies ist der Ableiter der ganzen Ebne um el - Jib, ausgenommen an ihrem westlichen Ende, und bildet einen der Anfänge des groſsen Wady Beit Hanína. [3]) Wir verlieſsen die Quelle um 3 U. und erreichten bald das enge, felsige und schroffe Thal, welches wir hinabzogen. Der Pfad geht längs dem Grunde desselben bis beinahe nach Beit Hanína, wo er allmählig nach dem Dorfe hinaufläuft. Wir erreichten diesen Ort um 3 U. 50 Min.; er liegt auf dem felsigen Rücken, welcher zwischen dem Wady, den wir eben herabgekommen, und einem andern ähnlichen, der sich von der Gegend von er-Râm herabzieht, herunter läuft. Das

---

1) Siehe oben, Bd. II. S. 351.
2) Ueber unsern früheren Besuch in el-Jib siehe Bd. II. S. 352 ff.
3) Siehe ebend. S. 352.

Dorf ist nicht grofs, und von Steinen ziemlich gut gebaut. Der Boden ringsum ist äufserst felsig und bietet wenig Gelegenheit zum Anbau dar; aber es stehen viele Olivenbäume ringsum, welche zu gedeihen schienen. Neby Samwil hatten wir hier N. 72° W.

Von Beit Hanîna stiegen wir allmählig in das Thal hinab; und als wir den Vereinigungspunkt passirt hatten, wo der östliche Arm einläuft, zogen wir nach einer Weile wieder den östlichen Berg schräg hinauf, um ihn in der Richtung von Jerusalem zu überschreiten. So kamen wir nach dem obern Theil des Neben-Wady, durch welchen der Weg von Neby Samwil hinaufläuft; [1]) und auf diesem letztern Wege zogen wir den felsigen Abfall nach den Gräbern der Richter hinauf. An diesen kamen wir um 4 U. 50 Min. vorbei und erreichten unser Zelt vor dem Damascus-Thor 20 Minuten nach 5 Uhr. Komeh hatte nach unsern Anweisungen das Zelt nicht weit vom Thore unter dem Schatten der Olivenbäume, aber mitten auf einem gepflügten Felde aufgeschlagen. Wir konnten indefs nach langem Suchen auch keine bessere Stelle finden. — Der Eigenthümer der Pferde erwartete unsere Ankunft vor dem Thore; aber der widerspenstige Mukâry kam nicht zum Vorschein.

Hier fanden sich bald Hr. Lanneau und unser Reisegefährte bei uns ein, welche es bis zu unserer Rückkehr verschoben hatten, aus der Stadt zu gehen. Sie kamen jetzt mit Sack und Pack, ihrem eignen und dem unsrigen, indem Hr. Lanneau vorhatte, nach Yâfa zu reisen. Sie hatten eine Woche lang strenge Quarantäne in des letztern Hause, unter der Aufsicht eines Guardiano oder Sanitätsdieners der Regierung, zu bestehen gehabt. Dieser Mann wurde, wie wir später in Beirût erfuhren, selbst ein paar Tage nachher von der Pest befallen und starb.

---

1) Siehe oben, Bd. II. S. 363.

Vierzehnter Abschnitt.

Von Jerusalem nach Nazareth und dem Berge Tabor.

Wir blieben drei Tage in unserm Zelte vor den Thoren von Jerusalem. Der erste war ein Sonntag, welcher uns nie willkommner war, als jetzt, nach drei und einer halben Woche beständigen, beschwerlichen Reisens, das oft von grofser Aufregung und daraus folgender Erschöpfung begleitet war. Es war ein Rasttag, der uns sehr noth that, und wir brachten ihn damit hin, uns die ergreifenden Erinnerungen der geheiligten Scenen um uns her wieder zu vergegenwärtigen, und die Eindrücke derselben zu erneuern und zu befestigen. Es war unser letzter Sonntag in Jerusalem.

Die Lage der Dinge in der heiligen Stadt war während unsrer Abwesenheit um nichts besser geworden. Sie wurde den Tag nach unsrer Abreise gesperrt, und jetzt hatte man seit länger als drei Wochen alle direkte Communication der Stadt mit dem Lande abgeschnitten. Zehntausend Personen wurden somit in den engen Strafsen und ihren eignen, noch engeren und schmutzigen Wohnungen, ohne frische Luft und ohne frische Lebensmittel, aufser sofern ein spärlicher Bedarf von Vegetabilien an den Thoren zu haben war, eingeschlossen. Unter solchen Umständen war es nicht sowohl ein Wunder, dafs die Pest nicht nachliefs, als vielmehr, dafs ihre Verheerungen nicht noch zunahmen. Jedoch schien dies nicht der Fall gewesen zu sein; die Beispiele

von Ansteckung waren vereinzelt und gelegentlich, wie zuvor; und
die Krankheit fuhr noch mehrere Wochen hindurch fort, denselben Charakter zu äufsern, bis die Stadt endlich im Juli wieder
geöffnet wurde. [1]) Ein Hakim Bashi, ein Arzt von der Regierung, war bald nach der Absperrung der Stadt aus Alexandrien
angekommen, welchem die Ueberwachung der Sanitäts-Angelegenheiten anvertraut wurde. Als besondere Vergünstigung war
unsern Freunden gestattet worden, die erforderliche Quarantäne
in ihrem eignen Hause statt in der erbärmlichen öffentlichen Anstalt abzuhalten, und sie waren so vielen Entbehrungen und Verdriefslichkeiten entgangen, denen sie sich sonst hätten unterziehen
müssen. Die bleiche Farbe der Einwohner, die wir sahen, und
unserer Freunde insbesondere fiel uns sehr auf. Die letzteren
bildeten einen scharfen Contrast mit unsern dunkeln Gesichtern,
welche, so lange Zeit den sengenden Sonnenstrahlen der 'Arabah
und den Gluthwinden der Sephela ausgesetzt, ein so verbranntes,
bronzenes Aussehen bekommen hatten, dafs sie sogar noch dunkler waren als die gewöhnliche arabische Farbe.

In der Stadt lagen alle Geschäfte darnieder; die fremden
Kaufleute waren abgereist, und keiner konnte von aufsen zum
Kauf oder Verkauf hineinkommen. Die Bestrebungen und Schulen der uns befreundeten Missionäre waren gänzlich unterbrochen.
Viele von den Einwohnern hatten es vorgezogen, die Stadt zu
verlassen, und lebten in den Feldern oder wanderten durch die
Dörfer umher. Die einen solchen Zustand der Dinge begleitenden Uebel kann man sich besser vorstellen, als sie beschreiben;
es ist schon genug darauf hingedeutet worden. [2]) Der Mutesel-

---

1) Die Pest soll seitdem in Jerusalem sowohl im Jahr 1839 als
1840 grassirt haben; aber ich höre nichts davon, dafs die Stadt seitdem
wieder abgesperrt worden ist.

2) Siehe z. B. Bd. I. S. 413.

lim, Sheikh Mustafa, welcher bei der Absperrung von Jerusalem
nach Dûra und Hebron verreist war, hatte sein Zelt grade in
dem Damascus‑Thor aufgeschlagen, wo er alle seine Geschäfte
abmachte, ohne die Stadt zu betreten. Die Märkte wurden auch
au dem Damascus‑ und Yâfa‑Thor gehalten. Eine doppelte, 6
bis 8 Fufs von einander stehende Barriere war um das Thor
nach der Aufsenseite hin errichtet worden, und umfafste einen be‑
trächtlichen Raum. Die Einwohner der Stadt konnten von innen
an diese Barriere herankommen, und die Leute vom Lande an
der Aufsenseite; während Sanitätsdiener in dem Raum zwischen
den Schranken hin‑ und hergingen, jeder mit einem tüchtigen
Stock versehen. Aller Verkehr ging durch diese doppelten Bar‑
rieren und über den zwischenliegenden Raum von sechs oder acht
Fufs; hier wurden die von den Landleuten herbeigebrachten Le‑
bensmittel zuerst dem Guardiano eingehändigt und von ihm nach
der andern Seite getragen, darauf das Geld auf gleiche Weise
von der Stadt nach der Landseite geschafft, nachdem man es in
Wasser oder Essig hatte fallen lassen. Aber wehe den Händen
oder Fingern auf einer von beiden Seiten, die sich zu weit über
die Schranken hinauswagten! Die Aufseher hatten hierauf be‑
ständig ein wachsames Auge, und ein eben nicht sanfter Schlag
mit dem Stocke schien ihnen nicht weniger Vergnügen zu ma‑
chen, als den Gestraften Schmerz.

Wie es den Einwohnern von Jerusalem und namentlich den
zahlreichen ärmeren Klassen möglich war, bei einem solchen Zu‑
stande der Dinge auszuhalten, ist mir unbegreiflich. Die Stadt
war nach der einen einzigen Tag vorher erfolgten Bekanntma‑
chung und auf unbestimmte Zeit abgesperrt worden, so dafs na‑
türlich Keiner im Stande war, sich auf einen solchen Nothfall zu
rüsten. Nichts konnte in die Stadt kommen als Lebensmittel, und
wenig oder nichts kam heraus, aufser Geld; und hiervon hatte

die grofse Mehrzahl der Einwohner wenig oder gar keins. Schon war die Klage allgemein, dafs die täglichen Einkäufe auf den Märkten den Vorrath an kleinem Gelde erschöpft hätten, so dafs es fast unmöglich war, Scheidemünze zu geben oder zu bekommen. — Jedoch konnte man von dem Hakim Erlaubnifs erhalten, in die Stadt zu gehen, wobei man vor sich und hinter sich Sanitätsdiener zur Abwehr aller Berührung mit den Leuten und verbotenen Gegenständen hatte. Die englischen Reisenden, die wir in Hebron getroffen und die jetzt im S. W. der Stadt jenseits des Thales Hinnom gelagert waren, machten von einer solchen Erlaubnifs zum Besuche des Innern von Jerusalem Gebrauch; aber unsrerseits war hierzu kein so wichtiger Beweggrund vorhanden, der uns die begleitende Gefahr und Unruhe hätte übersehen lassen. Mit unsern noch in der Stadt zurückgebliebenen Freunden hatten wir häufige Communication von den Mauern; und einmal kamen sowohl Hr. Whiting als Hr. Nicolayson mit ihren Familien, begleitet von einem Sanitätsbeamten heraus und verweilten eine oder zwei Stunden unter der Terebinthe an der N. W. Ecke der Stadt bei uns. Hier sagten wir einander Lebewohl; und ich weifs gewifs, dafs ich ihre liebevolle Güte nur vergessen werde, wenn ich Jerusalem selbst vergesse.

So verflossen die Tage unseres letzten Aufenthalts in der heiligen Stadt. Wir machten am Montag (den 11. Juni) den bereits beschriebenen Ausflug nach Bethanien; und am folgenden Tage vervollständigte ich die Beobachtungen auf dem Oelberg.[1]) Durch alles dieses, das Ausfüllen unserer Tagebücher, wie das Packen und die Vorbereitungen zu unsrer langen Reise nordwärts wurde unsere Zeit völlig in Anspruch genommen. Ich hatte zwar gehofft im Stande zu sein, dem früheren Plane gemäfs einen

_____

1) Siehe Bd. II. S. 42, 309 ff.

III.   19

Ausflug nach dem St. Saba- und St. Johannes-Kloster zu machen;[1] aber die Nothwendigkeit, Beirât zeitig zu erreichen, um das englische Dampfschiff am 8. Juli zu treffen, zwang uns, dieses Vorhaben aufzugeben und ohne Verzug unsere Schritte nordwärts zu richten. Wir mietheten sieben muntere Maulthiere, die uns nach Nazareth und Damascus bringen sollten, oder wohin wir sonst Lust hätten zu gehen, für 15 Piaster täglich, und halb so viel, wenn wir ruhten. Wir erhielten auch einen Gesundheitspaſs von dem Hakîm, damit wir im Stande sein möchten, die an verschiedenen Orten gegen alle Ankömmlinge von Jerusalem eingerichteten Quarantäne-Maaſsregeln zu vermeiden.

Mittwoch, den 13. Juni. Nachdem wir über Nacht, so weit es anging, unsere Einrichtungen getroffen hatten, standen wir früh auf, in der Hoffnung zeitig aufzubrechen. Aber das Packen und Aufladen am ersten Morgen einer Reise nimmt immer mehr Zeit weg, als an den folgenden Tagen, weil man erst alles vertheilen, und die Lasten ins Gleichgewicht und in die Ordnung bringen muſs, wie sie später unverändert bleiben. Da wir jetzt auch Jerusalem ganz und gar verliefsen, so nahmen wir all unser Gepäck mit, was auf unsern früheren Ausflügen nicht der Fall gewesen war. Herr Lanneau reiste zu gleicher Zeit nach Yâfa ab, und wollte die Kameelstrafse einschlagen, um uns so eine Stunde Weges zu begleiten. Wir hatten dies Mal nur zwei Maulthiertreiber, beide gemeinschaftliche Eigenthümer der Thiere, welche sie trieben; einer, der ältere und die Hauptperson, von Jerusalem, und der andere von Safed. Jeder führte noch einen Esel mit sich zu seinem eignen gelegentlichen Gebrauch; einer von diesen ein schönes, wohlgenährtes Thier, der andere mager und zottig wie eine Vogelscheuche. Bei allen un-

---

1) Siehe oben, Bd. II. S. 572.

sern Bemühungen wurde es 6³/₄ Uhr, ehe wir im Stande waren aufzubrechen; und dann mufsten die Maulthiertreiber nach dem Stadtthor gehen, um sich Getreide zu holen. Wir zogen bei dem Grabe des Sheikh Jerafy um 6 U. 55 Min. vorbei und hielten, oben auf dem Scopus angekommen, eine Viertelstunde an, um auf unsere Treiber zu warten und die Abschiedsblicke nach der heiligen Stadt zu richten.

Die Gefühle zu fassen, welche sich in einem solchen Augenblick der Seele bemächtigen, will ich dem Leser anheimstellen. Die an die Stadt und ihre Umgebung sich knüpfenden historischen Erinnerungen können nicht fehlen, selbst dem Ungläubigen oder Heiden ein hohes Interesse abzugewinnen, wie viel mehr dem Herzen des Gläubigen! Welch eine Menge wunderbarer Begebenheiten sind an diesem Orte geschehn! Welch ein Einfluſs ist von hier ausgegangen, der die Meinungen und Schicksale von Individuen wie der Welt im Grofsen für Zeit und Ewigkeit bestimmt hat! Wenn meine Gefühle beim ersten Betreten der heiligen Stadt stark aufgeregt wurden, so waren sie es jetzt bei der letzten Abreise von ihr kaum in geringerem Maafse. Wie wir bei unserer früheren Annäherung beständig den Grufs des Psalmisten wiederholt hatten: „Es müsse Frieden sein inwendig in deinen Mauern, und Glück in deinen Palästen;" so konnten wir jetzt nicht umhin hinzuzufügen: „Um unsrer Brüder und Freunde willen wollen wir dir Friede wünschen!"[1]) Ihre Paläste zwar sind längst dem Boden gleich gemacht, und der hochmüthige Muselmann tritt jetzt seit Jahrhunderten ihren Ruhm in den Staub! Dennoch konnte ich, als wir warteten und von diesem hohen Boden wiederum auf die Stadt und die umgebenden Gegenstände hinsahen, mich nicht enthalten auszurufen: „Der

---

1) Ps. 122, 7. 8.

19 *

Berg Zion ist wie ein schön Zweiglein, des sich das ganze Land tröstet; an der Seiten gegen Mitternacht die Stadt des grofsen Königs!" [1] Ein langer letzter Blick, und dann mich abwendend, sagte ich diesen geheiligten Bergen für immer Lebewohl.

Wir zogen unsern Weg weiter. An diesem Punkt waren wir N. gen O. $\frac{1}{2}$ O. von der Stadt gewesen, während wir el-Bireh N. hatten. Um $7\frac{3}{4}$ U. passirten wir Sha'fât fünf Minuten linker Hand; und um 8 U. 10 Min. die alten Grundmauern nahe beim Fufse des jenseitigen Abfalles. [2] Ein paar Schritte weiter geht die Kameelstrafse nach Ramleh schräg ab nach el-Jib zu, indem sie um die dazwischenliegenden Anhöhen rechts herumgeht. Hier schieden wir von unserm Freund und Wirth Hn. Lanneau, dessen unermüdlicher Güte und Aufmerksamkeit wir uns in Jerusalem so sehr verpflichtet fühlten; er ging nach Yâfa, und wir zogen weiter nach el-Bireh. Wir kamen um 8 U. 45 Min. an dem verfallenen Khân, er-Râm gegenüber, vorbei, während letzteres uns rechts lag; und um 9 U. 35 Min. hatten wir die Ruinen von 'Atâra linker Hand. [3] Um 9 U. 55 Min. waren wir auf dem Rücken, welcher das Thal, in das wir eben hinaufgekommen, von dem südlich von el-Bireh nach dem Jordan laufenden trennt; und um den Anfang des letzteren herumgehend erreichten wir um 10 U. die Quelle S. W. von el-Bireh. [4]

Wir hielten hier beinahe eine halbe Stunde an, um uns einen Führer zu verschaffen, indem wir vorhatten, den Weg einzuschlagen, welcher über Jifna führt, ein Dorf, das westlich von beiden Armen der grofsen Nâbulus-Strafse liegt. Wir trafen

---

1) Ps. 48, 3.

2) Siehe oben, Bd. II. S. 570.

3) Ueber alle diese Orte und die Ansicht des Landes siehe oben, Bd. II. S. 566 ff.

4) Ueber diese Quelle und auch über el-Bireh s. oben, Bd. II. S. 345.

eine an der Quelle ausruhende, kleine Kameel-Karawane, beladen mit Weizen, welchen sie von Nábulus nach Bethlehem transportirte. Die Leute buken einen grofsen, runden, flachen Brodkuchen in der heifsen Asche eines mit Kameel- und Kuhdünger angemachten Feuers. Nachdem sie ihn gebacken und herausgenommen hatten, wischten sie die Asche ab und vertheilten ihn, indem sie uns auch ein Stück anboten. Ich kostete dies Brod und fand es eben so gut als das gewöhnliche Landbrod. Sie hatten keine andere Lebensmittel. Es waren Leute aus Bethlehem; und dies ist die gewöhnliche Kost derer, welche auf solche Weise reisen.

Nachdem wir einen Führer bekommen hatten, zogen wir um 10 U. 25 Min. wieder weiter; an der Westseite des Dorfes Bireh gingen wir vorbei, ohne es zu betreten. Der Nábulus-Weg theilt sich hier in zwei Arme; einer geht in der Nähe von Bethel und bei 'Ain Yebrûd vorbei, der andere liegt mehr westlich; sie kommen weiterhin bei oder vor 'Ain el-Harâmiyeh wieder zusammen. Wir blieben 10 Minuten lang hinter dem Dorfe auf dem westlichen Arme, und gingen dann um 10 U. 40 Min. mehr links davon ab, in einer Richtung N. N. O. Um 11 Uhr führte der Weg längs der Seite eines kleinen seichten Teiches linker Hand, Namens el-Bâlû'a; er war jetzt trocken, aber im Winter läuft das Wasser aus demselben ostwärts zum Jordan. Wir gingen nun nach Norden, und passirten bald die Wasserscheide, wo das Land allmählig anfing sich nach N. W. zu neigen. Um 11 U. 15 Min. lag eine Ruine Namens Kefr Murr auf einer Anhöhe zu unsrer Rechten 10 Minuten entfernt; und wir konnten von jetzt an in das Thal von Jifna hinabsehen und trafen hier zuerst auf ein paar verkrüppelte Gebüsche. Es ist eine besondere Eigenthümlichkeit der ganzen Umgegend von Jerusalem, dafs, während Bäume verschiedener Art nicht ungewöhnlich sind, man Sträucher und Gebüsche selten zu sehen bekommt.

Wir waren etwas überrascht, hier die offenbaren Spuren eines alten gepflasterten Weges zu finden, ganz ähnlich den römischen Strafsen in Italien und andern Gegenden. Es war augenscheinlich vor Alters ein öffentlicher und wahrscheinlich ein Militär-Weg zwischen den Städten Gophna und Jerusalem; — allem Anschein nach die grofse Route, welche in alten Zeiten, wie jetzt, dem Grathe des hohen bergigten Landstrichs entlang von der Ebne Esdrelon durch Neapolis und Gophna nach der heiligen Stadt führte. Das Pflaster hat sich noch auf einem grofsen Theil des Weges ganz erhalten. Um 11½ U. lag eine kleine Ruine Namens Armûtieh zu unsrer Rechten; und wir fingen bald an, über einen Seiten-Wady in das tiefe Thal hinabzusteigen, worin Jifna liegt. Um 11 U. 45 Min. zeigte sich linker Hand eine Quelle mit fliefsendem Wasser, ringsum von Heerden umgeben. Der grofse Wady vor uns läuft hier N. O. und hat seinen Anfang in einiger Entfernung links, nördlich von Ram Allah, wovon er durch einen andern, westlich hinablaufenden, tiefen Wady getrennt ist. Der bei Jifna biegt sich auch später nach N. W. herum und läuft nach dem westlichen Meer ab. Er breitet sich hier in eine kleine fruchtbare, sehr tiefliegende Ebne aus, worin, umgeben von hohen Bergen, Jifna steht. Wir erreichten den Ort um 12 U., 1½ Stunden von Bîreh.

Hier blieben wir eine Weile, um einen Imbifs zu halten, ein paar Schritte von der Stadt unter einem grofsen Wallnufsbaum, dem ersten uns zu Gesicht gekommenen, ähnlich der englischen Wallnufs. Dicht dabei waren auch zwei Mais-Bäume (Cordia myxa der Botaniker), schlank und schön, mit runden Wipfeln und grofsen Blättern, aus deren Beeren Vogelleim gemacht wird. Der Wallnufsbaum stand innerhalb des Bezirkes einer alten Kirche, die nach der Aussage des christlichen Sheikhs, den wir zu uns einluden, dem heil. Georg geweiht war. Sie mufs sehr grofs gewesen sein; viele Kalkstein - Säulen, mit welchen sie ausgeschmückt war, lagen ringsum, oder ihre Fragmente standen noch da; aber von den Grundmauern war nicht mehr genug über dem Boden vorhanden, dafs wir im Stande gewesen wären, die Dimensionen aufzunehmen. Unter dem Baum umschliefst eine kleine Ringmauer einen Altar, an welchem noch zuweilen Messe gehalten wird, und auch den alten Taufstein von Kalkstein, zum Theil in dem Boden begraben. Dieser letztere enthielt 5 Fufs im Durchmesser, bei $3\frac{1}{2}$ Fufs Höhe und 2 Fufs 9 Zoll Tiefe innerhalb; das Inwendige ist in Form eines Kreuzes ausgehöhlt, mit gerundeten Ecken. In dem Dorfe selbst, welches grade jenseits des Wady - Bettes liegt, finden sich die verfallenen Mauern eines vielleicht aus dem Zeitalter der Kreuzzüge herrührenden Kastells.

Das ganze Thal und die Seiten der Berge ringsum sind sehr reichlich angebaut und voll von Oliven, Weinstöcken und Feigenbäumen, welche diesem und den benachbarten Dörfern gehören. Um das Dorf selbst giebt es auch zahlreiche Aepfel-, Birnen-, Feigen-, Granatäpfel-, Aprikosen- und einige Wallnufsbäume. Die Landschaft in der ganzen Umgebung ist gesegnet, und beurkundet einen hohen Grad von Fruchtbarkeit und Betriebsamkeit. — Die heutigen Einwohner von Jifna sind alle Christen; sie zählen nur 42 steuerpflichtige Männer, welches eine Bevölkerung von nicht mehr als 200 Seelen ergiebt. Nach dem Aufstand im Jahr 1834 hatte man 26 von ihnen nach Aegypten abgeführt und bei den öffentlichen Arbeiten beschäftigt, von wo sie nie wieder zurückgekehrt waren. Vor nicht langer Zeit reiste einer von ihren Priestern nach Aegypten, um sich nach ihnen umzusehen, und starb daselbst.

Von Jifna aus erhielten wir folgende Ortsbestimmungen:
Bir ez-Zeit ein kleines ¹/₂ Stunde entferntes christliches Dorf [1]
N. 45⁰ W., Tell 'Asûr mit einem Wely [2] N. 48⁰ O., Yebrûd
an dem westlichen Arm des Nâbulus-Weges ¹/₂ Stunde entfernt
N. 63⁰ O., 'Ain Yebrûd an dem östlichen Arme etwa S. 70⁰
O., Dûrah S. 68⁰ O.

In Beziehung auf Jifna zeigt sowohl der Name als die
Lage entschieden, dafs es das alte Gophna des Josephus und
Ptolemaeus ist, ohne dafs man in der Schrift einen Namen unter
dieser Form nachweisen kann. [3] Eusebius setzt es 15 röm. Meilen von Jerusalem auf dem Wege nach Neapolis; [4] wir durchreisten die Strecke in etwas mehr als 4¹/₂ Stunden, und fanden
die Spuren des alten öffentlichen Weges. Es scheint nach dem
Josephus ein befestigter Ort gewesen zu sein. Wie Lydda, wurde
es von Cassius eingenommen, und die Einwohner in die Sklave-
rei verkauft, aus der sie durch ein Dekret des Antonius befreit

---

1) Siehe oben, Bd. II. S. 337.

2) Welchen wir auch früher von 'Alya, el-Bîreh und Ram Allah
sahen; vgl. oben, Bd. II. S. 339, 346, 349. Ist dies vielleicht das Ha-
zor in Benjamin, Neh. 11, 33? Alsdann fände hier derselbe Uebergang von Cheth (ח) zu 'Ain statt, wie in Beit 'Ur aus Beth-horon;
siehe oben, S. 274. Anm. 3.

3) Ptol. IV, 16. Reland Palaest. p. 461, 816. — Es wäre möglich, dafs der Name Gophna von dem Ophni in Benjamin Jos. 18, 24.
herkäme. In diesem Fall müfste ein Uebergang des hebr. Ain (ע) in
Gimel (ג) stattgefunden haben, welches zuweilen, wiewohl selten, vorkommt. Es mag in diesem Falle durch die Griechen gekommen sein,
bei denen die Vertauschung gewöhnlich war. Siehe Gesenius Hebr. Lex.
unter den Buchstaben ג und ע.

4) Onomast. Art. Vallis Botri, φάραγξ βότρυος. Dieser Arti-
kel ist von Hieronymus nicht übersetzt. Für die alte Fruchtbarkeit des
Thales spricht der Umstand, dafs es damals von einigen für das Thal
Escol gehalten wurde.

wurden. [1]) Es wurde später der Hauptort einer Toparchie; Vespasian nahm es ein, und Titus zog hindurch auf seinem Marsche von Samaria zur Belagerung Jerusalem's. [2]) Aber seit den Tagen des Eusebius scheint sich alle Erinnerung daran verloren zu haben. Die Schriftsteller aus den Zeiten der Kreuzzüge scheinen den Namen nicht zu erwähnen, sowie ich auch keine einzige Notiz davon in irgend einer Ueberlieferung oder bei irgend einem Reisenden finde. Der Name Gophna steht zwar in dieser Gegend auf einigen neueren Karten, aber wahrscheinlich nur auf die Auctorität des Eusebius hin.

Wir verliefsen Jifna um 1 U. 40 Min. ohne Führer, und erreichten, nachdem wir 25 Minuten N. O. thalabwärts gezogen waren, um 2 U. 5 Min. 'Ain Sinia, ein anderes auf gleiche Weise von Weingärten und Fruchtbäumen umgebenes Dorf. Nahe dabei lagen auch von einem Brunnen bewässerte Gemüsegärten. Das Bett des Thales hat hier einiges stehende Wasser, und ein Seiten-Wady läuft von Südosten ein; durch diesen hinaufblickend konnten wir 'Ain Yebrûd oben auf einem Berge sehen. — Das Hauptthal biegt sich hier nördlich; der Anbau zeigte sich auch fernerhin auf unserm Wege, zuerst hauptsächlich Oliven - und dann Feigenbäume. Um $2\frac{1}{2}$ U. lief ein Seitenthal von Westen ein, und alle Berge um den grofsen Raum, der sich auf diese Weise öffnete, gewährten den Anblick einer gleichen Bepflanzung des Bodens. Um 2 U. 45 Min. zeigte sich, indem wir durch einen kleinen Neben-Wady hinaufblickten, das grofse Dorf 'Atâra auf dem Gipfel eines Berges, N. W. und etwa eine halbe Stunde entfernt. Es könnte fast scheinen, als ob dies das biblische

---

1) Siehe oben, S. 263. Joseph Ant. XIV, 11, 2. 12, 2 ff. B. J. I, 11, 2.

2) Joseph. B. J. III, 3, 5. IV, 9, 9. V, 2, 1. Vgl. VI, 2, 2. 3.

Atharoth an der Grenze Ephraim, oder wenigstens das von Eusebius innerhalb dieses Stammes erwähnte wäre. [1])

Wir zogen das Thal weiter hinunter; und um 2 U. 55 Min. lief ein Arm von beträchtlicher Gröfse aus O. S. O. ein. Wir hätten diesen Seiten - Wady hinaufgehen und den gewöhnlichen Nâbulus - Weg in einem engen Thal Namens Wady el - Jib erreichen müssen, worin die Quelle 'Ain el - Harâmiyeh auf diesem Wege liegt. [2]) Aber unsere Maulthiertreiber erklärten den Weg zu kennen und zogen bis 3 U. 20 Min. das Hauptthal hinab. Hier wird es sehr enge, wendet sich N. W. und beginnt bald darauf unter dem Namen Wady el - Belât den Berg nach der westlichen Ebne hinabzugehen. Wir entdeckten jetzt, dafs wir von unserm Wege abgekommen waren, und nach einem Verzug von 10 Minuten durch einen Landmann zurecht gewiesen, fingen wir an, den steilen Berg im Norden längs einem kleinen Wasserlaufe, aber ohne irgend einen Pfad, hinaufzuklettern. Der Anfang war sehr schwierig; aber wir erreichten endlich nach einer halben

---

1) Jos. 16, 2. 7. Onomast. Art. Atharoth, Ἀθχιαταρώθ. Eusebius sagt ausdrücklich: πόλις φυλῆς Ἰωσήφ, welches Hieronymus paraphrasirt: „juxta Ramam in tribu Joseph," wahrscheinlich durch Verwechselung desselben mit dem heutigen 'Atâra nahe bei er - Râm.

2) Diese Quelle liegt etwa eine Stunde südlich von Sinjil. Maundrell erwähnt zwischen Nâbulus und Jerusalem zweier Dörfer, erst „Geeb" und dann „Selwid," die westlich vom Wege in dieser Gegend liegen sollen. Dieses sind wahrscheinlich das Jibia und Selwâd unsrer Verzeichnisse, und der Name des Wady el - Jib kommt ohne Zweifel von dem ersteren her. Siehe Maundrell unter dem 25. März. — Eusebius und Hieronymus sprechen von einem Geba 5 röm. Meilen von Gophna nach Neapolis hin, welches wahrscheinlich dasselbe ist; aber sie irren in der Verbindung desselben mit dem Gebim bei Jes. 10, 31. Onomast. Art. Gebin. Es könnte eher noch das Gibea des Pinehas auf dem Gebirge Ephraim sein, Jos. 24, 33. Josephus Γαβαθά, Ant. V, 1, 29.

Stunde die Höhe, wo wir Flachland und eine schöne Ebne mit
Leuten beim Einsammeln der Ernte fanden. Hier trafen wir einen Pfad, und kamen, nordwärts weiter ziehend, um 4 U. 20 Min.
nach dem grofsen Dorfe Jiljilia.

Die armen Leute dieses Ortes hatten früher nie Franken bei
sich gesehen, und schienen sich bei unsrer Ankunft zu fürchten;
anfangs wollten sie uns nicht einmal den Namen ihres Dorfes sagen. Die wahrscheinliche Ursache davon ergab sich uns später
zu Sinjil. Der Ort liegt sehr hoch, nahe bei dem westlichen
Rande des hohen Bergstriches. Man geniefst hier eine sehr
weite Anssicht über die grofse niedere Ebne und das Meer, während sich zu gleicher Zeit im Osten das Gebirge Gilead den Blicken darbietet. Weit im N. N. O. konnten wir auch zum ersten
Mal einen hohen, dunkeln, blauen Berg sehen, wie wir später
fanden, kein anderer als Jebel esh - Sheikh, der Hermon der
Schrift, jenseits von Baniâs, hier nicht weniger als noch 80 Minuten Breite von uns entfernt. Dicht an der Nordseite des Dorfes liegt das breite Thal, welches an der Nordseite von Sinjil
vorbeistreicht, hier nm 200 Fufs tief und mehr verengt, wo es
anfängt nach Westen hinabzulaufen, um mit dem von uns passirten Wady el - Belât zusammenzutreffen. In dem niederen westlichen Landstrich wurde uns auch der grofse Wady el - Lubban
gezeigt, welcher von der kleinen gleichnamigen Ebne auf dem
Nâbulus - Wege herkommend, zur Vereinigung mit dem Wady
el - Belât bei einem zwischen beiden gelegenen Dorfe Kürâwa
hinabläuft. Der aus ihnen entstandene Wady heifst alsdann Wady
Kürâwa, und geht nicht weit von Râs el-'Ain in den 'Aujeh. —
Von Jiljilia aus konnten wir mehrere Orte wahrnehmen, in folgenden Richtungen: Sinjil O., Abu el-'Auf N. 70° O., el - Ghu-
râbeh N. 58° O., 'Amûria N. 15° W., Fürkha N. 50° W.

Die Form Jiljilia entspricht augenscheinlich dem alten Namen Gilgal; aber ich finde keine Erwähnung eines in dieser Gegend gelegenen Ortes dieses Namens.

Um den Nâbulus-Weg wieder zu gewinnen, fanden wir es für nöthig, gradezu nach Sinjil zu gehen. Es giebt zwar einen Pfad von Jiljilia nach Nâbulus, aber er wurde als sehr schlecht beschrieben, und mufs nothwendiger Weise mehrere sehr tiefe Thäler passiren. Wir nahmen jetzt einen Führer, obgleich Sinjil im Gesicht lag, weil wir uns über verschiedene Punkte in Beziehung auf die Gegend Auskunft zu verschaffen wünschten. Wir verliefsen Jiljilia um 4 Uhr 40 Min., kehrten auf kurze Zeit auf unsern früheren Pfad zurück, und gingen dann um den Anfang eines in das nördliche Thal hinablaufenden kurzen, aber tiefen Neben-Wady's herum. Unser Weg führte später über das hohe Flachland. Um 5 U. passirten wir die Grundmauern eines früheren Dorfes, und dann nach ein paar Minuten eine Cisterne. Die Berge um Nâbulus waren einen grofsen Theil des Weges entlang zu sehen, und auch der Hermon in weiter Entfernung. Wir erreichten um 5 U. 45 Min. Sinjil, das auf dem hohen südlichen Ufer des tiefen westlich laufenden Wady mindestens 200 Fufs über seinem Boden liegt. Hier lagerten wir die Nacht über, und wurden von dem Sheikh und den Dorfbewohnern sehr freundlich aufgenommen.

Sinjil überragt das breite, fruchtbare, darunter liegende Thal, welches sich mehr nach Osten in eine schöne, beckenartige Ebne von beträchtlicher Gröfse ausbreitet. Mitten in diesem Becken sieht man das auf einer niedrigen Erhöhung gelegene Dorf Turmus 'Aya. [1]) Der grofse Nâbulus-Weg geht nicht grade durch Sinjil, sondern läuft durch einen etwa 10 Minuten weiter

---

1) In diesem Namen sollte man im ersten Augenblick das Ai der Schrift vermuthen; dies lag indefs sehr nahe bei Bethel; Jos. 8, 9. 12 17.

östlichen Seiten-Wady nach dem Thale hinab und zieht sich dann
über dasselbe und über die Berge nach dem Khân el-Lubban
hin. Auf diesem Wege können die Entfernungen, wenn man den
östlichen Arm nordwärts von el-Birch einschlägt, folgendermafsen
gerechnet werden:

	St.	M.
Nach Bethel (Beitîn)	—	45
'Ain Yebrûd	1	—
'Ain el-Harâmiyeh	1	30
Boden des Thales unter Sinjil	1	—
Khân el-Lubban	1	10 [1]

Die Messungen nach den verschiedenen von Sinjil aus gesehenen Orten waren folgende: Turmus 'Âya N. 85⁰ O., Jâlûd
N. 55⁰ O., Küriyût [2]) N. 42⁰ O., Abu el-'Auf N. 15⁰ O., 'Arâk
el-Ghûfir N. 4⁰ W., Sekâkeh N. 13⁰ W., Fürkha N. 60⁰ W.,
Jiljilia W. — Letzteres liegt nebst Sinjil und Turmus 'Âya innerhalb der Provinz Jerusalem. —Weiter nördlich gehört alles zu
Nâbulus.

Wir fanden die Bewohner von Sinjil in einiger Bewegung.
Ein Trupp Soldaten war jetzt in dem Dorfe einquartirt, um den
Preis eines von der Regierung verlangten Pferdes einzusammeln.
Jeder Distrikt war, wie es schien, zur Lieferung einer gewissen
Anzahl Pferde angewiesen worden; und als man diese wieder un-
ter die Dörfer vertheilt hatte, war dem Dorfe Sinjil das Loos
zugefallen, ein Thier herbeizuschaffen. Der Sheikh sagte, es

---

1) Die drei letzten Entfernungen verdanke ich den Notizen des
Hn. Smith aus dem Jahr 1835.

2) Ist dies vielleicht das Coreae (Κορέαι) des Josephus? Pom-
pejus kommt auf seinem Marsche zwischen Damascus und Jerusalem über
Scythopolis nach Coreae in dem nördlichen Theil von Judaea; Jos. Ant.
XIV, 3, 4. B. J. I, 6, 5. Vespasian zieht den ersten Tag von Nea-
polis nach Coreae, und den folgenden nach Jericho; B. J. IV, 8, 1.
Diese beiden Angaben stimmen mit der Lage von Kuriyût gut überein-

würde dem Dorfe wenigstens neun Beutel, so viel als 225 spanische Thaler kosten. Ein Ausrufer ging am Abend umher und
machte mit lauter Stimme bekannt, dafs morgen alle Männer zu
Hause sein müfsten; jeder, der abwesend wäre, würde so und so
viele Schläge bekommen. — Nach der Aussage des Sheikh war
das Dorf ursprünglich als bewohnt von 206 steuerpflichtigen Männern, oder etwa 800 Seelen aufgezeichnet; aber seitdem waren
über hundert als Soldaten fortgeholt worden, und doch hat das
Dorf noch die Auflagen der ganzen ursprünglichen Zahl zu entrichten.

Wahrscheinlich war es eine Folge dieser jetzt hier in der
Gegend vorgenommenen Steuereintreibung, dafs die Leute in Jiljilia bei unserm ersten Erscheinen unter ihnen beunruhigt wurden, indem sie anfangs glauben mochten, dafs wir mit der Regierung in Verbindung ständen. Wir erfuhren dieselbe Unan-
nehmlichkeit noch mehr am folgenden Tage, als wir durch die
Gegend südlich von Nâbulus zogen.

Donnerstag, den 14. Juni. Ein Hauptgegenstand unsrer Untersuchungen in dieser Gegend war natürlich das in der
Geschichte der Israeliten so berühmte alte Silo, wo die Bundeslade von der Zeit Josua's bis auf Samuel blieb. Unser Führer aus
Jiljilia sprach gestern von einer Ruine N. O. von Sinjil, Namens
Seilûn, über welche unter dem Volke die Sage ging, dafs die
Franken bei einem Besuche derselben sie von so grofser Wichtigkeit halten würden, dafs sie unter einen Tag nicht wieder fortgingen. Dieser Mann war einer von den gewöhnlichen Landleuten aus Jiljilia, und konnte diese Geschichte nur aus dem Munde
seiner Nachbarn desselben Standes herhaben. Bei unserer weitern
Nachfrage in Sinjil erfuhren wir, dafs der besagte Ort nicht sehr
weit vom Wege liege und durch einen kleinen Umweg besucht
werden könne. Da die Lage der des alten Silo gut zu entspre-

chen schien, so beschlossen wir, dorthin zu gehen. Wir schickten daher unsere Diener mit dem Gepäck auf dem graden Wege
über Khàn el-Lubban ab, und gingen selbst, mit einem Führer
versehen, in der Richtung von Turmus 'Âya weiter.

Wir waren zum frühen Aufbruch fertig, wurden aber durch
unsere Maulthiertreiber aufgehalten. Die Gastfreundschaft, welche wir im Südwesten von Juda so sehr zu Hause gefunden hatten, dauert auf dieser grofsen Strafse nicht länger fort; zu viele
Franken sind hier durchgereist, als dafs sie nicht die Einwohner
gelehrt hätten, sich jede Sache bezahlen zu lassen. Indefs fanden wir sie nicht unbillig in ihren Forderungen. Wir zogen endlich um 6 U. ab, indem wir auf einen sehr steilen Pfad von dem
Dorfe nach dem Boden des nördlichen Thals hinabstiegen, wo
wir den Jerusalemer Weg kreuzten, und dann ostwärts über die
schöne Ebne weiter gingen. Wir erreichten Turmus 'Âya um
6½ Uhr. Es liegt auf einer flachen felsigen Erhöhung in dem
ebnen Thale. Die Ebne dehnt sich weiterhin zu einem schönen
Ovalbecken aus, welches sich eine Stunde oder weiter nach Osten
hin .erstreckt und von schönen Bergen umgeben ist. Es war jetzt
meistens mit dem dunkeln Grün der hervorkeimenden Hirse, untermischt mit gelben Feldern reifen Weizens, bedeckt. Indem
wir Turmus 'Âya rechts liegen liefsen, wandten wir uns einen
kleinen Wady N. N. O. hinauf, in welchem wir nach 15 bis
20 Minuten die Wasserscheide passirten, und das Thal eine nördliche Richtung abwärts nehmen sahen. Wir kamen um 7 U. nach
den Ruinen von Seilûn, die von Bergen umgeben, doch im Süden nach der Ebne blickten. Kaum 5 Minuten bevor man die
eigentliche Ortslage erreicht, sieht man eine alte Ruine, nämlich
einen Thurm oder vielleicht eine kleine Kirche, inwendig etwa
28 Fufs im Geviert mit 4 Fufs dicken Mauern. Innerhalb findet
man auf dem Boden drei Säulen mit getrennt daliegenden korinthi-

schen Kapitälern. Der den obern Theil des Thürwegs bildende Stein ist an der Aufsenseite mit Skulpturarbeit, einer Amphora zwischen zwei Kränzen, verziert. Längs der äufsern Mauerwand ist, augenscheinlich in einer späteren Periode, eine Schutzwehr von schräg aufgebautem Mauerwerk angebracht worden. Die Araber nennen diese Ruine die Moschee von Seilûn. Als wir hinaufkamen, flogen drei aufgejagte Eulen scheu von dannen.

Die Hauptortslage besteht aus den Ruinen eines verhältnifsmäfsig neueren Dorfes, die einen kleinen Tell bedecken, welcher von dem höheren Berge im Norden durch einen tiefen, engen, aus Osten kommenden und nach dem Khân el-Lubban hinablaufenden Wady getrennt liegt. Im Osten und Westen des Tell laufen zwei kleine, obgleich breitere Wady's in den erstern nördlich hinab, während er nach Süden hin mit dem Abfall nach der Ebne bei Turmus 'Âya zusammenhängt, aber sich beträchtlich darüber erhebt. Die Lage ist an und für sich trefflich zur Vertheidigung, wenn sie je befestigt worden wäre, obgleich sie von den benachbarten Bergen beherrscht wird. Unter den Ruinen neuerer Häuser finden sich viele grofse Steine, und einige Säulenfragmente, woraus man sieht, dafs hier früher eine alte Ortslage gewesen ist. An dem südlichen Fufse des Tell steht eine kleine verfallene Moschee, zum Theil unter einem stattlichen Eichbaume. — Turmus 'Âya lag uns hier S. S. W., Sinjil S. 50⁰ W., Abu el-'Auf S. 82⁰ W.

Unser Führer sagte uns von einer Quelle, wenn man das enge Thal hinaufginge, das von O. N. O. kommt. Wir gingen dahin und fanden, dafs das Thal daselbst einen Rücken durchbricht, und anfangs von senkrechten Felswänden eingeschlossen ist, worauf freieres Land folgt; und hier liegt linker Hand, 15 Minuten von Seilûn, die Quelle. Das Wasser ist vortrefflich, und kommt von den Felsen zuerst in eine Art von künstlichem,

8 bis 10 Fufs tiefen Brunnen, und hierauf weiter abwärts in ein Wasserbehältnifs. Viele Heerden, grofses uud kleines Vieh, warteten rings herum. In den Seiten des eugen Thales giebt es eine Menge ausgehöhlter, jetzt vielfach weggebrochener Gräber; nahe bei der Quelle finden sich auch mehrere Gräber, und eins in einem vereinzelten Block. Wir kehrten durch das Thal zurück und folgten demselben an der Nordseite von Seilûn weiter hinunter.

Die Beweise, dafs Seilûn wirklich das alte Silo ist, liegen nicht fern; sowohl der Name als die Lage sind hinreichend entscheidend. Die volle Form des hebräischen Namens war allem Anschein nach Silon, wie wir sie in dem Nomen gentile Siloni finden; und Josephus schreibt auch sowohl Silo als Siloun. ¹) Die Lage von Silo wird im Buche der Richter sehr bestimmt beschrieben als einer Stadt, „die zu mitternachtwärts liegt gen Bethel, gegen der Sonnen Aufgang, auf der Strafse da man hinaufgehet von Bethel gen Sichem, und von mittagwärts liegt sie gegen Libona.“ ²) Eusebius und Hieronymus setzen sie, dieser 10, jener 12 röm. Meilen von Neapolis in die akrabitenische Gegend. ³) Mit Ausnahme dieser verwirrten und wahr-

---

1) Im Hebräischen finden wir verschiedene Formen, z. B. שִׁלֹה 1 Kön. 2, 27. u. a., שִׁלֹה Jos. 18, 1. ᵃ. u. a., שִׁילוֹ Richt. 21, 21. u. a., שִׁלוֹ Richt. 21, 19. u. a. Das Nomen gentile שִׁילֹנִי Siloni, (Luther: aus Silo) 1 Kön. 11, 29; 12, 15. Siehe Gesenius Lex. Hebr. Art. שִׁילֹה. — Josephus Σιλὼ Antiq. VIII, 7, 7. 11, 1. Σιλοῦν Ant. V, 1, 19. 20. 2, 9. 12.

2) Richt. 21, 19.

3) Onomast. Art. Selo. Diese Entfernungen sind beide unrichtig; denn das Dorf Libona (Lubban) liegt selbst mehr als 4 Stunden oder 12 röm. Meilen südlich von Nábulus. Oder Hieronymus mag vielleicht die Entfernung auf einer graden Richtung, im Osten von Lubban vorbei, geschätzt haben; in welchem Fall seine 12 Meilen nicht so weit

III.   20

scheinlich conjekturirten Entfernuugen, stimmen die andern Umstände genau mit Seilûn überein; denn wir waren hier im Osten
des grofsen Weges zwischen Bethel und Sichem (Nâbnlus), und
als wir nach dem letztern Ort gingen, kamen wir nach einer
Stunde zum Dorfe Libona, jetzt el - Lubban.

Hier stand also S i l o, wo die Stiftshütte aufgerichtet
wurde, nachdem das Land den Israeliten unterworfen war, und
wo die letzte und allgemeine Vertheilung desselben vorgenommen wurde. [1] Die Bundeslade und Stiftshütte blieben lange
hier, von den Tagen Josua's während der ganzen Richterperiode
bis zum Schlusse des Lebens Eli's; hier auch wurde Samuel Gott
geweiht und brachte seine Kindheit in dem Heiligthume zu. [2] Zu
Ehren der hier aufbewahrten Bundeslade war „ein Jahrfest des
Herrn zu Silo,“ während dessen „die Töchter Silo mit Reigen
zum Tanz herausgingen;“ und bei einer solchen Gelegenheit war
es, wo sie von den übrig gebliebenen Benjaminiten ergriffen und
als ihre Frauen heimgeführt wurden. [3] Die Scene dieser Reigen mag nicht unwahrscheinlich irgendwo am die oben beschriebene Quelle gewesen sein. Von Silo wurde die Bundeslade zuletzt nach dem Heere der Israeliten gebracht, und kam nach ihrer Wegnahme durch die Philister nicht wieder an ihren vorigen
Ort zurück. [4] Seitdem wird Silo's, obgleich es der Wohnsitz
von Propheten war, wie des in der Geschichte Jeroheam's berühm-

von der Wahrheit abliegen, obgleich noch immer nicht genug sein würden. Der Text mag auch verdorben sein; der des Eusebius ist es gewifs, denn das Wort Neapolis ist ausgefallen.

1) Jos. 18, 1 — 10.
2) 1 Sam. c. 1 — 4.
3) Richt. 21, 19 — 23.
4) 1 Sam. c. 4 — 6.

ten Ahia, [1]) als eines von Gott verlassenen und verfluchten Orts gedacht. [2]) Es wird in der Schrift noch während des Exils, aber nicht später erwähnt; und zu Hieronymus Zeit lag es so völlig in Ruinen, dafs die Grundsteine eines Altars kaum gezeigt werden konnten. [3])

Von dieser Zeit an scheint die Lokalität von Silo in der kirchlichen Ueberlieferung gänzlich vergessen worden zu sein, und ich finde keine weitere Notiz über seine Lage bis zur Zeit der Kreuzzüge. Die Kämpfer des Kreuzes fanden Silo zu Neby Samwil; und hier suchten es auch fortwährend die Mönche und Pilger ohne grofse Abweichung bis zur Mitte des 16. Jahrhunderts. [4]) Um diese Zeit könnte es fast scheinen, als ob Bonifacius mit der wahren Ortslage bekannt gewesen wäre. Indem er über den Weg von Jerusalem nach Sichem (Nâbulus) spricht, sagt er, 15 (italienische) Meilen nördlich von el-Bireh liege ein grofses Hospitium in einem Thal, mit einer Quelle an der Aufsenseite; und nicht weit davon zur Rechten finde man Silo, wo ein Altar und eine verfallene Kirche zu sehen seien. [5]) Dies stimmt sicher gut mit der Lage von Seilûn in Beziehung zu dem Khân

---

1) 1 Kön. II, 29; 12, 15; 14, 2 ff.

2) Ps. 78, 60 ff. Jer. 7, 12. 14; 26, 6.

3) Jer. 41, 5. Hieron. Comm. in Sophon. 1, 14: „Vix ruinarum parva vestigia in magnis quondam urbibus cernimus. Silo tabernaculum et arca Domini fuit; vix altaris fundamenta monstrantur." Epitaph. Paulae p. 676. ed. Mart.: „Quid narrem Silo, in qua altare dirutum hodieque monstratur?"

4) Benj. de Tudela par Barat. p. 102: „San Samuel de Scilo, qui est Scilo." Brocardus c. IX. p. 184. Marinus Sanut. p. 249. Breydenbach im Reifsb. S. 130, 136. Adrichomius p. 30. Siehe oben, Bd. II. S. 360.

5) De perenn. Cultu Terrae Sanct. angeführt bei Quaresmius II. p. 78.

20*

el-Lubban überein, welcher letztere beinahe 5½ Stunden von el-
Bireh entfernt ist. Aber wenn die wahre Lage so eine Zeitlang
bekannt war, wurde sie doch bald wieder vergessen; denn am
Schlusse desselben Jahrhunderts versetzt Cotovicus Silo 12 röm.
Meilen nördlich von el-Bireh auf den Gipfel eines hohen Berges,
des höchsten in Palästina ;[1]) und obgleich Quaresmius die Nachricht von Bonifacius überkommen zu haben behauptet, so ersieht
man doch leicht aus der Verwirrung seiner Sprache und den verschiedenen andern von ihm verworfenen Meinungen, dafs es damals keine sichere und bestimmte Kenntnifs des Ortes mehr gab.[2])
Seit der Zeit sind, so viel ich finden kann, keine weitern Versuche gemacht worden, die Lage von Silo auszumitteln.[3])

Wir verliefsen Seilûn um 8 Uhr und folgten dem Thale,
welches den Namen Wady el-Lubban annimmt, über einen
steilen Abfall N. W. gen W. 20 Minuten lang abwärts, wobei
wir an einem Brunnen linker Hand vorbeikamen. Das Thal wendet sich hierauf westlich und wird eben und fruchtbar; die Hirsefelder waren grün und schön, vielleicht einen Fufs hoch; und hier
sahen wir zum ersten und letzten Mal Leute damit beschäftigt,
die Hirse mit einer Art von Hacke vom Unkraut zu reinigen, ohne
die Erde um die Pflanzen loszumachen. Dies Thal liegt niedriger als das bei Sinjil; denn wir brauchten nach Seilûn hin lange
nicht so viel bergauf zu steigen, als wir darnach bergab steigen
mufsten. Um 8 U. 35 Min. zeigte sich ein anderer Brunnen;

1) Cotovic. Itin. p. 336. Er vermischt hier offenbar Neby Samwil mit dieser mehr nördlichen Lage Silo's.

2) Quaresmius II. p. 796 – 799.

3) Troilo sagt im Jahr 1657, dafs die Lage völlig unbekannt sei;
obgleich die Griechen sie beim Khân el-Lubban zu zeigen meinten;
p. 405. Schubert spricht in Sinjil von „Silun" als einem N. O. liegenden Orte, aber er besuchte es nicht; Reise III. S. 130.

und um 8 U, 50 Min. waren wir gegenüber dem Khân el-Lubban, welcher vielleicht 5 Minuten S. W. entfernt an dem Südende der reizenden kleinen Ebne liegt, in welche das Thal hier
einläuft, und an dem Fufse des Berges, über welchen der grade
Weg von Sinjil kommt. Wir hatten diesen Berg vermieden, indem wir die Route über Seilûn einschlugen, wo der Rücken von
Thälern durchbrochen wird. Dieser Khân liegt jetzt in Ruinen;
aber nahe dabei ist eine schöne Quelle von fliefsendem Wasser.
Von dieser aus erstreckt sich die schöne Oval-Ebne etwa 15 Minuten nördlich, vielleicht ein halb Mal so breit, und liegt hier
tief zwischen hohen felsigen Anhöhen. Am Abfall des Berges im
N. W. sieht man das Dorf Lubban; während etwa gegen die
Mitte der westlichen Seite eine enge Kluft durch den Berg die
Gewässer der Ebne und des umgebenden Landstrichs herabführt.
Dies ist der Wady el-Lubban, welchen wir von Jiljilia gesehen
hatten, wie er zur Vereinigung mit dem Wady el-Belât und so
mit dem 'Anjeh in der niederen westlichen Ebne seinen Lauf
nimmt. [1]

Unsere Richtung war jetzt nördlich durch das schöne Becken; hier kamen wir wieder auf den Jerusalemer Weg, und trafen unsere Diener, welche mit dem Gepäck unter dem Schatten
einiger Bäume auf uns warteten. Wir zogen weiter und liefsen
sie zurück, aufzupacken und uns nachzukommen. Um 9 U. waren
wir dem Dorfe Lubban gegenüber, das auf dem N. W. Abhang
beträchtlich über der Ebne liegt. Es ist bewohnt, hat das Ansehen eines alten Ortes, und in den Felsen oben finden sich ausgehöhlte Grabmäbler. Es läfst sich wenig daran zweifeln, dafs
dies das alttestamentliche Libona zwischen Bethel und Sichem
ist. [2] Die Identität wurde, wie ich glaube, zuerst von Maundrell

1) Siehe oben, S. 259.
2) Richt. 21, 19.

behauptet, und ist seitdem stets ohne Bedenken von den meisten derer angenommen worden, welche das Dorf überhaupt bemerkt haben. [1]) Jedoch ist es mir nicht bekannt, dafs von der Zeit des Buchs der Richter bis zu den Kreuzzügen irgend eine Erwähnung dieses Namens oder Ortes vorkommt, wenn nicht etwa in dem Beth-leban des Talmud. [2]) Brocardus und nach ihm andere nennen es Lemna und Lebna, scheinen aber keine Ahnung von dem Zusammenhang desselben mit irgend einer alten Ortslage gehabt zu haben. [3])

Im N. O. Winkel der Ebne, wo wir jetzt waren, läuft ein andres ebenes Thal von Osten ein, durch welches wir aus diesem schönen Becken heraustraten. Das Thal ist anfangs enge, aber erweitert sich mehr und mehr, so wie man hinaufgeht, bis es sich nordwärts wendet und eine offne Ebne wird. Unsere Richtung war etwa 20 Minuten lang O. gen N., und dann N. N. O. Um 9½ U. lag das Dorf es - Sâwieh grade über uns auf der über den Weg hervorragenden Anhöhe zu unsrer Linken. Ein wenig weiterhin hielten wir 10 Minuten unter dem Schatten eines grofsen Baumes an, um unsere Diener mit dem Gepäck abzuwarten. Um 9 U. 50 Min. passirten wir einen verfallenen Khân auf dem Wege, auch es - Sâwieh genannt, an dem oberen Theil der Ebne, grade bei der Wasserscheide, wo der Boden anfängt nach Norden in das nächste Parallelthal abzufallen. Hier

---

1) Maundrell unter dem 24. März. Reland Palaest. p. 871, 872. Raumer Pal. S. 207. u. s. w.

2) Reland a. a. O.

3) Brocardus setzt „ Lemna, casale valde pulchrum " vier Lieues von Nâbulus auf dem Wege nach Jerusalem rechter Hand; c. VII. p. 178. Breydenbach, dem Brocardus nachsprechend, schreibt Lepna; Reifsb. S. 128. Cotovicus hat Lebna; p. 337. Quaresmius erwähnt weder Namen noch Ort.

stiegen wir eine beträchtliche Strecke längs einem steilen, engen
Wady bergab; und um 10 U. 5 Min. erreichten wir den Boden
eines grofsen und sehr steinigen, von O. nach W. oder vielmehr
nach W. S. W. laufenden Thales. Einige Leute aus Ram-Al-
lah, welche wir trafen, sagten, es laufe nach dem 'Aujeh in der
westlichen Ebne hinab, indem es sich unterhalb des Kastells Râs
el-'Ain mit demselben vereinige. Zu unsrer Rechten, vielleicht
eine halbe Stunde entfernt, lagen zwei Dörfer; eins an der Südseite des Thales, nahe bei dem Gipfel einer hohen kegelförmigen Anhöhe, Namens Kûbelân, umgeben von Weingärten und
grofsen Hainen von Oliven- und Feigenbäumen; das andere, Yit-
ma [1]) genannt, an der Nordseite des Thales beinahe auf der
Höhe, fast in Ruinen. Beide Namen wurden uns jedoch einige
Zeit nach unsrer Vorbeireise mitgetheilt; denn an Ort und Stelle
konnten wir Niemanden finden, der uns Auskunft gegeben hätte;
auch konnten wir den Namen des Thales nicht erfahren. Dieser
Wady liegt wieder tiefer als die Ebne el-Lubban; denn die zu-
rückgelegte Strecke abwärts war gröfser als die, welche wir von
dieser Ebne nach der Wasserscheide bergauf zurücklegten.

Von diesem Thal hatten wir einen ziemlich steilen Aufgang
oben nach dem hohen Rücken im Norden. Wir waren um 10 U.
35 Min. oben, nachdem wir kurz vorher die Grundmauern eines
verfallenen Thurms passirt hatten. Hier hatten wir die erste Aussicht über die grofse Ebne Mûkhna, welche sich mehrere Stunden weit im Osten der Berge, in denen Nâbulus liegt, ausbreitet. Diese Berge lagen jetzt vor uns in all ihrer Schönheit; der
Garizim auf seinem höchsten Punkt mit einem Wely verziert, in
der Richtung nach Norden; etwas weiter der Eingang des Thales

---

1) Es ist Grund an der Richtigkeit der Anwendung dieses Namens auf dieses Dorf zu zweifeln.

von Nâbulus beinahe N. N. O.; ferner im Norden die schroffen
Höhen des Berges Ebal; und dann die schöne Ebne, welche sich
noch weiter jenseits nach N. N. O. erstreckt, ihrer ganzen Länge
nach an ihrer östlichen Seite von malerischen, obgleich niedrigern Hügelketten eingeschlossen. So viel ich auch über Palästina
gelesen hatte, und so mannigfach auch eben dieser Weg bereist
worden ist, so mufs ich doch gestehen, dafs mir hier das Vorhandensein einer so ausgedehnten in dieser Richtung von S. S. W.
nach N. N. O. laufenden Ebne fast gänzlich unbekannt war. Wir
konnten bemerken, wie unser Weg längs dem Fufse der hohen
westlichen Anhöhen und unter dem Berg Garizim eine Wellenlinie
bildete, bis er in das 2 Stunden entfernte Thal von Nâbulus trat.

Ein steiler Abfall brachte uns um 10 U. 55 Min. nach dem
südlichen Ende der Ebne, nahe bei einer Cisterne; in diesem
Theil läuft die Ebne in der That fast in eine Spitze aus. Um
11 U. 25 Min. durchzogen wir das trockne Bett eines Stroms,
welcher die Gewässer des ganzen südlichen Theiles der Ebne im
Winter nach Westen hinableitet, und einen tiefen Wady durch
die westlichen Berge hindurch bildet; aber wir konnten weder seinen Namen ermitteln, noch auch erfahren, nach welchem Strom er
in der grofsen niedern Ebne hinläuft. Funfzehn oder zwanzig Minuten das Thal hinunter liegen linker Hand zwei Dörfer; eins auf den
südlichen Bergen in Ruinen, Namens Kûza; das andere auf der
nördlichen Seite, 'Ain Abûs genannt. Grade gegenüber zu unsrer Rechten stand auf den Hügeln längs der Ostseite der Ebne,
etwa 40 Minuten entfernt, das grofse Dorf Beita. Grade über
diesen Wady hinaus passirten wir um 11 U. 35 Min. das grofse
und alte Dorf Hawâra, welches über uns auf dem Abfall linker Hand lag. Hier dehnt sich die Ebne in einer grüfseren
Breite aus, da sich die östlichen Höhen etwas mehr zurückziehen.
An dieser Seite sind sie ganz unregelmäfsig und felsig, und ra-

gen oft in die Ebne hervor; während an der westlichen Seite der
Fufs der Abfälle weit weniger von einer graden Linie abweicht.
Die breite Ebne bot einen schönen Anblick dar; sie ist überall
bebaut, und war jetzt mit dem reichen Grün von Hirse bedeckt,
untermischt mit dem Gelb des reifen Getreides, welches die Landleute eben einernteten. Jedoch sah der Boden nicht so fruchtbar
aus, wie der in den meisten von uns besuchten Ebnen. Die
Durchschnittsbreite dieser Ebne mag hier ungefähr 30 bis 40 Minuten betragen.

Als wir längs dieser Ebne hinzogen, trafen wir mit vielen
Leuten zusammen, fanden es aber weit mühsamer, von ihnen Auskunft zu erhalten, als in irgend einem andern Theil von Palästina. Kaum beantworteten sie irgend eine unsrer Fragen; und
obgleich mein Reisegefährte oft abstieg und eine lange Strecke
mit ihnen gehend sich in ein Gespräch mit ihnen einliefs, so
konnte er doch nur mit der gröfsten Schwierigkeit selbst die
Namen der verschiedenen Dörfer aus ihrem Munde erfahren.

Wir hatten mehrere Male anfangs Anzeichen derselben Zurückhaltung angetroffen, namentlich gestern zu Jiljilia; aber warum
sie hier in einem so bedeutend höheren Grade herrschen sollte,
als irgendwo sonst, war uns ein unerklärliches Räthsel. Wir
fanden es nicht so in Nâbulus selbst, noch auch weiter nördlich; und es mochte nicht unwahrscheinlich mit der allgemeinen
Furcht vor den jetzt eingetriebenen Forderungen der Regierung
zusammenhängen. Vielleicht mag sie auch der Anblick unserer
mit Flinten versehenen ägyptischen Diener zu der Meinung ver-
leitet haben, dafs wir mit der Regierung in Verbindung ständen
und auf Erkundigung ausgingen, was ihnen Schaden bringen
konnte. Die Landleute um Nâbulus hatten, was hier in Erinnerung zu bringen ist, eben so wie die um Hebron, die strenge

Rache der ägyptischen Regierung nach dem Aufstande vom Jahr
1834 empfunden.

Einen andern steilen, links herabkommenden Wady passirten wir um 11 U. 55 Min., an welchem hoch hinauf und aufserhalb des Gesichtskreises das grofse Dorf oder vielmehr der Markt-
flecken Bûrin liegt. Eine halbe Stunde später hatten wir das
Dörfchen Kefr Küllin über uns an der Seite des Berges Garizim.
Mehrere Dörfer lagen auf den östlichen Anhöhen zerstreut umher,
und an dieser Seite folgten Handela, 'Awerta und Raujib auf einander. — Der Weg läuft nicht, wie man erwarten sollte, an dem
Fufse des Berges ganz bis nach dem Eingange des Thales von Nâbulus hin, sondern er steigt aufwärts und krümmt sich um die N. O.
Ecke des Berges Garizim. Wir wandten uns gegen 1 U. um letztere
herum, und zogen in das N. W. zwischen den Bergen Garizim und
Ebal hinauflaufende enge Thal, indem wir so die sich noch weiter
nördlich ausbreitende Ebne verliefsen. Unter uns rechter Hand und
grade an dem Rande der Ebne lagen die Ruinen eines kleinen
Weilers, Namens Belât; mehr in der Nähe und etwa in der Mitte
der Mündung des engen Thales steht ein kleines weifses Gebäude, ein Wely, Joseph's Grab genannt; während noch näher
beim Fufse des Garizim der alte Brunnen, unter dem Namen
Jacobs-Brunnen bekannt, liegt. Grade gegenüber zwischen den
östlichen Hügeln läuft hier eine kleinere Ebne von der gröfseren
östlich hinein; und auf den niedrigeren Anhöhen nahe bei ihrem
Einlauf sieht man die drei Dörfer 'Azmût, Deir el-Hatab und Sâlim.

Nach Umgehung der Ecke des Berges lief unser Pfad sehr
wenig abwärts; jedoch so stark ist hier die Erhebung des engen
Thales, dafs wir in einer Viertelstunde seinen Boden erreichten,
nahe bei einer schönen reichlichen Quelle mitten im Thale, versehen mit einem Wasserbehälter. Unterhalb der Quelle nach Osten
hin ist kürzlich eine Strecke Landes von drei oder vier Morgen

zu einem Garten abgesteckt worden; aber bis jetzt enthielt er
keine Bäume. Oberhalb dieses Punktes kamen wir bald nach
den Olivenhainen, wo der Abfall weniger schroff, und der Boden
hart und steinig ist. Linker Hand, bevor man die Stadt erreicht, liegt an dem Fuße von Garizim ein kleines Grab eines muslimitischen Heiligen, Namens 'Amûd, aber erst neuerlich erbaut,
wie man uns sagte, und nichts von Alterthum darbietend. Um
$1\frac{1}{2}$ U. waren wir gegenüber dem östlichen Ende der langen, engen Stadt, in die wir jetzt nicht hineingingen. Indem wir den
Weg ihrer nördlichen Seite entlang zogen, passirten wir einige
hohe Schutthügel, wo das Land ganz plötzlich in ein nach Westen hin laufendes Thal sich absenkt, mit einem Boden von rei-
cher, schwarzer, vegetabilischer Dammerde, und eine Aussicht
über üppiges und fast unvergleichliches Grün eröffnete sich plötzlich vor unsern Blicken. Das ganze Thal war voll von Gemüse-
und Obst-Gärten mit allen Arten von Früchten, bewässert von
mehreren Quellen, welche in verschiedenen Theilen entspringen
und in erfrischenden Strömen westwärts fließen. Dieser herrliche Anblick kam so plötzlich über uns wie eine Scene feenarti-
ger Bezauberung. Wir sahen nichts damit zu Vergleichendes in
ganz Palästina. Hier unter dem Schatten eines ungeheuren Maul-
beerbaumes, neben einem murmelnden Bache, schlugen wir für
den noch übrigen Tag und für die Nacht unser Zelt auf.

Die Stadt Nâbulus [1]) ist lang und enge, und dehnt sich
längs dem N. O. Fuße des Berges Garizim in diesem kleinen,
tiefen Thale aus, $\frac{1}{2}$ Stunde von der großen östlichen Ebne entfernt. Die Straßen sind enge, die Häuser hoch und im Allge-

---

1) Wir folgen bei diesem Namen der Orthographie des Abulfeda,
welche wahrscheinlich die richtigste ist. Nach der vulgären Aussprache
jetziger Zeit würde Nâblûs geschrieben werden müssen. Abulf. Tab.
Syr. p. 85.

meinen gut gebaut, alle von Stein mit Kuppeln auf den Dächern wie zu Jerusalem. Das Thal selbst ist hier von dem Fufse des Garizim bis zu dem des Ebal nicht mehr als etwa 1600 Fufs breit und erstreckt sich von S. O. nach N. W. Die Stadt liegt grade auf einer Wasserscheide in diesem Thal, da die Gewässer in dem östlichen Theile, wie wir gesehen haben, ostwärts nach der Ebne und so nach dem Jordan abfliefsen, während die Quellen an der westlichen Seite einen schönen Bach N. W. thalabwärts nach dem Mittelmeere hinsenden. Dieser etwas merkwürdige Umstand ist bis jetzt, so viel ich weifs, von keinem Reisenden bemerkt worden. Die Berge Garizim und Ebal erheben sich in steilen Felswänden unmittelbar aus dem Thal an jeder Seite, ungefähr 800 Fufs hoch. [1]) Die Seiten dieser beiden Berge waren, von hier aus gesehen, für unsre Augen gleich nackt und unfruchtbar; obgleich es einigen Reisenden gefallen hat, Garizim als fruchtbar zu beschreiben und die Unfruchtbarkeit auf den Ebal zu beschränken. [2]) Die einzige Ausnahme zu Gunsten des ersteren ist, so weit wir bemerken konnten, eine kleine, gegenüber dem Westende der Stadt herablaufende Schlucht, welche allerdings voll von Quellen und Bäumen ist; in andern Rücksichten sind beide Berge verödet, bis auf ein paar auf ihnen umher zerstreute Olivenbäume. Die Seite des nördlichen Ber-

---

1) Nach Schubert's Barometer-Beobachtungen liegt die Stadt Nâbulus 1751 Par. Fufs über dem Meer, und der Gipfel des Garizim etwa 2360 Fufs, oder ungefähr eben so viel als der Oelberg. Dies giebt eine Erhebung des Berges über die Stadt von 750 Fufs. Reise III. S. 146.

2) Cotovicus p. 338. O. v. Richter Wallfahrten S. 56. Diese Schilderung geht bis in die Zeit des Benj. von Tudela zurück, welcher richtig sagt, dafs es Quellen und Fruchtbäume auf Garizim, d. h. in der im Text beschriebenen Schlucht giebt; aber dies läfst sich nicht von dem Berge im Allgemeinen sagen, welcher so unfruchtbar ist als der Ebal. Voyages par Barat. p. 84.

ges, Ebal, ist längs dem Fuſse voll von alten ausgehöhlten Gräbern. Der südliche Berg heiſst jetzt bei den Einwohnern Jebel
et-Tûr, [1]) obgleich der Name Garizim wenigstens den Samaritern bekannt ist. Die heutige Benennung des Ebal haben wir
nicht erfahren.

Eins unsrer ersten Vorhaben zu Nâbulus war ein Besuch
bei den Samaritern, diesen merkwürdigen, schwachen Ueberresten eines alten Volkes, welche bis auf diesen Tag die Stürme
der Zeiten und Widerwärtigkeiten anf ihrem heimischen Boden
überlebt haben. Einige Leute aus Beirût fanden sich bald bei
uns ein; und ein alter Christ von der griechischen Kirche unternahm es, uns nach den Samaritern, auf den Gipfel des Berges
Garizim und zum Jacob's-Brunnen hinzubringen. Wir begaben
uns nach der Stadt, indem wir unter üppigen Hainen von Feigen
und andern Baumfrüchten hinzogen, und durch ein Thor an dem
westlichen Ende hineingingen. Das von den Samaritern bewohnte
Viertel bildet den S. W. Theil der Stadt und erhebt sich etwas
auf dem Abhange des Garizim. Es ist wohlgebaut, und die Häuser sahen massiv und behaglich ans. Als wir nach der Synagoge kamen, fanden wir sie verschlossen. Mehrere Samariter
kamen zu uns; aber da der Priester nicht zur Hand war, um die
Thür zu öffnen, so konnten wir die Synagoge jetzt nicht besuchen. Sie boten uns indefs einen Führer nach dem Gipfel des
Berges Garizim an, und wir beschlossen sogleich dahin zu gehen,
und den Priester bei unsrer Rückkehr aufzusuchen. Wir machten uns daher um 4 U. zu Fuſs auf, begleitet von einem der
jüngern Samariter, einem ehrlichen, einfältigen Manne. Unsern
alten Christen waren wir willens bis zu unsrer Zurückkunft zu
entlassen, indem wir mittlerweile gemerkt hatten, daſs sein Plan

---

1) So auch Yakût in Schult. Ind. in Vit. Salad. Art. Tourum.

gewesen war, selbst einen samaritanischen Führer zu nehmen, und aufserdem eins von unsern Maulthieren zum Reiten verlangte. Wir gingen die oben erwähnte Schlucht hinauf, welche von S. W. herabkommt und voll von Fruchtbäumen und grünen Gewächsen ist. Grade aufserhalb der Stadt ist eine schöne Quelle, Namens 'Asal, und noch weiter hinauf eine Wasserleitung und eine Mühle.

Oberhalb der Schlucht wird der Berg steiler; jedoch kann man noch immer ohne Schwierigkeit hinaufreiten. Als wir etwa zwei Drittel des Wegs den Berg hinauf waren, hörten wir eine Frau uns nachrufen, wie es sich erwies, die Mutter unsres samaritanischen Führers. Es war ihr einziger Sohn, und dieser, wie es schien, ohne ihr Wissen fortgegangen; sie war jetzt in der gröfsten Angst, als sie fand, dafs er als Führer mit Franken fort sei, um ihnen den heiligen Berg zu zeigen. Sie war uns auf dem Fufse gefolgt, und schrie uns jetzt aus voller Kehle nach, indem sie ihm verbot weiter zu gehen, dafs ihm nicht irgend etwas Uebles begegne. Der junge Mann begab sich zurück zu ihr, um sie zu beruhigen; aber vergebens; er sollte durchaus nach Hause zurückkehren. Dazu hatte er aber keine Lust, obgleich er, wie er sagte, seiner Mutter nicht ungehorsam sein und das Gesetz Mose's übertreten könne. Dieser rührende Zug brachte uns eine günstige Meinung von der Moralität der Samaritaner bei. Nachdem er lange Zeit mit ihr ohne Erfolg sich besprochen hatte, überredete er sie endlich, mit uns zu gehen. So folgte sie uns nach, anfangs voll Zorn und in einiger Entfernung von uns; jedoch zuletzt wurde sie ganz ausgesöhnt und gesprächig.

Nachdem wir zwanzig Minuten von der Stadt aus in der Richtung S. W. bergauf gestiegen waren, erreichten wir die Höhe des Garizim, die sich als ein weit nach W. und S. W. sich er-

streckender Strich Tafellandes auswies. Zwanzig Minuten mehr
nach S. O. längs einem regelmäfsigen Pfad auf dem Flachland
brachten uns nach dem Wely, welchen wir vorhin hatten liegen
sehn. Er steht auf einer kleinen Anhöhe am östlichen Rande
des Berges, vielleicht der höchste Punkt, welcher die Ebne im
Osten und sogar das ganze Land umher, mit Einschlufs des Jebel
esh-Sheikh oder Hermon in der Ferne, überblickt. Hier ist der
heilige Ort der Samariter, wo sie noch immer vier Mal im Jahre
hinaufkommen, um Gottesdienst zu halten. Der Ort, wo sie das
Passah-Opfer darbringen, sieben Lämmer für sie alle, wurde
uns, grade unter der höchsten Spitze und bevor man zu dem
höchsten Punkte kommt, gezeigt. Er ist durch zwei parallele
Reihen auf den Boden gelegter roher Steine bezeichnet; daneben
eine kleine, runde, grob mit Steinen ausgemauerte Grube, worin
das Fleisch geröstet wird.

Wenn man die Anhöhe jenseits dieser Stelle hinaufsteigt,
sind der erste Gegenstand, der sich darbietet, die Ruinen eines
ungeheuren Bauwerkes von gehauenen Steinen, welches allem Anschein nach einst eine grofse und starke Festung gewesen ist.
Es bestand aus zwei an einander liegenden Theilen, deren jeder
etwa 250 Fufs von O. nach W. und 200 Fufs von N. nach S.
betrug, was im Ganzen eine Länge von etwa 400 Fufs in letzterer Richtung ergiebt. Die Steine sind gewöhnliche Kalksteine
aus der Gegend hierselbst, ziemlich grofs und an den Kanten
gerändert, obgleich in der Mitte rauh. Die Mauern sind an einigen Stellen 9 Fufs dick. An den vier Ecken der südlichen Abtheilung waren viereckige Thürme, und einer in der Mitte der
östlichen Seite. In dem nördlichen Theil ist der muhammedanische Wely, und auch ein Begräbnifsplatz. Dem Fremden kommt
anfangs sehr natürlich der Gedanke, dafs dies die Ueberreste des
alten Tempels der Samariter auf dem Berge Garizim sein müssen;

aber die Samariter in unsern Tagen knüpfen gar keine heiligen Erinnerungen an diese Ruinen, und nennen sie blofs el-Kül'ah, „das Kastell.“ Wir werden später sehen, dafs es wahrscheinlich die Ueberreste einer von Justinian errichteten Festung sind.

Grade unter den Mauern des Kastells liegen an der Westseite ein paar flache Steine, von denen schwer zu sagen ist, ob sie von Natur oder durch Menschenhände dahin gelegt wurden. Unter diesen finden sich, wie der Führer sagte, die zwölf von den Israeliten aus dem Jordan mitgebrachten Steine; [1] „und hier werden sie bleiben, bis el-Muhdy (der Führer) erscheinen wird.“ Dies, und nicht Messias, erklärte er, sei der Name, welchen sie dem erwarteten Erlöser geben. Er konnte nicht sagen, wann er erscheinen würde, aber es wären, meinte er, schon einige Anzeichen seines Kommens vorhanden.

Kaum waren wir bei dem Kastell vorbei nach Süden hin gegangen, als der Führer seine Schuhe auszog, indem er sagte, es sei seinem Volke verboten, diesen Boden mit Schuhen zu betreten, da er heilig wäre. Nach ein paar Schritten kamen wir nach der grofsen nackten Oberfläche eines mit dem Boden gleichen und eine beträchtliche Area einnehmenden Felsens, welcher sich etwas nach einer Cisterne in dem westlichen Theil hinneigte. Dies, sagte er, sei ihre heiligste Stelle, der Ort, wo die Stiftshütte des Herrn mit der Bundeslade gestanden habe. Von einem Tempel an dieser Stelle schien er aber keine Ueberlieferung zu haben; und obgleich wir zu wiederholten Malen fragten, so konnten wir doch nicht wahrnehmen, dafs er je von einem solchen gehört hatte. Um diesen Felsen sind schwache Spuren früherer Mauern, vielleicht des alten Tempels. Wir mafsen sie, so weit

---

[1] Benjamin von Tudela berichtet, dafs der Altar der Samariter auf dem Berge Garizim aus diesen Steinen erbaut sei. Voyages par Baratier p. 82.

sie zu unterscheiden waren, und fanden 58 Fufs von N. nach S. und 45 Fufs von O. nach W.; aber wir waren später nicht sicher, ob letzteres nicht verdoppelt werden müsse. — Diese Stelle ist die Kebla der Samariter. An welcher Seite derselben, sagte uns unser Führer, sie auch sein mögen, so wenden sie immer beim Gebet ihr Gesicht darnach hin; aber wenn sie an der Stelle selbst sind, ist es ihnen erlaubt, nach jeglicher Richtung hin zu beten. — Nahe bei demselben Orte zeigte er uns die Stelle, wo nach ihrem Dafürhalten Abraham auf Gottes Befehl den Isaac opfern sollte. Auf die Frage, ob es noch an irgend einem andern Ort Samariter gebe, sagte er, es lebten noch andere jenseit des Flusses „Sabt," welcher nur an einem Sonnabend passirt werden könne; aber da die Samariter an diesem Tage nicht reisen, so sei nichts weiter von ihnen bekannt.

Weiter südlich und selbst ganz ringsum auf dieser Anhöhe liegen ausgedehnte Grundmauern, allem Anschein nach von Wohnungen, als wenn es Ruinen einer vormaligen Stadt wären. Es giebt hier auch viele Cisternen; aber alle waren jetzt trocken.

Dieser Punkt gewährte eine weite Aussicht über die Gegend, und namentlich die grofse Ebne unten, durch welche wir bei unsrer Annäherung nach Nâbulus gekommen waren. Die ganze Umgegend bot einen von der um Jerusalem verschiedenen Anblick dar, wie wir schon Gelegenheit gehabt hatten auf unserer Reise zu bemerken. In der That zeigte es sich uns von Sinjil nordwärts, dafs die Berge im Allgemeinen nicht so hoch und steil und auch nicht so nackt waren, während die Thäler sich in fruchtbare Ebnen oder Becken ausbreiteten, die sich meistens von O. nach W., aber auch zuweilen von N. nach S. erstreckten. Diese Ebne von Nâbulus ist die gröfste von allen auf dem hohen Landstrich zwischen der westlichen Ebne und dem Jordanthal; und diese Berge sind die höchsten in dieser Gegend. Die Länge der

III.   21

Ebne von S. S. W. nach N. N. O. beträgt nicht viel unter vier Stunden; ihre Breite ist etwas veränderlich in Folge der Unregelmäfsigkeit der Abhöhen längs der östlichen Grenze, kann aber im Durchschnitt wohl zu $^1/_2$ bis $^3/_4$ Stunden gerechnet werden. Der südliche Theil, welcher dem Anschein nach weniger fruchtbar ist, wird, wie schon bemerkt, durch einen westwärts nach dem Mittelmeer laufenden Wady abgetrocknet. Aber von einem Punkt irgendwo südlich von dem Thale von Nâbulus beginnt das Land sich nach Norden zu neigen, und die Gewässer werden im N. O. Winkel nach dem Jordan hingebracht, nicht unwahrscheinlich durch irgend einen Arm des grofsen Wady el-Fâri'a. — Jenseits des Thales von Nâbulus konnten wir sehen, wie der Berg Ebal sich oben in Flachland ausbreitete, nicht unähnlich dem Garizim.

Aber was unsere Aufmerksamkeit in der Aussicht besonders auf sich zog, war die kleinere schon berührte Ebne, welche O. S. O. von der östlichen Seite der Mukhna, gegenüber dem Thale von Nâbulus hinaufläuft. Sie ist eigentlich von der Mukhna durch eine niedrige Felsenkette getrennt, durch welche ein die beiden Ebnen verbindender, offner Wady läuft, welcher die Gewässer der kleineren westwärts ableitet, wo sie alsdann nordwärts und so nach dem Jordan fliefsen. Auf den Anhöhen längs der Nordseite dieses Wady sieht man die drei Dörfer 'Azmût, Deir el-Hatab und Sâlim; wovon letzteres am weitesten östlich liegt. Dies mag nicht unwahrscheinlich das Salem, die Stadt des Sichem sein, nach welcher Jacob auf seiner Rückkehr von Mesopotamien kam. [1]) Die Ebne jenseits erstreckt sich eine Stunde oder wei-

---

J) 1 Mos. 33, 18. Die Existenz dieses alten Namens für ein so nahe bei Nâbulus oder Sichem gelegenes Dorf zeigt wenigstens, dafs es nicht nothwendig ist, den Namen Schalem (Salem) in dieser Stelle als von Sichem selbst gebraucht anzusehen, wie dies von Eusebius, Hiero-

ter ostwärts und bietet dieselben Anzeichen von Fruchtbarkeit und Schönheit dar wie die Mükhna selbst. Weiterhin auf den niedrigen Anhöhen war ein Dorf, Namens Beit Dejan zu sehen,[1]) und im S. O. Theile die hohe Spitze eines nach dem Jordan hinblickenden Berges, längs dessen Fufse ein von Nâbulus durch diese Ebne nach dem Jordan führender Weg geht. Ich weifs nicht, ob dieser Berg vielleicht der Kürn Sürtübeh sein mag, welchen wir so oft aus der Nähe von Jericho gesehen hatten.[2]) Auf dem nächsten Theil der südlichen Seite der Ebne, ungefähr zwei Stunden von Nâbulus, lag ein anderes Dorf, Namens Beit Fûrik. Das zerstörte Dorf Kefr Beita liegt 20 Minuten weiter westlich.[3])

In derselben Gegend (S. O.) finde ich in nusern Verzeichnissen den Namen 'Akrabah als den eines noch vorhandenen Dorfes; es folgt dort unmittelbar auf die eben aufgezählten und die Dörfer Beita, Handela, 'Awerta und Raujib, welche längs der östlichen Seite der grofsen Ebne stehen. Man könnte daher schliefsen, dafs es irgendwo südlich von den ersteren und östlich von den letzteren läge. Wir bekamen es jedoch nicht zu sehen; auch wurde es uns hier von Keinem erwähnt oder gezeigt. Wo es immer gelegen haben mag, es ist ohne Zweifel das alte Acrabi des Eusebius und Hieronymus, welches sie als ein grofses Dorf 9 röm. Meilen (3 Stunden) östlich von Neapolis

---

nymus und Andern nach ihnen geschehen ist. Onomast. Art. Salem und Sichem. Gleichfalls unnöthig ist die andere Erklärungsweise, nach der man es für ein Adjektiv nimmt in der Bedeutung sicher, glücklich. S. überhaupt Reland's Dissertat. Miscell. I, 3. p. 143.

1) Dies deutet auf ein anderes altes Beth Dagon, von dem wir keine Nachricht haben. Vgl. oben, S. 238. Anm. 1.

2) Siehe oben, Bd. II. S. 497.

3) Irby und Mangles p. 328.

21 *

auf dem Wege nach dem Jordan und Jericho beschreiben.[1]) Es
war ein Ort von Bedeutung nnd gab der Toparchie Acrabitene,
neben der von Gophna liegend, ihren Namen. So kommt derselbe mehrere Male bei Josephus vor,[2]) scheint aber nach der
Zeit des Hieronymus bis in das jetzige Jahrhundert nirgends weiter erwähnt zu sein.[3]) — Etwa 12 röm. Meilen von Neapolis
in derselben Gegend setzt das Onomasticon ein Dorf Namens
Edumia; in unsern Verzeichnissen über diesen Landstrich aber
finde ich den Namen Daumeh, welcher wahrscheinlich denselben
Ort bezeichnet.[4])

Vom Berge Garizim nahmen wir folgende Ortsbestimmungen
auf: Nábulus, das eben sichtbare Westende N. gen W., Berg
Hermon N. 30⁰ O., 'Azmût N. 55⁰ O., Deir el-Hatab N. 70⁰ O.,

---

1) Onomast. Art. A o r a b i, 'Ἀκραββείν.

2) Jos. B. J. III, 3, 5. IV, 9, 9. etc. Reland Pal. 176, 191, 543.

3) O. von Richter sagt auf seiner Reise über denselben Weg nach
Nábulus, das Dorf Akrabi liege zu seiner Rechten; aber er giebt nicht
an, wo; Wallfahrten S. 55. Es ist möglich, dafs er es sah, aber wahrscheinlicher, dafs er nur den Namen hörte. Scholz hat auch den Namen; S. 267. — Irby und Mangles hörten auf ihrem Weg von es-Salt
nach Nábulus von einem Dorf „Agrarbi" einige Zeit bevor sie Beit
Fûrik erreichten, sahen es aber nicht. Es ist wenig Zweifel, dafs dies
'Akrabah war, welches dann natürlich nicht gut von der Jerusalemer
Strafse aus sichtbar sein konnte. Travels p. 328.

4) Onomast. Art. E d o m i a. — Von dem bei Scholz (S. 267.)
¹/₂ Stunde von Nábulus erwähnten Dorfe „Askar" hörten wir nichts.
Berggren gebraucht den Namen 'Ain el-Askar von dem bei ihm so genannten Jacobs-Brunnen, womit er, wie es scheint, die Quelle innerhalb der Mündung des Thales Nábulus meint; auch nennt er die grofse
Ebne „Sahel el-Askar." Reisen II. S. 267. Quaresmius sagt, die
Landeseingebornen seiner Zeit hiefsen den Brunnen „Istar." II. p. 808.
Wir hörten nichts von irgend einem dieser Namen, noch auch finde ich
sie in unsern Verzeichnissen.

Sâlim N. 80⁰ O., Beit Dejan S. 80 O., Ranjib S. 50⁰ O., 'Awerta S. 15⁰ O.

Wir gingen auf demselben Wege wieder den Berg hinunter, indem wir bis zum Rande des Abhanges 20, und von da bis zur Stadt wieder 20 Minuten gebrauchten. Wir fanden jetzt den samaritanischen Priester und mehrere von seinen Leuten in dem kleinen Hofe vor ihrer Synagoge und dem Schulzimmer, wie es schien, auf uns wartend. Der Priester war etwa 60 Jahre alt, hatte einen klugen, verständigen Ausdruck in seinem Gesicht, und ein Benehmen, welches sich überall Einflufs sichern würde. [1] Sein Sohn, jetzt Unterpriester, vielleicht 35 Jahre alt, schien in jeder Hinsicht von einem gewöhnlicheren Charakter zu sein. Der Priester trug ein Obergewand von rother Seide, und einen weifsen Turban; die andern hatten meistens rothe Turbane. In andern Dingen war ihre Kleidung dem gewöhnlichen Landescostüm ähnlich. Ihre gewöhnliche Sprache im Verkehr unter sich und mit andern ist die arabische. Sie waren sehr artig und höflich, antworteten bereitwillig auf alle unsere Fragen über sie selbst, ihre Gebräuche und ihren Glauben, und erkundigten sich, namentlich der Priester, viel nach Amerika und besonders, ob es Samariter in diesem Lande gäbe. Sie machten auf uns nicht den Eindruck, als ob sie glaubten, dafs dort oder sonstwo wirklich andere Kolonieen von Samaritern vorhanden seien; aber sie schienen die Ansicht zu hegen, dafs etwas der Art möglich sei, und waren begierig, den wahren Zustand der Dinge zu erfahren.

Der Priester sagte, sie hätten viele Gebethücher, Kommentare u. dgl. in ihrer alten Sprache und Buchstabenschrift, welche

---

[1] Unsere Notizen enthalten den Namen des Priesters nicht; aber es ist wahrscheinlich derselbe Salâmeh, welcher an De Sacy und Andere im J. 1808, 1820 und 1826 schrieb. Siehe Notices et Extr. des Mss. etc. Tom. XII. p. 15, 17, 234.

letztere sie el-'Ebry (die hebräische) nennen, zum Unterschied
von der bei den Juden gebräuchlichen und von ihnen el-Káshûry
genannten. Sie haben ein Exemplar vom ersten Bande der Londoner Polyglotte; und im Laufe des Gesprächs erkannte der Priester gegen uns auch die Richtigkeit des darin enthaltenen samaritanischen Pentateuchs an. Sie klagten, wie gewöhnlich, über
die jüdischen Textverfälschungen, und hoben die gröfsere Rein-
heit sowohl ihres Textes als auch ihrer Gesetzesbeobachtung hervor.

Nach einer ziemlich langen Unterhaltung stand der Priester endlich auf und öffnete die Thür der Kenisch (das arabische
Wort sowohl für Kirche als für Synagoge), und wir traten ein,
nachdem wir unsere Schuhe ausgezogen. Es ist ein kleines, einfaches, gewölbtes Zimmer, mit einer Art von Alcoven linker Hand
beim Eingang, wo ihre Handschriften aufbewahrt werden, vor
welchem ein Vorhang. Wir bemerkten kein Bild einer Taube
oder anderer Gegenstände. Wir fragten nach der bekannten
Handschrift, welche ihrer Angabe nach jetzt 3460 Jahr alt ist
und von Abisua, dem Sohne des Pinehas, herrühren soll. [1]) Der
Priester brachte uns eine Handschrift aus dem Alcoven in der
gewöhnlichen jüdischen Weise auf zwei Stäben aufgerollt; aber
wir sahen gleich, dafs sie von einer jüngeren Hand und auf
neuem Pergament geschrieben war. Als wir ihm dies vorhielten,
lachte der alte Mann und brachte eine andere, welche, wie er
und alle übrigen behaupteten, die ächte war. Sie war freilich
sehr stark abgenutzt, und durch den Gebrauch und vieles Küssen
etwas zerrissen, und hie und da mit Streifen von Pergament aus-
gebessert; aber die Schrift schien mir der ersten sehr ähnlich,
und das Pergament gleichfalls nicht-alt zu sein. Natürlich wurde

---

1) 1 Chron. 7, 3. 4. Diese Handschrift wird in ihren Briefen
oft erwähnt, z. B. De Sacy Corresp. p. 125. u. Anmerk.

uns nicht erlaubt, das Manuscript zu berühren; und was auch immer sein wirkliches Alter sein mag, sehr wahrscheinlich ist es dasselbe, welches gewöhnlich früheren Reisenden gezeigt worden ist und ihre Bewunderung erregt hat. Sie behaupten, etwa hundert Handschriften zu besitzen; und der Priester sagte, dafs er sich selbst damit beschäftige, Abschriften des Gesetzes anzufertigen. Auf die Frage, ob sie eine Copie verkaufen wollten, war die Antwort: „Ja, für funfzig tausend Piaster"!

Die Gemeinde der Samaritaner beschränkt sich jetzt auf eine sehr kleine Zahl, da es unter ihnen nur dreifsig Männer giebt, welche Steuern bezahlen, und wenige, wenn überhaupt welche, die steuerfrei sind, so dafs die Gesammtheit zu nicht mehr als 150 Seelen angeschlagen werden kann. Einer von ihnen ist in vermögenden Umständen, und nachdem er eine Zeitlang Hauptsekretär des Mutesellim von Nâbulus gewesen, ist er einer der bedeutendsten und mächtigsten Leute des Ortes geworden. Er war kürzlich in seinem Einflufs bei dem Gouverneur durch einen Kopten verdrängt worden, und nahm jetzt nur die zweite Stelle ein. Er hiefs el-'Abd es-Sâmary. Die übrigen Samariter machen sich weder durch ihren Wohlstand, noch ihre Armuth bemerklich. Die Physiognomie derer, welche wir sahen, war nicht jüdisch; noch fanden wir in ihren Gesichtern einen eigenthümlichen, von dem anderer Landeseingebornen unterschiedlichen Charakter. Sie beobachten den Sonnabend mit grofser Strenge als ihren Sabbath, indem sie alsdann weder Arbeit noch Handel, ja nicht einmal Kochen oder Anzünden eines Feuers erlauben, sondern den ganzen Tag von ihren Geschäften ruhen. Am Freitag Abend beten sie in ihren Häusern, und am Sonnabend halten sie öffentliche Gebete in ihrer Synagoge, Morgens, Mittags und Abends. Sie kommen auch in der Synagoge an den grofsen Festen und an den Neumonden zusammen, aber nicht jeden Tag.

Das Gesetz wird nicht an jedem Sabbath, sondern nur an den genannten Festtagen öffentlich vorgelesen. Viermal im Jahre gehen sie in Procession hinauf nach dem Berg Garizim (Jebel et-Tûr), um Gottesdienst zu halten; und dann fangen sie beim Aufbruch an das Gesetz zu lesen, und beendigen es oben. Diese Zeiten sind: das Passahfest, wo sie, während die ganze Nacht ihre Zelte auf dem Berge aufgeschlagen sind, bei Sonnenuntergang sieben Lämmer opfern; der Tag der Pfingsten; das Laubhüttenfest, wo sie in Hütten aus Arbutuszweigen wohnen; und endlich der grofse Versöhnungstag im Herbst. [1]) Sie bewahren noch ihren alten Hafs gegen die Juden, beschuldigen sie der Abweichung vom Gesetz, weil sie nicht das Passahlamm opfern, und in verschiedenen andern Punkten, sowie auch der Verfälschung des alten Textes, und vermeiden ängstlich alle Berührung mit ihnen. Wenn vor Alters „die Juden keine Gemeinschaft mit den Samaritern hatten,"[2]) so erwiedern die letztern heut zu Tage diese Abneigung, essen und trinken nicht, heirathen und verkehren nicht mit den Juden, aufser in Handelsgeschäften.

Wir befragten die Samariter nach dem Jacobs - Brunnen. Sie sagten, sie erkennten die Ueberlieferung an, und glaubten, dafs er dem Patriarchen gehört habe. Er liegt an der Mündung

---

1) 3 Mos. 16, 29 ff. 23, 27 ff. — Viele Jahre hindurch, am Schlusse des letzten und im Anfang des jetzigen Jahrhunderts, waren die Samariter wegen der Erpressungen und Bedrückungen der Regierung und der Sheikhs nicht im Stande, ihre Andacht auf dem Garizim abzuhalten. In einem Schreiben nach Frankreich vom Jahre 1810 sagen sie, dafs sie seit 25 Jahren aufgehört hätten, Opfer auf dem Berge darzubringen, und ihren Gottesdienst nur in der Stadt hielten. Jedoch scheint aus ihrem Briefe vom Jahr 1820 hervorzugehen, dafs es ihnen möglich geworden, ihre Wallfahrten nach dem Gipfel des Garizim wieder vorzunehmen. De Sacy Corresp. des Samar. p. 126, 157, 158.

2) Ev. Joh. 4, 9.

---

des Thales nahe bei der Südseite, und ist derselbe, welchen die Christen zuweilen Bir es-Sâmiriyeh, „Brunnen der Samariterin", nennen. Das Grab in der Nähe gilt ihnen auch als der Begräbnifsplatz Joseph's; obgleich das heutige Gebäude nur ein muhammedanischer Wely ist. [1])

So spät es auch war, so nahmen wir doch einen christlichen Führer, da unser erster alter Mann nicht wieder zum Vorschein gekommen war, und machten uns auf nach Jacob's Brunnen. Wir gingen nördlich von der Quelle und den eingeschlossenen Gärten das Thal hinab, so dafs wir nach der Mündung des Thales an der Nordseite, bei den Ruinen des kleinen Dörfchens Belât kamen. Unser Führer hatte behauptet, alles um den Brunnen zu kennen; aber als wir so weit gekommen waren, konnte er nicht sagen, wo er war. Wir trafen indefs einen Muhammedaner, welcher auch die Tradition über Jacob's Brunnen und Joseph's Grab anerkannte. Er führte uns zu dem letzteren, welches sich in der Mitte der Thalmündung befindet, und dann nach dem Brunnen, der südlich vom Grabe und grade am Fufse des Garizim, unterhalb des Weges liegt, welchen wir diesen Morgen gekommen. Wir gebrauchten 35 Minuten, um von der Stadt dahin zu gelangen. Der Brunnen hat offenbare Merkmale von Alterthum, war aber jetzt trocken und verlassen; er soll gewöhnlich lebendiges Wasser enthalten, und nicht blofs von Regenwasser gefüllt werden. Ein grofser Stein lag lose über oder vielmehr in seiner Mündung; und da es jetzt schon spät an der Zeit und die Dämmerung beinahe vorüber war, so machten wir keinen Versuch, den Stein fortzuschaffen und den gewölbten Eingang unten zu untersuchen. Wir hatten auch für den Augenblick keine Schnur

_____

1) Wir hörten nichts von den Gräbern des Eleazar, Ithamar, Pinehas und andern, welche die Samariter früher in Nâbulus zu zeigen vorgaben. Siehe De Sacy Corresp. des Samar. p. 181, 210 etc.

bei uns, um den Brunnen zu messen; aber durch Hineinwerfen von Steinen überzeugten wir uns,' dafs er tief war. [1]) Dicht beim Brunnen liegen die Ruinen einer alten Kirche, welche kleine Schutthügel bilden, unter denen wir drei Granitsäulen bemerkten.

Was wir somit nicht thun konnten, ist indefs lange vorher von Maundrell und neuerdings von den mit uns befreundeten Missionären ans Beirût geschehen. Nach Maundrell's Beschreibung ist der Brunnen mit „einem alten steinernen Gewölbe" bedeckt, in welches er durch ein enges Loch im Dache hinabstieg, und so die eigentliche mit einem breiten flachen Steine bedeckte Mündung des Brunnens fand. Er schaffte den Stein fort und mafs den Brunnen. „Er ist in einen festen Felsen gegraben, und hat etwa 9 Fufs im Durchmesser und 105 Fufs Tiefe; 15 Fufs hoch stand er voll Wasser." [2]) Es war beinahe gegen Ende März, als Maundrell so das Wasser in dem Brunnen 15 Fufs tief fand. Unsere Freunde hatten ihn auf ihrem Wege von Jerusalem früh im Mai besucht, und die Herren Hebard und Homes waren in den gewölbten Raum hinabgestiegen. Der letztere mafs auch die Tiefe, welche etwa 105 Fufs betrug. Ihr Bericht stimmt gänzlich mit dem von Maundrell überein, aufser dafs der Brunnen jetzt trocken war. — Nach Bonifacius um das Jahr 1555 stand damals in diesem Gewölbe ein Altar, an welchem einmal im Jahre Messe gelesen wurde; aber Quaresmius bemerkt in dem nächstfolgenden Jahrhundert, dafs dieser Gebrauch schon viele Jahre von den Lateinern eingestellt sei; obgleich der Altar in dem Gewölbe noch vorhanden war, wo die Griechen noch zuweilen die Messe celebrirten. [3])

---

1) Joh. 4, 11.

2) Maundrell unter dem 24. März.

3) „Tantum in ore putei remanet altare;" Bonifacius angeführt bei Quaresmius II. p. 801, col. a. b.

Diese Ueberlieferung, sowohl von dem Jacobs-Brunnen als dem Grabe Joseph's, worin durch ein merkwürdiges Zusammentreffen Juden [1] und Samariter, Christen und Muhammedaner alle übereinstimmen, geht wenigstens bis auf die Zeit des Eusebius in der ersten Hälfte des vierten Jahrhunderts zurück. Dieser spricht zwar nur von dem Grabmahl; aber der Pilger von Bourdeaux im Jahr 333 erwähnt auch den Brunnen; und keiner von beiden Schriftstellern giebt irgend eine Hindeutung auf eine Kirche. [2] Aber Hieronymus läfst in seinem Schreiben über die Paula, welches in das Jahr 404 fällt, diese die an der Seite des Berges Garizim um den Jacobs-Brunnen, wo der Erlöser die Samariterin traf, errichtete Kirche besuchen. [3] Es möchte daher scheinen, dafs die Kirche während des 4. Jahrhunderts erbaut ist, obgleich nicht von Helena, wie in neueren Zeiten berichtet wird. Sie wurde in der Nähe des Brunnens gefunden und besucht von Antoninus Martyr nahe am Schlusse des sechsten Jahrhunderts, von Arculfus ein Jahrhundert später, welcher sie als in Form eines Kreuzes erbaut beschreibt, und sodann von St. Willibald im 8. Jahrhundert. [4] Jedoch findet sich bei Saewulf um das J. 1103 und Phocas im J. 1185, welche von dem Brunnen sprechen, keine Erwähnung der Kirche; woraus wir schliefsen möchten, dafs die letztere vor der Periode der Kreuzzüge zerstört

---

1) Benj. de Tud. Voyages par Barat. p. 82. Lightfoot Hor. Hebr. in Act. VII, 16.

2) Onomast. Art. Sichem. Itiner. Hieros. ed. Wess. p. 587 sq.

3) Hieron. Ep. 86, Epit. Paulae, p. 676. ed. Mart.: „Et ex latere montis Garizim extructam circum puteum Jacob intravit Ecclesiam, etc."

4) Anton. Mart. Itin. 6. Adamnanus lib. II, 21. St. Willib. Hodoepor. 22. p. 378. ed. Mabill. Siehe diese Stellen bei Reland Palaest. p. 1007 sq.

worden war. [1]) Brocardus spricht von Ruinen um den Brunnen, von Marmorblöcken und Säulen, welche er für die Ruinen einer Stadt, des alten Thebez, hielt; es waren wahrscheinlich die der Kirche, die er nicht erwähnt. [2]) Andere Reisende, sowohl aus diesem Zeitalter als auch spätere, gedenken der Kirche nur als einer zerstörten und des Brunnens als eines schon 'verlassenen. [3])

Vor den Tagen des Eusebius scheint es kein historisches Zeugnifs zum Erweis der Identität dieses Brunnens mit dem, an welchem unser Erlöser ausruhte, zu geben; und die Nachweisung mufs sich daher, so weit sie überhaupt zu Stande kommen kann, auf Uebereinstimmung in den Umständen stützen. Ich sehe nicht, dafs in der Beschaffenheit der Localität irgend etwas der gewöhnlichen Ueberlieferung widerspricht, sondern im Gegentheil, es findet sich unter den Umständen manches, was zur Bestätigung der Voraussetzung dient, dafs dies wirklich der Ort ist, wo unser Erlöser jene Unterredung mit der Samariterin hatte. Jesus reiste von Jerusalem nach Galilaea und ruhte an dem Brunnen aus, während „seine Jünger in die Stadt gegangen waren, dafs sie Speise kauften.“ [4]) Der Brunnen lag daher allem Anschein nach vor der Stadt und in einiger Entfernung davon. Jesus hatte auf seinem Wege längs der östlichen Ebne bei dem Brunnen gehalten, und schickte seine Jünger nach der in dem engen Thal gelegenen Stadt, indem er bei ihrer Rückkehr der Ebne

---

1) Saewulf Peregrinat, p. 269. Phocas de Locis Sanct. 13. Reland a. a. O.

2) Brocardus c. VII. p. 177. Vgl. Marin. Sanut. p. 248, welcher auch das Grab Joseph's erwähnt.

3) So Will. de Baldensel in Basnage Thes. IV. p. 353. Sir J. Maundeville p. 105. Lond. 1839. Rud. de Suchem im Reisb. S. 850. Cotovic p. 337. Quaresmius p. 801. etc.

4) Joh. 4, 3—8.

entlang seine Reise nach Galilaea, ohne selbst die Stadt zu besuchen, weiter verfolgen wollte. Alles dieses entspricht genau dem heutigen Charakter des Bodens. [1]) Der Brunnen hiefs bereits Jacobs-Brunnen, und war von hohem Alterthum, ein bekannter und verehrter Ort, von welchem, nachdem er schon so viele Menschenalter hindurch in der Ueberlieferung gelebt hatte, es nicht wahrscheinlich sein würde, dafs er in drittehalb Jahrhunderten, von dem Apostel Johannes bis zu Eusebius hin, vergessen sein sollte.

Eine sehr nahe liegende Frage bot sich uns an der Stelle selbst dar, nämlich: wie man voraussetzen könne, dafs die Frau von der jetzt eine halbe Stunde entfernten Stadt mit ihrem Kruge gekommen sein sollte, um Wasser aus dem Jacobs-Brunnen zu schöpfen, da es so viele Quellen in der nächsten Umgebung der Stadt giebt und sie auch auf halbem Wege direkt bei einer dieser Quellen vorbeigekommen sein mufste? Aber erstlich lag die alte Stadt (wie wir sehen werden) wahrscheinlich zum Theil näher bei diesem Brunnen als die heutige; und dann ist auch nicht gesagt, dafs die Frau überhaupt von der Stadt hierher kam. Sie mag nahe bei dem Brunnen gewohnt oder gearbeitet haben, und nur in die Stadt gegangen sein, um ihren Bericht über den fremden Propheten mitzutheilen. [2]) Oder selbst bei der Voraussetzung, dafs sie in der Stadt zu Hause war, würde nichts Unwahrscheinliches oder Ungewöhnliches in der Annahme liegen, dafs die Einwohner auf das Wasser dieses alten Jacobs-Brunnens einen be-

_____

1) Der heutige gewöhnliche Weg von Nâbulus nordwärts geht den Rücken des Berges Ebal westlich von der Stadt hinauf und darüber hin. Aber es giebt und gab ohne Zweifel auch einen Weg längs der Ebne. Berggren kam über einen noch weiter östlichen. Reisen II. S. 266 ff.

2) Joh. 4, 7. 28. 29. Der Ausdruck „Weib von Samaria" will hier nur so viel sagen als „ein samaritisches Weib," — eine Samariterin.

sondern Werth gelegt und sich dann und wann die Mühe genommen haben mögen, dahin zu gehen um zu schöpfen. Dafs es nicht der gewöhnliche öffentliche Brunnen der Stadt war, scheint aus dem Umstande hervorzugehen, dafs hier keine öffentliche Vorrichtung zum Wasserschöpfen war. [1])

Schwieriger ist es, das Faktum zu erklären, dafs ein Brunnen hier überhaupt jemals gegraben sein sollte, an einer Stelle in der unmittelbaren Nähe so vieler natürlicher Quellen, und selbst heut zu Tage bewässert von Bächen fliefsenden Wassers, die aus der Quelle höher thalaufwärts herabkommen. Ich kann diese Schwierigkeit nur durch die Annahme lösen, dafs dies wahrscheinlich der wirkliche Brunnen des Patriarchen ist, und dafs er von ihm in Folge der Besitznahme des von Hemor, dem Vater Sichem's, gekauften „Stück Ackers" gegraben wurde, welches er seinem Sohne Joseph gab, und auf welchem Joseph und wahrscheinlich seine Brüder begraben wurden. [2]) Die Gewohnheit der Patriarchen, an allen Orten, wo sie sich aufhielten, Brunnen zu graben, ist sehr bekannt; [3]) und wenn Jacob's Feld, wie es scheinen möchte, hier vor der Mündung des Thales Sichem gelegen hat, so mochte er es vorziehen, hinsichtlich des Wassers nicht von Quellen abhängig zu sein, welche oben im Thale lagen und nicht seine eignen waren.

Ich denke, wir können so mit Vertrauen bei der Meinung stehen bleiben, dafs dies Jacob's Brunnen ist, und hier das Stück Ackers liegt, welches Jacob seinem Sohn Joseph gab. Hier safs der Erlöser, müde von seiner Reise, am Brunnen, und lehrte die arme Samariterin jene grofsen Wahrheiten, welche die Scheide-

---

1) Joh. 4, 11.

2) 1 Mos. 33, 19. Jos. 24, 32. Joh. 4, 5. Apgsch. 7, 15. 16. Vgl. Lightfoot Hor. Hebr. zu Apgsch. 7, 16.

3) 1 Mos. 21, 25. 30; 26, 15. 18—32.

wand zwischen Juden und Heiden weggebrochen haben: „Gott
ist ein Geist; und die ihn anbeten, müssen ihn im Geist und in
der Wahrheit anbeten." Hier war es auch, wo er, bei dem
Herbeiströmen des Volks aus der Stadt, um ihn zu hören, seine
Jünger auf die wogenden Felder, welche die prächtige Ebne ringsum bedeckten, mit den Worten hinwies: „Saget ihr nicht sel-
ber, es sind noch vier Monden, so kommt die Ernte? Siehe ich
sage euch, hebet eure Augen auf, und sehet in das Feld, denn
es ist schon weifs zur Ernte!" [1]

Es war halb 9 Uhr, als wir nach unserm Zelt zurückkehrten, müde zwar dem Körper nach, aber erfrischt im Geiste, da
wir aufs neue, und mitten in den Scenen selbst, die Erzählung
von dem Besuch und der erhabenen Belehrung unsres Erlösers lasen.

Bei unsrem Besuch bei den Samaritern hatten wir vergessen, uns nach der allgemeinen Statistik von Nâbulus zu erkundi-
gen, und wir hatten keine andere Gelegenheit, uns sichere Auskunft zu verschaffen. Die einzigen Christen hierselbst sind Griechen, eine Zahl von 120 steuerpflichtigen Leuten, oder etwa 500
Seelen. Es giebt einen griechischen Bischof von Nâbulus; aber
er hat seinen Wohnsitz in dem Kloster zu Jerusalem. [2] Die
Samariter zählen, wie wir gesehen haben, ungefähr 150 Seelen;
und es sollen etwa eben so viele Juden da sein. Aus verschiedenen Angaben wurden wir veranlafst, die ganze Bevölkerung auf
ungefähr 8000 Seelen anzuschlagen; alle Muhammedaner, mit
den erwähnten Ausnahmen. Der jetzige Gouverneur der Provinz
Nâbulus war ein Sohn des Husein, des früheren Mudir von 'Akka. [3]

---

1) Joh. 4, 20 – 24. 30. 35.

2) S. oben, Bd. II. S. 298 f.

3) In Nâbulus soll es, wie man sagt, eben so wie in Jerusalem
Aussätzige geben; aber wir trafen auf keinen; Paxton's Letters XV. p.
173. Lond.

Es würde unnütz sein, die Zeit mit dem Beweise hinzubringen, dafs das heutige Nâbulus das Neapolis der Römer-
periode ist, oder dafs die letztere Benennung an die Stelle des
älteren Namens Sichem trat. Es ist einer der sehr wenigen
von den Römern in Palästina eingeführten fremden Namen, welche sich bis auf den heutigen Tag erhalten haben. Die historischen Zeugnisse für die allgemeine Identität von Neapolis und
Sichem sind kaum weniger bestimmt und zahlreich, als es bei
Aelia und Jerusalem der Fall ist; [1] während die Lage von Nâbulus in dem Gebirge Ephraim und unterhalb des Berges Garizim,
welchen die Ueberlieferung nie aus den Augen verloren hat, den
alten Nachrichten über die Lage von Sichem völlig entspricht.

Sichem war ein sehr alter Ort; obgleich wir es erst zur
Zeit des Jacob als eine Stadt erwähnt finden. Abraham zog ja
schon zuerst in dem Lande Canaan „bis an die Stätte Sichem
und an den Hain More;" [2] und Jacob kam auf seiner Rückkehr
aus Mesopotamien nach Salem einer Stadt Sichems, „und machte
sein Lager vor" (östlich von) letzterer Stadt. Dies entspricht
dem heutigen Dorfe Sâlim, welches östlich von Nâbulus jenseits
der grofsen Ebne liegt. Auf dieser Ebne lagerte der Patriarch,
und kaufte das noch durch seinen Brunnen und das traditionelle
Grab Joseph's bezeichnete „Stück Ackers." [3] Hier war es, wo
Dina von Sichem, dem Sohne Hemor's, des Landes Herrn, ent-

---

1) Josephus hat gewöhnlich Sichem, aber auch einmal Neapolis,
B. J. IV, 8, 1. Epiphanius adv. Haer. lib. III. p. 1055: Ἐν Σικίμοις,
τοῦτ' ἔστιν, ἐν τῇ νυνὶ Νεαπόλει. ebendas. p. 1068. Hieron. Ep. 86,
Epitaph. Paulae p. 676: „Transivit Sichem, — quae nunc Neapolis
appellatur etc." S. auch andere Zeugnisse bei Reland Pal. p. 1004 sq.

2) 1 Mos. 12, 6.

3) 1 Mos. 33, 18. 19. (nach dem Hebräischen). Siehe oben, S.
322. Anm. 1. und S. 334.

chrt wurde; und von der Stadt Sichem, wahrscheinlich nach diesem Herrscher benannt, mit ihren Thoren ist hier die Rede. Sie
scheint nicht sehr grofs gewesen zu sein, da ja die beiden Söhne
Jacob's im Stande waren, sie zu überfallen und alles Männliche
darin zu erschlagen. [1]) Jacob's Acker war, wie wir gesehen haben, ein bleibendes Besitzthum; und der Patriarch schickte,
selbst als er zu Hebron wohnte, seine Heerden in diese Gegend, um zu weiden. Dort war es ja, wo Joseph bei seinem
Besuche von seinen Brüdern verkauft ward. [2]) Bei der Rückkehr aus Aegypten wurde den Israeliten geboten, wenn sie den
Jordan überschritten hätten, auf dem Berge Ebal grofse Steine
aufzurichten und einen Altar zu bauen, und auf dem Berge Garizim sechs Stämme aufzustellen das Volk zu segnen, und sechs
auf dem Berge Ebal zu fluchen. [3]) Zwischen diesen beiden Bergen lag, nach Josephus, Sichem so, dafs es den Ebal im Norden
und den Garizim im Süden hatte. [4]) Bei der Theilung des Landes
fiel Sichem dem Loose Ephraim zu, wurde aber den Leviten überwiesen und zu einer Freistadt gemacht. [5]) Hier sah Josua das
versammelte Volk zum letzten Mal. [6]) In der Richterperiode nahm
Abimelech die Stadt verrätherischer Weise in Besitz, welches zu
der schönen, auf dem Berge Garizim vorgetragenen Parabel des
Jotham Veranlassung gab; zuletzt bewies sich das Volk treulos ge-

---

1) 1 Mos. 34, 1. 2. 20. 24. 25.

2) 1 Mos. 37, 12—14.

3) 5 Mos. 27, 1—13. Der Altar in Vs. 5. stand, nach dem jetzigen hebräischen Text, auf dem Ebal. Der samaritanische Text liest
aber Garizim, und dies ist der Hauptpunkt, worin die Samaritaner die
Juden der Textesverfälschung beschuldigen.

4) Joseph. Ant. IV, 8, 44. Vgl. Richt. 9, 7.

5) Jos. 20, 7; 21, 20. 21.

6) Jos. 24, 1. 25.

III.   22

gen den Usurpator, und die Stadt wurde durch ihn zerstört. [1])
In Sichem kam ganz Israel zusammen, um Rehabeam zum Kö-
nige zu machen; hier empörten sich die zehn Stämme, und die
Stadt wurde eine Zeitlang die königliche Residenz des Jerobeam. [2])
Wir hören dann nichts weiter von Sichem vor dem Exil, während
dessen es noch bewohnt gewesen zu sein scheint; [3])

Nach dem Exil ist Sichem besonders als Hauptsitz des Volkes bekannt, welches seitdem den Namen Samariter führte. Ueber
den Ursprung dieses Volkes haben wir keine weitere alte Quelle, als
die Schrift und den Josephus. Nach der Wegführung der Israeliten vom Gebirge Ephraim und aus der Gegend von Samaria in
die assyrische Gefangenschaft durch Salmanassar scheint es, dafs
dieser Herrscher Leute aus Babylon und andern östlichen Ländern kommen liefs, „und besetzte die Städte in Samaria anstatt
der Kinder Israel. Und sie nahmen Samaria ein und wohnten
in derselben Städten." [4]) Heimgesucht und beunruhigt von Lö-
wen, erbaten sich diese Kolonisten von dem assyrischen König
einen israelitischen Priester, der „sie lehre die Weise des Gottes
im Lande;" und demgemäfs wurde einer hingeschickt, der seinen Aufenthalt zu Bethel nahm, dem früheren Sitze von Jerobeam's Götzendienst. „Also fürchteten sie den Herrn, und dienten auch den Göttern nach eines jeglichen Volks Weise, von dannen sie hergebracht waren, und machten ihnen (sich) Priester
auf den Höhen aus den untersten unter ihnen." Dies dauerte so

---

1) Richt. 9, 1—49.

2) 1 Kön. 12, 1. 12—16. 25.

3) Jer. 41, 5.

4) 2 Kön. 17, 6. 24. Joseph. Antiq. IX, 14, 1. 3. X, 9, 7. —
Die Samariter schreiben später ihre Versetzung in das Land dem Esar-
haddon zu, Esra 4, 2. Dies mag eine spätere Einwanderung gewesen sein.

fort bis zu der Zeit, wo die biblische Erzählung aufgezeichnet
wurde; und nach Josephus war es dieses Volk, welches im Hebräischen Cuthäer und in der griechischen Sprache Samariter
genannt wurde. [1])

Aus diesen Nachrichten scheint hervorzugehen, dafs die Samariter ursprünglich Fremde waren, die mit den Juden nichts gemein hatten, und nicht, wie man gewöhnlich annimmt, ein Misch-
volk, aufser sofern ein paar vereinzelte Israeliten nicht unwahrscheinlich in ihrer Heimath zurückgeblieben sein mögen. [2]) Die
Einführung des Pentateuchs unter ihnen erklärt sich hinreichend
aus der Rückkehr des israelitischen Priesters nach Bethel und der
theilweisen Erneuerung des israelitischen Gottesdienstes. Als die
Juden unter Serubabel aus ihrem Exil zurückkehrten und Jerusalem und ihren Tempel wieder aufzubauen anfingen, wünschten
die Samariter, sie bei dem Werke zu unterstützen: „Wir wollen
mit euch bauen; denn wir suchen euren Gott, gleich wie ihr;
und wir haben nicht geopfert, seit der Zeit Assar-Haddon uns hat
heraufgebracht." [3]) Die Weigerung der Juden, ihnen diese Vergünstigung zu gestatten, gab zu dem nachfolgenden Hafs zwischen beiden Völkern Anlafs; und von diesem Augenblicke an
boten die Samariter Alles auf, den Bau des Tempels sowohl als
der Stadt zu hindern. [4])

Wahrscheinlich trieb dieselbe Weigerung und die sich daran
schliefsenden Ausbrüche gegenseitigen Hasses die Samariter dazu,

---

1) 2 Kön. 17, 25—34. 41. Joseph. Ant. a. a. O.

2) Die gewöhnliche Ansicht ist vielleicht am stärksten ausgesprochen von De Sacy, Corresp. des Samaritains p. 3, in den Notices et
Extr. des Mss. de la Biblioth. du Roi. Tom. XII. Ueber die entgegen-
gesetzte Ansicht siehe Hengstenberg Authentic des Pentat. I. S. 1 ff.

3) Esra 4, 2.

4) Esra c. 4. Neh. c. 4 u. 6. Joseph Ant. XI, 4, 9.

22 *

sich eigens einen Tempel auf dem Berge Garizim zu errichten.
Die unmittelbare Veranlassung scheint der bei Nehemias berichtete
Umstand gewesen zu sein, dafs ein Sohn des Hohenpriesters Jo-
jada Schwiegersohn des Sanballat geworden und aus diesem
Grunde aus Jerusalem vertrieben war. [1]) Nach dem Josephus war
dies Manasse, ein Bruder des Hohenpriesters Jaddus, und wurde
vertrieben, weil er die Tochter Sanballat's, des persischen Statt-
halters von Samaria unter Darius Codomannus und Alexander dem
Grofsen, geheirathet hatte, etwa 330 vor Christo, einige achtzig
Jahre später als Nehemias lebte. [2]) Derselbe Schriftsteller berichtet, dafs Manasse sich zu den Samaritern zurückzog, und dafs
Sanballat, sein Schwiegervater, von Alexander dem Grofsen, mit
dem er vor Tyrus zusammengekommen war, die Erlaubnifs erhielt, auf dem Berge Garizim einen Tempel zu errichten, für
welchen er den Manasse zum Hohenpriester ernannte. [3]) Sichem
am Fufse des Garizim wurde jetzt die Hauptstadt der Samariter,
und zugleich von abtrünnigen Juden bewohnt; denn nach Josephus
flohen diejenigen Juden, die in Jerusalem wegen des Essens unreiner
Speisen oder um der Sabbathsverletzung und anderer ähnlicher
Verbrechen willen zur Rechenschaft gefordert wurden, zu den Si-
chemiten, indem sie erklärten, sie seien ungerecht beschuldigt
worden. [4])

---

1) Neh. 13, 28.

2) Joseph. Antiq. XI, 7, 2. Es scheint dies von Seiten des Josephus ein chronologischer Irrthum zu sein, da sich kaum voraussetzen
läfst, dafs ganz dasselbe Faktum mit gleichen Umständen zu zwei verschiedenen Malen bei verschiedenen Personen desselben Namens vorge-
fallen sein sollte. Daher ist der Tempelbau auf Garizim wahrscheinlich
in eine frühere Zeit zu setzen, als die Regierung Alexander's.

3) Joseph. Ant. XI, 8, 2. 4. S. die vorhergehende Anmerkung.

4) Ebend. XI, 8, 6: Σαμαρεῖται μητρόπολιν τότε τὴν Σίκιμα
ἔχοντες, κειμένην πρὸς τῷ Γαριζεὶν ὄρει καὶ κατῳκημένην ὑπὸ τῶν ἀπο-

Der gegenseitige Hafs nahm immer mehr zu, da jede Partei die Heiligkeit ihres eignen Tempels verfocht; [1]) obgleich der
jüdische Geschichtschreiber mit anscheinender Gerechtigkeit die
Samariter beschuldigt, sich für Juden und Abkömmlinge Joseph's
auszugeben, wenn dies zu ihrem Vortheil gereiche, oder alle
Verwandtschaft und Verbindung mit ihnen in Abrede zu stellen,
wenn dies ihren Verhältnissen besser zusage. [2]) Zwistigkeiten
brachen oft aus; [3]) und zuletzt wurde der Tempel auf dem Garizim um das Jahr 129 v. Chr. von Johannes Hyrcanus zerstört,
nachdem er dem Josephus zufolge etwa 200 Jahre gestanden
hatte. [4]) Die Streitigkeiten dauerten fort, und der Hafs nahm
zu; unter dem Prokurator Coponius, dem Nachfolger des Arche-
laus, drang ein Samariter heimlich in Jerusalem ein und verun-
reinigte den ganzen Tempel, indem er menschliche Gebeine darin
umherstreute. [5]) Der Name Samariter war jetzt unter den Juden
ein Spottname geworden, und aller Verkehr mit ihnen wurde
vermieden, wie wir hiervon verschiedene Spuren im neuen Testa-
mente finden. Jesus selbst wurde verächtlich ein Samariter genannt; und die siebzig Jünger sollten bei ihrer ersten Aussendung
nicht in die Städte der Samariter gehen, weil sie nicht zum Hause
Israel gehörten. [6]) Sie hielten noch fest an ihrem Kultus auf

στατῶν τοῦ Ἰουδαίων ἔθνους. ebend. 8, 7. Vgl. Jahn Bibl. Archaeol.
Th. II. Bd. II. S. 303.

1) Jos. Ant. XII, 1, 1. XIII, 3, 4.

2) Jos. Ant. IX, 14, 3. So erklärten sie gegen Alexander, sie
seien Hebräer, ebend. XI, 8, 6. Bei dem Antiochus wollten sie für Me-
der und Perser gelten, und baten um Erlaubnifs, ihren Tempel dem
Jupiter Hellenius zu weihen; ebend. XII, 5, 5. Vgl. 2 Makk. 6, 2.

3) Jos. Ant. XII, 4, 1, XIII, 3, 4. 10, 2. XIV, 6, 2.

4) Ebend. XIII, 9, 1. B. J. I, 2, 6.

5) Jos. Ant. XVIII, 2, 2. Vgl. XX, 6, 1.

6) Joh. 8, 48; 4, 9. 27. Matth. 10, 5. Luk. 17, 16. 18. Siehe

dem Berge Garizim, und lebten in Erwartung eines Messias. [1])
In Folge dieses Hasses und mit Anspielung auf diesen Götzendienst erhielt die Stadt Sichem unter dem gemeinen jüdischen
Volke wahrscheinlich den Beinamen Sychar, welchen wir in dem
Evangel. Joh. finden, während Stephanus bei der Anrede an das
Synedrium den alten Namen gebraucht. [2]) Jedoch glaubten viele
unter den Samaritern in Sichem selbst an Christum; und späterhin bildeten sich Gemeinden in ihren Städten und Dörfern durch
die Apostel. [3])

Nicht lange nach den Zeiten des neuen Testaments bekam
die Stadt Sichem den Namen Neapolis, der sich bis auf den heutigen Tag in der arabischen Form Nâbulus erhalten hat. Dies
scheint unter Vespasian stattgefunden zu haben; denn die Münzen
der Stadt, deren es noch viele von Titus bis Volusianus giebt,
sind mit der Inschrift „Flavia Neapolis" versehen, worunter das
erste Epitheton, zu Ehren des Flavius Vespasian, wahrscheinlich
in Folge irgend einer durch ihn gewährten Vergünstigung ange-

---

auch Sir. 50, 25. 26: ὁ λαὸς μωρὸς ὁ κατοικῶν ἐν Σικίμοις. Test. XII
Patr. p. 564.

1) Joh. 4, 20. 25.

2) Joh. 4, 5. Apgsch. 7, 16. — Dieser Name Sychar (Συχάρ)
mochte von dem zur Bezeichnung der Götzen Hab. 2, 18. gebrauchten
hebr. שֶׁקֶר (Lüge), oder auch von שִׁכּוֹר (trunken), mit Anspielung auf
Jes. 28, 1. 7. herkommen. Vgl. Sir. 50, 26. Test. XII Patr. p. 564:
ἔσται γὰρ ἀπὸ σήμερον Σικὴμ λεγομένη πόλις ἀσυνέτων. Die Juden
gefielen sich in solchen einigermaßen gleichlautenden Umbildungen von
Eigennamen; so die Vertauschung von זְבוּב בַּעַל (Beelzebub) 2 Kön. 1,
2. 3. mit dem im N. T. vom Satan gebrauchten Βεελζεβούλ (Beelzebul),
Matth. 10, 25 u. s. w. So auch Beth-Aven für Bethel, Hos. 4, 15;
5, 8. vgl. Amos 5, 5. Siehe Reland Dissert. Miscell. I. p. 140 sq.
Hengstenberg Authentie des Pentat. I. S. 25 ff.

3) Joh. 4, 39 — 42. Apgsch. 8, 5 — 25; 9, 31.

nommen wurde. [1]) Der Name Neapolis wird schon bei Josephus und auch von Plinius, welcher im Jahr 79 starb, erwähnt; und beide Schriftsteller bezeugen, dafs der Ort früher von seinen Einwohnern Mabortha oder Mamortha genannt wurde, ein Umstand, von dem es keine weitere historische Spur und keine sehr befriedigende Erklärung giebt. [2])

Noch wird die Frage aufgestellt, ob Neapolis genau die Lage von Sichem einnahm oder jetzt einnimmt, obgleich das Faktum ihrer allgemeinen Identität nicht zweifelhaft zu sein scheint. [3]) Die Schwierigkeit ist aus einer Ansicht hervorgegangen, wie es scheint, einer blofsen Hypothese, die in den Tagen des Eusebius verbreitet war, wo die Sucht zu wallfahrten und biblische Orte aufzufinden eben begann. Um diese Zeit wurden Sychar und Sichem als zwei verschiedene Orte angesehen, und beide wiederum von Neapolis unterschieden. Eusebius sagt ausdrücklich, dafs Sychar vor (östlich von) Neapolis bei dem Acker Joseph's mit

---

1) Ueber diesen Gebrauch, dafs Städte die Namen ihrer Wohlthäter auf Münzen annehmen, siehe oben, Bd. II. S. 676. — Die Münzen von Neapolis s. bei Eckhel Doctr. Nummor. III. p. 433 sq. Mionnet Médailles Antiques, Tom. V. p. 499. Suppl. VIII. p. 344 sq.

2) Jos. B. J. IV, 8, 1: παρὰ τὴν Νεάπολιν καλουμένην, Μαβορθὰ δὲ ὑπὸ τῶν ἐπιχωρίων. Plin. H. N. V, 13: „Neapolis, quae ante Mamortha dicebatur.“ Harduin behauptet, eine Münze von Marc Aurel beizubringen, mit der Inschrift: ΝΕΑ ΜΗΤΡΟΠΟΛ. ΜΟΡΘΙΑ (welcher er ΦΛ. vorsetzt), wobei Cellarius und Reland das letzte Wort ΜΟΡΘΙΑ für den Namen Mamortha nehmen. Aber ich finde keine derartige Inschrift unter allen Münzen bei Eckhel und Mionnet; und es ist gewifs kein hinreichender Grund vorhanden, Flavia Neapolis daraus zu machen, welches keine Metropolis war. Siehe Harduin Nummor. antiq. populorum et urbium Illustr. p. 341. Cellarius Collectanea Hist. Samar. p. 10. Reland Dissert. Miscell. I. p .137 sq.

3) Siehe oben, S. 336.

Jacob's Brunnen lag; während Sichem als ein verödeter Ort in
der Vorstadt von Neapolis, wo auch Joseph's Grab war, gezeigt
wurde. [1]) Der Pilger von Bourdeaux in demselben Zeitalter (im
J. 333) spricht sich genauer aus. Nach ihm lag bei Neapolis
am Fuße des Berges Garizim der Ort Namens Sichem, wo das
Grabmahl Joseph's war; und eine römische Meile weiter lag Sychar, von wo die Samariterin zum Jacobs - Brunnen kam, um
Wasser zu schöpfen. [2]) Es ist kaum nöthig, die Verwirrung und
Inconsequenz von dem allen, und wie stark es nach dem Geiste
des Zeitalters schmeckt, bemerklich zu machen. Auch erhielt sich
diese Hypothese nicht lange. Hieronymus, welcher mehr kriti-
schen Scharfsinn besaß, als die meisten seiner Zeitgenossen, und
welcher sich in seiner Version des Onomasticon mit einer einfachen Uebersetzung von Eusebius Nachricht über ein unterschied-
liches Sychar und Sichem begnügt hatte, geht an andern Stellen
freier zu Werke und erklärt, Sychar sei nur eine falsche Lesart
für Sichem, welches letztere er für identisch mit Neapolis hält. [3])
Von dieser Zeit an scheint die Identität nicht wieder in Zweifel

---

1) Onomast. Art. Sichar, Sichem. Siehe auch Art. Luza,
Terebinthus. Reland Palaest. p. 1004.

2) Itin. Hierosol. ed. Wesseling p. 587: „Neapoli. — Inde
ad pedem montis ipsius locus est, cui nomen Sechim; inde monumen-
tum, ubi positus est Joseph in villa, quam dedit ei Jacob pater ejus.
— Inde passus mille, locus est, cui nomen Sechar, unde descendit
mulier Samaritana ad eundem locum, ubi Jacob puteum fodit etc."

3) „Transivit Sichem, non ut plerique errantes legunt Sichar,
quae nunc Neapolis appellatur;" Ep. 86, Epit. Paulae p. 676. ed. Mart.
— „Hebraice Sichem dicitur, ut Joannes quoque Evangelista testatur:
licet vitiose, ut Sichar legatur, error inolevit;" Quaest. in Gen. cap.
XLVIII. No. 22. — Ich bemerke übrigens, daß dieser Meinung des
Hieronymus über die Lesart Sychar von allen griechischen Handschriften
des N. T. widersprochen wird.

gezogen zu sein. Jedoch war die alte Stadt aller Wahrscheinlichkeit nach viel gröfser als das Neapolis des Eusebius; und es liegt
nichts Unglaubliches in der Annahme, dafs ein Theil ihrer Ruinen im Osten des letzteren Ortes, eine Strecke weit nach dem
Jacobs-Brunnen hin oder sogar in dessen Nähe ausgebreitet, noch
zu sehen gewesen sein mag. Auch Jerusalem erstreckte sich vor
Alters viel weiter nördlich und südlich als heut zu Tage. Wenn
solche Ruinen jetzt um Nâbulus nicht mehr zu finden sind, so
darf das nicht befremden; die Steine mögen sehr natürlich zu
den Bauten der neueren Stadt verwandt worden sein. [1])

Wenn wir den Nachrichten des Josephus Glauben schenken können, so scheint das Neapolis seiner Tage eine weit
gröfsere Bevölkerung gehabt zu haben, als die heutige Stadt;
und das Volk blieb lange hauptsächlich unter dem Namen Samariter bekannt. Schon zur Zeit des Pilatus lesen wir von einem Tumult und Aufstand unter ihnen, erregt durch einen Aben-
teurer, welcher das gemeine Volk überredete, ihm nach dem Gipfel des Berges Garizim zu folgen, wo er ihnen die von Moses
in alten Zeiten daselbst vergrabenen goldnen Gefäfse zu zeigen
versprach. Aber Pilatus liefs diese Schaar durch Truppen an-
greifen, und nach ihrer Zerstreuung viele von den Führern hin-
richten. Die Samariter beklagten sich über ihn bei Vitellius, dem
damaligen Proconsul von Syrien; und dies gab Veranlassung,

---

1) Maundrell erwähnt „einige Stücke einer sehr dicken Mauer, die
nicht sehr weit von da, d. h. von dem Brunnen, noch zu sehen seien;
24. März. Schubert spricht von den vermeintlichen, an mehreren Stellen sichtbaren Mauern des alten Sichem zwischen der jetzigen Stadt und
dem Jacobs-Brunnen; Reise III. S. 153. Wir waren nicht im Stande,
irgend etwas der Art ausfindig zu machen, und sahen nur die Ruinen
der Kirche und des Weilers Belât im Norden.

dafs Pilatus entsetzt und nach Rom geschickt wurde. [1]) Im Allgemeinen scheinen die Samariter nicht weniger feindselig gegen
die Römer aufgetreten zu sein, als die Juden selbst. Während
Vespasian in der Unterwerfung verschiedener Landestheile begriffen war, sammelte sich eine grofse Schaar Samariter und stellte
sich auf dem Berge Garizim auf. Vespasian, ihren Bewegungen
zuvorkommend, schickte eine Truppenabtheilung unter Cerealis
gegen sie, welche sie zuletzt umzingelte, nach vergeblichen Vor-
schlägen zur Unterwerfung sie angriff und 11600 Mann von ihnen erschlug. [2]) Ob die Stadt selbst zerstört oder von Vespasian
wieder aufgebaut wurde, wird uns nicht berichtet.

Der samaritanische Kultus scheint in Neapolis noch lange
Zeit vorherrschend geblieben zu sein; denn auf den Münzen der
nachfolgenden Jahrhunderte finden wir den Berg Garizim mit seinem Tempel als das Symbol der Stadt abgebildet. Es giebt zwar
kein historisches Zeugnifs, dafs der frühere Tempel je wieder
aufgebaut wurde; jedoch stand dort ohne Zweifel ein Altar oder
eine Art von Bauwerk, wo sie ihren Gottesdienst hielten. Die
Samariter werden im Zusammenhang mit dem jüdischen Kriege
und der Katastrophe unter Hadrian nicht erwähnt; aber unter
Septimius Severus um das Jahr 200 scheinen sie mit den Juden
gemeinsame Sache gegen diesen Kaiser gemacht zu haben, und
Neapolis wurde durch ihn seiner Rechte als Stadt beraubt. [3]) In

---

1) Jos. Ant. XVIII, 4, 1. 2.

2) Joseph. B. J. III, 7, 32.

3) Euseb. Chron.: „Judaicum et Samariticum bellum motum est."
Spartian. in Sept. Sev. c. 16: „Neapolitanis Palaestinensibus jus civitatis tulit, quod pro Nigro (Severi aemulo) diu in armis fuerant." Dieses Recht wurde wahrscheinlich wieder zurückgegeben, denn derselbe
Schriftsteller bemerkt c. 15: „Palaestinis poenam remisit, quam ob
caussam Nigri meruerant." S. Cellarii Collectan. Hist. Samar. I, 7. p. 22.

diesem und den folgenden Jahrhunderten waren die Samariter nicht nur in Aegypten und im Osten weit verbreitet, sondern auch im Westen bis nach Rom selbst, wo sie zur Zeit des Theodorich nach dem Jahre 493 eine Synagoge hatten. [1] Ihrer Beschäftigung nach scheinen sie hauptsächlich Kaufleute und Geldwechsler gewesen zu sein, ganz ähnlich wie die Juden. [2]

Schon zur Zeit Jesu selbst fanden in Neapolis Bekehrungen zum Christenthum statt, und aller Wahrscheinlichkeit nach hatte sich hier während der Wirksamkeit der Apostel eine Gemeinde gesammelt. [3] Der berühmte Justinus Martyr, welcher um das J. 163 zu Rom für seinen Glauben starb, war aus dieser Stadt gebürtig. [4] Sie wurde auch früh der Sitz eines christlichen Bischofs. Der Name des Germanus, Bischofs von Neapolis, findet sich unter den Unterschriften des Concils von Ancyra und Neocaesarea im J. 314 und des nicaenischen im J. 325; aufserdem haben sich die Namen von vier andern erhalten, unter denen der letzte, Johannes, auf der Synode zu Jerusalem im J. 536 mit unterzeichnete. [5] Ueber den allgemeinen Zustand der Stadt in je-

---

1) Dies ersieht man aus den Gesetzen des Cod. Theodos., namentlich XVI, XXVIII, de Judaeis, Coelicolis et Samaritanis; XVIII de Naviculariis; CXXIX, CXLIV, de Samaritis. Cellarius a. a. O. p. 16, 22, 23, 25. — Ueber die Synagoge siehe Cassiodor. Variar. Epist. lib. III, 45. Cellarius a. a. O. p. 23.

2) Siehe das Edikt Justinian's Περὶ ἀργυροπρατικῶν συναλλαγμά-των, wo gesagt wird: Εἰ γράμματα φέροι αὐτοῦ τοῦ τῆς τραπέζης προ-εστηκότος, τοῦ γε ὑπογραφέως αὐτοῦ Σαμαρείτας καλοῦσι. Cellarius a. a. O. p. 23, 25.

3) Ev. Joh. 4, 39—42. Apgsch. 8, 25; 9, 31; 15, 3.

4) Apol. 2. p. 41: Ἰουστῖνος — ἀπὸ Φλαουΐας Νέας πόλεως Συ-ρίας τῆς Παλαιστίνης. Euseb. Hist. Eccl. IV, 12.

5) Labbé Concil. general. Coll. Tom. I. p. 1475, 1488. Tom. II. p. 51. Tom. V. p. 286. Siehe überhaupt le Quien Oriens Chr. III.

nem Zeitraum, nach dem Bericht des Eusebius, des Pilgers von Bourdeaux und Hieronymus, haben wir schon gesprochen. [1]) Ein Jahrhundert später brach der Hafs der Samariter gegen die Christen aus, und gab aufs neue Anlafs zu Scenen von Aufruhr und Blutvergiefsen.

Der Geschichtschreiber Procopius erzählt, dafs unter der Regierung des Zeno (nach dem J. 474) ein Tumult in Neapolis entstand, bei welchem die Samariter schaarenweise in die Kirche strömten, wo die Christen das Pfingstfest feierten, viele tödteten, den Bischof Terebinthus durch das Abhauen seiner Finger verstümmelten, und andere schreckliche Unbilden begingen. Der Bischof begab sich nach Constantinopel und beschwerte sich beim Kaiser, welcher sogleich Maafsregeln traf, die Schuldigen zu bestrafen. Die Samariter wurden vom Berge Garizim vertrieben, welcher den Christen übergeben ward; und Zeno errichtete daselbst eine Kirche zu Ehren der Jungfrau, die er einschliefsen liefs, angeblich mit einer Maner, aber in Wirklichkeit nur mit einem Zaune; [2]) zugleich liefs er eine starke Besatzung unten in der Stadt einrücken, aber nur eine kleine Wache bei der Kirche oben. Die Samariter unterdrückten ihre Erbitterung eine Zeitlang; [3]) aber unter Anastasius und Justinian brach sie wieder hervor. Während des Ersteren Regierung drang eine Schaar dieses Volkes unter der Führung eines Weibes den Berg Garizim von

---

col. 647 sq. Reland Palaest. p. 1009. — Neapolis steht auch in den griechischen kirchlichen Notitiae; Reland Pal. p. 215, 220.

1) Siehe oben, S. 343 ff.

2) Τειχισάμενος τὸ ἱερὸν τοῦτο δῆϑεν τῷ λόγῳ, τὸ δ᾽ἀληϑὲς ἀποτριγγώσας.

3) Nach dem Chronicon Paschale vom Jahr 484 machten die Samariter unter einem Führer Justusa in diesem Jahre den Versuch, die Christen aus Caesarea zu vertreiben. Reland Pal. p. 673.

einer ganz andern Seite hinauf, bemächtigte sich der Kirche und
erschlug die Wächter; aber die Truppen in der Stadt waren im
Stande, der Unterstützung jener durch die Einwohner zuvorzu-
kommen, und die Rädelsführer wurden ergriffen und bestraft. In
Beziehung auf die Unruhen unter Justinian bemerkt Procopius
nur, dafs dieser Kaiser aufserhalb der früheren Mauer oder des
Zaunes um die Kirche auf dem Berge Garizim eine zweite Mauer
errichtete, welche, während das Ganze dadurch ein unverändertes
Aussehen behielt, es ganz unbezwinglich machte. Dies war wahrscheinlich die Festung, deren Ruinen noch auf dem Berge zu
sehen sind und jedes Merkmal eines römischen Ursprungs an
sich tragen. Der Kaiser liefs auch die fünf von den Samaritern
in der Stadt selbst zerstörten christlichen Kirchen wieder aufbauen. [1])

Der samaritische Aufstand unter Justinian ist vollständiger
bei Cyrill von Scythopolis in seinem Leben des heil. Sabas beschrieben. Nach ihm erhob sich im Mai des Jahres 529, dem
dritten der Regierung Justinian's, die Gesammtheit der Samariter
in Palästina gegen die Christen. Sie verübten viele Unbilden,
plünderten und verbrannten Kirchen, marterten Christen zu Tode
und steckten ganze Dörfer in Brand, namentlich in der Nähe von
Neapolis, ihrem Hauptquartier. Hier tödteten sie den Bischof
Ammonas, und setzten den Julian, einen ihrer eignen Führer
ein, welchen sie zum Könige krönten. Der Kaiser schickte sogleich Truppen gegen sie; eine Schlacht fand statt, und Julian
wurde mit einer ungeheuren Zahl Samariter erschlagen. Der
heil. Sabas begab sich jetzt im Namen der Christen von Palästina nach Constantinopel, um wegen der Verwüstungen der Sa-

---

1) Procop. de Aedific. Justin. V, 7. Dess. Historia Arcana (Anecdot.) §. 11. — Siehe oben, S. 319 f.

mariter einen Steuererlafs und Schutz gegen ihre künftigen Ma-
chinationen nachzusuchen. Der Kaiser bewilligte alles, wofür er
sich verwandte, erliefs den Tribut, gab Befehl, die Kirchen wieder aufzubauen, und nahm den Samaritern durch ein Edikt alle
ihre Synagogen, indem er sie zugleich für unfähig erklärte, irgend ein öffentliches Amt zu bekleiden und durch Erbschaft oder
durch Schenkung unter sich Eigenthum zu erwerben. [1] Dieses
Zeugnifs wird auch durch die Gesetze Justinian's bestätigt. [2] Dieselbe allgemeine Nachricht findet sich bei Theophanes und Eutychius; und zwar flohen viele von den Samaritern, wie aus dem
ersteren hervorzugehen scheint, zu dem persischen König Chos-
roes, welcher durch ihre Ueberredung vermocht wurde, mit Justinian keinen Frieden zu schliefsen. [3] Viele wurden auch Christen. [4] Von dieser Zeit an wird die Existenz der Samariter selten in der Geschichte erwähnt.

Bei dem Einfall der Muhammedaner und während der Belagerung von Jerusalem fielen Neapolis, Sebaste und andere kleinere Städte in die Gewalt der Eroberer. [5] Von dieser Zeit bis
zu den Kreuzzügen hören wir nichts weiter von Neapolis, aufser

1) Cyrill. Scythop. Vita St. Sabae 70 sq. in Cotelerii Eccles. graec.
Monum. Tom. III. p. 339 sq. Reland Pal. p. 674. le Quien Oriens
Chr. III. p. 190 sq.

2) Cellarii Collectanea Hist. Samar. II, 11. p. 25. Procop. Hi-
stor. Arcan. Anmerkungen p. 131. ed. Paris., p. 405, 406 ed. Bonn.

3) Πειθεὶς ὑπὸ Σαμαρειτῶν προφυγόντων αὐτῷ, Theophanis Chronogr. p. 152. ed. Par. Eutychii Annales II. p. 156. Oxon. 1658. Vgl.
Reland Pal. p. 673. — Theophanes versetzt diesen Krieg ins Jahr 548;
aber seine Nachricht und die des Cyrill beziehen sich wahrscheinlich auf
dieselben Begebenheiten.

4) Chron. Paschal. Procop. Anmerkungen p. 131. ed. Par. p. 406.
ed. Bonn.

5) Abulfeda Annales ed. Adler. Tom. I. p. 229. Hafniae 1789. 4.

den dürftigen Nachrichten der wenigen Pilger, welche nur Jacob's Brunnen und den Berg Garizim erwähnen. [1] Unmittelbar
nach der Einnahme Jerusalem's durch die Kreuzfahrer kamen einige von den Häuptlingen aus den Bergen Samaria's um Neapolis, mit Geschenken versehen, in das christliche Lager, und
luden die Franken ein, von diesen Städten Besitz zu nehmen,
was auch ohne Widerstand durch Tankred geschah. [2] Im Jahre
1113 wurde die Stadt durch einen Einfall der Sarazenen verwüstet. [3] Unter König Balduin II. im J. 1120 wurde eine Versammlung von Prälaten und Adligen zu Neapolis gehalten, um
sich über den Zustand des Landes zu berathen, welches damals
wegen der Sünden des Volks von göttlichen Strafgerichten heimgesucht wurde, und nicht nur durch die Einfälle des gemeinsamen Feindes, sondern auch durch häufige Erdbeben, durch Pla-
gen von Heuschrecken und Mäusen in vier aufeinander folgenden
Jahren zu leiden hatte. Die Beschlüsse dieser Versammlung waren gegen die ungeheuren Ausschweifungen und andere unter den
Kreuzfahrern vorherrschende Laster gerichtet, und Abschriften
derselben wurden überall in den Kirchen niedergelegt. [4]

Neapolis war nicht selbst ein lateinisches Bisthum, sondern

---

1) Siehe oben, S. 331. Reland Pal. p. 1007 sq. Neapolis findet sich auch in der dem Werke des Wilhelm von Tyrus angehängten,
der Periode vor den Kreuzzügen angehörigen lateinischen kirchlichen Notitia; Reland Pal. p. 227. Aber in einer andern sehr verfälschten, die
sich offenbar auf die Zeit der Kreuzzüge bezieht, ist es ausgelassen;
Reland ebend. p. 222. Diese beiden Notitiae rühren augenscheinlich aus
heterogenen Quellen her.

2) Will. Tyr. IX, 20. Guib. Abbat. 14. p. 540.

3) Fulcher. Carnot. 40. p. 424.

4) Will. Tyr. XII, 13. Wilken Gesch. der Kr. I. S. 310. II. S.
457 ff. — Die Akten dieser Versammlung findet man in Mansi Concil.
Tom. XXI. p. 261—266.

gehörte wahrscheinlich zum Sprengel von Samaria, und das Eigenthum des Ortes wurde dem Abt und den Kanonikern der Kirche des heiligen Grabes überwiesen. [1]) Die Stadt entging den
Drangsalen dieser Tage nicht. Im Jahr 1184 wurde sie von Saladin, nachdem er von Kerak zurückgeschlagen, geplündert. [2])
Sie blieb jedoch in den Händen der Christen; denn zwei Jahre
später, 1186 n. Chr., hielt hier Graf Raymund mit den gegen
die Usurpation der Sibylla und ihres Gemahls Veit von Lusignan
sich auflehnenden Priestern und Baronen Zusammenkünfte. [3]) Unmittelbar nach der unglücklichen Schlacht bei Hattin im J. 1187
wurde Neapolis verwüstet, und die heiligen Orte ringsum unter
vielen Schandthaten von einem Theil der Truppen Saladin's ent-
weiht. [4]) Im J. 1242 scheint es wieder in die Hände der Christen gefallen zu sein, wurde aber zwei Jahre später von Abu
Aly, dem Genossen des Bibars, zurückerobert. [5]) Seit dieser Zeit
ist es, wie es scheint, ohne grofse Veränderung in den Händen
der Muhammedaner geblieben, und wird von allen Reisenden erwähnt, welche den graden Weg zwischen Jerusalem und Nazareth oder 'Akka eingeschlagen haben.

Es ist auffallend, dafs die christlichen Geschichtschreiber
der Kreuzzüge der Existenz der Samariter in Nâbulus gar keine
Erwähnung thun; sie hielten sie wahrscheinlich für Juden, von
denen sie ebenfalls wenig sprechen. Der jüdische Reisende Benjamin von Tudela in der letzten Hälfte des 12. Jahrhunderts
machte zuerst wieder auf sie aufmerksam. Er spricht in Nâbu-

---

1) Jac. de Vitr. 58. p. 1078. Notitia in Reland Pal. p. 222.

2) Bohaedd. Vit. Salad. p. 59. Abulf. Annal. J. d. H. 580.

3) Wilken Gesch. der Kr. III, 2. S. 252.

4) Rad. Coggesh. in Martène et Durand Tom. V. p. 560 sq. Mejr
ed-Din in den Fundgr. des Or. III. S. 81. Wilken a. a. O. S. 294.

5) Makrizi in Wilken Comment. de Bell. Cruc. p. 204.

lus von den Cuthäern, welche sich auf hundert Personen belie-
fen und Samariter genannt würden; sie gaben sich für Ephrai-
miten aus, und hatten Priester, die aus der Familie Aaron's her-
stammten. Er beschreibt sie fast eben so, wie sie noch heut zu
Tage sind; sie hatten ihre Synagoge, und opferten auf dem Berge
Garizim am Passahtage und anderen Festen. [1] Arabische Schriftsteller aus demselben Zeitalter sprechen auch von den Samaritern, die sie mit den Juden verwechseln. [2] Die ersten christlichen Reisenden, welche sie bemerkt zu haben scheinen, sind
Wilhelm von Baldensel im Jahr 1336 und Sir John Maundeville
um dieselbe Zeit. Der erstere schildert die Samariter als eine
besondere Sekte, ebenso sehr von Christen, als von Juden, Sarazenen und Heiden unterschieden, und vor allen durch ihre rothen Turbane ausgezeichnet, wie heut zu Tage. [3] Die Pilger
der folgenden Jahrhunderte scheinen diesen Weg selten eingeschlagen zu haben, und ich finde keine weitere Erwähnung der
Samariter bis auf Cotovicus im Jahr 1598, welcher von ihnen als
einer Sekte der Juden spricht, aber ohne irgend etwas Besonderes über sie beizubringen. [4] Della Valle in der ersten Hälfte
des 17. Jahrhunderts gab zuerst einige Auskunft über sie; Maundrell im Jahr 1697 besuchte sie und giebt Nachricht von ihnen;

---

1) Benj. de Tudela par Baratier p. 78 — 84. Benjamin behauptet, dafs zu seiner Zeit auch zweihundert Samariter in Caesarea lebten, ebend. p. 76.

2) So der arabische Geograph Yakût um das Jahr 1200; s. Schultens Ind. geogr. in Vit. Salad. Art. Neapolis. Abulfeda Tab. Syr.
p. 85. Mejr ed-Din in den Fundgr. des Or. II. S. 139.

3) Guill. de Baldensel Hodoepor. p. 353., in Carisii Thesaur. ed.
Basnage Tom. IV. Sir J. Maundeville giebt ziemlich dieselbe Nachricht
p. 108. Lond. 1839. — Siehe oben S. 325.

4) Cotovic. Itin. p. 342.

III. 23

und Morison erwähnt sie auch flüchtig im folgenden Jahre. [1]) Während des 18. Jahrhunderts scheinen sehr wenige, wenn überhaupt, Reisende Notiz von ihnen genommen zu haben; ja fast kein Franke kam dieses Weges. Innerhalb des jetzigen Jahrhunderts hat man wieder mehr Kunde von ihnen erhalten, obwohl sich wenig Reisende die Mühe genommen haben, sie zu besuchen. [2])

Ein gröfseres Interesse für die Samariter wurde aber erregt und zugleich genauere Auskunft über sie gewonnen in Folge ihrer Correspondenz mit mehreren gelehrten Europäern, und der Bekanntmachung ihrer Abschriften des Pentateuchs. Das Vorhandensein des Pentateuchs unter ihnen scheint den Gelehrten frühzeitig bekannt gewesen zu sein, und Julius Scaliger im 16. Jahrhundert war der erste, welcher auf die Wichtigkeit, Abschriften desselben in Europa zu erhalten, hinwies. [3]) Dieser Wunsch wurde von dem Reisenden Della Valle im Jahr 1616 zuerst erfüllt. Bei seinem Aufenthalt in Constantinopel auf der Reise nach dem Osten wurde er von De Sancy, damaligem fran-

---

1) Della Valle Voyages Tom. II. p. 103 sq. Paris 1745. Maundrell, den 24. März. Morison Relation etc. p. 234, 240. — Es ist vielleicht bemerkenswerth, dafs Quaresmius, welcher mehrere Jahre in Palästina lebte und einer „historischen, theologischen und moralischen Erläuterung" des heiligen Landes, worin er Nâbulus beschreibt und die alte Geschichte der Samariter erzählt, zwei Foliobände widmete, — dennoch nicht die geringste Hindeutung auf ihre heutige Existenz giebt.

2) Dr. Clarke, der selbst in Nâbulus war, spricht von den Samaritern, aber nur nach Benjamin von Tudela und Maundrell; p. 511 sq. 4to. Buckingham thut dasselbe, auch ohne sie gesehen zu haben; p. 528 sq. Innerhalb der letzten zwanzig Jahre sind sie von den Herren Jowett, Fisk, Connor, Elliott und Andern besucht worden.

3) De Sacy Corresp. des Samar. p. 7, in den Notices et Extr. des Mss. Tom. XII.

zösischen Gesandten in dieser Stadt, beauftragt, samaritanische Handschriften zu kaufen; und nach vergeblichem Bemühen in Kairo, Gaza und Nábulus gelang es ihm, zu Damascus zwei Abschriften des Pentateuchs zu bekommen. Eine auf Pergament mit dem hebräischen Text in samaritanischen Charakteren liefs er dem Gesandten zukommen; die andere auf Papier mit der samaritanischen Uebersetzung behielt er für sich zurück. [1]) Die erstere wurde von De Sancy nach der Bibliothek des Oratoire in Paris geschickt, und von J. Morin in der Pariser Polyglotte edirt; die letztere wurde von Della Valle an denselben Herausgeber verliehen und erschien in demselben Werke. [2]) Beide wurden späterhin mit geringen Berichtigungen in der Londoner Polyglotte aufs neue gedruckt. Die Freigebigkeit des Erzbischofs Usher vermochte bald nachher nicht weniger als sechs neue Handschriften des hebräisch-samaritanischen Pentateuchs herbeizuschaffen; eine andere wurde von Robert Huntington um das Jahr 1672 nach England geschickt; und die Zahl nahm immer mehr zu, so dafs Kennicott im Stande war, für sein grofses Werk nicht weniger als sechzehn mehr oder minder vollständige Handschriften zu vergleichen. Von diesen sind sechs in der Bodlejanischen Bibliothek, und eine im Britischen Museum. [3]) Die samaritanisch-arabische Version des Abu Sa'id ist noch nie vollständig gedruckt worden, liegt aber in sieben Handschriften in den Bibliotheken

---

1) Della Valle Voyages Tom. II. p. 105 sq. 128 sq. Paris 1745.

2) De Sacy Corresp. des Samar. a. a. O. p. 8. Cellarius Collect. Hist. Samar. p. 46. Siehe die Correspondenz zwischen Morin und P. della Valle in dem kleinen von R. Simon anonym herausgegebenen Werke: „Antiquitates Ecclesiae Orientalis“, Lond. 1682. 8. p. 156 — 205. Auch das Leben des J. Morin in demselben Bande, p. 18 sq.

3) Siehe Kennicott Diss. general. ed. Bruns p. 259 sq. De Rossi Var. Lect. in V. T. Tom. I. p. CLVII. Bertholdt's Einl. II. S. 476 ff.

23 *

zu Rom, Oxford, Paris und Leyden. [1]) Die Beschaffenheit dieses samaritanischen Pentateuchs ist von tüchtigen Gelehrten untersucht worden. [2])

Weit früher als der Wunsch des ältern Scaliger hinsichtlich der Erlangung und Herausgabe des samaritanischen Pentateuchs so in Erfüllung gegangen war, hatte sein Sohn Joseph Scaliger eine direkte Correspondenz mit diesem Volke selbst zu eröffnen gesucht, und an ihre Gemeinden in Nâbulus und Kairo geschrieben. Es erfolgten von diesen beiden Orten Antworten zurück, die aber, obgleich vom J. d. H. 998 d. i. 1589 n. Chr. datirt, nie an Scaliger gelangten, welcher im Jahr 1609 starb. Durch mehrere Hände gegangen, kamen sie in den Besitz des J. Morin, welcher eine nach seinem Tode herausgekommene lateinische Uebersetzung davon machte. [3]) Die Originale sind in der Königlichen Bibliothek zu Paris; und der Text mit einer genaueren Uebersetzung ist von De Sacy herausgegeben worden. [4])

---

1) Van Vloten Spec. philol. cont. Descr. Codicis Ms. vers. Sam. Arabicae Pentat. Lugd. Bat. 1803. 4. Die herausgegebenen Stücke werden in Eichhorn's Einleit. ins A. T. B. I. S. 595 aufgezählt.

2) Siehe Gesenius Comment. de Pentat. Samaritani origine, indole, etc. Halae 1815. 4. Ueber die samaritan. Version siehe ebend. p. 18, 19. Bertholdt's Einleit. II. S. 608 — 612. Die samaritanisch-arabische Uebersetzung ist vollständig besprochen von De Sacy Comment. de Versione Sam. Arabica libror. Mosis, in Eichhorn's Allgem. Biblioth. der bibl. Literat. Th. X. S. 1 — 176. Erweitert und abgedruckt in den Mémoires de l'Acad. des Inscr. et Belles Lettres Tom. XLIX. p. 1 — 199. — Ueber den Werth des samaritanischen Pentateuchs im Allgemeinen s. auch Hengstenberg Authenthie des Pentat. I. S. 1 ff.

3) In dem oben erwähnten, von R. Simon herausgegebenen Werke: Antiquitates Ecclesiae Orientalis, London 1682. 8.

4) In Eichhorn's Repertorium für bibl. und morgenl. Literat. Bd. XIII. Siehe auch De Sacy Corresp. des Samarit. p. 9., in Notices et Extr. des Mss. Tom. XII.

Im Jahr 1671 besuchte Robert Huntington, welcher damals
Kapellan der englischen Faktorei zu Aleppo war und 1701 als
Bischof von Raphoe in Irland starb, die Samariter zu Nâbulus
auf seinem Wege nach Jerusalem. Durch irgend ein Mifsver-
ständnifs scheinen sie von ihm den Eindruck erhalten zu haben,
dafs es Samariter in England gebe; und er schlug ihnen vor,
unter Beifügung einer summarischen Uebersicht ihrer Lehren und
Gebräuche an ihre Brüder in diesem Lande zu schreiben, und
zugleich eine Abschrift ihres Gesetzes mitzuschicken. Eine Handschrift des Pentateuchs wurde ihm demgemäfs übergeben und ein
Brief nach Jerusalem nachgeschickt, welche er beide nach England beförderte. Das Schreiben beantwortete Thomas Marshall,
Rector des Lincoln-College zu Oxford, und die so begonnene
Correspondenz dauerte bis zum Jahr 1688, hauptsächlich durch
Huntington zu Aleppo, fort. Dieselbe besteht aus sechs Briefen
von den Samaritern, welche, so gut sie sich, einzeln durch verschiedene Hände laufend, erhalten haben, zuerst von De Sacy
vollständig herausgegeben sind. [1])

Inzwischen war eine andere Correspondenz mit den Samaritern von Nâbulus durch den berühmten Ludolf eröffnet worden.
Die Rückkehr eines jüdischen Agenten nach Palästina benutzend,
schickte er durch diesen im Jahr 1684 einen hebräischen Brief
in samaritanischer Schrift ab, und bekam von den Samaritern
zwei Antwortschreiben in derselben Sprache und Schrift, datirt
vom Jahre 1685, zurück. Diese wurden bald von Cellarius herausgegeben. [2]) Ludolf schrieb wieder und erhielt im Jahr 1691
ein neues Schreiben, welches erst lange nachher herausgegeben
wurde. [3])

---

1) Corresp. des Samar. p. 9—11, 162—225.

2) Epistolae Samaritanae Sichemitarum ad J. Ludolfum, Cizae 1688. 4.

3) Cellarius theilte einige Auszüge daraus in der neuen Aus-

Mehr als ein Jahrhundert hindurch blieben diese verschiedenen Briefe die einzige den europäischen Gelehrten zugängliche
Quelle, aus welcher eine Kenntnifs der Lehren und Ceremonien
der Samariter abgeleitet werden konnte. Im Jahr 1807 nahm
der französische Bischof und Senator Grégoire den Gegenstand
wieder auf; und durch seinen Einflufs wurden die französischen
Konsuln in der Levante angewiesen, Nachforschungen über die
Samariter anzustellen. Der Konsul zu Aleppo eröffnete eine Communication mit denen zu Nâbulus, und erhielt von ihnen im Jahr
1808 ein Schreiben, welches nach Europa befördert wurde, von
dem Priester Salâmeh, Sohn des Tobias, wahrscheinlich demselben, den wir sahen, in arabischer Sprache abgefafst. Dieses
Schreiben kam in die Hände De Sacy's, welcher für Grégoire
antwortete und 1811 einen Brief in hebräischer Sprache mit samaritanischen Schriftzügen zurückerhielt. Ein anderer Brief für
De Sacy kam im Jahr 1820 an und dazu einer, der an eine vermeintliche samaritanische Gemeinde in Paris addressirt war, für
welche auch ein zweiter im Jahr 1826 nachfolgte. Diese fünf
Schreiben sind von diesem gelehrten Orientalisten in der schon
öfter erwähnten Sammlung herausgegeben. [1]

Die bekannt gewordene Literatur der Samaritaner besteht
somit aus den verschiedenen Exemplaren des Pentatenchs im Ganzen oder einzelner Theile, und dieser Reihenfolge ihrer Briefe
aus vier verschiedenen Perioden, welche beinahe eine Zeit von

---

gabe seiner Collectan. Hist. Samar. Halae 1699. mit. Bruns edirte es
zuerst vollständig: Epistola Samar. Sichem. tertia ad J. Ludolfum ed.
P. J. Bruns, Helmst. 1781. 4., von neuem abgedruckt in Eichhorn's Repertorium Bd. XIII. in Verbindung mit den Schreiben an Scaliger. Siehe
De Sacy Corresp. des Samar. a. a. O. p. 11, 12.

1) Corresp. des Samar. p. 13 — 18, 50 — 161, 225 — 235.

dritthalb Jahrhunderten umfassen. [1]) Dazu kommt noch eine merkwürdige Sammlung von Hymnen hauptsächlich doktrineller Natur, welche zuerst Castellus in seinem Lexicon heptaglotton benutzte und später Gesenius herausgab. [2]) Sie besitzen auch Handschriften eines oft in ihren Briefen erwähnten Werkes, welches sie für das Buch Josua ausgeben. Es ist bis jetzt noch nicht gedruckt worden; aber eine Handschrift einer arabischen Uebersetzung in samaritanischen Charakteren verschaffte Joseph Scaliger der Universitätsbibliothek zu Leyden. Das Werk ist eine Art Chronik, welche die Zeit von Moses bis Alexander Severus umfaßt, und hat in der mit dem Buch Josua parallelen Periode große Verwandtschaft mit diesem Buch. [3]) — Nachrichten von ihren Dogmen und rituellen Gebräuchen sind oft aus diesen verschiedenen Quellen ausgezogen worden, auf welche ich hier nur verweisen kann. [4])

Aus den frühesten Schreiben der Samariter und den Nach-

---

1) Die Briefe an Scaliger und der dritte an Ludolf sind, wie wir gesehen haben, nur in Eichhorn's Repertorium Bd. XIII. vollständig mitgetheilt, die nach England und Frankreich geschickten nur in dem angeführten Werke von De Sacy.

2) Carmina Samaritana e Cod. Lond. et Gothanis etc. illustr. G. Gesenius, in Anecdot. Oriental. Fascic. I. Lips. 1824. 4. Siehe auch sein Programm De Samaritanor. Theologia ex fontib. ined. Comment. Halae 1823. 4.

3) De Sacy Corresp. des Samar. p. 124, 196. Bertholdt's Einleitung Th. III. S. 869 ff.

4) Siehe namentlich De Sacy Corresp. des Sam. a. a. O. p. 18 — 36. Gesenius de Samaritanor. Theologia a. a. O. — Frühere Schriftsteller sind: Cellarius Collect. Hist. Samarit. Cizae 1688. Reland Dissert. Miscell. II. 1 sq. (Beide wieder abgedruckt in Ugolini Thesaur. Tom. XXII.) Bruns in Stäudlins Beiträgen zur Philos. u. Gesch. der Religion und Sittenlehre Bd. I. S. 78 ff.

richten von Della Valle scheint hervorzugehen, dafs sie vor zwei Jahrhunderten kleine Gemeinden in Kairo, Gaza, Nâbulus und Damascus hatten. Die drei ersten werden wiederholentlich in ihren Briefen erwähnt; die letztern kennen wir nur durch Della Valle, welcher zu Damascus seine Abschriften des Pentateuchs kaufte. Sie scheinen nur aus ein paar Familien in den Gärten aufserhalb der Stadt bestanden zu haben; vielleicht war es eine temporäre Niederlassung, und wir hören nichts weiter von ihnen. [1]) Die von Nâbulus und Gaza scheinen in enger Verbindung gestanden zu haben; und einer der Briefe nach England war von letzterm Orte aus geschrieben. [2]) In ihrer 'ersten Antwort auf die Anfragen' des Grégoire (im Jahr 1808) sagen sie, dafs seit mehr als einem Jahrhundert keine Samariter in Aegypten gewesen seien, und dafs sie sich zur Zeit nur in Nâbulus und Yâfa aufhielten. [3]) Es mag damals zu Yâfa ein Agent der Gemeinde oder vielleicht eine oder zwei Familien gelebt haben; aber zur Zeit unsers Besuchs sprachen weder sie noch irgend ein Anderer davon, dafs es aufser zu Nâbulus noch sonstwo welche gebe; unser samaritanischer Führer wufste sicher von keinen andern. [4])

---

1) Della Valle Voyages II. p. 128. Paris 1745.

2) De Sacy Corr. des Sam. p. 191.

3) Ebendas. p. 69.

4) Siehe oben S. 321. Stephan Schulz behauptet, Samariter zu Antiochien gefunden zu haben; aber wenn man genauer zusieht, so ergiebt sich, dafs er nur mit zwei Leuten zusammentraf, welche er wegen ihres Benehmens für gut befunden hat Samariter zu nennen, weil sie, wie er sagt, sich für Muhammedaner, Christen oder Juden ausgaben, je nachdem es ihrer Lage am besten zusagen mochte, obgleich sie wie Muhammedaner gekleidet waren! Hier ist nicht der geringste Beweis vorhanden, dafs der gute, leichtgläubige Mann ihnen den Namen Samariter von irgend einem aufser ihm selbst beilegen hörte, oder dafs hier irgendwie Grund für eine solche Benennung statt fand; und die

Es scheint der letzte vereinzelte Ueberrest eines merkwürdigen
Volkes zu sein, welches jetzt seit mehr als 2000 Jahren um diesen Centralpunkt seiner Religion und Geschichte ausdauert und
langsam seinem Verfall entgegenzögert, nachdem es die vielen
Revolutionen und Erschütterungen, welche in dieser langen Zwischenzeit über diesem unglücklichen Lande geschwebt haben, überlebt hat, — ein Rohr, beständig vom Winde erschüttert, aber
sich beugend vor dem Sturm.

Die neuere Geschichte von Nâbulus und der Umgegend berichtet viel von Kriegen und Empörungen. Diese Distrikte wurden früher für die gefährlichsten in Palästina angesehen, und
aus diesem Grunde vermied die grofse Masse von Reisenden während des ganzen 18. Jahrhunderts diesen Weg, und zog zwischen
Jerusalem und Nazareth über Yâfa und 'Akka. Die Gegend um
Nâbulus gehörte anfangs zum Paschalik von Damascus und dann
dem Namen nach zu dem von 'Akka; aber die Einwohner wurden durch ihre eignen vom Pascha bestätigten Häuptlinge regiert.
Sie waren als ein unruhiges, beständig mit einander zankendes
Volk bekannt, häufig in Aufruhr gegen die Regierung, und immer bereit, den Reisenden zu plündern, der sich ohne gehörigen
Schutz unter sie wagen mochte. Selbst dem berüchtigten Jezzâr Pascha von 'Akka gelang es nie, sie vollständig zu bezwin-
gen; und Junot wurde mit einer Schaar von 1500 französischen

---

ganze Sache scheint ein blofser Einfall seiner eignen Phantasie zu sein.
Er besuchte Nâbulus nicht, und kam nie mit den Samaritern in Berührung. Leitungen des Höchsten Th. IV. S. 369—371. Paulus Sammlung Th. VI. S. 222—224. — Seitdem ich dies geschrieben, finde ich
eine Bemerkung Niebuhr's über eben diese Stelle von Schalz; er hält
die Leute für vermuthliche Nusairiyeh oder Anhänger irgend einer muhammedanischen Sekte. Reisebeschr. II. S. 439. Maundrell (unter d.
4. März) giebt auch eine sehr ähnliche Beschreibung der Nusairiyeh.

Soldaten von ihnen besiegt. So erzählt Burckhardt; [1]) und als
Dr. Clarke im J. 1801 von Nazareth nach Jerusalem reiste, hatte
er auch eine militärische Bedeckung, und fand die Gegend voller
Rebellen. [2]) Noch kurz vor der ägyptischen Eroberung war die
Festung Sanûr, oft der Haltpunkt der Rebellen, durch Abdallah
Pascha von 'Akka nach einer siebenmonatlichen Belagerung zer-
stört worden.

Die Zeiten haben sich unter der ägyptischen Regierung ge-
ändert; sie hat die Verwaltung selbsteigen übernommen und die
Macht der populären Häuptlinge vernichtet. Der Distrikt war
daher seitdem ruhig und sicher, wie das übrige Land. Jedoch
wurde dieser Zustand der Dinge nicht ohne Kampf herbeigeführt.
Im Jahr 1834 empörte sich das Volk des Distriktes Nâbulus bei
Gelegenheit einer Aushebung, wie das zu Jerusalem und Hebron,
gegen die Aegypter. Der Aufstand wurde so bedeutend, dafs
Ibrahim Pascha selbst die zu ihrer Bezwingung ausgeschickten
Truppen befehligte; und als er mit einem Haufen der aufrühre-
rischen Landlente zn Zeita, einem Dorfe im nordwestlichen Theile
der Provinz Nâbulus zusammentraf, schlug er sie in die Flucht,
nachdem er ihrer neunzig getödtet hatte. Eine andere grofse
Schaar hatte sich zu Deir, einem Dorfe auf einem steilen Berge
nicht weit von Zeita, aufgestellt; sie wurden gleichfalls durch Er-
stürmung des Berges besiegt und flohen mit einem Verluste von
300 Erschlagenen. Ibrahim begab sich jetzt mit seinen Truppen
nach Nâbulus, und der ganze Distrikt unterwarf sich ohne weitern Widerstand, obgleich der Krieg noch längere Zeit in der
Gegend von Hebron fortdauerte. [3])

---

1) Burckh. Travels in Syria etc. p. 342. (591.)

2) Travels in the Holy Land p. 505. 4to.

3) Siehe Mengin Histoire de l'Egypte de l'an 1823 à l'an 1839.
p. 73 — 77.

Freitag, den 15. Juni. Wir standen früh auf, geweckt durch den Gesang der Nachtigallen und anderer Vögel, von
denen die Gärten um uns voll waren. Wir hatten einen Führer
von Nâbulus bis nach Nazareth angenommen, einen früher in Beirût lebenden Christen, welcher oft durch die Gegend gereist war,
und alles umher zu kennen vorgab. Unser Plan für heute war,
Sebüstieh zu besuchen, und dann Jenin zu erreichen.

Es war 7 U., als wir aufbrachen. Wir zogen anfangs
W. N. W., aber im Allgemeinen N. W. auf dem Wege nach
Sebüstieh thalabwärts. Der grade Weg nach Jenin geht sogleich von Nâbulus den nördlichen Berg hinauf, bleibt auf hohem
Boden und läfst Sebüstieh in einiger Entfernung linker Hand.
Nach 15 Minuten zeigte sich an unserm Wege eine schöne grofse Quelle, und in deren Nähe trafen wir einen Zug Kameele, mit Salz von el-'Arîsh beladen, wo es auf den Niederungen längs dem Meere gesammelt wird. Das ganze Thal von Nâbulus ist voll von Quellen, welche es höchst reichlich bewässern,
und eben aus diesem Grunde nicht in irgend einen grofsen Strom
abfliefsen. Das Thal ist reich, fruchtbar und schön grün, wie
sich von dieser gesegneten Wasserfülle erwarten läfst. Die Seiten des Thales, die Fortsetzung von Garizim und Ebal, sind
auch mit Dörfern besetzt, worunter es einige grofse giebt; und
diese werden wieder umgeben von ausgedehnten gepflügten Feldern und Olivenhainen, so dafs das ganze Thal eine schönere
und anziehendere Landschaft grüner Anhöhen und Thäler darbietet, als vielleicht irgend ein anderer Theil Palästina's. Es ist
das von dem Wasserreichthum herrührende dunkle Grün, was
ihm diesen eigenthümlichen Reiz verleiht, mitten in einem Lande,
wo im Sommer kein Regen fällt, und wo folglich die Natur zur
Zeit der Hitze und Dürre ein fahles und trauriges Aussehn erhält.

Als wir längs dem Thal hinabstiegen, waren wir um 7 U.

20 Min. Râfidia gegenüber, einem grofsen Dorfe auf der Seite
des südlichen Berges, ganz von Christen bewohut, welches 115
steuerpflichtige Männer oder beinahe 500 Einwohner enthalten
soll. Zu derselben Zeit konnten wir, das Thal hinunter blickend,
Beit Lid in einiger Entfernung auf den Bergen, jenseits der mehr
nordwärts gehenden Thalkrümmung, in der Richtung N. 65⁰ W.
bemerken. Um 7 U. 45 Min. lag das Dorf Zawâta auf der Seite
der Anhöhe zu unsrer Rechten; während oben auf dem Berge linker Hand ein verfallenes Kastell, Namens Juneid sich zeigte.
Zehn Minuten weiter war Beit Ûzin auf derselben Seite; und um
8 U. Beit Îba, auch auf dem links liegenden Abfall. Eine Zeitlang lief ein Wassergraben längs unserm Pfade her, etwas über dem
Boden des Thales; und an diesem Punkt (um 8 U.) trat er in
eine Wasserleitung mit zwölf ungleichen zugespitzten Bogen, welche eine Strecke lang quer über das Thal hin nach einer gewöhnlichen arabischen Mühle führt. ¹) Hier verliefs unser Weg
das Thal, und wandte sich N. gen W. bergauf. In 10 Minuten hatten wir die erste Bergstufe erreicht, wo wir zwei andere
Dörfer zu Gesicht bekamen, beide in einiger Entfernung auf den
gegenüberliegenden Bergen, nämlich Keisin S. 75⁰ W. und Tŭl
Keram N. 70⁰ W.

Unser Weg fuhr fort allmählig bergan zu gehen, und führte
über eine höhere Strecke unebnen Bodens, welche sich nach Westen hinneigte, da wo sich das Thal Nâbulus nach N. N. W.
krümmt und zur Linken von Sebüstieh weiter läuft. Mehrere andere Dörfer waren jetzt auf den Anhöhen westlich vom Thal zu

---

1) Dies würde kaum der Erwähnung verdienen, wenn nicht um
der pompösen Bemerkung Richardson's willen: „Ein wenig oberhalb
der Stadt sahen wir eine alte Brücke mit zwölf Bogen, welche noch im
Stande waren, die Communication zwischen den beiden Seiten des Thales zu unterhalten." Travels II. p. 411.

sehen; und unter uns, etwa eine halbe Stunde entfernt auf dieser
Seite des Wady, lag das Dorf Deir Sheraf. Eine Quelle zeigte
sich um 8 U. 30 Min. auf unserm Wege, und 10 Minuten später erreichten wir einen höheren Punkt, wo wir auf Sebüstieh
und sein grofsartiges Becken hinabblickten, zu welchem, wie man
sagen kann, das Thal von Nâbulus sich ausbreitet. Wir konnten das Bett des Wady bemerken, wie es N. N. W. in dem westlichen Theil des Beckens fortläuft, bis es jenseits des Dorfes Kefr
el - Lebad im N. W. gen W, sich wieder mehr westwärts krümmt
und nach dem mittelländischen Meer abfällt. Dieses Dorf schien
etwa $1\frac{1}{2}$ Stunden entfernt zu sein. Wir nahmen hier folgende
Ortsbestimmungen auf: Beit Ûzin S. 26° O., Juneid S. 22° O.,
Beit Îba S. 18° O., Sürra S. 5° W., Keisin S. 25° W., Deir
Sheraf S. 45° W., Beit Lid S. 75° W., Kefr el - Lebad N. 56°
W., Râmîn N. 55° W., Sebüstieh N. 5° W.

Wir gingen jetzt eine lange Strecke allmählig bergab, wobei uns das Dorf en - Nâkûrah rechter Hand lag, in das südliche
Thal, aus welchem der Berg von Sebüstieh aufsteigt; und indem wir aus diesem Thal längs der Ostseite des Berges wieder
hinaufstiegen, erreichten wir diesen Ort 10 Minuten nach 9 Uhr.
Der schöne, runde, schwellende Berg von Samaria steht allein
mitten in diesem grofsen Becken von etwas über 2 Stunden Durchmesser, umgeben von höheren Bergen an jeder Seite. Er liegt
dem östlichen Theile des Beckens näher, und hängt in der That
mit den östlichen Bergen etwa in der Weise eines Vorsprungs
durch einen viel niedrigeren Rücken zusammen, welcher sowohl
im Süden als im Norden einen Wady hat. Im Westen liegt das
breite Thal, welches, von Nâbulus herabkommend, nordwärts läuft
und im N. N. W. zum Meere hinabgeht. Die Berge und Thäler
ringsum sind gröfstentheils urbar und von vielen Dörfern und
fleifsigem Anbau belebt. Alle diese Umstände geben der Lage

des alten Samaria bedeutende Schönheit. Der Berg selbst ist bis ganz oben hin bebaut, und etwa in der Mitte des Abhanges von einer schmalen Terrasse ebenen Bodens wie von einem Gürtel umgeben. Unterhalb derselben breiten sich die Wurzeln des Berges allmähliger nach den Thälern hin aus. Höher hinauf sind auch Merkmale von unbedeutenderen Terrassen, wo sich einst vielleicht Strafsen der alten Stadt befanden.

Der Weg, über den wir gekommen waren, läuft über den niedrigen Rücken im Osten am Fufse des Berges, und zieht sich weiter fort, ohne nach dem Dorfe hinaufzuführen. Letzteres liegt auf dem vorhin beschriebenen ebenen Gürtel an der Ostseite, 70 Fufs oder mehr oberhalb des Weges. Wir stiegen auf einem sehr steilen und gekrümmten Pfade zwischen alten Grundsteinen, Bogen, Mauern u. dgl. nach demselben hinauf. Das Dorf ist modern; die Häuser sind aus Steinen von den alten Ueberbleibseln leidlich gebaut. Die Einwohner stehen im Rufe, unruhig und aufrührerisch zu sein; und unsere Freunde, welche ein paar Wochen vorher in der Gesellschaft von Damen diesen Weg gekommen waren, hatten sich über Ungefälligkeit zu beklagen, und fanden es schwierig, die Kirche zu besehen. [1] Wir gebrauchten daher beim Eintritt in das Dorf die Vorsicht, unsere alten Flinten und Pistolen auf das vortheilhafteste anzubringen, um den Leuten gehörigen Respekt von unserer Stärke einzuflöfsen; und entweder aus diesem Grunde, oder wahrscheinlicher weil unsere Gesellschaft nur aus Männern bestand, trafen wir hier nur dieselbe bereitwillige Artigkeit, die wir anderswo immer gefunden hatten.

Der erste Gegenstand, welcher sich darbietet, und zugleich die hervortretendste Ruine des Ortes ist die Johannes dem Täufer

---

[1] Cotovicus hatte sich hier zu seiner Zeit über dieselbe Unhöflichkeit und sogar Beschimpfung zu beschweren; Itin. p. 345.

geweihte Kirche, über der Stelle errichtet, wohin eine alte Ueberlieferung den Ort seines Begräbnisses oder gar seines Märtyrer-
thums verlegt hat. Das östliche Ende ragt über den Rand
des steilen Abfalls unterhalb des Dorfes hervor, ist ganz vollständig, und zieht die Aufmerksamkeit des Reisenden noch weit
früher auf sich, als er Sebüstieh erreicht. Der Kirche nähert
man sich von Westen, wo ein schmaler, eingesenkter Vorhof ist.
Die Mauern sind bis zu einer beträchtlichen Höhe noch ganz vorhanden, und umschliefsen einen grofsen Raum, worin jetzt eine
Moschee und das kleine Gebäude über dem Grabe'steht. Die
Dimensionen der Kirche sind der Messung zufolge 153 Fufs inwendig lang, aufser einem Portal von 10 Fufs, und 75 Fufs breit.

Die Nische für den Altar, die den gröfseren Theil des östlichen Endes einnimmt, welches letztere so eine gerundete Form
bekommt, ist ein imposantes Stück gemischter Architektur. Der
griechische Stil ist darin vorherrschend; die Bogen der Fenster
sind rund und die ganze Nische ist sehr verziert, namentlich von
aufsen. Aber die oberen Bogen im Innern der Nische sind zu-
gespitzt, wie auch die grofsen Bogen im Schiff der Kirche. Diese
letztern ruhen auf Säulen, die keiner architektonischen Ordnung
angehören; die Kapitäler sind zwar an Gestalt und Gröfse korin-
thisch, aber mit Verzierungen ausgeschmückt, ähnlich dem Stamme
des Palmbaumes. Die Fenster liegen hoch hinauf und sind schmal,
und die ganze Kirche hat zugleich das Ansehen einer militärischen
Schutzwehr. An der Aufsenseite der südlichen Mauer finden sich
schlanke Strebepfeiler; ich hatte vermuthet, bei der nördlichen
Mauer sei es eben so, aber irgend ein Reisender beschreibt diese
als einfach. An einer Stelle inwendig sind zwei oder drei grofse
Marmortafeln in einer modernen Mauer angebracht, auf denen
viele Kreuze des Ordens der Johanniterritter in erhabener Arbeit
gemeifselt sind; von diesen haben die Muhammedaner den auf-

recht stehenden Theil abgebrochen, so dafs auf den Tafeln jetzt nur noch horizontale Streifen zu sehen sind. — Die Architektur beschränkt nothwendig das Alter dieses Gebäudes auf die Periode der Kreuzzüge; obgleich es nicht unwahrscheinlich ist, dafs ein Theil des östlichen Endes aus einer früheren Zeit herrühren mag. Die gewöhnliche Ueberlieferung schreibt diese Kirche, wie in so vielen andern Fällen, fälschlich der Helena zu. [1]) Das Vorhandensein so vieler Kreuze der Johanniterritter und der Umstand, dafs die Stelle als das Grabmahl ihres Schutzheiligen angesehen wurde, macht es wahrscheinlich, dafs die Kirche, vielleicht in Zusammenhang mit dem lateinischen Bisthum, von diesem Orden errichtet sein mag; aber ich bin nicht im Stande gewesen, für dieses Faktum ein historisches Zengnifs aufzufinden.

Unter einem Wely innerhalb der Ruinen der Kirche ist das vermeintliche Grabmahl Johannes des Täufers, das Grab des Neby Yehya, wie die Araber es nennen; eine kleine, tief in den Felsen ausgehöhlte Kammer, zu der man auf 21 Stufen hinabsteigt. Im Verlaufe der Zeit hat die Ueberlieferung das Grab des Heiligen mit seinem Gefängnifs und dem Orte seiner Enthauptung verwechselt, und dies Gewölbe wird jetzt, und wurde seit Jahrhunderten auch für letzteren ausgegeben. Jedoch berichtet Josephus ausdrücklich, dafs Johannes in der Festung Machaerus im Osten des todten Meers enthauptet wurde; und Eusebius nimmt dies Zengnifs wieder auf, wodurch er zeigt, dafs es zu seiner Zeit keine andere glaubliche Ueberlieferung gab. [2]) Es ist kaum wahrscheinlich, dafs die Jünger des Johannes, welche „kamen und nahmen seinen Leib und begruben ihn,"[3]) denselben erst den ganzen Weg bis nach Samaria gebracht haben sollten; auch

1) Siehe oben, Bd. II. S. 214.
2) Joseph. Antiq. XVIII, 5, 2. Euseb. Hist. Eccl. I, 11.
3) Matth. 14, 12.

erwähut Eusebius bei der Beschreibung Samaria's dieses Grab-
mahls gar nicht. [1]) Die Ueberlieferung scheint indefs nicht lange
nachher aufgekommen, und zur Zeit des Hieronymus schon ganz
in Umlauf gewesen zu sein; dieser spricht verschiedene Male von
Samaria, als welches namentlich dadurch ausgezeichnet sei, dafs
es das Grabmahl Johannes des Täufers, sowie auch die der Propheten Elisa und Obadja enthalte. [2]) In demselben Jahrhundert
hatten, nach späteren Schriftstellern, die Heiden während der
Regierung des Julianus Apostata um das Jahr 361 das Grabmahl
aufgebrochen, die Gebeine verbrannt und die Asche nach allen
Winden hin zerstreut. [3]) Irgend eine derartige Begebenheit mag
wahrscheinlich mit der gröfseren Verbreitung der Ueberlieferung,
wo nicht mit ihrer Entstehung zusammengehangen haben. — Früh
im 8. Jahrhundert finden wir zuerst Sebaste als den Ort der Gefangennehmung und Hinrichtung des Täufers bezeichnet; [4]) und
diese Legende hat sich, nachdem sie während der Zeit der Kreuzzüge bestimmter und vollständiger ausgebildet ist, mehr oder weniger selbst im Munde der Muhammedaner bis auf den heutigen

---

1) Euseb. Onomast. Art. S e m e r o n Σομερών.

2) So fügt er im Onomast. bei der Uebersetzung des Artikels von
Eusebius hinzu: „Ubi S. Joannis reliquiae conditae sunt;“ Onomast.
Art. S e m e r o n. So Comm. in Obad. I, 1: „Sepulcrum ejus (Obadiae)
usque hodie cum mausoleo Elisaei Prophetae et Baptistae Johannis in
Sebaste veneratione habetur, quae olim Samaria dicebatur.“ Verschiedene andere Stellen findet man vollständig aufgeführt bei Reland Pal.
p. 980, 981.

3) Theodoret. Hist. Eccl. III, 7. Chron. Pasch. z. J. 361. Reland Pal. p. 981.

4) Joh. Damascen. († 760) Orat. III. p. 368; vgl. Wesseling's Anmerk. zu Hierocles in Vet. Romanor. Itin. ed. Wessel. p. 718. Amst.
1735. St. Willibald im 9. Jahrhundert erwähnt nur die Gräber des Johannes, Elias und Obadja; Hodoepor. p. 378. ed. Mabillon.

III.   24

Tag erhalten. Die Kirche wird zuerst bei Phocas um das Jahr 1185 erwähnt, obgleich wahrscheinlich eine frühere in weit älterer Zeit hier befindlich war. [1)]

Das Dorf selbst bietet keine andere Ruine von Bedeutung dar, aufser etwa einen neben der Kirche im Süden liegenden viereckigen Thurm, dessen unterster Theil von einer Masse schräg aufgebauten Mauerwerks umgeben ist. Auch sind viele Fragmente von alten Säulen und Skulpturarbeit in den neueren Wohnungen angebracht. Wir stiegen jetzt den Berg nach Westen hinauf, und kamen bald zu den Dreschtennen des Dorfes. Sie waren noch in voller Thätigkeit, obgleich die Ernte der Hauptsache nach eingesammelt zu sein schien. Hier trafen wir zuerst auf den Gebrauch des Schlittens oder der Schleife beim Dreschen. Diese Maschine besteht einfach aus zwei vorn aufwärts gebogenen und neben einander zusammen befestigten Planken, grade wie der gewöhnliche Transportschlitten für Steine in Neu-England, obgleich nicht so schwer. Von unten sind in den Boden viele Löcher gebohrt, und in diesen werden scharfe Stücke harter Steine festgemacht. Die Maschine wird von Ochsen gezogen, die man in der Runde über das Getreide treibt; zuweilen sitzt ein Mann oder ein Knabe darauf; aber wir sahen sie nicht anderweitig beladen. Die Wirkung derselben besteht darin, das Stroh

---

1) Phocas beschreibt das Gewölbe als das Gefängnifs des Johannes, wo er enthauptet wurde, und erwähnt zuerst die Kirche; De Locis Sanct. §. 12. Brocardus spricht nur von der zu Ehren des Täufers errichteten Kirche; c. VII. p. 177. Sir John Maundeville erwähnt auch nur das Grab und die Kirche; p. 107. Lond. 1839. Aber die vollständige Legende über die Gefangennehmung, den Tod und das Begräbnifs findet sich wieder bei Wilhelm von Baldensel im Jahr 1336, p. 353; und auch bei Cotovicus (p. 345), Della Valle und andern Reisenden. Quaresmius verwirft die Geschichte vom Gefängnifs und Tode des Johannes zu Samaria, aber nicht von dem Begräbnifs; II. p. 811 sq.

ganz fein zu zerschneiden. Wir sahen diese Vorrichtung späterhin häufig im Norden von Palästina.

Der ganze Berg von Sebüstieh besteht aus fruchtbarem Boden; er wird jetzt bis zum Gipfel hin bebaut, und hat viele Oliven- und Feigenbäume. Das Land ist seit Jahrhunderten gepflügt worden, und daher ist es jetzt vergeblich, sich hier nach den Grundmauern und Steinen der alten Stadt umzusehen. Sie sind entweder zu den Bauten des späteren Dorfes verwandt, oder von dem Boden weggeräumt, um ihn pflügbar zu machen, oder durch langjährigen Ackerbau mit Erde überdeckt worden. [1] Jedoch kamen wir bei der Annäherung zum Gipfel plötzlich nach einer, einst von Kalksteinsäulen umgebenen Area, von denen fünfzehn noch stehen geblieben sind und zwei auf dem Boden liegen. Sie hatten 7 Fufs 9 Zoll im Umfang. Wie viele andere zerbrochen und fortgebracht sein mögen, vermag Niemand zu sagen. Wir konnten die Ordnung ihrer Architektur nicht unterscheiden; auch findet man rings herum keine Spur von Grundmauern, welche über die Natur des Gebäudes Aufschlufs geben könnte. Phocas und Brocardus lassen zu ihrer Zeit den Berg oben von einer griechischen Kirche und einem Kloster besetzt sein; [2] und diese Säulen mögen vielleicht mit der ersteren in Verbindung gestanden haben. Jedoch haben sie sicherlich weit mehr das Aussehen, als ob sie einst zu einem heidnischen Tempel gehört hätten.

Die Aussicht von dem Gipfel des Berges gewährt ein prachtvolles Panorama, welches das fruchtbare Becken und die ringsum liegenden und mit grofsen Dörfern besetzten höheren Berge umfafst, und aufserdem eine weite Strecke des Mittelmeers von nicht

---

1) Cotovicus im 16. und von Troilo im nächsten Jahrhundert erwähnen, dafs der Boden mit Haufen von Ruinen überstreut sei, welches jetzt nicht der Fall ist. Cotov. p. 345. Von Troilo p. 409. Dresd. 1676.

2) Phocas §. 12. Brocardus c. VII. p. 177.

24 *

weniger als 25 Grad zwischen W. gen N. und N. W. Nábulus
ist hier nicht zu sehen; aber so weit wir seine Richtung beurtheilen konnten, mufsten wir es etwa S. 30⁰ O. haben. [1]) Andere
Orte, die uns von einem dortigen Einwohner gezeigt wurden, lagen uns wie folgt: Beit Íba auf der südlichen Anhöhe W. von
Nábulus S. 15⁰ O., Sürra S. 1⁰ O., Deir Sheraf S. 7⁰ W., Kuryet Jit [2]) S. 51⁰ W., Beit Lid S. 65⁰ W., Tûl Keram S. 75⁰
W., Rámin N. 72⁰ W., Kefr Lebad N. 70⁰ W., Bizária N. 30⁰
W., Burka N. 6⁰ O., Beit Imrin N. 60⁰ O., Nuss Ijheil N. 80⁰
O., Ijnisnia S. 78⁰ O., esh-Sheikh Sha'leh ein Wely S. 60⁰
O., en-Nákûrah S. 40⁰ O.

Indem wir den Berg im W. S. W. hinabstiegen, kamen wir
nach der sehr merkwürdigen Colonnade, welche einst von diesem
Punkte längs dem Gürtel ebenen Bodens auf der S. Seite des
Berges dem Anscheine nach ganz in der Runde bis nach dem
heutigen Dorfe lief. Sie fängt in dieser Gegend des Berges bei
einem Ruinenhaufen an, welcher ein Tempel oder wahrscheinlicher

---

1) Schubert giebt, wie wir oben S. 316. gesehen haben, die
Höhe von Nábulus zu 1751 franz. Fufs, die von Sebüstieh zu 926 Fufs
über dem Meere an; Reise Bd. III. S. 160. Ich glaube, diese letztere
Zahl mufs falsch sein; denn Nábulus liegt in dem Thale, und Sebüstieh
weit höher als dasselbe Thal, etwa zwei Stunden weiter nordwestlich;
so dafs, selbst zugegeben, das Thal senke sich in dieser Entfernung
750 Fufs (was kaum möglich ist), Sebüstieh doch nicht mehr als 300
oder 400 Fufs niedriger liegen würde als Nábulus. Der wirkliche Unterschied ist wahrscheinlich nicht so grofs.

2) Dieses Dorf liegt auf den Anhöhen jenseit des Wady von Nábulus, und ist wahrscheinlich das von Justinus Martyr, Eusebius und andern alten Schriftstellern als ein Dorf in der Gegend von Samaria erwähnte
Gitta (Γιττα), der angebliche Geburtsort des Simon Magus. Just. Mart.
Apol. lib. II. Euseb. Hist. Eccl. II, 13. Siehe darüber mehr bei Reland Pal. p. 813 sq.

ein Triumphbogen oder etwas der Art gewesen sein mag, und
W. N. W. über das grüne Thal und nach dem Meere hin hervorblickt, anscheinend den Eingang zur Stadt an dieser Seite bildend. Von hier läuft die Colonnade etwa 1000 Fufs O. S. O.
und biegt sich dann linkshin, dem Fufse des Berges folgend.
Im westlichen Theile stehen noch an 60 Kalksteinsäulen, die
meisten derselben auf kürzlich gepflügtem Boden; und weiter östlich stehen noch einige 20 andere vereinzelt, in verschiedenen
Entfernungen von einander. Weit mehrere noch liegen auf dem
Boden; und wir konnten ganze Säulen oder Bruchstücke fast bis
nach dem Dorfe hin verfolgen. Die Säulen, welche wir mafsen,
waren 16 Fufs hoch, von 2 Fufs unterem und 1 Fufs 8 Zoll obe-
rem Durchmesser. Die Kapitäler haben sich verloren; wir konnten nirgends eine zurückgebliebene Spur davon bemerken. Die
Breite der Colonnade betrug 50 Fufs. Wir mafsen von dem westlichen Ende aus mehr als 1900 Fufs, und überzeugten uns nachher, dafs sie sich noch gegen 1000 oder mehr Fufs weiter erstreckte, so dafs ihre ganze Länge nicht viel unter 3000 Fufs
beträgt. — Diese Colonnade ist ohne Zweifel auf die Zeit Herodes des Grofsen zu beziehen, welcher, wie wir sehen werden,
Samaria mit prachtvollen Bauten wieder herstellte und aus-
schmückte. Aber der Zweck des Werkes und des Gebäudes, zu
dessen Verzierung es dienen sollte, ist unbekannt; und diese Säulen
stehen jetzt vereinzelt und traurig inmitten von gepflügten Feldern,
gleichsam die Skelette dahingeschwundenen Ruhms.

Ich finde von dieser Colonnade vor unserm Jahrhundert bei
Reisenden keine Erwähnung aufser in sehr allgemeinen Ausdrü-
cken.[1] Es sollen an der Nordseite des Berges ebenfalls Säulen vor-

---

1) Maundrell erwähnt nur die Säulen auf dem Berge, oder, wie
er sagt, im Norden; den 24. März. Morison spricht von mehr als 260
Säulen im Westen und Süden, womit er wahrscheinlich die Colonnade

handen sein, deren Aufsuchung uns indefs die Zeit nicht erlaubte.

Sebüstieh ist die arabische Form von Sebaste, eine andere
fremde griechische Benennung, welche seit den Tagen des Herodes statt des früheren Namens Samaria fortwährend in Gebrauch
blieb. Diese alte Stadt, die spätere Hauptstadt des Reichs der
zehn Stämme, wurde von Omri, König von Israel, um 925 v.
Chr. erbaut, nachdem er den Berg von dem Besitzer Semer gekauft hatte, von welchem die Stadt ihren Namen erhielt. [1] Die
Lage dieser Hauptstadt war daher eine ausgewählte; und es
möchte schwer halten, in Palästina eine andere zu finden, wo
sich gleiche Befestigung, Fruchtbarkeit und Schönheit so vereinen.
In allen diesen Rücksichten mufste diese Stadt sehr grofsen Vortheil vor Jerusalem haben. Sie blieb fortan zwei Jahrhunderte
lang die Hauptstadt Israels bis zur Wegführung der zehn Stämme
durch Salmanassar unter dem König Hosea um das Jahr 720
v. Chr. [2] Während dieser ganzen Zeit war sie der Sitz des
Götzendienstes; und Strafreden ergehen oft über diese Stadt durch
die Propheten, zuweilen in Verbindung mit Jerusalem. [3] Hier
war auch die Scene von vielen Thaten der Propheten Elias und
Elisa, welche mit den verschiedenen Theurungen im Lande, dem
unerwarteten Ueberflufs in Samaria, und der Befreiung der Stadt
aus den Händen der Syrer zusammenhingen. [4]

---

meint; p. 231. Sie scheint zuerst beschrieben zu sein in Buckingham's
Travels p. 514. 4to.

1) 1 Kön. 16, 23. 24. Jos. Antiq. VIII, 12, 5.

2) 2 Kön. 17, 3. 5 ff.

3) Ahab erbaute hier einen Tempel des Baal, 1 Kön. 16, 32. 33.
Jehu zerstörte diesen Tempel, 2 Kön. 10, 18—28. Prophetische Straf-
reden siehe Jes. 9, 8 ff. Jer. 23, 13. 14. Hes. 16, 46—55. Amos 6, 1.
Micha 1, 1 ff. Siehe auch Hos. 8, 5—14. Amos 4, 1 u. s. w.

4) 1 Kön. 17, 1; 18, 1 ff.; c. 20. 2 Kön. 6, 24; c. 7.

Nach der Fortführung der zehn Stämme scheint Samaria für eine Zeitlang wenigstens die Hauptstadt der an ihre Stelle gesetzten Ausländer gewesen zu sein; obgleich Sichem (Nâbulus), wie wir gesehen haben, bald die Hauptstadt der Samariter als einer religiösen Sekte wurde. Es ist zuweilen schwer zu unterscheiden, ob unter dem Namen Samaria die Stadt oder die Landschaft gemeint ist.[1]) Johannes Hyrcanus eroberte den Ort nach einjähriger Belagerung und schleifte ihn bis auf den Grund.[2]) Jedoch muſs er bald wieder aufgelebt sein; denn wir finden nicht lange nachher Samaria als den Juden noch immer zugehörend erwähnt. Pompejus gab es den Bewohnern zurück, und es wurde späterhin von Gabinius wieder aufgebaut.[3]) Augustus schenkte es nach dem Tode des Antonius und der Cleopatra an Herodes den Grofsen, welcher zuletzt die Stadt mit grofser Pracht und Befestigung ausbaute, und ihr zu Ehren des Augustus den Namen Sebaste gab.[4]) Er versetzte dahin eine Colonie von 6000 Mann, theils aus römischen Veteranen und theils aus Leuten vom Lande ringsum bestehend, vergröfserte den Umfang der Stadt, und errichtete um dieselbe eine starke Mauer von 20 Stadien im Umkreise. Mitten in der Stadt liefs er einen prachtvoll ausgeschmückten heiligen Raum von anderthalb Stadien frei; und hier führte er einen Tempel zu Ehren des Augustus auf, welcher wegen seiner Gröfse und Schönheit berühmt war. Die ganze Stadt war vielfach verziert, und wurde eine starke Festung.[5]) So war, wie

---

1) Jer. 41, 5. Esra 4, 10, 17. Neh. 4, 2. 1 Makk. 5, 66. 2 Makk. 15, 1.

2) Joseph. Ant. XIII, 10, 3. B. J. I, 2, 7.

3) Jos. Ant. XIII, 15, 4. XIV, 4, 4. 5, 3.

4) Jos. Ant. XV, 7, 3. B. J. I, 20, 3. Vgl. Antiq. XV, 7, 7. 8, 5. — Der Name Sebaste ist die griechische Uebersetzung von Augusta.

5) Jos. Ant. XV, 8, 5. B. J. I, 21, 2. Strabo XVI, 2, 34.

es scheint, das Samaria des neuen Testaments, wo Philippus das
Evangelium verkündigte und von den Aposteln eine Gemeinde gegründet wurde. [1] — Daſs die jetzt längs der südlichen Seite
des Berges gesehene Colonnade mit diesem Tempel in Verbindung stand, das ist, wenn auch an und für sich nicht unwahrscheinlich, doch nicht mit Sicherheit zu behaupten.

Aus den nächstfolgenden Jahrhunderten wissen wir nichts
über Sebaste, anſser von seinen Münzen, deren es mehrere von
Nero an bis zu Geta, dem Bruder des Caracalla, giebt. [2] Septimius Severus scheint hier auch im Anfang des 3. Jahrhunderts
eine römische Kolonie angelegt zu haben. [3] Eusebius erwähnt
die Stadt kaum als noch bestehend; aber Hieronymus spricht
häufig davon, wie auch andere Schriftsteller desselben und eines
späteren Zeitalters. [4] Samaria wurde früh ein bischöflicher Sitz.
Der Bischof Marius oder Marinus war auf dem Concil zu Nicaea
im Jahr 325 zugegen; und die Namen von sechs andern haben
sich erhalten, unter denen der letzte, Pelagius, an der Synode zu
Jerusalem im Jahr 536 Theil nahm. [5] Der Name dieses Bisthums kommt in den früheren griechischen Notitiae, und auch in
den späteren lateinischen vor. [6] Die Stadt fiel mit Nâbulus wäh-

1) Apgsch. 8, 5. 9 ff.

2) Eckhel Doctr. Numm. III. p. 440. Mionnet Médailles antiques
V. p. 513.

3) Ulpian. Leg. I, de Censibus: „Divus quoque Severus in Se-
bastenam civitatem coloniam deduxit." Münzen von Julia Domna, der
Gemahlin des Severus, haben auch die Inschrift: COL. SEBASTE.
Cellarius Notit. Orb. II. p. 432.

4) Ep. 86, Epit. Paulae p. 677. Siehe oben, S. 369 ff.; auch
die zahlreichen Citate in Reland Pal. p. 979 — 981.

5) Labbé Concil. II c. 51. V. c. 286. Reland Pal. p. 983. le
Quien Or. Chr. III. p. 650 sq.

6) Reland Pal. p. 215, 220, 222, 228.

rend der Belagerung Jerusalem's in die Gewalt der Muhammedaner; aber wir hören bis zur Zeit der Kreuzzüge nichts weiter davon, aufser der leisen Andeutung des heil. Willibald im 9. Jahrhundert. [1]) Zu welcher Zeit die prachtvolle Stadt des Herodes in Ruinen verwandelt wurde, erfahren wir nirgends; aber alle Nachrichten des 4. Jahrhunderts und später können uns wohl darauf hinführen, dafs die Zerstörung schon vor dieser frühen Periode stattgefunden hatte.

Die Kreuzfahrer geben uns wenig Auskunft über das Sebaste ihrer Zeit. Sie gründeten hier ein lateinisches Bisthum, als dessen Inhaber um das J. 1155 zuerst Rayner erwähnt wird; und der Titel verblieb in der römischen Kirche bis zum 14. Jahrhundert. [2]) Saladin marschirte auf seinem Rückzug von Kerak im J. 1184 hindurch. [3]) Benjamin von Tudela beschreibt es als einen festen, auf einem von Bächen bewässerten Berge gelegenen und mit Gärten, Obstpflanzungen, Weinbergen und Olivenbäumen gesegneten Ort. [4]) Phocas und Brocardus sprechen nur von der Kirche und dem Grabe Johannes des Täufers, sowie von der griechischen Kirche und dem Kloster nahe beim Gipfel des Berges. [5]) Aehnliche dürftige Nachrichten finden sich bei den Reisenden des 14., 16. und 17. Jahrhunderts; [6]) im achtzehnten

---

1) Siehe oben, S. 350. St. Willibald Hodoep. p. 378. ed. Mabillon.

2) Will. Tyr. XVIII, 6. Jac. de Vitr. 56. p. 1077. Siehe überhaupt le Quien Oriens Chr. III. p. 1290 sq.

3) Abulfeda Annal. J. d. II. 580. Siehe oben, S. 352.

4) P. 77. ed. Baratier.

5) Phocas §. 12. Brocardus c. VII. p. 177.

6) Wilhelm von Baldensel im Jahr 1336. p. 353. Sir J. Maundeville, p. 107. Lond. 1839. Zuallardo p. 245. Cotovicus p. 345. Della Valle II. p. 108. Paris 1745. Quaresmius II. p. 811 sq. Maundrell unter dem 24. März. Morison p. 231.

scheint es überhaupt nicht bemerkt worden zu sein, während es
in unserm jetzigen Jahrhundert oft besucht und beschrieben worden ist. [1] — Es giebt in Sebüstieh ein paar griechische Christen, und ein griechischer Titularbischof von Sebaste hat seinen
Wohnsitz in dem Kloster zu Jerusalem. [2]

Von Sebüstieh führen zwei Wege auf die grade Strafse
von Nábulus nach Jenin. Der leichteste geht direkt nach Beit
Imrin, einem 1¼ Stunden N. 60° O. von Sebüstieh entfernten
Dorfe auf dieser Route. Diesen liefsen wir unsere Diener mit dem
Gepäck einschlagen, während wir damit beschäftigt waren, uns
nach den Ruinen umzusehen. Der andere Weg führt über den
hohen Rücken, welcher das Becken im Norden einschliefst. Diesem folgten wir. Indem wir Sebüstieh um 10 U. 40 Min. verliefsen, kamen wir in das nördliche Thal hinab, und dann wieder aufsteigend, um 11 U. 20 Min. nach Burka, einem grofsen
auf einer Art von Terrasse an der Bergseite gelegenen Dorfe,
welches das ganze Becken von Sebüstieh, von dem es in der
Richtung N. 6° O. liegt, übersieht. Wie alle Dörfer dieser Gegend, ist es von ausgedehnten Olivenhainen umgeben. Um 11 U.
45 Min. kamen wir nach steilem Wege auf die Höhe des Rük-
kens, und hatten eine herrliche Aussicht über das schöne Becken
hinter uns und über das Mittelmeer zu unsrer Linken; vor uns
konnten wir auch eine andere von den reizenden Ebenen über-

---

1) Es ist durchaus unverzeihlich von Dr. Clarke, dafs er es versuchen will, sich oder Andere zu überführen oder auch nur die Meinung
aufzustellen, die Festung Sânûr (sein Santorri) könnte das alte Samaria und Sebaste gewesen sein, blofs weil er grade Sebüstieh nicht zu
sehen bekam. Siehe oben, Bd. II. S. 315. Anmerk. 1.

2) Siehe oben, Bd. II. S. 298.

blicken, welche diese Gegend zur Unterscheidung von der um
Jerusalem charakterisiren. Es war ein schönes breites von O.
nach W. laufendes Thal, welches in einiger Entfernung zu unsrer Rechten durch unregelmäfsige, felsige, von der Nordseite in
dasselbe hervorragende Anhöhen in zwei Theile getheilt wird. Der
östliche Theil, hier grün und schön, erstreckte sich weit ostwärts, eine ovale Ebne bildend; an seiner N. W. Seite liegt
Sânûr, welches hier nicht zu sehen war. Der westliche Theil
war enger, nicht so regelmäfsig und reich, und lief westwärts
nach dem Mittelmeer ab, indem er sich wahrscheinlich in dieser
Richtung mit dem Thal von Nâbulus und Sebüstieh vereinigt.
Viele Dörfer lagen in verschiedenen Richtungen, auf den niedrigeren Anhöhen jenseits des Thals zerstreut, vor uns; aber wegen
der Unwissenheit unsers Führers konnten wir von vielen derselben die Namen nicht erfahren. Er war zwar immer mit einem
Namen bei der Hand; aber wir entdeckten durch Kreuz - und
Querfragen, dafs er nicht immer den nämlichen angab, und zeich-
neten daher nur solche auf, die durch andere Zeugnisse bestätigt wurden. Die, welche sich uns als gewifs ergaben, lagen
in folgenden Richtungen: Sebüstieh S. 15⁰ W., Sürra S. 3⁰ W.
'Ajja N. 5⁰ O., Fahmeh N. 5⁰ W., er-Râmeh N. 6⁰ W. [1])

1) Zu den uns so entgehenden Dörfern gehörte auch wahrscheinlich Sileh, oder Silet ed-Dahr, „Sileh der Höhe," wie es zur Unterscheidung von dem Sileh westlich von Jenîn nahe bei der Ebne Esdrelon genannt wird. Maundrell hatte auf seiner Reise auf direktem Wege
von el-Lejjûn nach Sebüstieh die beiden Dörfer 'Arrâbeh und Râmeh
auf den Hügeln linker Hand, und kam dann in einer Stunde zu einem
Brunnen bei dem nächsten Dorfe, Sileh genannt; von da brauchte er eine
Stunde bis Sebüstieh; den 24. März. Morison beschreibt den Brunnen
als auf einer Höhe, und das Dorf weiter abwärts auf dem Abfall liegend; p. 229. Dieses Sileh ist in unsern Verzeichnissen in Verbindung
mit 'Ajjeh, 'Arrâbeh und Fahmeh aufgeführt, und liegt vielleicht, wie

Wir stiegen jetzt längs der nördlichen Seite des Rückens in einer allgemeinen Richtung O. N. O. schräg hinunter. Um 12 Uhr 20 Min. erreichten wir ein kleines Dorf, mitten auf der Bergseite, Namens Fendekûmieh [1]), mit mehreren Quellen in der Nähe. Wir gingen in derselben Richtung weiter, noch immer längs dem Abfall, mit dem schönen Thal unter uns linker Hand, und kamen um 12 U. 45 Min. nach Jeb'a, einem grofsen Dorfe oder Flecken auf der Seite der Bergkette, welche an diesem Punkte weit niedriger ist, als wo wir sie weiter westlich passirt hatten. In dem Dorfe ist ein Thurm, und es sieht hier ganz alterthümlich aus. Der Name bezeichnet es auch entschieden als ein anderes altes Geba oder Gibea; aber mir ist keine Nachricht von einem Orte dieses Namens hier in der Gegend bekannt, wenn es nicht etwa das bei Eusebius und Hieronymus 16 röm. Meilen von Caesarea erwähnte Gabe ist. [2]) Hier kamen wir auf den direkten Nâbulus-Weg, und fanden, nach einer schönen Quelle hinabsteigend, am Fufse des Berges unsere Diener mit dem Gepäck unsrer Ankunft wartend. Wir machten zum Mittagsessen unter dem Schatten der Olivenbäume Halt.

Um 2 U. 30 Min. zogen wir wieder vorwärts, und blieben 20 Minuten lang in derselben Richtung, wo wir dann den schmalsten Theil des Thales, eine steinige Enge passirten, und nach der freien Ebne jenseits hervorkommend, uns N. O. wandten. Hier hatten wir Sânûr im Gesicht, eine Ruine auf einer fast verein-

---

aus den Beschreibungen dieser Reisenden hervorzugehen scheint, auf demselben Abfall wie Fendekûmieh, weiter westlich.

1) Dieser Name ist ohne Zweifel das alte Pentacomia, Πεντακω-μία; aber ich finde keinen alten Ort dieses Namens erwähnt, aufser in Palaestina Tertia, östlich vom todten Meer. Reland Palaest. p. 215. 218, 223, 227, 925.

2) Onomast. Art. Gabathon.

zelten felsigen Anhöhe vor uns. Fuafzehn Minuten später gelangten wir zu der anscheinenden Wasserscheide in der Ebne,
jenseits welcher die Gewässer nicht weiter westwärts fliefsen.
Das Thal öffnet sich allmählig zu einer ausgedehnten Ebne im
Osten von Sânûr. Um 3 U. 10 Min. wurde uns linker Hand
eine Stelle gezeigt, wo ein wöchentlicher Markt gehalten wird,
den die benachbarten Landleute besuchen. Um dieselbe Zeit waren die Dörfer Meithelôn und Misilya rechter Hand sichtbar, ersteres in der Richtung O. $\frac{1}{2}$ S. etwa $\frac{1}{2}$ Stunde entfernt, und
letzteres O. gen N. vielleicht eine Stunde weit. Wir zogen um
3 U. 20 Min. längs dem Fufs des Berges, auf welchem Sânûr
steht, indem wir das Dorf und die Ruine über uns linker Hand
hatten.

Sânûr ist ein Dorf, früher eine Festung auf einer runden
felsigen Anhöhe von beträchtlicher Erhebung, welche fast insula-
risch in der Ebne liegt und mit den niedrigen Bergen im N. W.
nur durch einen noch niedrigeren felsigen Rücken zusammenhängt.
Das Dorf war einst ansehnlich, und die Festung früher sehr stark,
so dafs sie, sofern die Lage in Betracht kommt, leicht unbezwinglich gemacht werden konnte. Sie gehörte einem der unabhängigen Sheikhs des Landes, welcher, obgleich dem Namen nach
dem türkischen Pascha unterworfen, nicht immer bereit war, ihm
Gehorsam zu leisten. Der bekannte Jezzâr belagerte ihn einst
mit 5000 Mann zwei Monate lang in seinem Kastell ohne Erfolg. [1]) Aber mehr als 30 Jahre später erhob sich der Häuptling in offner Empörung gegen den vormaligen Abdallah Pascha
von 'Akka, und dieser belagerte die Festung 1830, ein Jahr bevor 'Akka selbst von der ägyptischen Armee eingeschlossen wurde.

---

1) Browne's Travels p. 565. Clarke's Travels in the Holy Land,
4to. p. 504. — Dieß war vor dem Jahr 1799.

Mit Hülfe von Truppen des Emir Beshîr vom Berge Libanon gelang es ihm endlich, den Ort nach einer Belagerung von drei oder vier Monaten einzunehmen; er liefs die Festung schleifen, und alle Olivenbäume abhauen. Es ist jetzt ein unförmlicher Haufen von Ruinen, unter denen noch ein paar Familien ihren Aufenthalt finden, hauptsächlich in Höhlen lebend. Das Kastell hatte, wie es beschrieben wird, den Charakter des Mittelalters; aber ich finde bei keinem fränkischen oder arabischen Schriftsteller bis beinahe im gegenwärtigen Jahrhundert eine Hindeutung darauf; und es rührt daher wahrscheinlich nicht aus sehr früher Zeit her. [1])

Die Ebne im Osten von Sânûr ist ein schöner Strich Landes, an Gestalt oval oder beinahe rund, von 3 bis 4 engl. Meilen im Durchmesser und von malerischen, niedrigen Bergen umgeben. Sie ist völlig flach, mit äufserst fruchtbarem, ergiebigen und dunkeln Lehmboden. Ihre Gewässer scheinen irgendwo in dem S. O. Theile abfliefsen zu müssen; aber da wir nicht im Stande waren, in den Bergen irgend eine Oeffnung zu unterscheiden, so erkundigten wir uns darnach, und hörten, dafs es keine gebe. Die Ebne, wurde uns gesagt, saugt ihre Gewässer ein; und im Winter sammeln sie sich darauf und bilden einen See, wo

---

1) Zuerst, wie es scheint, bei Browne, welcher jedoch den Namen nicht angiebt; p. 565. Es wurde im Jahr 1801 von Dr. Clarke und später von Turner, Buckingham und Andern besucht. Es ist das Santorri bei Dr. Clarke, welches er für Samaria auszugeben sucht; p. 503, 4to. — Raumer vermuthet, es möge das Bethulia des Buches Judith sein, das, wie es scheint, nahe bei der Ebne Esdrelon im Süden nicht weit von Dothaim lag und einen der Pässe bewachte; Jud. 7, 1. 3; 4, 5. Reland Palaest. p. 658. Raumer Pal. p. 149. Aber diese Festung Sânûr hat keinen Anspruch auf Alterthum, und liegt zudem drei Stunden von der Ebne Esdrelon entfernt, ohne irgend einen Pafs zu bewachen.

dann unser jetziger Weg nicht zu passiren ist. Daher bepflanzt
man sie gewöhulich mit Hirse, einer Sommersaat; obgleich wir
im N. W. Theile, wo die Oberfläche höher liegt, die Landleute
bei der Weizenernte beschäftigt fanden. Von ihrem Schlamm im
Winter heifst die Ebne Merj el-Ghürük, Wiese des Einsinkens
oder Ueberschwemmens, so viel als „überschwemmte Wiese." [1]
Um ihre südliche und östliche Grenze stehen mehrere Dörfer,
welche uns um 3 U. 55 Min. in folgenden Richtungen lagen,
während wir das kleine Dorf Jerba zu gleicher Zeit etwa 10 Minuten entfernt am Fufse der Hügelreihe N. hatten, nämlich Sânûr S. 25⁰ W., Meithelôn S. 20⁰ O.; Judeideh S. 23⁰ O., Si-
ris S. 35⁰ O., Misilya S. 72⁰ O.

Wir traten aus der grofsen Ebne um 4 Uhr, Jerba gegenüber zu unsrer Linken, in eine von N. O. kommende schmale
Ebne oder einen Wady. Nach 15 Minuten wendet sich dieser
letztere O., wo er eine Strecke weit sich aufwärts zieht; an seiner
südlichen Seite lag, etwa 20 Minuten entfernt, das kleine Dorf
Kufeir. Wir zogen die geringe felsige Anhöhe im Norden hinauf, und wurden, um 4 U. 25 Min. oben angekommen, von einer weiten und prachtvollen Aussicht überrascht, welche sich über
die niedrigern Hügel bis zu der grofsen Ebne Esdrelon und den
darüber hinaus liegenden Bergen von Nazareth erstreckte. Der
Eindruck überwältigte mich fast im ersten Augenblick. Grade
unter uns lag linker Hand eine reizende kleine beckenartige Ebne,
eine zwischen den Bergen eingeschlossene Rundung, im Norden

---

[1] Monro sah hier, als er diesen Weg am 2. Mai kam, einen See,
welcher nach seiner Aussage „innerhalb einer kurzen Zeit aus irgend
einer unbekannten Ursache sich gebildet hatte"! Seine Maulthiertreiber
hatten ihn gewifs früher nie gesehen. Summer Ramble I, p. 276. —
Schubert reiste von Sebüstieh nach Jenin auf einem mehr westlichen
Wege, welcher am Dorfe 'Arrâbeh vorbeigeht; Reise III. S. 161.

von der grofsen Ebne nur durch einen unbedeutenden Rücken getrennt. Ich blickte begierig nach dem runden Gipfel des Tabor, aber er war nicht zu sehen; der Berg Dühy, der kleine
Hermon, erhob sich in wüster Nacktheit dazwischen, und be-
nahm uns ganz die Aussicht auf den Berg Tabor. Weiter westlich stiegen die Berge längs dem N. der grofsen Ebne kühn empor; und die Klippe S. gen O. von Nazareth, welcher eine kirch-
liche Ueberlieferung den Namen „Berg des Herabstürzens" [1])
giebt, machte sich in der Richtung N. 7⁰ O. bemerklich.

Wir stiegen jetzt eine bedeutende Strecke in derselben Richtung, etwa N. O., abwärts, und kamen um $4^3/_4$ U. nach Kûbâ-
tiyeh, einem grofsen Dorfe mitten unter sehr ausgedehnten und
schönen Olivenhainen. Es liegt im Osten der oben beschriebenen kleinen Ebne, und etwas höher; von der Ebne aus erstreckt
sich ein Thal bei dem Dorfe an der Nordseite hinauf, und öffnet
sich in eine noch kleinere Ebne in dieser Richtung, deren Gewässer es ableitet. Unser Weg führte uns jetzt über diese letztere Ebne längs ihrer linken Seite hinüber; sie ist von niedrigen
Anhöhen umgrenzt und war mit Weizenfeldern bedeckt, schien
aber nicht sehr fruchtbar zu sein. Indem wir um $5^1/_4$ U. eine
niedrige Bodenerhebung passirten, verliefsen wir die Ebne, und
stiegen in ein enges, steiniges, nacktes Thal hinab, welches
zwar nicht sehr tief war, aber doch immer noch so, dafs uns
alle weitere Beobachtung benommen wurde. Es war jetzt trocken;
aber Wasser scheint oft hindurchzufliefsen. [2]) Wir folgten die-

---

1) Saltus vel Praecipitium Domini; Brocardus c. VI. p. 175.
Quaresmius II. p. 842. Cotovicus p. 349.

1) Nach Monro's Beschreibung strömt eine Quelle in dieses Thal
aus und bildet einen bedeutenden Bach. Dies war früh im Mai. Summer Ramble I, p. 277.

sem Thal etwa N. N. O. hinunter, bis es uns um $6\frac{1}{4}$ U. nach Jenin brachte.

Dieser Ort liegt in der Mündung des Wady, wo er in die grofse Ebne Esdrelon einläuft, an jeder Seite von sanften Anhöhen umgeben. Die Stadt findet man mitten in Gärten von Fruchtbäumen, um welche Hecken von Cactus stehen; auch sieht man dort ein paar zerstreute Palmbäume. Die Häuser sind von Stein ziemlich gut gebaut; der Ort mag vielleicht 2000 Einwohner enthalten, unter welchen es nur drei oder vier Familien griechischer Christen giebt. [1]) Die gröfste Merkwürdigkeit ist hier der schöne fliefsende öffentliche Brunnen, dessen Quelle auf den Anhöhen hinter der Stadt entspringt und so hinuntergeleitet ist, dafs sie mitten in dem Orte in einem herrlichen Strome hervorkommt. Der Brunnen ist mit einfachem, aber gutem Mauerwerk aufgebaut, und hat ein Wasserbehältnifs von Stein, in welchem die Leute ihre Krüge füllen können, zugleich einen langen Steintrog für das Vieh. Das Wasser fliefst nordwestwärts dem Mittelmeer zu. [2])

Dieser Brunnen ist noch nicht lange aufgebaut, und ein gutes Zeugnifs von dem unternehmenden Gemeingeiste des Husein 'Abd el-Hâdy, vormaligen Mudîr von 'Akka, dessen Autorität sich über alle südliche Provinzen von Syrien erstreckte. Husein war das Haupt einer mächtigen Familie, dabei sehr reich, und an zwei oder drei hundert Joch Ochsen wurden von ihm dazu gebraucht, die Ebne Esdrelon zu bebauen. Er war jetzt todt, und einer seiner Brüder ihm in derselben Stellung gefolgt. Ei-

---

1) Scholz sagt: 1500 bis 2000 Einwohner; p. 266. Der Ort scheint mir wenigstens ein viertel Mal so grofs als Nâbulus und eher noch gröfser.

2) Die Höhe von Jenin und natürlich auch der grade anliegenden Ebne wird von Schubert zu 515 Pariser Fufs angegeben; Reise III. S. 162.

III.   25

ner von seinen Söhnen war um diese Zeit Gouverneur von Nâbulus. Ein anderer derselben war Gouverneur von Jenîn, welches
der Hauptort des die grofse Ebne umfassenden Distrikts ist und in
demselben untergeordneten Verhältnifs zu Nâbulus steht, wie Hebron zu Jerusalem. Er bebant auch grofse Strecken Landes anf
der Ebne in der Nähe von Jenin.

Jenin hat man immer, und mit gutem Grunde, für das
Ginaea des Josephus gehalten, welches an den Grenzen der grofsen Ebne nach Samaria hin lag; in der That erstreckte sich die
Provinz Samaria bis nach Acrabatene. [1] Von dem Orte scheint
keine weitere Nachricht vorzukommen bis zur Zeit der Kreuzzüge, wo er im Zusammenhang mit dem Vorbeizuge Saladin's
von arabischen Schriftstellern mehrere Male erwähnt wird. [2]
Brocardus nennt es Ginnm [3]); und da es auf dem grofsen Wege
zwischen Jerusalem und 'Akka oder Nazareth liegt, so ist es seitdem von vielen Reisenden besucht und beschrieben worden.

Die Ebne Esdrelon ist an ihrer südlichen Seite von niedrigen Anhöhen umgeben, welche von Jenin bis zu ihrer Vereinigung mit einer Ausdehnung des Rückens von Carmel in N. W.
Richtung laufen. Weiter südlich werden diese Anhöhen stärker
und bilden die Berge von Samaria. Diese in einem Hügelstrich
bestehende Ausdehnung des Carmel nach S. O. ist es, welche die
grofse südliche Ebne längs der Küste von der Ebne Esdrelon

---

1) *Γιναία* Joseph. Ant. XX, 6, 1. B. J. III, 3, 4. Vergl. B. J. II,
12, 3, wo *Γηνάν* steht. Reland Pal. p. 812. — Findet vielleicht ein
Zusammenhang statt zwischen diesem Namen und dem hebräischen En-
gannim, eine Levitenstadt in Isaschar oder nahe bei der grofsen Ebne?
Jos. 19, 21; 21, 29.

2) Bohaedd. Vit. Salad. p. 59. Abulfedae Annal. J. d. H. 578,
580. p. 30, 36, in Schultens Excerpt. Abulf. post Vit. Salad.

3) c. VII. p. 177.

trennt. Von der Anhöhe im Westen von Jenin konnten wir nach diesem Theil der Ebne und der auliegenden südlichen Reihe von Hügeln hinsehen, welche bedeutend niedriger sind und nicht so kühn aufsteigen, als die an der nördlichen Seite um Nazareth. Indem wir unsere Blicke nach dem Carmel wandten, konnten wir an der S. O. Seite eines niedrigen Tell ein wenig abseits von der Ebne, etwa $2\frac{1}{2}$ Stunde entfernt, einen Ort Namens Ta-'annuk unterscheiden; wir hörten, dafs er Ruinen enthalte, wodurch die Leute zu der Meinung veranlafst worden, dafs es einst eine grofse Stadt war, obgleich jetzt nur ein paar Familien darin leben. Weiter rechtshin wurde uns die Richtung von el-Lejjûn, dem alten Legio gezeigt; aber wir konnten es hier nicht deutlich auffinden; später sahen wir es häufig. Ta'annuk ist ohne Zweifel das alte Thaenach, zuerst eine Stadt der Canaaniter; dann fiel es Manasse zu und wurde den Leviten übergeben; später ist in dem Triumphlied der Debora und des Barak dieses Ortes gedacht. [1] Eusebius und Hieronymus setzen es 3 bis 4 röm. Meilen von Legio, was mit der heutigen Lage übereinstimmt. [2] Der Name findet sich auf Jacotin's Karte; aber mir ist nicht bekannt, dafs der Ort von irgend einem Reisenden vor Schubert bemerkt worden ist. [3]

Ostwärts von Jenin läuft ein Arm oder eine Abzweigung der grofsen Ebne S. O. zwischen den Hügeln von Samaria im Süden hinauf, welche hier höher sind als weiter westlich, und eine Reihe nackter, felsiger Höhen im N., welche sich eine Strecke weit von S. O. nach N. W. in die Ebne hineinziehen.

---

1) Jos. 12, 21; 17, 11; 21, 25. Richt. 1, 27; 5, 19. Weiterhin wird es in der Schrift nur 1 Kön. 4, 12. erwähnt.

2) Onomast. Art. Thaanach und Thanaach, nach dem einen vier, nach dem andern drei römische Meilen von Legio.

3) Reise III. S. 164.

25 *

Dieser Arm der Ebne ist etwa $3/_4$ Stunde breit, und steigt nach S. O. $1^1/_2$ oder 2 Stunden weit über Jenin hinaus merklich in die Höhe. An ihren Seiten ringsum liegen die Dörfer Deir Abu Dha'îf, Beit Kâd, Fükü'a, Deir Ghüzâl und 'Arâneh. Auf einem der höchsten Punkte der felsigen Höhen, nördlich von diesem Arme, liegt das Dorf Wezar, allem Anschein nach eine Ruine und in allen Richtungen zu sehen. Von Jenin führt ein grader Weg nach Beisân die Ebne schräg hinauf und über die nördliche Reihe der Berge hinüber; an diesem Wege und auf diesen Bergen liegt ein unbewohntes Dorf Namens Jelbôn, worin wir das alte Gilboa wiedererkennen. [1]) Dieser Umstand dient dazu, die Identität dieser Berge mit dem Gebirge Gilboa zu erweisen, wo Saul und Jonathan erschlagen wurden, und auf welchem zur Zeit des Eusebius und Hieronymus ein grofses gleichnamiges Dorf befindlich war. [2]) Die Einwohner von Jenin nennen jetzt diese Bergreihe Jebel Fükü'a nach dem anliegenden Dorfe; aber es ist kaum wahrscheinlich, dafs auch Andere ihr diesen Namen geben. Sie bildet einen bergigten Landstrich mit mehrern Rücken, im Ganzen etwa von der Breite einer Stunde.

Von Jenin erhielten wir folgende Ortsbestimmungen: Nördlicher Abhang des Carmel von hier aus gesehen N. 30 W., Ta-'annuk N. 42^0 W.; 'Arâneh in der Ebne N. 39^0 O., Wezar N. 46^0 O., Arübbôneh. N. 60^0 O., Fükü'a N. 78^0 O.

Aufser den Dörfern, welche wir heute rechts von unserm

---

1) Hier ist wieder der hebr. Buchstab 'Ain am Ende des Worts ausgefallen wie in el-Jîb, ein sehr ungewöhnlicher Umstand. Siehe Bd. II. S. 8. und S. 353. Die Nachricht über dieses Dorf wurde uns später zu Nazareth von einem verständigen christlichen Manne mitgetheilt, welcher selbst den besagten Weg gereist war.

2) Onomast.: „Gelbue, montes alienigenarum in sexto lapide a Scythopoli, in quibus etiam vicus est grandis, qui vocatur Gelbus. "

Wege nach der Abreise von Jeb'a gesehen hatten, findet sich in unsern Verzeichnissen noch ein Ort Namens Tûbâs, welcher wahrscheinlich dem Thebez der Schrift entspricht, wo Abimelech getödtet wurde. [1] Dieser Ort lag in der Gegend von Sichem (Nâbulus); Eusebius und Hieronymus setzen ihn 13 röm. Meilen von letzterem nach Scythopolis, dem jetzigen Beisân hin. [2] Berggren's Weg auf seiner Reise von Nazareth nach Nâbulus führte ostwärts von Jenîn, und er blieb die Nacht zu Tûbâs; er giebt dessen Lage zu 9 Stunden von Nazareth und 4 Stunden von Nâbulus an. Zwischen demselben und der letztern Stadt passirte er unter andern die Wady's el-Mâlih und Fâri'a. [3]

In dem Distrikt westlich von unserm Wege enthalten unsere Verzeichnisse auch den Namen eines Dorfes Kefr Kûd, wahrscheinlich das Capharcotia des Ptolemaeus und der Peutingerschen Tafel, auf einem Wege zwischen Caesarea und Scythopolis, und der Angabe nach 28 röm. Meilen von dem erstern und 20 von dem letztern entfernt. Von diesem alten Orte ist nichts weiter bekannt. [4] Buckingham schreibt auf seiner Reise von Nâbulus nach Nazareth, dafs er in Kübâtiyeh den Jenîn-Weg verlassen und eine mehr westliche Richtung eingeschlagen, worauf er nach etwa zwei Stunden ein Dorf erreicht habe, welches er

---

1) Richt. 9, 50.

2) Onomast. Art. Thebes.

3) Berggren Resor etc. Del. III. Bihang p. 18. Dieser Anhang des Originals, der nur Itinerarien enthält, findet sich in der deutschen Uebersetzung nicht. Siehe jedoch die letztere, Reisen Th. II. S. 266 ff. — Vergl. oben, Bd. II. S. 554.

4) Ptolem. IV, 16. Reland Pal. p. 421, 461. Die Peutingersche Tafel liest Caporcotani, welches ohne Zweifel derselbe Ort ist. Siehe mehr darüber in Anmerk. XLI., am Ende des Bandes.

„Birreheen" nennt. [1]) „Dieses Dorf," sagt er, „liegt am Rande einer Anhöhe, und enthält 40 bis 50 Wohnungen; und grade demselben gegenüber im Westen, etwa eine engl. Meile entfernt, findet sich ein anderes Dorf von derselben Gröfse," welches nach ihm Kefr Kûd ist. Später wandte er sich N. O. durch einen engen Pafs und gelangte nach der Ebne Esdrelon etwa 2 engl. Meilen westwärts von Jenin. [2]) Die Lage von Kefr Kûd ist daher wahrscheinlich ungefähr eine Stunde westlich von Jenin, zwischen den Anhöhen, $1/2$ oder $3/4$ Stunde von der Ebne entfernt. Aber als wir die letztere durchzogen, bekamen wir dieses Dorf nirgends zu Gesicht.

S o n n a b e n d , den 16. Juni. Der Führer, welchen wir gestern zu Nâbulus genommen. hatten, erwies sich so wenig qualificirt und so unzuverlässig, dafs wir ihn entliefsen und einen Muhammedaner aus Jenin bewogen, uns nach Nazareth zu begleiten, nicht sowohl um uns den Weg zu zeigen, — denn der war hinreichend kenntlich, und unsere Maulthiertreiber hatten ihn oft passirt, — sondern um von ihm über die Gegend längs dem Wege Erkundigung einzuziehen. Wir waren eine Zeitlang un-

---

1) Ist dies vielleicht das Bürkîn unserer Verzeichnisse? Es ist auf Jacotin's Karte beinahe westlich von Jenin angegeben; aber von unserm Wege in der Ebne war es nicht sichtbar.

2) Travels in Palest. p. 551, 552, 4to. — Ungeachtet des anscheinenden Vorhandenseins von Genauigkeit in B's Bericht bin ich doch nicht im Stande, die genaue Lage von Kefr Kûd zu bestimmen. Er verläfst Sânûr um 8 U., erreicht Kûbâtîyeh (sein Cabaat) in etwa zwei Stunden, und „Birreheen" etwa zwei Stunden später. Es war also jetzt etwa 12 Uhr. Dann wendet er sich N. O. durch einen engen Pafs, und kommt, seinen Weg eine Zeitlang verfolgend, nach der Ebne Esdrelon „um Mittag!" Von Sânûr bis Kûbâtîyeh waren wir kaum $1^1/_2$ Stunden unterwegs; und B's Entfernung von da bis Kefr Kûd ist wahrscheinlich in demselben Verhältnifs zu verkürzen.

entschieden, welche Route wir einschlagen sollten. Ich hatte ein starkes Verlangen, Ta'annuk und el - Lejjûn zu besuchen, des schönen Carmel nicht zu gedenken; aber wir waren schon wider unsern Willen genöthigt worden, diesen Berg von unserm Reiseplan auszuschliefsen, um Beirût zu gehöriger Zeit zu erreichen, und der Weg über die beiden besagten Dörfer bot weiter nichts von besonderem Interesse dar. Längs der direkten Strafse nach Nazareth giebt es auf der Ebne auch sehr wenig zu sehen. Aber wenn wir eine etwas östlichere Richtung einschlugen, passirten wir Zer'in und mehrere andere auf Alterthum hinweisende Orte. Wir entschieden uns für den letztern Weg, und freuten uns darüber später, da er uns bessere Ansichten von der Ebne selbst und ihrem allgemeinen Charakter darbot, als wir auf jedem andern Wege erhalten haben würden.

Einen wichtigen Gegenstand wollten wir heute verfolgen, die Lage des alten Jesreel; konnte diese genügend bestimmt werden, so diente dies als Hülfsmittel, die Lage verschiedener anderer Orte und mit dieser Gegend zusammenhängende historische Begebenheiten festzustellen. Wir brachen um $4^3/_4$ Uhr von Jenin auf, und gingen über die herrliche Ebne in einer Richtung etwa N. gen O. $^1/_2$ O. nach dem westlichen Ende des Gebirges Gilboa, welches, wie oben beschrieben, nach N. W. läuft. Wir durchzogen so den Arm oder den Zweig der Ebne, welcher sich hier S. O. hinauferstreckt, und fanden alle Wasserbetten, obgleich jetzt trocken, nach Westen ablaufend, wie es auch bei den von den südlichen Anhöhen der Fall ist; alle in der Regenzeit sich vereinigend, „den Bach der Vorwelt, den Bach Kison" [1] anzuschwellen, der nach dem Mittelmeer fliefst. In der Ebne sind gelegentliche niedrige Rücken und Erhöhungen. Hoch auf dem

---

[1] Richt. 5, 21. nach dem Hebräischen.

Gipfel einer der nackten Spitzen von Gilboa trat das Dorf Wezar hervor, wie es scheint, einst eine Festung. · Um 5 U. 30 Min. liefsen wir das Dorf 'Arâneh zu unsrer Rechten und erreichten bald das breite westliche Ende von Gilboa. Der Pfad führte jetzt über gelegentliche, niedrige Ausläufer oder Wurzeln des Berges, die sich noch weiter westwärts hinaberstrecken; und von solchen Punkten hatten wir weite Aussichten über die ganze Ausdehung der grofsen, zu unsrer Linken ausgebreiteten Ebne und über den langen, blauen Rücken des Carmel jenseits. Der Anblick war reizend um seiner reichen Fruchtbarkeit und Schönheit willen. Gelbe Getreidefelder mit grünen Flecken von Baumwolle und Hirse darunter schattirten die Landschaft wie einen Teppich. Die Ebne selbst war fast ohne Dörfer; aber an dem Abfall des Carmel, wo er sich nach S. O. erstreckt, und auf den Anhöhen weiter links, konnten wir mehrere Orte unterscheiden, wie el-Lejjûn, Um el-Fahm, Ta'annuk, Sileh, el-Yâmôn, el-Bârid, Kefr Adân, u. s. w.

Ein kleines Dorf, Namens Jelameh, anscheinend verödet, lag um 5 U. 50 Min. auf unserm Wege. Von demselben aus nahm mein Reisegefährte folgende Ortsbestimmungen auf: Wezar N. 60° O., Kefr Adân S. 70° W., Sileh W., Ta'annuk N. 70° W., el-Mukeibileh N. 60° W. Letzteres ist ein Dorf in der Ebne, auf dem direkten Wege von Jenin nach Nazareth.

Die Wasserbetten von den Bergen zu unsrer Rechten gingen alle westwärts in die Ebne hinein; um 6 U. 10 Min. kamen wir zu dem Zusammenfluſs zweier derselben von einiger Gröſse, aber ohne eine Spur von Wasser. Fünf Minuten später zeigte sich uns eine kleine Ortslage mit verfallenen Grundmauern zu unsrer Rechten, Namens Sündela. Um 6½ U. passirten wir den bedeutendsten der niedrigen Vorsprünge, und sogleich lag Zer'in vor uns. Wir bekamen von nun an die Gegend im Norden des Gebirges Gilboa zu Gesicht, und waren überrascht, ihre Lage

weit niedriger zu finden, als die der Ebne, welche wir jetzt durchzogen. Um 6 U. 40 Min. hatten wir den Anfang eines N. O.
abwärts laufenden Wady rechter Hand. Wir waren so etwa in
einer Stunde der ganzen Breite dieses Gebirges an seinem westlichen Ende entlang gegangen. Um 7 U. erreichten wir Zer'in.

So weit waren wir über die Ebne gereist, welche man hier
in Folge der oben beschriebenen Ausläufer und Erhöhungen vielleicht wellenförmig nennen kann; weiter westlich sah sie vollkommen eben aus, mit einem allgemeinen Abfall nach dem Mittelmeer, wohin ihre Gewässer fliefsen. Als wir uns Zer'in näherten, fanden wir nur eine sehr sanfte Bodenerhebung, als ging es
nur eine andere Landwelle hinauf; und es war uns daher ganz
unerwartet, bei der Ankunft in diesem Dorfe zu finden, dafs es
auf dem Rande eines sehr steilen felsigen Abfalls nach N. O.
von mehr als 100 Fufs Höhe lag, wo das Land auf einmal in
ein grofses fruchtbares Thal sich absenkt, das O. S. O. längs
der nördlichen Wand des Gebirges Gilboa hinabläuft. Dieses Thal
ist selbst eine breite, tiefe Ebne; sein Wasserbett geht unter dem
felsigen Abfall zur Rechten und dann unter Gilboa entlang; während an der andern oder nordöstlichen Seite der Boden sich allmählig aufwärts nach dem Fufse des Berges von Duhy, des kleinen Hermon, erhebt. Das westliche Ende dieses Berges liegt von
Zer'in etwa N. gen O., und von diesem Punkt zieht er sich süd-
ostwärts eine Strecke weit parallel mit Gilboa hin, noch immer alle
Aussicht auf den Berg Tabor ausschliefsend, von dem wir bis jetzt
noch keine Spur gesehen hatten. Der kleine Hermon ist nicht lang;
sein östlicher Theil bildet nur einen sehr niedrigen Rücken längs
der Nordseite des Thales. Diese tiefe, so zwischen dem Gebirge
von Gilboa und dem kleinen Hermon eingeschlossene Ebne ist
etwa eine Stunde breit, und geht unter Zer'in O. S. O. ganz bis
nach dem Jordanthale zu Beisân hinab. Wir konnten hier die

weit niedriger als Zer'in liegende Akropolis von Beisân sehen; und nach allen Nachrichten scheint dieser Ort eine nur sehr wenig höhere Lage zu haben, als das Jordanthal. Zu unsrer Linken lief der Wady oder die Ebne unter uns nach N. W. hinauf, wo sie bald eine gleiche Höhe mit der grofsen Ebne oben zu erreichen schien. Die genaue Stelle der Wasserscheide waren wir nicht im Stande zu bestimmen; aber so weit wir, nach unserer Aussicht von dem höheren, später von uns passirten Boden darüber urtheilen konnten, schien dieselbe nahe bei den verfallenen Dörfern Fûleh und 'Afûleh in der Ebne zu liegen. Allem Anschein nach giebt es keine markirte Wasserscheide; aber die Theile der grofsen Ebne im Norden und Süden von diesen Dörfchen senden augenscheinlich ihre Gewässer westwärts nach dem Mittelmeer, während nabe bei diesen Ruinen die Gewässer eben so augenscheinlich anfangen, ostwärts nach dem Jordan abzufliefsen, und zwar mit einem weit rascheren Falle durch dieses breite, tiefere Thal, als nach Westen. Hier haben wir also einen zweiten Arm der grofsen Ebne Esdrelon, welcher ostwärts zwischen den beiden parallelen Bergrücken ganz bis nach dem Jordan hinabläuft und eine regelmäfsige Verbindung zwischen dem Thal des letzteren und der grofsen Ebne oben ohne irgend einen steilen Abfall oder Pafs bildet.

In dem Thale grade unter Zer'in ist eine bedeutende Quelle; und 20 Minuten weiter östlich eine andere gröfsere grade am Fufse des Gilboa, Namens 'Ain Jalûd. Zer'in selbst liegt so verhältnifsmäfsig hoch, und beherrscht eine weite und prachtvolle Aussicht, welche sich das breite, niedrige Thal hinab im Osten bis Beisân und den Bergen von Basan jenseit des Jordan erstreckt, während sie nach Westen die ganze grofse Ebne völlig bis nach dem langen Rücken des Carmel einschliefst. Es ist eine höchst prächtige Lage für eine Stadt, welche, auf diese Weise selbst von allen Seiten ein hervortretender Gegenstand, natürlich der ganzen Gegend ihren Namen geben mochte. Es konnte daher wenig Zweifel darüber entstehen, dafs wir in und um Zer'in die Stadt, die Ebne, das Thal und die Quelle des alten Jesreel vor uns hatten. [1])

Die Identität dieses Ortes mit Jesreel wurde von den Kreuzfahrern wieder erkannt, welche ihm den Namen Parvum Gerinum geben, aber auch bemerken, dafs er Zarain genannt werde, und ihn als nahe bei dem westlichen Ende des Berges Gilboa liegend und eine weite Aussicht im Osten nach dem Gebirge Gilead und im Westen nach Carmel umfassend beschreiben. [2]) Aber man verlor die Identität wieder aus den Augen; und obgleich Schriftsteller im 17. Jahrhundert von diesem tiefen Thal unter dem Namen Jesreel sprechen, und es richtig beschreiben als zwischen Gilboa und dem kleinen Hermon liegend und bis nach dem Jordan sich erstreckend, so scheint doch das Dorf selbst nach der Zeit des Brocardus bis zum J. 1814 nicht wieder erwähnt worden

---

1) Thal Jesreel, Jos. 17, 16. Richt. 6, 33. Hos. 1, 5. Ain (Quelle) in Jesreel, 1 Sam. 29, 1. Ebne Esdrelon, Judith 1, 8.

2) Will. Tyr. XXII, 26: „Jezrahel, nunc autem vulgari appellatione dicitur parvum Gerinum." Benjamin von Tudela erwähnt hier auch Jesreel, welches er Zarzin nennt; Voyage par Barat. p. 105. Brocardus c. VII. p. 176, 177: „Jezraël — hodie vix habet viginti domos vocaturque Zaracin (lies Zarain?) in pede montis Gelboë ad Occidentem sita. — Habet Jezraël pulchrum prospectum per totam Galilaeam, usque ad Carmelum et montes Phoenicis, montemque Thabor et Galaad." Diese Erwähnung des Tabor ist ein Irrthum. Brocardus beschreibt auch das breite Thal Jesreel, wie es zwischen Gilboa und dem kleinen Hermon nach dem Jordan hinabläuft. — Sir John Maundeville giebt gleichfalls die Lage von Jesreel richtig an, „welches zuweilen Zarym heifst;" p. 111. Lond. 1839.

zu sein. [1]) Seitdem ist es wieder von verschiedenen Reisenden zur Kenntnifs gebracht worden, aber ohne irgend eine Beschreibung seiner örtlichen Lage, sowie auch ohne irgend eine Vermuthung seiner Identität mit Jesreel. [2]) Erst seit den letzten drei Jahren ist der Gedanke daran, wie es scheint, als blofse Hypothese, wieder in Anregung gebracht worden. [3]) Aber ganz neuerdings noch haben andere Reisende die Lage von Jesreel zu Jenin gefunden. [4])

Hier, wie in so vielen andern Fällen, ist der Name selbst ganz entscheidend; obgleich auf den ersten Blick die Aehulichkeit zwischen Jesreel und Zer'in weniger in die Augen springt. Aber wenn der erste schwache Buchstab des hebräischen Namens ausfällt und die letzte Silbe el in in übergeht, wie es im Arabischen nicht ungewöhnlich ist, [5]) so erscheinen die beiden Formen sofort als identisch. Aus Eusebius und Hieronymus wissen wir, dafs Jesreel in der grofsen Ebne zwischen Legio (el-Lejjûn) und Sey-

---

1) Adrichomius wiederholt den Bericht des Brocardus; p. 73. Fürer von Haimendorf (1566) spricht von der Quelle und dem Thal unter dem Berge Gilboa, und erwähnt, wie es scheint, das Dorf, dessen Namen er mifsverstand; p. 269. Nürnb. 1646. Doubdan beschreibt das Thal in seiner Ausdehnung nach dem Jordan hin, p. 580. So auch Morison, p. 216. Quaresmius hat nichts von Jesreel.

2) Zuerst von Turner im J. 1814, Tour in the Levant II. p. 151. Später von Buckingham p. 495. 4to. Berggren Reisen II. S. 266. Die Karte Jacotin's hat den Namen nicht; oder vielmehr, sie hat einen falschen Namen an einer unrechten Stelle.

3) Raumer's Paläst. 2. Aufl. S. 155. Schubert Reise III. S. 164. Elliott's Travels II. p. 379.

4) Monro's Summer Ramble I. p. 277. Hardy's Notices of the Holy Land. Lond. 1835. p. 225. Paxton's Letters. Lond. 1839. p. 176.

5) Wie in Beitîn für Bethel; Isma'în für Ismael, Isma'il; siehe oben, Bd. II. S. 342.

thopolis, jetzt Beisân, lag; und der Pilger von Bourdeaux setzt es 12 röm. Meilen von letzterem Orte, und 10 von Maximianopolis, welches irgendwo nahe bei Legio lag. [1]) Zu Zer'in gaben die Araber, deren Entfernungsangaben in Zeittheilen freilich nie sehr genau sind, die Strecke sowohl bis el-Lejjûn als Beisân zu etwa 3½ Stunden an. Beide Orte waren uns sichtbar und schienen beinahe gleich weit entfernt zu sein.

Jesreel wird zuerst als zum Stamme Isaschar gehörend erwähnt, und machte späterhin einen Theil des Königreichs Isboseth's aus. [2]) Bekannter wurde es unter Ahab und Isebel, welche, obgleich in Samaria residirend, hier einen Palast hatten; die Erweiterung der Grundstücke dieses Palastes war es, welche den König den Weinberg Naboth's wünschen liefs und zu der tragischen Geschichte des letzteren Anlafs gab. [3]) Durch die vergeltenden Strafgerichte der göttlichen Vorsehung wurde derselbe Ort die Scene der Ermordung der Isebel selbst, ihres Sohnes Joram und des ganzen Hauses Ahab durch die Hand des Jehu. [4]) Noch später wird Jesreel von dem Propheten Hosea berührt; und im Buche Judith finden wir den Namen in der griechischen Form Esdrelom. [5]) In den Tagen des Eusebius und Hieronymus war es noch ein grofses Dorf, Namens Esdraela; und der Pilger von Bourdeaux erwähnt es in demselben Zeitalter als Stradela. [6]) Nächstdem wird es erst wieder zur Zeit

---

1) Onomast. Art. Jezrael. Itin. Hieros. ed. Wessel. p. 586. — Ueber die wahrscheinliche Lage von Maximianopolis siehe Anmerk. XLI. am Ende des Bandes.

2) Jos. 19, 18. 2 Sam. 2, 8. 9.

3) 1 Kön. 18, 45. 46. c. 21.

4) 2 Kön. 9, 14—37; 10, 1—11.

5) Hos. 1, 4; vgl. 1, 11; 2, 22. — Jud. 1, 8; 4, 5; 7, 3.

6) Onomast. Art. Jezrael. Itin. Hieros. p. 586.

der Kreuzzüge erwähnt, wo es, wie wir gesehen haben, von den
Franken Parvum Gerinum, und von den Arabern Zer'in genannt
wurde. [1] Im J. 1183 lagerte Saladin bei der Quelle (von den Franken Tubania genannt), verliefs sie aber bei der Annäherung der
Christen, nach einem Scharmützel mit einer von Kerak und Shôbek
kommenden Ritterschaar und nach Zerstörung des Dorfes. [2] Im
J. 1217 rückte ein christliches Heer durch dieses Thal nach Beisân
vor. [3] Zer'in enthielt damals kaum 20 Häuser; und seit dieser Zeit
hören wir nichts weiter davon bis zum jetzigen Jahrhundert. [4]

Heut zu Tage hat Zer'in vielleicht etwas mehr als 20 Häuser; aber sie liegen beinahe in Ruinen, und der Ort zählt wenige
Einwohner. Das sich uns darbietende Hauptmerkmal von Alterthum war ein Sarkophag mit Skulptur-Verzierungen, den wir
links von unserm Pfad, grade als wir in das Dorf hineingingen,
liegen sahen. Andere Reisende sprechen von mehrern. [5] Ein
viereckiger Thurm von einiger Höhe ist theilweise verfallen;
von seinen verschiedenen Fenstern aus erfreuten wir uns einer
prachtvollen Aussicht über die anliegende Gegend nach allen Richtungen hin. Mehrere der Einwohner sammelten sich um uns,
und wir hatten hier keine Schwierigkeit, die Namen aller sichtbaren Orte ausfindig zu machen. Die meisten derselben kannten
wir bereits. Wezar auf seiner hohen Spitze war noch zu sehen;
und darunter zeigte sich an der nördlichen Bergseite ein anderes

---

1) Münter führt Parvum Gerinum unter den Besitzungen der Templer auf; Statutenbuch u. s. w. I. S. 419.

2) Will. Tyr. XXII, 26. Bohaedd. Vit. Salad. p. 53, 54. Wilken
Gesch. der Kreuzz. II, 2. S. 231, 232.

3) Wilken ebend. VI. S. 144.

4) Siehe Brocardus c. VII. p. 176, 177, angeführt 'oben S. 395.
Anm. 2.

5) Buckingham p. 495. 4to. Elliott, Vol. II. p. 379.

Dorf, Nûris. Tell Beisân, die Akropolis des Ortes gleiches Namens, war das grofse Thal hinab weit unter uns ganz deutlich
sichtbar. [1]) Nördlich von diesem Thale auf dem niedrigen, ostwärts von dem kleinen Hermon auslaufenden Rücken sahen wir
das Dorf Kûmieh; auf dem Gipfel desselben Berges stand der
Wely des Dühy; und an dem westlichen Ende Zer'în gegenüber
lag das Dorf Sôlam, welches wir später besuchten. Im Westen
konnten wir jetzt el-Lejjûn mit seinem Minaret am Abhange
deutlicher unterscheiden, wo die Ebne allmählig nach dem Hügel-
striche aufsteigt, welcher die Fortsetzung des Carmel in dieser
Gegend bildet. — Von Zer'în nahmen wir folgende Ortsbestimmungen auf, wobei wir von Süden anfangend weiter linkshin gehen: Wezar S. 38° O., Nûris S. 47° O., Tell Beisân S. 65°
O., Kûmieh O., Wely ed-Dühy, Gipfel des kleinen Hermon,
N. 26° O., Sôlam N. 12° O., Fûleh N. 11° W., 'Afûleh N. 22°
W., Khuneifis [2]) N. 32° W., Nordende des Carmel von hier
aus gesehen N. 34° W., el-Lejjûn N. 80° W., Ta'annuk S.
80° W. (?), Sileh S. 75° W., el-Yâmôn S. 55° W., el-Bârid
S. 50° W., Kefr Adân S. 45° W., Mukeibileh S. 40° W., Je-
lamch S. 15° W., Jenîn S. 15° W.

Wir verliefsen Zer'în um 7½ U. und stiegen in einer beinahe östlichen Richtung nach der Quelle unterhalb des Dorfes
hinab, die wir in zwölf Minuten auf einem steilen und felsigen
Pfade erreichten. Wasser ist hier reichlich vorhanden und gut;
es strömt nicht aus einer grofsen Quelle, sondern fliefst durch
den Kies an mehreren Stellen hervor und läuft in vielen kleinen
Bächen dahin, um unten einen kleinen Strom zu bilden. Man
sagte uns, dafs diese Quelle in früheren Zeiten jeden Sommer

1) So heifst es von Bethsean (Beisân), es liege „unter Jesreel,"
1 Kön. 4, 12.
2) In unsern Verzeichnissen ist dieser Name Ukhneifis geschrieben.

vertrocknete, und zuletzt ganz versiegte; aber derselbe bereits früher erwähnte patriotische Husein 'Abd el - Hâdy ¹) hatte sie vor
etwa vier Jahren wieder öffnen lassen, indem man so lange grub,
bis das Wasser flofs, und dann losen Kies hineinfüllte, so dafs
jetzt das Wasser nie mangelt. Von diesem Umstande hat sie
den Namen 'Ain el-Meiyiteh „die todte Quelle.“

Von hier zogen wir 20 Minuten lang thalabwärts bis 'Ain
Jâlûd, eine sehr grofse Quelle, welche unter einer Art von Höhle
in der Wand von conglomerirten Felsen hervorfliefst, die hier den
Fufs von Gilboa bildet. Das Wasser ist vortrefflich, und breitet
sich, aus Felsenspalten hervorkommend, auf einmal in einen schönen klaren Teich aus von 40 bis 50 Fufs im Durchmesser, worin
eine grofse Menge kleiner Fische munter umherschwamm. Aus
dem Wasserbehälter fliefst ein Bach, mächtig genug, um eine
Mühle zu treiben, östlich das Thal hinunter. — Es ist aller
Grund vorhanden, dies als die alte Quelle in Jesreel anzusehen,
wo Saul und Jonathan vor ihrer letzten unglücklichen Schlacht
sich lagerten, und wo auch in den Tagen der Kreuzzüge Saladin und die Christen nach einander ein Gleiches thaten. Um
diese Zeit nannten sie die Christen Tubania; aber unter den Arabern führte sie schon ihren heutigen Namen. ²) Das Vorhandensein von Fischen in der Quelle gab wahrscheinlich Veranlassung

---

1) Siehe oben, S. 385.
2) 1 Sam. 29, 1. Will. Tyr. XXII, 26. Bohaedd. Vit. Salad. p. 53.
S. oben, S. 398. Bohaeddin schreibt el-Jâlût; Jâlût aber ist die arabische Form für Goliath. Es läfst sich zuerst schwer einsehen, wie dieser Name hier in der Gegend vorkommen könne; aber es scheint sich
eine frühe Ueberlieferung gebildet zu haben, dafs dort der Schauplatz
von David's Kampf mit Goliath war. Im Zusammenhang mit Stradela
(Jesreel) hat das Itin. Hieros. Folgendes: „Ibi est campus, ubi David
Goliath occidit.“ P. 586. ed. Wesseling.

zu der Sage, dafs sie mehrere Tage lang die ganze christliche Armee mit einem wunderbaren Vorrath versorgte. [1])

Nachdem wir bei der Quelle gefrühstückt hatten, zogen wir um 8 U. 55 Min. wieder weiter, und wandten unsre Schritte gen Sôlam auf dem Wege nach Nazareth. Der Ort war hier in dem tiefen Thale nicht zu sehen, so wie auch kein direkter Pfad dahin führte. Wir wandten uns durch die offnen Felder in einer ungefähr nördlichen Richtung, und passirten bald den kleinen, aus der andern Quelle und wahrscheinlich auch höher aus dem Thale herkommenden Bach. Der Boden dieser Ebne und des allmähligen nördlichen Abfalls ist äufserst fruchtbar; die Felder waren in vielen Theilen noch mit einem reichen Ertrage lange schon reifen und der Sichel harrenden Weizens bedeckt. An andern Stellen der Ebne schien die Ernte bereits abgehalten zu sein. Dieses Thal wird in dem Namen Merj Ibn 'Âmir mit eingeschlossen, unter welchem die ganze grofse Ebne Esdrelon den Arabern bekannt ist. Unser Führer von Jenîn brachte uns graden Wegs durch mehrere Getreidefelder, wo sein Esel und unsere Maulthiere beim Hindurchgehen frafsen; aber zuletzt geriethen wir, nachdem es eine Zeitlang immer allmählig bergauf gegangen, auf den Pfad von Zer'în nach Sôlam, und erreichten letzteres um 10 U. 25 Min., in anderthalb Stunden von 'Ain Jâlûd. Wir waren jedoch langsamer dabei vorwärts gekommen als gewöhnlich.

---

1) Will. Tyr. XXII, 27: „Cum hactenus tam fons supra nominatus quam qui ex eo rivus profluit, pisces aut nullos aut rarissimos habere crederetur, illis diebus tantam dicitur copiam ministrasse, quae universo exercitui sufficere posset." Derselbe Schriftsteller sagt ganz richtig, dafs der Bach nach Beisân fliefse, ebend. 26: „Subito Salahadinus castra solvens, ex insperato fontem deserit, inferiusque versus Bethsan, fontis ejusdem fluenta sequens, ... castra metatus est." So auch Marinus Sanutus, p. 251. Vgl. Reland Pal. p. 863.

III.   26

Sôlam liegt, wie wir gesehen haben, auf dem Abhang am westlichen Ende des Berges Dühy, Zer'în gegenüber, aber höher; es wird durch das tiefe breite Thal Jesreel davon getrennt, und übersieht die ganze westliche Ebne bis Carmel. Der Berg Tabor war noch nicht sichtbar. Das Dorf ist klein und schmutzig, es liegt auf einem steilen Abfall und hat eine kleine zum Bedarf der Einwohner kaum ausreichende Quelle. Die Leute waren höflich und freundlich. Ein alter Mann redete uns an und erklärte, er sei der Aufseher über den Wely von Dühy, indem er uns zugleich seine Dienste als Führer auf den Berg antrug, welcher, wie er sagte, von den Mönchen oft besucht würde. — Wir nahmen hier folgende Ortsbestimmungen auf: Wely ed-Dühy auf dem Gipfel des Berges N. O. gen O., Wezar S. 9⁰ O., Zer-'în S. 12⁰ W., Jenîn S. 20⁰ W., Ta'annuk S. 56⁰ W., Um el-Fahm S. 65⁰ W., el-Lejjûn S. 84⁰ W. Nazareth liegt von Sôlam, wie wir später fanden, N. 9⁰ W.

Obgleich wir jetzt keine Ueberreste von Alterthum um das Dorf finden konnten, so läfst sich doch wenig zweifeln, dafs es das alte Sunem des Stammes Isaschar ist, wo die Philister vor Sauls letzter Schlacht sich lagerten. [1] Aus demselben Orte wurde, wie es scheint, Abisag zu dem bejahrten David gebracht; und hier war es wahrscheinlich, wo Elisa öfter in dem Hause der Sunamitin wohnte, und wo er ihren Sohn vom Tode erweckte. [2] Eusebius und Hieronymus sagen, es sei ein 5 röm.

---

[1] Jos. 19, 18. 1 Sam. 28, 4.

[2] 1 Kön. 1, 3. 2 Kön. 4, 8 — 37; 8, 1 — 6. Eusebius und Hieronymus vermuthen, die Wirthin des Elisa habe in Sonam, einem Dorfe in Akrabatene, gewohnt; aber die Mutter geht beim Tode ihres Kindes zu Elisa auf den Berg Carmel, dem Anscheine nach nicht sehr weit entfernt; 2 Kön. 4, 22 — 25. Dies stimmt weit besser mit der relativen Lage von Sôlam überein. Onomast, Art. Sonam.

Meilen vom Berge Tabor nach der südlichen Gegend hin liegen-
des Dorf, und schreiben den Namen schon Sulem. [1]) Die Kreuzfahrer sprechen auch von Suna an der S. W. Seite des kleinen
Hermon [2]); aber nach dieser Zeit kommt der Name, wie ich
glaube, nirgends vor, bis wir ihn auf der Karte von Jacotin wiederfinden. Im J. 1822 sah Berggren das Dorf [3]); aber obgleich
seitdem verschiedene Reisende es auf ihrem Wege passirt haben,
so ist es doch erst seit den letzten drei oder vier Jahren als Sunem wiedererkannt worden. [4])

Da wir zu Sôlam von dem Thale Jesreel und den damit in
Verbindung stehenden Localitäten Abschied nahmen, so mag hier
der passende Ort sein, einen Augenblick inne zu halten, und zu-
sammenzustellen, was sich über dieses Thal und einige damit zusammenhängende Punkte sagen läfst.

G i l b o a. Ich habe schon gezeigt, dafs die Höhen südlich
von dem besagten Thal, die dasselbe von dem mehr südlichen

---

1) Onomast. Art. S u l e m. In dem heutigen Text des Eusebius
steht Σουβήμ, aber in Hieronymus Handschrift stand Σουλήμ. Dieser
Wechsel von n und l war im Hebräischen häufig, wie es im Griechischen, Lateinischen und vielen neuern Sprachen der Fall ist. Siehe Gesenius Lex. unter dem Buchst. ל.

2) Brocardus c. VII. p. 176. Marin. Sanut. p. 249.

3) Reisen II. S. 265. Vielleicht meint Scholz dasselbe mit seinem „Selwam.‟ S. 264. Man möchte auch vermuthen, dafs das Salem
des Cotovicus nördlich von Jenîn für Sôlam steht; aber er setzt es nach
dem Süden des Thales nahe beim Fufs von Gilboa; Itin. p. 347.

4) Monro erwähnt hier einen Thurm (nicht Dorf), den Abdallah
von ʾAkka um das Jahr 1831 zerstört habe; Vol. I. p. 278, 280. Elliott
Travels II. p. 378. Schubert Reise III. S. 165. Raumer Paläst. 2. Aufl.
S. 137.

26 *

Arme der grofsen Ebne trennen, nichts anders sind, als das alte
Gebirge Gilboa; sie wurden schon in den Tagen des Eusebius
und Hieronymus, dann im Zeitalter der Kreuzzüge und seitdem
immer dafür angesehen. [1]) Jedoch ist jetzt der Name Gilboa
(Jelbôn) unter den Einwohnern nicht von diesen Bergen, sondern
nur von dem darauf stehenden Dorfe gebräuchlich. [2]) Dieser letztere Umstand läfst in Verbindung mit der relativen Lage derselben in Beziehung zu Scythopolis (Beisân), Jesreel und Sunem,
hinsichtlich ihrer Identität keinen Zweifel übrig.   Der höchste
Theil liegt nach Osten, zwei Stunden oder weiter von Zer'in;
mehr nach dem Jordanthal hinab werden sie niedriger.

Der kleine Hermon.   Den hohen Rücken im Norden
des Thales Jesreel, den Arabern als Jebel ed-Dühy bekannt,
habe ich schon oben zur Unterscheidung von Jebel esh-Sheikh
nördlich von Baniâs, dem eigentlichen und einzigen Hermon der
Schrift, den kleinen Hermon genannt. [3]) Es ist kein Grund zu
der Voraussetzung, dafs dieser Berg Dühy in der Schrift als
Hermon erwähnt werde; jedoch wurde dieser Name gewifs in den

---

1) Siehe oben S. 388, wo die Worte des Eusebius und Hieronymus citirt sind. Will. Tyr. XXII, 26. Brocardus c. VII. p. 176,
177. Marinus Sanutus p. 251. Cotovicus p. 347. Doubdan p. 580 etc.
Quaresmius erwähnt Gilboa nicht.

2) Ich spreche hier mit Bedacht; denn ich hatte mich durch Richardson verleiten lassen, das Gebirge Gilboa als an das Jordanthal
grenzend nördlich von Beisân zu suchen. Er sagt ausdrücklich von dem
dortigen Gebirge: „ Die Eingebornen nennen es Gibl Gilbo, oder Berg
Gilbo "; Travels II. p. 424. Dies veranlafste uns zu speciellen und man-
nichfachen Nachfragen, woraus sich ergab, dafs Richardsons Angabe
durchaus alles Grundes entbehrt. — Desselben Schriftstellers Bericht
über seinen Weg zwischen Jenin und Beisân (ebend. p. 418.) ist mir
völlig unverständlich.

3) S. mehr über Jebel esh-Sheikh als den Hermon der Schrift
am Schlufs des nächsten Abschnitts.

Tagen des Hieronymus demselben beigelegt, und kann daher
nicht unpassend der Bequemlichkeit wegen noch für denselben gebraucht werden. [1] Er rührt wahrscheinlich aus dem 4. Jahrhundert her, nachdem der Uebertritt Constantin's zum Christenthum
fremden Geistlichen und Mönchen Palästina zugänglich gemacht
hatte, welche sich jetzt damit beschäftigten, die biblischen Namen
und Orte zu ermitteln, ohne viele Rücksicht auf Kritik oder frühere Ueberlieferung. [2] Eusebius scheint eine ältere Tradition
über den Hermon, als nahe bei Paneas gelegen, mit einigem Zweifel vernommen zu haben, thut aber eines Berges dieses Namens
bei dem Tabor keine Erwähnung. [3] Hieronymus hörte dieselbe
Ueberlieferung über den eigentlichen Hermon von seinem jüdischen Lehrer und spricht sich viel entschiedener darüber aus. [4]
Der Name Hermon wurde daher wahrscheinlich zuerst in der zwischen diese beiden Schriftsteller fallenden Zeit von diesem Berge
nahe beim Tabor gebraucht, und zwar nach falscher Deutung der
Worte des Psalmisten: „Tabor und Hermon jauchzen in deinem
Namen. [5] Es ist begreiflich, dafs Hieronymus später davon die

1) Hieronymus erwähnt zweimal einen Hermon nahe beim Berge
Tabor. Ep. 44 ad Marcellam, Opp. ed. Mart. Tom. IV, 2. p. 552:
„Apparebit oppidum Naim. . . . Videbitur et Hermonim et torrens Endor in quo superatur Sisera." Ep. 86 ad Eustoch., Epit. Paulae ebend.
p. 677: „Scandebat montem Tabor. . . Aspiciebat procul montes Hermon et Hermoniim, et campos latos Galilaei etc." Diese Form Hermonim ist der aus Ps. 42, 7. entlehnte hebräische Plural.

2) S. die Bemerkungen am Anfang des 7. Abschnitts oben Bd. II. S. 1 ff.

3) Onomast. Art. Aermon.

4) Ebend.: „Hebraeus vero, quo praelegente Scripturas didici,
affirmat montem Aermon Paneadi imminere, ... de quo nunc aestivae
nives Tyrum ob. delicias feruntur." Hieronymus fügt alles dies dem Artikel des Eusebius hinzu.

5) Ps. 89, 13. Es wurde als ausgemacht angenommen, dafs, da der

Pluralform Hermonim gebrauchte, um diesen Berg von dem eigentlichen Hermon im Norden zu unterscheiden. Dieser Name blieb in der kirchlichen Ueberlieferung durch das Mittelalter und die folgenden Jahrhunderte hindurch, und behauptet sich noch jetzt in den Klöstern. [1]) Die arabischen Christen scheinen ihn gleichfalls unter dem Namen Heramôn zu kennen, gebrauchen aber diesen Namen nicht; unter den Muhammedanern aber scheint er sich gänzlich verloren zu haben. Der alte Mann, welchen wir zu Sôlam trafen, hatte ihn von hinaufziehenden Pilgern gehört.

Dieser Berg ed-Dühy hat daher ebenso wenig historisches Interesse, als natürliche Schönheit oder Fruchtbarkeit. Es ist nichts als eine wüste unförmliche Masse, und als er mir bei unserer Annäherung nach Jenîn von Süden her irrthümlich als der Tabor gezeigt wurde, fühlte ich mich sehr getäuscht. Der höchste mit dem Wely versehene Theil liegt nach dem westlichen Ende hin; weiter östlich senkt er sich allmählig nach einem niedrigen Rücken Flachlandes längs dem östlichen Theil des Thales Jesreel ab.

Thal Jesreel. Dieses grofse Thal ist in der biblischen Geschichte durch den merkwürdigen Sieg Gideon's und die letzte unglückliche Niederlage Sauls berühmt. Die Midianiter, Amalekiter und die aus dem Morgenlande hatten den Jordan überschritten und sich im Thale Jesreel gelagert, und Gideon hatte die Is-

---

Tabor und Hermon hier zusammen erwähnt werden, sie auch dicht bei einander liegen müfsten. Aber sowohl diese als auch die andern Schriftstellen, in denen Hermon vorkommt, passen weit mehr auf Jebel esh-Sheikh. So namentlich die schwierige Stelle Ps. 133, 3., welche, wie man sie auch erklären mag, von der Nähe des Tabor keine Spur enthält, ungeachtet der Vermuthung Reland's; Palaest. p. 325, 326.

1) Brocardus c. VII. p. 177. Marin. Sanut. p. 251. Cotovicus p. 347. Maundrell 19. April.

racliten der nördlichen Stämme versammelt und an dem Brunnen
Harod, wahrscheinlich im Gebirge Gilboa, sein Lager aufgeschlagen, da „das Heer der Midianiter drunten vor ihm im Grunde
lag."[1]) Hier ging Gideon nach dem feindlichen Heere hinab,
und hörte den Traum, machte darauf mit seinen 300 Mann einen
Angriff, und schlug auf wunderbare Weise das ganze Heer der
Midianiter in die Flucht.[2]) — Gegen Saul zogen die Philister
aus und lagerten sich zu Sunem (Sôlam), und Saul und ganz
Israel zu Gilboa. Späterhin heifst es von den Philistern, dafs
sie sich zu Aphek lagerten, und die Israeliten an einer Quelle
(Ain) in Jesreel, ohne Zweifel dem heutigen 'Ain Jâlûd.[3]) Verlassen von Gott und in der äufsersten Verzweiflung ging Saul
jetzt über den Rücken des kleinen Hermon nach Endor, um die
Zauberrin zu befragen. Die Schlacht fand am nächsten Tage statt;
„die Männer Israel flohen vor den Philistern und fielen erschlagen auf dem Gebirge Gilboa"; und Saul und seine drei Söhne
wurden unter den Todten gefunden. Die Philister hieben ihm
sein Haupt ab, zogen den Leichnam aus und hingen ihn auf die
Mauern zu Bethsan.[4]) So in den Worten des ergreifenden Kla-
geliedes David's: „Die Edelsten in Israel sind auf deiner Höhe
erschlagen"! und daher der Fluch über den Schauplatz der
Schlacht: „Ihr Berge zu Gilboa, es müsse weder thauen noch
regnen auf euch, noch Aecker sein, da Hebopfer von kommen!"[5])

Beisân. Der alte Name Bethsan oder Bethsean lebt noch

---

1) Richt. 6, 33. 35; 7, 1. 8.

2) Richt. 7, 9 – 25.

3) 1 Sam. 28, 4; 29, 1. Eusebius und Hieronymus setzen Aphek
nahe bei Endor; letzteres liegt an der Nordseite des kleinen Hermon.
Onomast.: „Aphec, juxta Endor Jezraëlis, ubi dimicavit Saul."

4) 1 Sam. 28, 5 – 25; C. 31.

5) 2 Sam. 1, 19. 21.

in dem heutigen Beisân fort, welches in dem unteren Ende des Thales Jesreel liegt, wo dieses sich in das Jordanthal öffnet. Tell Beisân, die Akropolis der früheren Stadt, von Zer'în aus sichtbar, findet sich in dem nördlichen Theile des Thales; und von demselben erhebt sich der Boden allmählig nach dem höheren ostwärts von dem Berge Dühy fortlaufenden Flachlande im Norden hinauf. Südlich von Beisân ist das Thal eine Stunde breit, ziemlich so, wie wir es weiter westlich sahen [1]); und dann kommen wieder die das Jordanthal einschliefsenden Berge, und laufen auch nordwestlich nach dem Gebirge Gilboa hinauf. Das heutige Dorf Beisân steht auf ansteigendem Boden, etwas oberhalb des Jordanthales, und enthält 70 bis 80 Häuser. Die Einwohner werden als ein fanatisches Völkchen beschrieben, und sind unter den Reisenden durch ihr widerrechtliches Betragen ziemlich berüchtigt. [2]) Die Ruinen der alten Stadt sind nach Burckhardt von beträchtlicher Ausdehnung; sie war längs den Ufern des sie bewässernden Baches und in den durch seine verschiedenen Arme gebildeten Thälern erbaut, und mufs beinahe eine Stunde im Umfang gehabt haben. Die Hauptüberbleibsel sind grofse Haufen schwarzer gehauener Steine, mit vielen Grundmauern von Häusern und Fragmenten von einigen wenigen Säulen. [3]) Irby und Mangles fanden hier ein Theater von etwa 180 Fufs Front, sowie auch N. O. von der Akropolis aufserhalb der Mauern liegende ausgehöhlte Gräber, mit noch vorhandenen Sarkophagen in einigen derselben, und mehrere in ihren alten steinernen An-

---

1) „Eine Stunde weiter südlich fangen die Berge wieder an"; Burckhardt p. 343. (592.)

2) Burckhardt's Travels in Syria etc. p. 343. (592 ff.) Irby und Mangles Travels p. 303. Richardson Vol. II. p. 420 sq. Bertou in Bull. de la Soc. de Géogr. Sept. 1839. p. 151 ff.

3) Burckhardt ebend.

geln noch hängende Thüren in einem merkwürdig gut erhaltenen Zustande. Die Akropolis ist eine hohe runde Anhöhe, auf
deren Gipfel die Spuren von den dieselbe früher einschliefsenden
Mauern liegen. Zwei Bäche laufen durch die Ruinen der Stadt,
die Akropolis fast zu einer Insel machend, und unten zusammen-
fliefsend; über einen derselben führt, S. W. von der Akropolis
eine schöne römische Brücke.[1]) Es ist dies wahrscheinlich der
vom Thal Jesreel hinabkommende Bach, obgleich es nicht gesagt
wird. An dem linken Ufer des Baches ist ein grofser Khân, wo
die Karawanen ansruhen, welche den kürzesten Weg von Jerusalem nach Damascus einschlagen, indem sie unterhalb des See's
von Tiberias über den Jordan gehen.

Bethsean lag innerhalb der Grenzen von Isaschar, gehörte
aber zu Manasse, obgleich es anfangs nicht unterworfen war.[2])
Sonst wird es in der Schrift nur im Zusammenhang mit der Ka-
tastrophe Saul's erwähnt, und als Theil des Distrikts eines der
Amtleute Salomo's.[3]) Sehr bald nach dem Exil nahm es im
Griechischen den Namen Scythopolis an.[4]) Pompejus kam

1) Irby und Mangles p. 302, 303.
2) Jos. 17, 11. 16. Richt. 1, 27. 1 Chron. 8, 29.
3) 1 Sam. 31, 10. 12. 2 Sam. 21, 12. 1 Kön. 4, 12.
4) Judith 3, 11: Σκυθῶν πόλις. 2 Makk. 12, 30. Die Sept. hat
Richt. 1, 27 auch: Βαισάν, ἡ ἐστι Σκυθῶν πόλις, aber dies wird richtig von Reland für eine spätere Glosse gehalten. Joseph. Ant. XII, 8, 5:
Βηθσάνη, καλουμένη πρὸς Ἑλλήνων Σκυθόπολις. XIII, 6, 1. — Die
Entstehung dieses Namens wird von früheren Schriftstellern auf eine
Kolonie von Scythen zurückgeführt, welche vor Alters während der Regierung des Königs Josia einen Einfall in Palästina gemacht haben sollen; Herodot. I, 103 — 105. Plin. H. N. V, 16, 20. Georg. Syncell. p. 214
ed. Paris. Rosenmüller Bibl. Geogr. I, 1. S. 273. Reland Pal. p. 992 sq.
Spätere Schriftsteller, und unter ihnen Reland und Gesenius, halten diese
Etymologie für fabelhaft, und meinen, der Name Scythopolis sei vielmehr von dem benachbarten Succoth abzuleiten, welches jenseit des Jor-

diesen Weg von Damascus nach Jerusalem; der Ort gehörte zu den von Gabinius wieder aufgebauten, und wurde die gröfste Stadt der Decapolis und die einzige westlich vom Jordan. [1]) Zur Zeit des Eusebius und Hieronymus war es eine prächtige Stadt; sie hatte schon ihre Bischöfe, wurde späterhin das Hauptbisthum in Palaestina Secunda, und hatte ein berühmtes Kloster, welches im Zusammenhang mit Euthymius und Sabas und als der Wohnort des Cyrill von Scythopolis oft erwähnt wird. [2]) In der Zeit der Kreuzzüge wird sie als ein kleiner Ort mit vielen Ruinen beschrieben. Die Franken verlegten den Sitz des Bischofs nach Nazareth, welches vorher kein Bisthum war. [3]) Die Stadt, obgleich schwach, wurde im Jahr 1182 von ihren Einwohnern gegen Saladin tapfer und erfolgreich vertheidigt, jedoch im nächsten Jahr bei seinem Vorrücken verlassen, und nach erfolgter Plünderung durch ihn den Flammen preis gegeben. [4]) Sie wird auch später noch erwähnt, scheint aber nicht wieder besucht wor-

---

dan lag; Reland a. a. O. Gesenius zu Burckhardt's Reisen S. 1058. Rosenm. Bibl. Geogr. II, 2. S. 107 ff. Hieronymus sagt Quaest. Hebr. in Gen. XXXIII, 17: „In Hebraeo legitur Sochoth (סֻכֹּת); est autem usque hodie civitas trans Jordanem hoc vocabulo in parte Scythopoleos.

1) Joseph. Ant. XIV, 3, 4. 5, 3. B. J. I, 8, 4. — B. J. III, 9, 7. Plin. H N. V, 19. Ptolem. V, 17. Vgl. Reland Pal. p. 203. Rosenm. Bibl. Geogr. II, 2. S. 11.

2) Onomast. Art. Bethsan. le Quien Oriens Chr. III. p. 682 sq. Reland Palaest. p. 995 sq. 215, 223, 225. Cyrill. Scythop. Vit. St. Euthymii et St. Sabae in Cotelier Eccles. Gr. Mon. Tom. II. III. — Wilhelm von Tyrus nennt den Ort irrthümlich die Metropolis von Palaestina tertia; XXII, 16.

3) Will. Tyr. XXII, 16. 26. Jac. de Vitr. 56. p. 1077.

4) Will. Tyr. XXII, 16. Wilken Gesch. der Kr. III, 2. S. 210. — Will. Tyr. XXII, 26. Bohaedd. Vit. Sal. p. 53. Wilken a. a. O. S. 230.

den zu sein, bis Burckhardt auf seinem Wege von Nazareth nach es-Salt im Jahr 1812 sie berührte. [1])

Fûleh. Auf der grofsen Ebne westlich von Sôlam liegen die verfallenen Dörfer Fûleh und 'Afûleh; ersteres kaum ³/₄ Stunden entfernt, und letzteres etwa eine engl. Meile weiter hin, beide nahe bei der niedrigen Wasserscheide am Anfang des Thales Jesreel. Fûleh ist in neuern Zeiten berühmt geworden, als der Centralpunkt der Schlacht vom Jahre 1799 zwischen dem französischen und türkischen Heere, das von Damascus zum Entsatze 'Akka's vordrang, eine Schlacht, welche gewöhnlich die beim Berge Tabor genannt wird. [2]) Aber der Ort hat eine noch ältere

---

1) Abulfedae Tab. Syr. p. 84. Brocardus c. VII. p. 176. Marin. San. p. 247. Sir J. Maundeville p. 111. Lond. 1839. Burckhardt p. 343. (592.) Irby und Mangles p. 301 sq.

2) „ Als die Franzosen in Syrien eindrangen, wurde Nazareth von 6 bis 800 Mann besetzt, deren Vorposten in Tûbarîyeh und Safed standen. Zwei Stunden von Nazareth hielt der General Kleber mit einem nicht über 1500 Mann starken Corps den Angriff der ganzen syrischen Armee aus, die wenigstens 25000 Mann zählte. Er stand auf der Ebne Esdrelon nahe bei dem Dorfe Fûleh, wo er sein Bataillon in Quarré aufstellte. Dasselbe focht ununterbrochen von Sonnenaufgang bis Mittag, bis fast alle seine Munition verbraucht war. Bonaparte, unterrichtet von Kleber's gefahrvoller Lage, eilte ihm mit 600 Mann zu Hülfe. Sobald der Feind seiner ansichtig wurde und er über die Ebne hin hatte feuern lassen, nahmen die Türken, in der Meinung, dafs eine grofse Armee anrücke, hastig die Flucht, auf welcher mehrere Tausend getödtet wurden, viele auch in dem Flusse Debûrieh ertranken, der damals grade einen Theil der Ebne überschwemmte. Bonaparte afs zu Mittag in Nazareth, ... und kehrte am nämlichen Tage nach 'Akka zurück." Burckhardt's Travels in Syria etc. p. 339. (586.) Dies war am 16. April 1799. Dieselbe Nachricht findet sich in den verschiedenen Biographien Napoleon's; s. auch Thiers Révolution Française. Tom. X. p. 405 — 407. Paris 1834.

Berühmtheit als eine Festung zur Zeit der Kreuzzüge, bei den Arabern Fûleh, bei den Franken Kastell Faba genannt, und im gemeinsamen Besitz der Hospital- und Tempelritter. [1] Diese Festung kommt im J. 1183 vor im Zusammenhang mit dem Marsche der Christen nach der Quelle Tubania, und im J. 1187 wurde sie von Saladin nach der Schlacht bei Hattin erobert. [2]

Lejjûn. An der westlichen Grenze der grofsen Ebne Esdrelon, wo sie schon anfängt nach der niedrigen Reihe waldiger Hügel sanft anzusteigen, welche den Carmel und die Berge von Samaria verbinden, konnten wir von Sêlam, wie auch von Zer'in deutlich das Dorf el-Lejjûn mit seinem Minaret und den Olivenhainen ringsum unterscheiden. Nahe dabei sollte eine grofse, einen Mühlenbach abgebende Quelle sein, welche, wie die zu Jenin und alle Bäche längs der südwestlichen Anhöhe, so weit sie überall fliefsen, die Ebne hinabläuft und dazu beiträgt, den alten

1) Faba ist einfach die Uebersetzung von Fûleh, „eine Bohne," franz. la Fève. Hugo Plagon bei Martène et Durand, Tom. V. p. 598, 599. Wilken Gesch. der Kr. III, 2. S. 231, 267. Brocardus c. VII. p. 176. — In le Clerc's Ausgabe des Brocardus ist dieser Name fälschlich „Saba" gedruckt; die Ausgabe des Reineccius (Magdeb. 1587) hat richtig Faba.

2) Bohaedd. Vit. Salad. p. 54. Wilken a. a. O. S. 231, 232. — Abulfedae Annal. J. d. H. 583. Mejr ed-Din in den Fundgr. des Or. III. S. 81. Wilken Comment. de Bell. Cruc. p. 142. — Die im Zusammenhang mit denselben Begebenheiten erwähnte fränkische Festung Belvoir scheint das weiter unten beschriebene Kaukab der Araber, das heutige Kaukab el-Hawa zu sein, welches auf den Höhen westlich vom Jordanthal zwischen Beisân und dem See liegt. Ein Ort 'Atûrbala (lat. Forbelat) wird auch erwähnt, welcher wahrscheinlich zwischen Beisân und Belvoir in einer Ebne lag; aber ob unten in dem Jordanthale oder auf dem Flachlande oben, wird nicht gesagt. Will. Tyr. XXII, 16. 26. Bohaedd. Vit. Salad. p. 54, 76, und Ind. Art. Apherbala. Wilken Gesch. der Kr. III, 2. S. 210, 211, 232.

Kison zu bilden. Der Ort wurde von Maundrell besucht, welcher
von demselben als einem alten Dorfe nahe bei einem Bache, mit
einem damals in gutem Zustande befindlichen Khân spricht; er
konnte hier die Ebne Esdrelon übersehen. [1]) Der Khân diente
zur Bequemlichkeit der den grofsen Weg zwischen Aegypten und
Damascus passirenden Karawanen, welcher hier durch den Hügelstrich von der westlichen Ebne längs der Küste kommt und in
die Ebne Esdrelon tritt. — Lejjûn ist ohne Zweifel das alte
Legio des Eusebius und Hieronymus. Zu ihrer Zeit mufs es ein
bedeutender und wohlbekannter Ort gewesen sein, da sie es als
Centralpunkt annehmen, von welchem aus sie die Lage mehrerer
andrer Orte in dieser Gegend angeben. [2]) Jedoch finde ich keine
weitere bestimmte Beziehung darauf, weder während des Zeitalters der Kreuzzüge, noch in den vorhergehenden und nachfolgenden Jahrhunderten bis zur Zeit Abulfeda's. [3]) Der Besuch Maun-

---

1) Maundrell unter dem 22. März. Siehe auch Hrn. King's Nachricht in dem Missionary Herald, März 1827. p. 65.

2) Siehe Onomast. Art. A p h r e i m , C a m o n a , N a z a r e t h,
T h a a n a c h und T h a n a a c h, etc.

3) Abulf. Tab. Syr. p. 8, und die vorausgeschickten Addenda. —
In der lateinischen kirchlichen Notitia, welche der Geschichte Wilhelm's
von Tyrus angehängt ist, kommt der Name L e g i o n u m als ein Suffragansitz vor; Will. Tyr. in Gesta Dei p. 1046. Reland Pal. p. 228. Daraus ist zuweilen geschlossen worden, dafs Lejjûn im Zeitalter der Kreuzzüge zu einem Bischofssitz gemacht wurde; Bachiene Th. II, 4. S. 40.
Raumer Pal. S. 156. Dieses Verzeichnifs rührt augenscheinlich einer-
seits aus früheren Quellen her; denn es enthält Beit Jibrîn, welches
längst zerstört worden, und auch Neapolis, welches niemals ein lateinisches Bisthum war; und andrerseits führt es, unter mehreren Zusätzen,
Nazareth auf, welches erst während der Kreuzzüge zu einem Bisthum
gemacht wurde, und den Berg Tabor, welcher nun und nimmermehr
ein Bischofssitz gewesen zu sein scheint. Wenn Legionum wirklich dasselbe ist wie Lejjûn, so mag es eben nur als Sitz einer christlichen Ge-

drell's fand im J. 1697 statt. In unserm Jahrhundert finden wir
es auf der Karte Jacotin's wieder.

Es scheint nicht annehmbar zu sein, dafs das alte Legio
eine von den Römern gegründete Stadt gewesen, sondern es ist
dies vielmehr ein, einem noch älteren Orte beigelegter neuer Name,
welcher sich, wie die Namen Nábulus und Sebüstieh, im Munde
der Landeseingebornen erhalten hat, während der frühere Name
untergegangen ist. Dieser Umstand leitete uns natürlich auf die
Frage hin, ob irgend eine alte Stadt eine solche Lage hatte, dafs
sie der von Lejjûn entspräche; und als wir die Ebne durchzogen
und Ta'annuk und Lejjûn uns fortwährend sichtbar waren, so
konnten wir dem Eindruck nicht widerstehen, dafs letzteres wahrscheinlich die Lage des so oft mit Thaenach zusammen erwähnten
alten Megiddo einnimmt. Die Entfernung von Thaenach bis
Legio wird von Eusebius und Hieronymus zu 3 oder 4 röm. Meilen angegeben; [1]) und es ist einigermafsen merkwürdig, dafs von
Megiddo in der Schrift selten ohne Zusammenstellung mit Thaenach die Rede ist, ein Umstand, welcher gleichfalls auf ihre
beiderseitige Nachbarschaft hinführt. [2]) Der Hauptangriff in der
Schlacht der Debora und des Barak fand auch in der Ebne nahe
bei Thaenach und dem „Wasser Megiddo" statt; und mochte
nun dieser Ausdruck von der grofsen Quelle oder dem Bach Ki-

---

meinde hinzugefügt sein; aber es scheint keine weitere Spur davon vorzukommen, dafs es jemals ein Bisthum war.

1) Onomast. Art. Thaanach, Thanaach.

2) So beide als Sitz eines canaanitischen Königs Jos. 12, 21.
Beide bekam Manasse, obwohl sie innerhalb der Grenzen von Isaschar
oder Asser lagen, Jos. 17, 11. 1 Chron. 8, 29. Beide blieben lange
ununterjocht, Richt. 1, 27. Die Schlacht der Debora und des Barak
fand nahe bei beiden statt, Richt. 5, 19. Beide kamen unter denselben
Amtmann, 1 Kön. 4, 12. — Ahasja floh von Jesreel nach Megiddo, und
Josia starb daselbst; 2 Kön. 9, 27; 23, 29. 30,

son gebraucht sein, so wissen wir doch, dafs die Scene der
Schlacht jedenfalls nicht weit vom Kison entfernt war. [1] Me-
giddo gab auch dem anliegenden Thale oder der niedrigen Ebne
längs dem Kison den Namen; und auf gleiche Weise sprechen
Eusebius und Hieronymus von der Ebne Legio. [2] Alle diese
Umstände bilden eine starke Stütze zu Gunsten der Identität von
Legio und Megiddo, und lassen bei mir selbst wenig Zweifel
dagegen aufkommen. [3]

Wir zogen um $10^3/_4$ U. von Sôlam nach Nazareth, indem
unser Weg zuerst längs dem westlichen Ende des Berges Dühy
auf hohem Boden hinging, und die allgemeine Richtung bis
ganz nach Nazareth N. 9° W. war. Nach einigen 20 Minuten
fingen wir an, die N. W. Ecke des Berges zu umziehen, wo ein

1) Richt. 5, 19. 21.

2) Thal oder Feld (Ebne) Megiddo, hebr. בִּקְעַת, 2 Chron. 35,
22. Zach. 12, 11. Gr. πεδίον 2 Esra 1, 27. — Euseb. πεδίον τῆς
Λεγεῶνος, Hieronymus „campus Legionis;" Onomast. Art. Gabathon,
Arbela, Camon, etc.

3) Als ich nach Europa zurückgekehrt war, erfuhr ich erst, dafs
der Recensent von Raumer's Palästina in den Münchner Gelehrten Anzeigen, Decemb. 1836, S. 920. dieselbe Vermuthung aufgestellt hat. Er
führt jedoch keinen Grund für die Identität an, aufser dafs die Namen
Megiddo und Legio beide von der Ebne gebraucht sind. — Es könnte
zuerst wie ein Einwurf gegen diese ganze Hypothese aussehen, dafs
Eusebius und Hieronymus in ihrem Artikel Mageddo über Legio
gänzlich schweigen. Aber es erhellt aus dem Artikel selbst, dafs der
Name Megiddo sich bereits verloren hatte, und sie versuchen nicht einmal, die Lage des Orts zu bezeichnen. Dasselbe war in Beziehung auf
Sichem der Fall; und selbst die Identität von Sebaste und Samaria theilen sie nur als etwas Unbestimmtes mit. Siehe Onomast. Art. Mageddo, Sichem, Semeron.

dritter grofser Arm der Ebne sich uns allmählig öffnete, welcher zwischen dem kleinen Hermon und dem Berge Tabor hinauflief. Um 11¼ U. stieg der letztere zum ersten Mal im N. O., eine Stunde oder weiter entfernt, vor unsern Blicken empor, ein schöner runder Berg, welcher von hier aus wie eine Halbkugel aussah, bis zum höchsten Gipfel mit alten Eichen übersäet, und in seiner anmuthigen Gestalt und Schönheit alle früher in mir hervorgerufenen Erwartungen befriedigend. Jedoch schien er nicht so hoch zu sein, wie er gewöhnlich dargestellt worden ist; und an dieser Seite wird er von andern, beinahe eben so hohen Bergen umgeben und eingeschlossen. Er tritt fast vereinzelt in der Ebne hervor, da er mit den Bergen N. W. nur durch einen sehr niedrigen Rücken zusammenhängt. Jenseits dieses Rückens, links vom Tabor, konnten wir hier wieder die hohe Spitze des entfernten Hermon sehen, und jetzt den auf seinem Gipfel in der Mittagssonne glänzenden Schnee unterscheiden. — Dieser dritte Arm der grofsen Ebne ist, wie die andern, etwa eine Stunde breit, aber kenntlicher und bestimmter, da die ihn einschliefsenden Berge höher sind und von der Fläche jäher emporsteigen. Sie erstreckt sich um den Tabor und jenseit desselben ganz bis nach dem Rande des Jordanthales, und so auch nordwärts mit geringen Unterbrechungen bis fast nach Hattîn. In diesem Theile laufen ihre Gewässer westlich nach dem Kison und dem Mittelmeer; weiter östlich, jenseit des Tabor, fliefsen sie, wie wir sehen werden, nach dem Jordan.

Unter uns linker Hand lagen die veröden Dörfer Fûleh und 'Afûleh, ersteres uns zunächst, etwa eine halbe Stunde entfernt, und letzteres darüber hinaus. So weit wir hier darüber urtheilen konnten, stehen sie beinahe auf der Scheidungslinie der Gewässer zwischen dem Anfange des Thales Jesreel und der mehr westlichen Ebne. Aber wir bemerkten keinen Rücken, keine Landwelle zur Bezeichnung der Wasserscheide; das Land ist im Norden, Süden und Westen eben, und sendet seine Gewässer nach dem Mittelmeer, während es nach Südosten hin anfängt, zur Bildung des grofsen, nach dem Jordan laufenden Thales allmählig abzufallen.

An demselben Punkte (um 11¼ U.) gingen wir über die grofse Karawanenstrafse von Aegypten nach Damascus, welche, über Gaza, Ramleh und Lejjûn kommend, hier die Ecke des kleinen Hermon erreicht und weiter fortgeht, ein Arm über den niedrigen Rücken links vom Tabor, und ein anderer zur Rechten dieses Berges in der Ebne. Beide Arme vereinigen sich wieder bei dem darüber hinaus liegenden Khân; und der Weg läuft noch weiter fort und geht etwa drei Viertelstunden nördlich von Tiberias nach dem Ufer des See's hinab.

Wir gingen jetzt allmählig hergab, um den Arm der Ebne vor uns zu passiren. Um 11 U. 40 Min. zeigte sich ein grofser, von rechtsher kommender, trockner Wasserlauf, und um 11 U. 55 Min. ein anderer, anscheinend das Bett des Hauptflusses in diesem Theil der Ebne, welcher von der Richtung des Berges Tabor herkam. Aber in dieser trocknen Jahreszeit trafen wir nicht einen Tropfen Wasser in der ganzen grofsen Ebne an, aufser in dem Thal Jesreel. Nahe bei diesem letzteren Wasserbett war eine kleine Ortslage mit Ruinen, Namens el-Mezra'ah. [1] Zu unsrer Rechten konnten wir in einiger Entfernung an dem nördlichen Abfall des kleinen Hermon das Dörfchen Nein bemerken; und am Fufse des Tabor das Dorf Debûrieh. Mehr in der Nähe lag in der Ebne auf einer felsigen Höhe, nicht weit vom Fufse der nördlichen Berge, das Dorf Iksâl, das viele ausgehöhlte

---

1) Dies ist ohne Zweifel das „Casal Mesra," von welchem Brocardus in dieser Gegend spricht, c. VII. p. 176. So auch Marinus Sanut. p. 241.

III. 27

Grabmähler haben soll. [1]) Es ist wahrscheinlich das Chesulloth und Cisloth-Tabor des Buches Josua, an der Grenze von Sebulon und Isaschar, das Chasalus des Eusebius und Hieronymus in der Ebne nahe beim Tabor, und das in der grofsen Ebne liegende Xaloth des Josephus. [2]) — Um 12 U. 20 Min. näherten wir uns der Grenze der Ebne im Norden, welche noch immer von dem Fufse der hier fast senkrecht emporsteigenden Berge 10 Minuten entfernt ist. Von diesem Punkte fanden wir die uns sichtbaren Orte in folgenden Richtungen: Iksâl N. 63⁰ O., Debûrieh N. 73⁰ O., Gipfel des Tabor N. 80⁰ O., Nein S. 50⁰ O., Dühy S. 40⁰ O.

Wir waren hier gegenüber der Mündung des engen Wady, welcher direkt aus dem Becken von Nazareth zu kommen scheint und im Osten von der steilen Klippe, gewöhnlich der Berg des Herabstürzens genannt, eingeschlossen ist. Ein Pfad führt dieses Thal grade hinauf nach Nazareth; aber wir hörten, dafs er schwierig zu passiren sei, und unsere Maulthiertreiber zogen vor,

---

1) Pococke nennt dieses Dorf Zal. Vom Tabor durch die Ebne nach Nazareth zurückkehrend, sagt er: „Ich kam nach dem etwa drei engl. Meilen [eine Stunde] vom Tabor entlegenen Dorfe Zal, welches auf felsigem, ein wenig über der Ebne hervorragendem Boden liegt. Nahe dabei finden sich viele in den Felsen gehauene Grabmähler; einige davon stehen wie steinerne Särge auf dem Boden; andere sind wie Gräber in den Felsen gehauen; auf einigen derselben findet man steinerne Deckel, so dafs dies früher kein unbedeutender Ort sein mochte;" Descr. the East, II. p. 65. fol. Buckingham erweitert diesen Bericht nur, Travels p. 450. 4to.

2) Jos. 19, 12. 18. Onomast. Art. Acchaseluth: „Appellatur autem et quidam vicus Chasalus juxta montem Tabor in campestribus in octavo milliario Diocaesareae ad orientem respiciens." Josephus B. J. III, 3, 1: ἀπὸ τῆς ἐν τῷ μεγάλῳ πεδίῳ κειμένης κώμης, ἣ Ξαλὼθ καλεῖται. Jos. de Vita sua §. 44. Raumer Pal. S. 123. Pococke a. a. O.

einen mehr nach Westen liegenden, gekrümmten Weg einzuschlagen. So ging es eine kurze Strecke längs dem Fuße des Berges hin, indem wir die Mündung eines kleinen Wady passirten und
uns dann um einen Vorsprung des Berges herum- und hinauf-
wanden, um in die eines andern hineinzukommen. Wir erhielten
so eine herrliche Aussicht über den westlichen Theil der großen
Ebne, und den dritten großen östlichen Arm, welchen wir so
eben zurückgelegt hatten. Die Ebne in diesem Theil ist reich
und fruchtbar, lag aber größtentheils unbebaut; hier und da zeigten sich nur ein paar Fleckchen von Getreide, untermischt mit
den weit größeren wüst gelassenen Strecken. Von diesem Punkte
ging ein betretner Pfad über die Ebne hinüber in der Richtung
gegen Lejjûn, in welcher er mit der großen Karawanenstraße
zusammenfällt. Der Weg führte uns jetzt hinauf durch einen engen, felsigen, wüsten Wady nordwärts; nahe bei dem Anfang
desselben kamen wir um $1\frac{1}{4}$ U. nach einer Regenwasser-Ci-
sterne, umlagert von wartenden Heerden. Nicht weit von dieser
Stelle, in einem andern Thal linker Hand, ist das kleine Dorf
Yâfa, auf welches ich wieder zurückkommen werde. Funfzehn
Minuten später erreichten wir den Rand des Thales oder Beckens,
worin Nazareth liegt; von diesem Punkt allmählig und schräg
hinabsteigend, gelangten wir um $1\frac{3}{4}$ U. nach der Stadt, zogen
längs ihrer untern Seite dahin und lagerten fünf Minuten weit
davon unter den Olivenbäumen, grade oberhalb der öffentlichen
Quelle, der sogenannten Quelle der Jungfrau.

Die Stadt Nazareth, im Arabischen en-Nâsirah genannt,
liegt an der westlichen Seite eines schmalen, länglichen, etwa
von S. S. W. nach N. N. O. sich erstreckenden Beckens von vielleicht 20 Minuten Länge und 8 oder 10 Minuten Breite. Die
Häuser stehen auf dem untern Theile des Abfalls des westlichen
Berges, welcher sich steil und hoch über sie erhebt, oben mit ei-

27 *

nem Wely Namens Neby Ismaïl. [1]) Nach N. sind die Berge nicht
so hoch; im Osten und S. sind sie niedrig. Im S. O. zieht sich
das Becken zusammen, und ein enges und gekrümmtes Thal läuft
aus, wie es scheint, nach der grofsen Ebne. Verschiedene Wege
gehen von dem Becken aus, im N. nach Sefûrieh und 'Akka, im
N. O. nach Kefr Kenna und Tiberias, im O. zum Berge Tabor und
nach Tiberias, und im S. W. nach Yâfa, der Ebne Esdrelon u. s. w.
Die Häuser der Stadt sind im Allgemeinen von Stein wohl gebaut.
Sie haben nur flache Dächer wie Terrassen, ohne die in Jerusalem
und im Süden von Palästina so gewöhnlichen Kuppeln. Das gröfste
und massivste Gebäude oder vielmehr aus vielen einzelnen bestehende Bauwerk in dem Orte ist das lateinische Kloster.

Wir sprachen bald bei dem Abu Nâsir ein, einem griechischen Christen aus Nazareth, welcher früher einige Zeit in Beirût
zugebracht hatte. Er war daselbst mit den amerikanischen Missionären bekannt geworden und hatte grofses Interesse an ihren
Schulen genommen. Wir fanden ihn jetzt in seinem offnen La-
den in einer der Strafsen, einen milden, freundlichen, verständigen Mann; er bewillkommte uns ungemein artig, und drang
sehr in uns, in seinem Hause unser Quartier zu nehmen, was
wir aber ablehnten. Er war späterhin äufserst aufmerksam, und
widmete uns viele Zeit. Wir fanden hier gleichfalls einen jungen Menschen aus dem Orte, Namens Elias, welcher drei Jahre

---

1) Schubert giebt die Erhebung des Thales von Nazareth zu 821
Pariser Fufs über dem Meer an; während die der Ebne ganz unten
am Tabor nach ihm 439 Fufs beträgt. Die Höhe von der grofsen Ebne
weiter westlich bis direkt nach Nazareth mufs daher etwa 300 bis 350
Fufs betragen. Er schätzt die Erhebung der Berge um Nazareth (der
westliche ist der höchste) zu 1500 bis 1600 Fufs über dem Meer, oder
zwischen 700 und 800 über Nazareth. Dies ist bei weitem zu grofs;
der Wely kann nicht wohl mehr als 400 bis 500 Fufs über dem Thal
liegen. Siehe Schubert's Reise III. S. 169.

lang ein Zögling in der Schule der englischen Missionäre zu Kairo gewesen war. Von Abu Nâsir erhielten wir folgende Angaben über die Bevölkerung von Nazareth, nämlich:

Griechen	160	Familien,	oder 260	steuerpflichtige Männer
Griechisch-Katholische	60	—	130	—.
Römisch-Katholische .	65	—	120	—
Maroniten	40	—	100	—
Muhammedaner . . .	120	—	170	—
Summa	445	—	780.	—

Dies führt auf eine Bevölkerung von etwa 3000 Seelen. Die reiche Familie des Katafago, sagte man uns, behauptet noch immer ihre Bedeutung und ihren allgemeinen Einflufs, wie ihn Burckhardt und Prokesch beschreiben [1]; aber wir hörten auch, dafs dieser Einflufs nicht in allen Beziehungen heilsam sei.

Wir waren nicht nach Nazareth gekommen wie Pilger zu den in legendenhafter Ueberlieferung nachgewiesenen heiligen Orten. Jedoch begaben wir uns jetzt nach dem lateinischen Kloster, begleitet von Elias, nicht weil es an der Stelle stehen soll, wo die Jungfrau lebte, sondern weil es ein Punkt von einigem Ruf in der neuern Geschichte des Landes, oder vielmehr, weil es von vielen Reisenden besucht worden ist. Die Mönche unterzogen sich gegenwärtig einer Quarantaine, da kürzlich der Arzt des Herzogs Maximilian von Baiern innerhalb ihrer Mauern von der Pest hingerafft worden war. [2] Wir betraten und durchschritten den geräumigen Vorhof und waren Willens, den Garten zu besuchen, der aber jetzt verschlossen war. Als wir die Thür der Kirche offen fanden, gingen wir hinein; es war die Vesperstunde, und der Gesang der Mönche, begleitet von den tiefen, weichen

---

1) Burckhardt's Travels p. 341. (589.) Prokesch S. 129.
2) Siehe Bd. I. S. 415.

Tönen der Orgel, welche uns unerwartet entgegenklangen, war
feierlich und eindringlich. Das Innere der Kirche ist klein und
einfach, mit massiven Bogen; die Wände waren ringsum mit
blaugestreiftem Damaststoff behangen, was ein sehr reiches Aussehn gab; in der That versetzte mich der ganze Eindruck nach
Italien zurück. Eine Barriere war nicht sehr weit vom Eingange
über den Fufsboden gelegt, als Warnungszeichen für die Leute,
nicht weiter vorzudringen; und eine gleiche Vorsichtsmafsregel
war getroffen, um das Berühren der Damastgehänge längs den
Wänden zu verhüten. Nach dem Hochaltar hin ist der Fufsboden erhöht, und man steigt auf Stufen zu demselben hinauf. Unter demselben ist die Grotte, worin der Sage zufolge die Jungfrau einst lebte; hier, sagen die Lateiner, empfing Maria den
Grufs des Engels, und die Kirche erhielt daher den Namen der
Verkündigung. [1]) Diese Grotte ist jetzt eine Kapelle; und über
derselben stand einst nach der katholischen Legende das Haus,
welches späterhin, um der Verunreinigung durch die Muhammedaner zu entgehen, durch die Luft nach Loretto in Italien wanderte,
wobei es eine Zeitlang in Dalmatien oder Illyrien anhielt. [2])
Diese Kirche nebst Kloster fing man, wie wir später sehn werden, auf den Ruinen der älteren Kirche im Jahr 1620 an aufzubauen; ein Jahrhundert später wurde das Ganze völlig wiederhergestellt und neu gebaut, und das Kloster zu seinem jetzigen
geräumigen Umfange erweitert. [3]) Das Haus zur Aufnahme der
Pilger wurde durch das Erdbeben vom 1. Jan. 1837 zerstört, von

---

1) Luk. 1, 26 ff.

2) Quaresmius II. p. 834 sq.

3) Burckhardt sagt: „im Jahr 1730", wahrscheinlich nach den Mönchen. Korte, welcher 1738 hier war, sagt, damals sei das neue Kloster bereits etwa 20 Jahre erbaut gewesen, aber die Kirche erst ein paar
Jahre vorher fertig geworden. Burckhardt p. 337. (584.) Korte p. 298, 299.

welchem Nazareth und andere benachbarte Dörfer mehr oder weniger litten; aber es war schon wieder aufgebaut. [1])

Aus dem Kloster gingen wir nach der kleinen Maroniten-Kirche, welche ganz in dem S. W. Theile der Stadt unter einer felsigen Wand des Berges steht, der hier 40 bis 50 Fufs hoch senkrecht abfällt. Wir bemerkten mehrere andere ähnliche Felswände in dem westlichen Berge um das Dorf. Eine darunter, vielleicht die neben der Maronitenkirche, mag wohl die Stelle gewesen sein, wohin die Juden Jesum führten, „auf einen Hügel des Berges, darauf ihre Stadt gebaut war, dafs sie ihn hinabstürzten; aber er ging mitten durch sie hinweg." [2]) Es ist hier keine Andeutung davon gegeben, dafs sein Entkommen durch Anwendung irgend einer Wunderkraft begünstigt wurde, sondern er nahm furchtlos seinen Weg durch die Menge, und entging wahrscheinlich ihrer Nachstellung, indem er die engen und krummen Strafsen der Stadt benutzte. Die Mönche haben für die Scene dieses Vorfalls den sogenannten Berg des Herabstürzens bestimmt, eine über die Ebne Esdrelon hervorragende Felsklippe, beinahe 2 engl. Meilen S. gen O. von Nazareth. Unter allen mit dem heiligen Lande verknüpften Legenden kenne ich keine plumpere als diese, welche voraussetzt, dafs man bei einem momentanen Volkstumulte die Geduld gehabt haben sollte, das Opfer der Wuth eine Stunde weit fortzuführen, um an ihm zu vollziehen, was sich eben so leicht ganz in der Nähe thun liefs. Zudem ist der Berg, auf welchem Nazareth steht, keine die Ebne Esdrelon überragende

1) Schubert's Reise III. S. 168. Das Kloster wurde auch sonst beträchtlich durch das Erdbeben beschädigt; aber nur Ein anderes Haus wurde niedergeworfen. Im Ganzen kamen fünf Menschen dabei um. S. Hn. Thomson's Bericht im Missionary Herald, Nov. 1837. p. 439.

1) Luk. 4, 28—30. Vgl. Clarke's Travels in the Holy Land, p. 537. 4to.

Klippe, sondern dieser westliche Berg, der eine gute Stunde von jener Ebne entlegen ist. In der That ist die innere Absurdität der Legende so grofs, dafs die Mönche selbst heutzutage, um sie zu vermeiden, die Lage des alten Nazareth nahe daran auf demselben Berge annehmen. ¹) — Diese Klippe wurde ohne Zweifel gewählt, weil sie von der Ebne aus gesehen, einen hervortretenden Gegenstand bildet; aber die Legende scheint nicht weiter zurückzugehen als bis zur Zeit der Kreuzzüge. Sie wird von Antoninus Martyr, welcher insbesondere die zu Nazareth gezeigten heiligen Orte beschreibt, nicht erwähnt, noch auch von Adamnanus, St. Willibald und Saewulf, welcher um das Jahr 1103 hier war. Aber die Kreuzfahrer hielten Nazareth sehr hoch, und erhoben es zu einem Bischofssitz; und so wurde denn sehr willkührlich diese Felsklippe zum „Hügel des Berges" ausersehen. Phocas erwähnt sie flüchtig im J. 1185, dann Brocardus vollständiger ²); und seit ihrer Zeit haben die meisten Reisenden Notiz davon genommen.

Wir kamen nach unserm Zelte zurück, in der Absicht, die Zeit zum Ausfüllen unsrer Tagebücher zu benutzen; aber die Artigkeiten des Abu Nâsir in Erwiederung unseres Besuchs erlaubten uns nicht, diesen Vorsatz auszuführen.

Sonntag, den 17. Juni. Die Quelle der Jungfrau nahe bei unserm Zelt, obgleich nicht grofs, wurde von den Dorfbewohnerinnen mit ihren Krügen viel besucht. Ich ging mehrere Male dahin; aber so grofs war die zum Füllen ihrer Krüge um

---

1) Clarke a. a. O. p. 437. Monro II. p. 292. — Die guten Mönche vergessen das Dilemma, in welches sie damit verfallen; denn wenn das alte Nazareth nahe bei der über die Ebne hervorragenden Klippe lag, was wird sodann aus den in der heutigen Stadt jetzt nachgewiesenen heiligen Orten?

2) Phocas de Locis Sanct. §. 10. Brocardus c. VI. p. 175.

dieselbe wartende Menge und der Streit darüber, wer zuerst schöpfen sollte, dafs ich nie nahe genug kommen konnte, um sie
vollständig zu untersuchen. Später im Sommer vertrocknet sie,
und es wird alsdann von entfernteren Quellen Wasser herbeige-
holt. Das Wasser sprudelt unter der griechischen Kirche der
Verkündigung 40 bis 50 Schritte weiter nördlich hervor, und von
hier wird der kleine Strom durch eine rohe Wasserleitung von
Stein fortgeführt, über welcher sich am Ende ein Bogen wölbt,
wo er seine spärlichen Gewässer in einen ausgehauenen Marmor-
trog ergiefst, der vielleicht einst ein Sarkophag war. Die Kirche
ist über der Quelle als der Stelle gebaut, wo den Griechen zufolge die Jungfrau den Grufs des Engels Gabriel empfing; sie ist
von aufsen sehr einfach, aber inwendig überladen und geschmack-
los ausgeputzt, und hat eine zu einer Kapelle eingerichtete unterirdische Grotte. — Die Wasserleitung scheint zu Pococke's Zeit
vorhanden gewesen zu sein, und wahrscheinlich auch die Kirche;
obwohl er nur von einer unterirdischen griechischen Kirche spricht,
in welcher die Quelle war. [1] Im Jahrhundert vorher beschreiben
Reisende statt der Wasserleitung hier ein Wasserbehältnifs, von
welchem sich jetzt keine Spur mehr findet. [2]

Nach dem Frühstück begab ich mich allein auf den Berg
über Nazareth, wo der vernachlässigte Wely des Neby Isma'il
oder Sa'in steht. Hier eröffnete sich ganz unerwartet eine
prachtvolle Aussicht vor meinen Blicken. Die Luft war vollkommen klar und heiter; und ich werde nie den daselbst erhaltenen
Eindruck vergessen, als das bezaubernde Panorama sich plötzlich
vor mir ausbreitete. Dort lag die herrliche Ebne Esdrelon, oder
wenigstens ihr ganzer westlicher Theil; zur Linken zeigte sich

---

1) Descr. of the East, II. p. 63. fol. Neitzschitz spricht im J.
1635 hier von einer alten griechischen Kirche über der Quelle; p. 234.

2) Surius p. 310. Doubdan p. 566.

der runde Gipfel des Tabor über den zwischenliegenden Anhöhen, mit Theilen des kleinen Hermon und Gilboa, und den gegenüberliegenden Bergen Samaria's von Jenin westwärts bis zu der niedrigen nach dem Carmel sich erstreckenden Hügelreihe. Dann kam der lange Rücken des Carmel selbst, mit dem Kloster des Elias auf dem nördlichen Ende und Haifa am Meeresufer an seinem Fuße. Im Westen lag das in der Morgensonne funkelnde Mittelmeer, zuerst weit im Süden links vom Carmel zu sehen, dann von diesem Berge unterbrochen, und darauf wieder zu seiner Rechten erscheinend, so dafs die ganze Bai von 'Akka und die weit nördlich bis zu einem Punkte N. 10° W. sich erstreckende Küste eingeschlossen war. 'Akka selbst war nicht sichtbar, da es hinter zwischenliegenden Bergen versteckt lag. Unten im Norden breitete sich eine andere der schönen Ebnen des nördlichen Palästina aus, Namens el-Büttauf; sie läuft von O. nach W., und ihre Gewässer werden westwärts durch ein engeres Thal nach dem Kison (el-Mukütta') an dem Fufse des Carmel abgeleitet. An der südlichen Grenze dieser Ebne ruhte das Auge auf einem grofsen Dorfe nahe beim Fufse einer vereinzelten Anhöhe mit einem verfallenen Kastell auf dem Gipfel; dies war Sefûrieh, das alte Sepphoris oder Diocaesarea. Jenseits von el-Büttauf erheben sich lange von O. nach W. laufende Rücken, einer höher als der andere, bis die Berge von Safed über alle hervorragen, an welchen dieser Ort gesehen wird, „eine Stadt, die auf einem Berge liegt." Weiter rechtshin ist ein Meer von kleineren und gröfseren Bergen, dahinter die höheren jenseit des See's von Tiberias, und im N. O. der majestätische Hermon mit seinem ewigen Schnee.

Der Carmel nahm sich hier sehr vortheilhaft aus, indem er sich weit in das Meer hinaus erstreckte und seinen Fufs in die Wassermasse eintauchte. Der höchste Theil des Rückens

liegt nach Süden zu. Das südliche Ende des eigentlichen Rückens hatte ich von dieser Stelle aus S. 80⁰ W. und den höchsten Punkt S. 86⁰ W. Von da neigt er sich allmählig nordwärts, bis er bei dem Kloster, nach Schubert, eine Höhe von
nur 582 Pariser Fufs über das angrenzende Meer hat. Derselbe
Reisende schätzt den höchsten Punkt anf 1200 Fufs, welches
mir relativ zu hoch vorkommt. [1]) Das nördliche Ende lag in
der Richtung N. 58⁰ W. Nach S. O. hin hängt der Carmel mit
den Bergen Samaria's durch eine breite Reihe niedriger, waldiger
Anhöhen zusammen, welche die grofse Ebne der südlicheren Küste
von der Ebne Esdrelon trennen. Hier sollen grofse Wallnufsbäume vorzugsweise wachsen. Der Mittelpunkt dieser zur Verbindung dienenden Hügelreihe lag mir S. 64⁰ W. Denselben
Anblick von Büschen und Bäumen hat man auf vielen Theilen
des Carmel, welcher so ein weniger nacktes Aussehen hat, als
die Berge von Judaea. [2])

Ich setzte mich in dem Schatten des Wely nieder und blieb
einige Stunden an dieser Stelle, verloren in der Betrachtung der
weiten Aussicht und der mit der Gegend ringsum zusammenhängenden Begebenheiten. In dem Dorfe unten hatte der Heiland
der Welt seine Kindheit zugebracht, und obgleich wir nur wenige Züge aus seinem Leben während dieser frühen Jahre wissen,
so giebt es hier doch gewisse Gegenstände in der Natur, welche
unseren Augen jetzt entgegentraten, wie sie einst die seinigen ge-

---

1) Reise III. S. 212.

2) Prokesch Reise im heil. Lande S. 128. Schubert's Reise III.
S. 205. — Der Name Jebel Kurmul findet sich bei arabischen Schriftstellern; siehe Edrisi par Jaubert p. 348. Reinaud Extraits etc. p. 437
sq. Par. 1829. Gegenwärtig scheint er bei den Arabern Jebel Màr Elyâs,
nach dem Kloster des Elias nahe bei seinem nördlichen Ende, genannt
zu werden; Berggren Reisen II. S. 225.

schaut hatten. Er mufste oft die Quelle besucht haben, in deren
Nähe unser Zelt aufgeschlagen war; seine Füfse mufsten häufig
über die benachbarten Berge gewandert sein, und seine Augen
ohne Zweifel die prachtvolle Aussicht von eben dieser Stelle an-
gestaunt haben. Hier sah der Friedensfürst nach der grofsen
Ebne hinab, über welche das Schlachtengetöse so oft dahingerollt
war und die Gewänder des Kriegers sich in Blut gefärbt hatten;
und er blickte auch hin auf das Meer, über welches die schnel-
len Schiffe die Botschaft von seiner Erlösung nach damals noch
unbekannten Nationen und Ländern bringen sollten. Wie hat
sich der moralische Zustand der Dinge geändert! Schlachten und
Blutvergiefsen haben zwar nicht aufgehört, dieses unglückliche
Land zu verheeren, und dicke Finsternifs bedeckt jetzt das Volk;
aber von dieser Gegend ging ein Licht aus, welches die Welt
erleuchtet und neue Zonen entschleiert hat; und jetzt fangen die
Strahlen dieses Lichtes an, von entfernten Inseln und Festlanden
zurückgeworfen zu werden, um aufs Neue das verfinsterte Land
zu erhellen, wo es zuerst hervorbrach.

Der Tag war schön, aber heifs; auf dem Berge war die
Luft köstlich; aber bei der Rückkehr nach unserm Zelt in dem
Thale wurde die Hitze bald drückend, da das Thermometer in
dem Schatten der Bäume nach 10 U. auf 25° R. stieg. Wir
hielten unsere Andacht im Zelte, nahmen aber gern den Mittag
eine Einladung von Abu Nâsir an, als er vom Gottesdienste der
griechischen Kirche zurückkehrte, und begaben uns nach seinem
Hause. Hier fanden wir die steinernen Zimmer weit kühler, als
unser Zelt. Das Haus war grade neu gebaut worden und noch
nicht ganz fertig. Um die Grundmauern zu legen, hatte er bis
auf den harten Felsen hinab gegraben, wie es durchgehends im
Lande gebräuchlich ist, hier zur Tiefe von 30 Fufs, und dann

Bogen aufgebaut. [1]) Die Arbeit war solid, aber grob; er versicherte uns, es sei die beste, welche die Maurer aus Nazareth liefern könnten. Der Mangel an Bauholz im Lande wird bei Aufführung von Gebänden stark gefühlt; und aus diesem Grunde sind, im Süden wenigstens, die meisten Zimmer gewölbt. [2]) Das wenige, welches Abu Nâsir gebrauchte, war Fichtenholz, und, wie die Cedern vor Alters, vom Berge Libanon geholt, und zwar über Haifa.

Aber wenn unser gütiger Freund so seine äufsere Bequemlichkeit zu verbessern suchte, so setzte er auch Herz und Seele daran, zur Förderung des sittlichen Zustandes der ihn umgebenden griechischen Gemeinde zu wirken. Als er noch zu Beirût war, hatte er den Missionsschulen an diesem Orte grofse Aufmerksamkeit geschenkt, und war von ihrer Bedeutung und ihrem heilsamen Einflusse so sehr interessirt und ergriffen worden, dafs er bei der Rückkehr nach Nazareth die Errichtung ähnlicher Schulen unter seinen Glaubensgenossen sogleich ins Werk setzte. Sein Bemühen war ihm auch so weit gelungen, dafs die zuerst errichtete, welche jetzt eine Zeitlang wirksam gewesen war, gegenwärtig 50 Zöglinge enthielt; und eine andere war kürzlich mit etwa 20 Kindern eröffnet worden. Eine Hauptschwierigkeit war der gänzliche Mangel an Schulbüchern gewesen; und diese, und zwar diese allein, hatte Abu Nâsir von den Missionären zu Beirût erhalten. Um seinen Nachbarn ein Beispiel zu geben und einen bessern Zustand der Gemeinde einzuleiten, hatte er auch den unerhörten Schritt gewagt, seine eigne jüngste Tochter in eine der Schulen zu schicken; und sie war die erste ihres Geschlechts, welche jemals in Nazareth lesen gelernt hatte. Gegenwärtig lernte sie auch

---

1) Luk. 6, 48: „Er ist gleich einem Menschen, der ein Haus baute, und grub tief, und legte den Grund auf den Fels.“

2) Siehe Bd. I. S. 354, 369.

zu Hause schreiben. Das Beispiel fand Nachahmung, obgleich mit Bedenken; und es gehörten jetzt noch drei andere Mädchen zu den Zöglingen. Abu Nâsir wirkte somit viel Gutes, aber er stiefs auch auf Widerspruch; und da er in den Mitteln beschränkt war, so wünschte er sehr, dafs die Schulen von der Mission in Beirût übernommen, und andere in den benachbarten Dörfern errichtet werden möchten. Aber um diese Zeit waren die Hülfsmittel der Mission und der Gesellschaft in der Heimath so sehr geschmälert worden, dafs an eine Erweiterung ihrer Wirksamkeit nicht zu denken war.

Abu Nâsir und sein Sohn safsen bei uns, letzterer ein hoffnungsvoller, zwanzigjähriger Jüngling; eine etwas jüngere Tochter kam auch ein paar Augenblicke herein, zog sich aber bald wieder zurück; während die jüngste Tochter, ein kluges, schüchternes Kind von zwölf Jahren, eine Weile bei uns blieb. Der Vater war augenscheinlich stolz auf ihre Schulkenntnisse; sie sagte meinem Reisegefährten zwölf Psalmen und Stücke aus Watt's Katechismus für Kinder auswendig her, alles natürlich im Arabischen. Der Sohn gab uns Auskunft über das Dorf Jelbôn auf dem Gebirge Gilboa, welches er selbst besucht hatte. [1]) — Wir nahmen gegen Abend an der Mahlzeit des Abu Nâsir Theil. Bei der Bewirthung kam nichts Besonderes vor, was sich von den bereits beschriebenen gewöhnlichen Landesgebräuchen unterschieden hätte, aufser dafs wir unsere eignen Teller, Messer, Gabeln u. dgl. hatten, und unsere eignen Diener uns aufwarteten. Alles Uebrige wurde vom Wirthe und seinem Sohne besorgt, und Ersterer allein afs mit uns.

Die Aufmerksamkeiten des Abu Nâsir gegen uns gingen aus der reinsten Güte und Achtung hervor; aber sie beraubten

---

1) Siehe oben, S. 388. Anm. 1.

uns des gröfseren Theiles unsrer Zeit, und hatten uns bereits
daran gehindert, unsre Beobachtungen niederzuschreiben, wie wir
uns vorgenommen. Wir machten daher für den folgenden Tag
den Plan, am Morgen nach dem Gipfel des Berges Tabor zu
gehen, und hier unser Zelt aufzuschlagen, um unsere Tagebücher
auszufüllen, welche sehr im Rückstand waren.

Montag, den 18. Juni. Bevor wir aufbrachen, gingen
wir noch einmal auf den westlichen Berg nach dem Wely des Neby
Isma'il, begleitet von Abu Nâsir, welcher mit der ganzen Umgegend
vollkommen bekannt war. Die Aussicht war indefs jetzt nicht so
schön; der S. W. Wind hatte sich erhoben, der Anfang eines
Sirokko, und einen Nebel herbeigeführt, welcher uns den gestrigen Anblick zum Theil entzog. Jedoch waren die im Gesichtskreis liegenden Punkte alle deutlich zu erkennen, wenn auch nicht
in dem klaren durchsichtigen Lichte des vorigen Tages. Alle
Orte um die Ebne Esdrelon herum, die wir früher gesehen hatten, liefsen sich noch ermitteln. Haifa war gleichfalls noch sichtbar, jetzt ein bedeutender Handelsplatz am Fufse des Carmel an
der südlichen Küste der Bai von 'Akka; es ist wahrscheinlich
das alte Sycaminum, eine Stadt der Phönicier, nicht weit von
Ptolemais oder 'Akka entfernt. [1]   Im Norden zeigte uns Abu

---

1) Joseph. Ant. XIII, 12, 3. Reland Pal. p. 1024. Die Identität von Haifa und Sycaminum erhellt schon aus Eusebius und Hieronymus. Onomast. Art. Japhic: „Oppidum Sycaminum nomine, de Caesarea Ptolemaidem pergentibus super mare propter montem Carmelum,
Ephe (Ηφα) dicitur." Die Kreuzfahrer hielten es irrthümlich für das
alte Porphyreon, welches aber nördlich von Sidon lag; Will. Tyr. IX,
13. Jac. de Vitr. p. 1067. Der Ort wurde von Tankred erstürmt; Alb.
Aq. VII, 22 — 26. Er wird auch bei Saewulf erwähnt p. 270; Benj. de
Tud. par Barat. p. 74. Siehe auch Edrisi par Jaubert p. 348. Schultens Index geogr. in Vit. Salad. Art. Chaipha.

Nâsir das Dorf Kefr Menda; [1]) und auch einen verfallenen Ort
an der nördlichen Grenze der Ebne el-Büttauf, von den Eingebornen Kâna el-Jelîl genannt, worauf ich wieder zurückkommen
werde. Ich erinnere mich nicht mehr, ob wir das Dorf Rum-
mâneh ein wenig weiter östlich sahen; auf jeden Fall nahmen
wir die Bestimmung seiner Lage nicht auf. [2]) — Die folgenden
Richtungen nahmen wir meistens mit unserm grofsen Kompafs auf,
wobei wir am Tabor anfangend zur Rechten weiter fortgingen:
Tabor S. 67^0 O., Kaukab el-Hawa jenseit des Tabor S. 56^0 O.,
Endôr S. 39^0 O., Nein S. 21^0 O., Dühy S. 19^0 O., Nûris S.
$10\frac{1}{2}$ O., Wezar S. 9^0 O. [3]), Zer'in S. 3^0 O., Jenin S. 6^0 W.,
Sileh S. 23^0 W., Ta'annuk S. 27^0 W., Um el-Fahm S. 40^0
W., Lejjûn S. 42^0 W., Mitte der vom Carmel sich ausdehnen-
den Hügelreihe S. 64^0 W., Carmel Südende des Rückens S. 80^0
W., Carmel höchster Punkt S. 86^0 W., 'Asîfia N. 80^0 W., Haifa
N. 59^0 W., Kaukab N. 10^0 W., Sefûrieh N. 9^0 W., Kefr Men-
da N. 8^0 W., Kâna el-Jelîl N. 5^0 O., Safed N. 40^0 O., Jebel
esh-Sheikh N. 41^0 O. Nazareth lag unter uns in der Richtung
S. 10^0 O., etwa zehn Minuten entfernt.

Als wir den Berg hinab zurückkehrten, kamen wir zu einer
Stelle, wo man den Boden mit Feuer abgesengt hatte, und erfuhren, dafs dies zur Vernichtung der jungen Heuschrecken geschehen sei, welche haufenweise todt da lagen. Wir hatten sie
seit mehreren Tagen gelegentlich gesehen, und einige Felder mit
Baumwolle passirt, die von denselben stark verheert waren. In
Jenin wurde uns gesagt, dafs der Gouverneur, welcher ausge-

---

1) Gleichfalls erwähnt bei Van Egmond und Heyman, Reisen II. S. 16.

2) Ist dies vielleicht das Rimmon des Stammes Sebulon? Jos.
19, 13. 1 Chron. 7, 77. Pococke erwähnt dieses Dorf; II. p. 62. fol.

3) Sôlam, obgleich hier nicht zu sehen, liegt auch S. 9^0 O. in
derselben Linie mit Wezar; siehe oben, S. 402.

dehnte Felder auf der Ebne besafs, aus Besorgnifs für seine Baumwolle und andere Ernten die Landleute aus den benachbarten Dörfern aufgeboten und die Heuschrecken durch Verbrennen und son-
stige Mittel vernichtet habe. Aber alle halbe Stunden fanden wir
auf unsrer Reise über die Ebne den Boden mit den jungen Schwärmen bedeckt. Sie waren grün, und noch zu jung zum Fliegen,
aber grade in dem rechten Alter, um zu fressen. Die Umgebungen von Nazareth waren eine Strecke weit ringsum damit bedeckt, so dafs sie Weinpflanzungen, Gärten und alles Grüne zer-
frafsen. — Der sie verfolgende und vernichtende Vogel hatte
Nazareth noch nicht erreicht, sondern sollte erst in der Nachbarschaft von Hattîn sein. Er wird Semermer genannt;[1]) und nach
der Aussage der Araber frifst er die Heuschrecken nicht, oder
wenigstens nicht viele, sondern greift sie mit Schnabel und Kral-
len an, und tödtet so ihrer so viele als möglich.

Der Name Nazareth (im Arabischen en-Nâsirah) findet
sich in der Schrift nur im neuen Testament. Der Ort wird weder im alten Testament, noch bei Josephus erwähnt, und war
dem Anscheine nach ein kleines und unbedeutendes Dorf. „Was
kann von Nazareth Gutes kommen?" ist eine nichts weniger als
Achtung in sich schliefsende Frage. Die Benennung Nazarener
wurde den ersten Christen sogar als Spottname beigelegt;[2]) und
heut zu Tage werden die Christen im Arabischen noch fortwährend „en-Nüsâra" d. i. Nazarener genannt.[3])

1) Turdus Seleucis; Gryllivora. Forskål Descr. Ani-
mal. p. VI.

2) Ev. Joh. I, 46. Apgsch. 24, 5: „Et nos apud veteres, quasi
opprobrio Nazaraei dicebamur, quos nunc Christianos vocant;" Euseb.
und Hieron. Onomast. Art. Nazareth.

3) Sing. „Nŭsrâny;" Plur. „Nŭsâra," im gewöhnlichen Arabisch oft „Nŭsârah" geschrieben.

III. 28

Nach den Tagen unsres Heilandes hören wir nichts mehr von Nazareth, bis Eusebius es im 4. Jahrhundert wieder als ein Dorf beschreibt, das 15 röm. Meilen östwärts von Legio (Lejjûn) und nicht weit vom Tabor gelegen war. [1]) Epiphanius berichtet in demselben Jahrhundert, dafs Nazareth bis zur Zeit des Constantin nur von Juden bewohnt war, woraus wenigstens hervorzugehen scheint, dafs zu seiner Zeit Christen dort wohnten. [2]) Jedoch war es damals wohl kein regelmäfsiger Wallfahrtsort; denn Hieronymus erwähnt es nur nebenbei, und läfst die Paula auf ihrer Reise nur hindurchgehen, ohne anzuhalten. [3]) Auch war es nicht zu einem Bisthum erhoben; denn der Name findet sich in keiner der kirchlichen Notitiae vor der Zeit der Kreuzzüge. Indessen mufs es früh von Pilgern besucht worden sein; denn gegen den Schlufs des 6. Jahrhunderts beschreibt Antoninus die dortige alte Synagoge und eine Kirche. [4]) Arculfus fand hier ein Jahrhundert später zwei Kirchen, eine über der Quelle, und die andere das Haus bedeckend, worin Maria gelebt hatte. St. Willibald im 8. Jahrh. erwähnt nur eine Kirche. [5]) Um das J. 1103 beschreibt Saewulf den Ort als von den Sarazenen gänzlich zer-

---

1) Onomast. Art. Nazareth.

2) Epiphan. adv. Haeres. lib. I. p. 128, 136. Reland Pal. p. 905.

3) „Inde cito itinere percucurrit Nazareth nutriculam Domini;" Ep. 86, Epit. Paulae, p. 677. ed. Mart. Vgl. Ep. 44, ad Marcell. ebend. p. 552. Jedoch schreibt, wie es sich fast von selbst versteht, klösterliche Ueberlieferung die heutige Kirche der Helena zu.

4) Antonin. Mart. §. 5. Es ist bemerkenswerth, dafs Antoninus die Schönheit des weiblichen Geschlechts in Nazareth hervorhebt, wie auch heut zu Tage von einigen Reisenden geschehen ist, obwohl uns selbst das nicht besonders auffiel. Turner Tour in the Levant II. p. 135. Berggren Reisen II. S. 232. Antoninus schreibt dies der besondern Gunst der Jungfrau Maria zu.

5) Adamnanus ex Arculf. II, 26. St. Willibald Hodoepor. 16.

stört, obgleich ein bekanntes Kloster noch zur Bezeichnung des Ortes der Verkündigung diente. [1])

Nachdem die Krenzfahrer Jerusalem in Besitz genommen hatten, wurde die Landschaft Galilaea in der Ausdehnung von Tiberias bis Haifa dem edlen Tankred von Gottfried von Bouillon als Lehen übergeben. Er unterwarf sich sofort Tiberias, verwaltete die Provinz mit Gerechtigkeit und Güte, errichtete Kirchen zu Nazareth, Tiberias und auf dem Berge Tabor, und beschenkte sie reichlich, so dafs sein Andenken in dieser Gegend lange Zeit werthgehalten wurde. [2]) Bei den neuen kirchlichen Einrichtungen des Landes wurde das Bisthum in Scythopolis, der frühere Metropolitansitz von Palaestina Secunda, nach Nazareth verlegt, welches damals zuerst ein Bisthum wurde und es dem Namen nach in der griechischen Kirche bis auf den heutigen Tag geblieben ist. Zu dieser Zeit hatte es nur einen einzigen Suffragansitz, den von Tiberias. [3]) Wann diese Verlegung stattfand, wird uns nicht gesagt; aber es mufs in einer frühen Periode geschehen sein, denn im Jahr 1111 herrschte bereits ein Streit zwischen dem Bischof von Nazareth und dem von den Benedictinern zu Clugny auf dem Berge Tabor gegründeten Kloster hinsichtlich der Jurisdiktion des Bischofs über letzteres. Die Sache wurde durch Gibelin, Patriarchen von Jerusalem, in einer Versammlung der Bischöfe und der Geistlichkeit, mit Beistimmung des Königs und

---

1) Saewulf Peregrinat. p. 270.

2) Albert. Aq. VII, 16. Will. Tyr. IX, 13. Wilken Gesch. der Kr. II. S. 33—37. — Tankred trat dieses Lehen nach zwei oder drei Jahren ab, aber bekam es vor seinem Tode wieder zurück; Will. Tyr. X, 10. Alb. Aq. XI, 12. Wilken ebend. S. 92, 208.

3) Will. Tyr. XXII, 16. Jac. de Vitr. 56. p. 1077. Marin. Sanut. p. 176. — Der heutige griechische Titularbischof von Nazareth residirt in Jerusalem; siehe oben, Bd. II. S. 298 f.

28 *

der Barone, zur beiderseitigen Zufriedenheit beigelegt. Die Einweihung des Abtes und der Mönche und auch der größern Kirche
sollte nur von dem Patriarchen abhängen, während dem Bischof
von Nazareth die Ausübung aller andern Episkopalrechte über
das Kloster eingeräumt wurde. [1])
Die unglückliche Schlacht bei Hattin im Jahr 1187 hatte
die Unterwerfung des ganzen Landes durch Saladin, und unter
andern Orten die von Nazareth und Sepphoris zur Folge. [2]) Um
welche Zeit es wieder in die Hände der Christen kam, ist ungewifs; aber im J. 1250 unternahm Ludwig der Heilige von Frankreich eine Wallfahrt von 'Akka nach Nazareth und dem Berge
Tabor; [3]) und im Jahr 1263 wurde die Stadt Nazareth und die
herrliche Kirche der Verkündigung, sowie auch die Kirche der
Verklärung auf dem Berge Tabor von Sultan Bibars völlig in
Ruinen verwandelt. [4]) Nazareth scheint späterhin vernachlässigt,
und die Kirche erst nach mehreren Jahrhunderten wieder aufge-

---

1) Siehe die diesen Vergleich enthaltende Urkunde in Mansi Concil. Tom. XXI. p. 71. Wilken Gesch. der Kr. II. S. 365. Gibelin starb
am Schlusse des Jahres 1111, oder im Anfang des darauf folgenden Jahres; Will. Tyr. XI, 14. 15.

2) Bohaedd. p. 71. Abulfed. Annal. J. d. H. 583. Mejr ed-Din
in den Fundgr. des Or. III. S. 81. Wilken a. a. O. III, 2. S. 293, 297.

3) Wilken ebend. VII. S. 277, 278, und die daselbst angeführten
Autoritäten. — Kaiser Friedrich II. behauptete, dafs der Besitz Nazareth's von Seiten der Christen in seinem Vergleich vom Jahre 1229 mit
eingeschlossen sei; aber arabische Schriftsteller sprechen nur von Orten
auf der Route zwischen Jerusalem und 'Akka. Jedoch konnte Nazareth
in dieser Route wohl mit inbegriffen sein. Wilken ebend. VI. S. 479.
Marin. Sanut. p. 213. Reinaud Extraits etc. p. 430.

4) Epist. Urban. IV. in Raynaldi Annal. ecclesiast. 1263 n. Chr.
§. 7. Abulf. Annal. J. d. H. 661. Reinaud Extraits etc. p. 488. Wilken ebend. VII. S. 461.

baut worden zu sein; obgleich die Reihenfolge lateinischer Bischöfe oder vielmehr Erzbischöfe dem Namen nach in der römischen Kirche noch lange fortdauerte. [1]) Brocardus im 13. Jahrh.
sagt nichts von dem damaligen Zustande Nazareth's; aber Schriftsteller des 14. Säculums beschreiben es als ein kleines Dorf mit
einer völlig in Ruinen liegenden Kirche und einer Quelle, und
beklagen sich bitter über die muhammedanischen Einwohner. [2])
Im 15. Jahrh. scheint Nazareth kaum von Pilgern besucht worden zu sein. Um die Mitte des 16. beschreibt Belon hier die
Kapelle der Verkündigung als eine unterirdische Grotte, umgeben von den Ruinen einer alten Kirche; das Dorf war nur von
Muhammedanern bewohnt. [3]) Cotovicus bestätigt am Schlusse
desselben Jahrhunderts diese Nachricht, indem er die Leute als
die schlechtesten beschreibt, die er gesehen habe, unter denen
nur zwei oder drei christliche Einwohner seien; die frühere Kirche lag noch in Ruinen. Er und seine Gefährten erfuhren hier
nur grobe Beleidigungen. [4])

Im Jahre 1620 erhielten die Franziscaner-Mönche zuerst
Erlaubnifs von dem berühmten Fakhr ed-Din, damals Herrn
dieser Gegend, die Grotte in Besitz zu nehmen und die Kirche
in Nazareth wieder aufzubauen, mit welcher sie natürlich ein

---

1) Le Quien Oriens Chr. III. p. 1294 sq.

2) Brocardus c. VI. p. 175. Sir J. Maundeville p. 112. Lond.
1839. W. de Baldensel schreibt von den Einwohnern: „pessimi Sara-
ceni;" p. 354. R. de Suchem im Reifsh. S. 850 Nach diesem letzteren Schriftsteller hatten die Sarazenen die Quelle auszufüllen gesucht,
und die zerstörte Kirche durch Verwandlung derselben in einen Auf-
bewahrungsort der todten Körper von Eseln, Kameelen, Hunden u. s. w.
so viel als möglich verunreinigt.

3) Belon Observat. Par. 1588. p. 327.

4) Cotov. Itin. p. 349, 350. Vgl. Sandys' Travels p. 160.

Kloster verbanden. Die Umstände werden von Quaresmins, da sie zu seiner Zeit vorfielen, vollständig berichtet; aber die Gebäude scheinen nach vielen Jahren noch nicht fertig gewesen zu sein; denn Doubdan spricht von dem Orte als einem armseligen, fast verfallenen und verödeten Dorfe, mit acht oder zehn hier ansäfsigen Mönchen aus dem Kloster in Jerusalem. [1]) Surius fand ein paar Jahre zuvor in dem Dorfe nur vier maronitische und zwei griechische Christenfamilien. [2]) Am Schlusse desselben Jahrhunderts beschreibt Maundrell die Mönche als eingeschlossen in ihrem Kloster lebend aus Furcht vor den Arabern. [3]) Um das J. 1720—30 wurde, wie wir gesehen haben, die Kirche nebst dem Kloster wiederhergestellt und erweitert. [4]) Seit der Zeit haben die Christen in Nazareth bedeutend zugenommen, und der Charakter des Ortes eine völlige Umwandlung erfahren. Selbst zur Zeit Korte's gab es hier in allem nur 150 Familien. Doch soll sich die christliche Bevölkerung besonders unter dem bekannten Sheikh Dhaher von 'Akka ungefähr um die Mitte des 18. Jahrhunderts vermehrt haben. [5])

In der Nähe von Nazareth finden wir auch die Namen mehrerer andrer alter Orte, worüber es passend sein mag, hier einige Worte zu sagen.

Yâfa. Das kleine Dorf Yâfa liegt, wie oben bemerkt, etwas über ½ Stunde S. W. von Nazareth in einem andern Thale. [6]) Es enthält etwa 30 Häuser mit den Ueberresten einer Kirche, und hat ein paar einzelne Palmbäume. Die italienischen

---

1) Quaresmius Elucid. II. p. 837 sq. Doubdan p. 569.
2) Surius Pelerin, p. 305 sq.
3) Maundrell unter dem 18. Apr.
4) Siehe oben, S. 422.
5) Kortens Reise S. 298. Mariti Voyages II. p.153, 154. Neuw.1791.
6) Siehe oben, S. 420.

Mönche nennen es St. Giacomo, in sofern ihre Ueberlieferung es
als den Wohnsitz des Zebedaeus und seiner beiden Söhne Jaco-
bus und Johannes ansieht. Der Name scheint es mit dem Ja-
phia der Schrift an der Grenze von Sebulon, welches auch von
Eusebius und Hieronymus beschrieben wird, zu identificiren. [1])
Das von Josephus befestigte Japha war wahrscheinlich dasselbe,
ein grofses und festes Dorf in Galilaea, später von Trajan und
Titus unter den Befehlen des Vespasian erobert. Bei der Erstür-
mung und Plünderung des Ortes wurden, nach demselben Schriftsteller, 15000 von den Bewohnern mit dem Schwerte niederge-
macht, und 2130 gefangen genommen. [2]) — Die früheste Spur
von der Ueberlieferung über den Wohnsitz der Söhne Zebedaei
an diesem Orte scheint bei Marinus Sanutus im 14. Jahrhundert
vorzukommen, und die Ueberlieferung selbst ist daher wahrscheinlich nicht älter, als die Zeit der Kreuzzüge. [3])

Semûnieh. Beinahe West gen Nord von Yâfa liegt auf
einer Anhöhe das kleine Dorf Semûnieh, ein Name, in welchem
es nicht schwer fällt, das Simonias des Josephus wiederzuerken-
nen, nach seiner Beschreibung auf der Hügelreihe nördlich von
der Ebne Esdrelon gelegen. Hier wurde von den Römern ein
Versuch gemacht, den Josephus bei Nacht zu überfallen und zum

---

1) Joh. 19, 12. Onomast. Art. Japhie: „Japhet in tribu Za-
bulon, nunc usque Joppe vocatur, ascensus Japho." — Hier zeigt sich
ein drittes Beispiel von dem Ausfallen des hebräischen 'Ain am Ende
des Namens; die beiden andern sind el-Jib und Jelbôn.

2) Joseph. Vit. §. 37. 45. B. J. II, 20, 6. III, 7, 31.

3) Marin. Sanut. p. 253. Sir J. Maundeville p. 115. Lond. 1839.
Quaresmius II. p. 843. Diese Schriftsteller schreiben den Namen Sa-
phar, Saffra und Saffa. Spätere Reisende, welche dieses Yâfa erwähnen,
sind u. a. Korte p. 305. Turner II. p. 133. Schubert III. S. 203 u. s. w.
Siehe Raumer's Palästina S. 127.

Gefangenen zu machen. [1]) Ich finde den Ort nicht wieder erwähnt, bis er in unserm Jahrhundert auf der Karte Jacotin's erscheint. In der Bibel kommt der Name nicht vor.

Jebâta. In S. S. W. von Yâfa, wie es scheint, nahe am Rande der die Ebne Esdrelon umgrenzenden Berge liegt das Dorf Jebâta. Dies möchte das Gabatha des Eusebius und Hieronymus sein, an den Grenzen von Diocaesarca (Sepphoris), nahe bei der grofsen Ebne Legio oder Esdrelon. [2]) Es wird in der Schrift nicht genannt; und ich finde keine weitere Erwähnung davon, aufser auf der Karte von Jacotin und in unsern Verzeichnissen.

Sefûrieh. Von dem Wely oberhalb Nazareth sahen wir das Dorf Sefûrieh N. gen W. in dem südlichen Theile der schönen Ebne el-Büttauf, wie man sagt, etwa $1\frac{1}{2}$ Stunden von Nazareth entfernt. Es ist ein kleines Dorf am Fufs einer vereinzelten Anhöhe, worauf die Ruinen eines grofsen Kastells liegen. Dieser Name ist augenscheinlich das Sepphoris des Josephus und das Tsippori der Rabbinen, ein in der Schrift nicht erwähnter, aber später bei den Römern Diocaesarea genannter Ort. [3]) Josephus spricht oft von Sepphoris. Es wurde von Herodes dem Grofsen genommen und nachher von Varus in Asche gelegt; aber von Herodes Antipas wieder aufgebaut und befestigt, ward es die gröfste und festeste Stadt in Galilaea, und erhielt zuletzt den Vor-

---

1) Joseph. Vita §. 24. Reland Palaest. p. 1017.

2) Onomast. Art. Gabathon: „ Et alia villa Gabatha in finibus Diocaesareae juxta grandem campum Legionis ". Das Griechische des Eusebius ist hier verworren, und wahrscheinlich verderbt.

3) „Saphorim quae hodie appellatur Diocaesarea"; Hieron. Prooem. in Jonam. Reland Palaest. p. 999. Es existiren noch Münzen von Sepphoris aus Trajan's Zeit, und von Diocaesarea aus der des Antoninus, Pius, Commodus und Caracalla; Mionnet Médailles Antiques V. p. 482, Eckhel Doctr. Numm. III. p. 425.

rang vor Tiberias. [1]) Es gab daselbst viele Synagogen; auch
ein Provinzial-Synedrium wurde dort von Gabinius errichtet; und
nach der Zerstörung von Jerusalem soll der jüdische hohe Rath,
bevor wir ihn in Tiberias finden, auf einige Jahre nach Sepphoris verlegt worden sein. [2]) Die Stadt scheint später der Sitz einer christlichen Kirche und eines Bisthums in Palaestina Secunda
geworden zu sein. [3]) Epiphanius berichtet, dafs ein gewisser Josephus, welcher zur Zeit Constantin's lebte, die Erlaubnifs erhielt, hier eine Kirche zu erbauen. [4]) Im Jahr 1339 wurde Sepphoris in Folge eines Aufstandes der Juden, welche noch immer
die zahlreichste Einwohnerklasse bildeten, von den Römern zerstört. [5]) Nahe am Schlusse des 6. Jahrhunderts wird es von
Antoninus Martyr erwähnt, welcher hier von einer an der Stelle,
wo die Jungfrau Maria den Grufs des Engels empfing, errichteten Kathedrale spricht. [6]) In dieser Nachricht können wir den
Keim der späteren Legende wieder erkennen, welche Sepphoris
den Wohnsitz der Aeltern der Jungfrau gewesen sein läfst.

Wir hören nichts weiter von dem Orte bis zur Zeit der
Kreuzzüge, wo Sefûrich wieder berühmt wurde, und zwar wegen
seiner grofsen Quelle, beinahe eine halbe Stunde S. O. von der
Stadt nach Nazareth hin, welche oft zum Sammelpunkt für die

---

1) Joseph. Ant. XIV, 15, 4. XVII, 10, 9. XVIII, 2, 1. B. J. II,
18, 11. III, 2, 4. Vita §. 9, 45, 65.

2) Jos. Ant. XIV, 5, 4. Lightfoot Opp. Tom. II. p. 144 sq. 229.
Ultraj. 1699. Vgl. Buxtorf Tiberias p. 17, 22.

3) Siehe die Notitiae, Reland Pal. p. 217, 220, 228, 1001. le
Quien Oriens Chr. III. p. 714.

4) Epiphan. adv. Haeres. lib. I. p. 128.

5) Siehe oben, Bd. II. S. 217.

6) Antonin. Mart. Itin. §. 2. Der Name wird irrthümlich Neocaesarea geschrieben.

Heere der christlichen Krieger diente. [1]) Hier kamen die Streit-
kräfte der Kreuzfahrer in Pomp und Prunk vor der unglücklichen
Schlacht bei Hattin zusammen; und hier lagerte ein paar Tage
später Saladin mit seinem siegreichen Heer auf seinem Wege nach
'Akka, indem er die Unterwerfung des Kastells erst einige Zeit
nachher seinen Truppen überliefs. [2]) Nicht lange vor dieser Periode erwähnt Benjamin von Tudela in Beziehung auf Sepphoris
nur, dafs es das Grab des Rabbi Juda Hakkadosch enthalte, welcher hier starb; und Phocas beschreibt den Ort als fast unbewohnt. [3])

In den folgenden Jahrhunderten wird Sefûrieh's als einer
Stadt mit einem Kastell gedacht, welchem letzteren Marinus Sanutus das Epitheton „schön" beilegt. [4]) Aber der Hauptumstand,
welcher die Aufmerksamkeit der Pilger seit den Kreuzzügen auf
den Ort hingelenkt hat, ist die Legende, dafs er der Wohnsitz
des Joachim und der Anna, der vermeintlichen Aeltern der Jungfrau Maria, gewesen sei. [5]) Die Ueberreste einer diesen Heiligen
geweihten Kirche finden sich noch auf dem Berge vor. Diese Ruinen werden mit ziemlich stark aufgetragenen Farben von Dr.
Clarke beschrieben, welcher anscheinend der Meinung ist, sie gehörten zu der obenerwähnten im 4. Jahrhundert hier errichteten

---

1) So unter Amalrich; Will. Tyr. XX, 27. Unter Balduin IV;
Will. Tyr. XXII, 15. 16. 25. — Wilken Gesch. der Kr. III, 2. S. 208, 231.

2) Wilken ebend. S. 273, 274, und die dort aufgeführten Autoritäten. Ebend. S. 292. — Bohaedd. Vit. Salad. p. 71. Mejr ed - Din
in den Fundgr. des Or. III. S. 81.

3) Benj. de Tud. par Barat. p. 105. Phocas de Loc. Sanct. §. 10. —
Das Grab des R. Hakkadosch wird auch in dem jüdischen Itinerarium in
Hottinger's Cippi Hebraici p. 74. erwähnt.

4) Brocardus c. VI. p. 175. Marin. San. p. 253: „castrum valde
pulchrum."

5) Jedoch hatte die Anna auch ihr Haus in Jerusalem, wo die
Jungfrau geboren wurde; siehe Bd. I. S. 386.

Kirche. Aber dabei vergißt er, daß er so eben ihrer als Ueberbleibsel „eines stattlichen gothischen Gebäudes" gedacht hatte, ein Umstand, welcher natürlich das Zeitalter der heutigen Ruinen auf eine nicht vor den Kreuzzügen fallende Periode beschränkt, wo der zugespitzte Bogen zuerst bei Kirchen angewandt wurde. In dieser Gestalt und Ausdehnung wird die Legende zuerst bei Brocardus erwähnt; und wahrscheinlich war sie von den lateinischen Mönchen auf der früheren von Antoninus berührten Grundlage ausgeschmückt worden. Dr. Clarke fand hier einige griechische Gemälde auf Holz, welche, wie eben diese Umstände zeigen, von keinem großen Alterthum gewesen sein können; wahrscheinlich mögen die Griechen in einer nicht sehr entfernten Periode einen Theil der Ruinen zu einer Kirche benutzt haben. [1] — Heut zu Tage ist Seſûrieh ein armseliges Dorf, eine halbe engl. Meile unterhalb der Kastellruinen liegend. Es wurde wenig oder gar nicht durch das Erdbeben vom Jahr 1837 beschädigt. In der Mitte des letzten Jahrhunderts erwähnt Hasselquist von den Bewohnern, daß sie sich sehr stark auf die Bienenzucht legten, und der Honig ihnen großen Gewinn einbrachte. [2]

Kâna el-Jelîl. Die heutigen Mönche und alle neueren Reisenden finden das neutestamentliche Cana, wo Jesus das Wasser in Wein verwandelte [3], in Kefr Kenna, einem kleinen Dorf 1½ Stunden N. O. von Nazareth, auf einem der Wege nach Tiberias. Es liegt auf einer mit den Bergen von Nazareth zusammenhängenden Anhöhe, an der Südseite eines Armes der Ebne el-Büttauf, welche nach dem Dorfe Lûbieh hinaufläuft. Es wer-

---

1) Clarke's Travels in the Holy Land, 4to. p. 417, 418. Siehe auch Quaresmius II. p. 852. Doubdan p. 586 sq. Pococke II. p. 62. fol. etc.

2) Hasselquist Reise S. 177. Michaud etc. Corresp. d'Orient V. p. 442 sq.

3) Ev. Joh. c. 2.

den daselbst die Ueberreste einer griechischen Kirche und eines
Hauses, welches das des heil. Bartholomäus gewesen sein soll, .
gezeigt. Burckhardt ruhte hier unter dem ausgebreiteten Schatten
eines ungeheuern Feigenbaumes aus. [1]) So sehr hat sich jetzt
in der That der Eindruck, dies als das eigentliche Cana anzusehen, den Gemüthern eingeprägt, dafs die meisten Reisenden von
einer je stattgefundenen Bezweiflung der Identität wahrscheinlich
nicht einmal etwas wissen.

Ich habe bereits angeführt, dafs unser Freund Abu Nâsir
uns von dem Wely oberhalb Nazareth eine Ruine zeigte Namens
Kâna el - Jelil an der nördlichen Seite der Ebne el - Büttauf, von
Nazareth etwa N. $\frac{1}{2}$ O. und nicht viel unter 3 Stunden entfernt. [2])
Sie liegt am Fufse des nördlichen Gebirges jenseits der Ebne,
dem Anschein nach auf dem Abfall einer Anhöhe, nicht weit östlich von Kefr Menda. In den Tagen des Quaresmius enthielt
sie ein paar Häuser. Dieser Ort war, wie Abu Nâsir sagte, bei
Christen und Muhammedanern nur unter diesem Namen, Kâna
el - Jelil, bekannt; während dieselbe Benennung von den Christen nur zuweilen dem Dorfe Kefr Kenna beigelegt werde. In
sofern nun das Vorherrschen eines alten Namens unter dem gemeinen Volk als Beweis für die Identität einer alten Ortslage
gelten kann, — und ich halte dies für das stärkste von allen

---

1) Pococke II. p. 66 fol. Mariti Voyages etc. II. p. 162. Neuw
1791. Burckhardt p. 336. (582.) Clarke's Travels in the Holy Land 4to.
p. 444. Scholz S. 188. Schubert III. S. 222. — Dr. Clarke sah ‚in der
Kirche nur Bruchstücke von Wasserkrügen; aber ein ganzer ist seitdem
aufgestellt und wird als einer der ursprünglichen sechs gezeigt; Richardson und Monro a. a. O. — Die Entfernung von Kefr Kenna bis Nazareth wird bei den Reisenden verschiedentlich von einer Stunde bis zu
drei und einer halben angegeben. Burckhardt hat durch irgend ein Ver-
sehn die letztere.

2) Siehe oben, S. 432.

Zeugnissen, wo wie hier keine Abhängigkeit von fremden Einflüssen, sondern vielmehr eine Opposition dagegen statt findet, — in sofern spricht die Beweiskraft zu Gunsten der Annahme, dafs dieses nördliche Kâna el-Jelil das wahre alte Cana in Galilaea sei. Der Name ist identisch, und steht grade so in der arabischen Version des neuen Testaments; während die Form Kefr Kenna nur gezwungener Weise analog gemacht werden kann. [1]) Aus diesem einzigen Grunde schon könnten wir daher berechtigt sein, die heutige klösterliche Lage von Cana zu verwerfen und dieselbe in Kâna el-Jelil anzunehmen; welches ebenfalls nahe genug bei Nazareth liegt, um mit allen geschichtlichen Umständen in Einklang stehen zu können.

Diese Ansicht wird aber ferner bestätigt, und die Frage in der That völlig erledigt, wenn wir die hierher gehörigen historischen Momente verfolgen. Wir finden so, dafs eine frühere Ueberlieferung das heutige Kâna el-Jelil wirklich als das alte Cana ansah, und dafs erst seit dem 16. Jahrhundert klösterliche Bequemlichkeit sich für Kefr Kenna als die Ortslage bestimmt erklärt hat. Quaresmius berichtet, dafs zu seiner Zeit unter den Einwohnern Nazareth's und der Nachbarschaft von zwei Cana's gesprochen wurde, das eine einfach Cana in Galilaea (Kâna el-Jelil), und das andere Sepher Cana (Kefr Kenna) genannt; und er beschreibt ihre Lage, wie oben. Er entscheidet sich jedoch sehr bestimmt für den letzteren Ort, weil er näher bei Nazareth lag und einige Ruinen hatte; ohne dafs er indefs, wie er sagt, die andere Ueberlieferung zu verwerfen wagt. [2]) Jedoch trug

---

1) Siehe das arabische N. T. Joh. 2, 1. In Kefr Kenna mufs das Wort Kefr erst ausgestofsen, und der Anfangs-Radikal verändert werden.

2) Quaresmius Elucidat. II. p. 852, 853: „Posterior haec sensentia mihi valde probabilis videtur, (licet alteram rejicere non audeam,) quoniam proximior Nazareth.... et quia potest adinveniri memoria ec-

wahrscheinlich die Autorität eben dieses Schriftstellers mehr als
alles Andere dazu bei, die Aufmerksamkeit auf Kefr Kenna hin-
zulenken, und das eigentliche Kâna in Schatten zu stellen; denn
von dieser Zeit an ist das letztere sehr selten von Reisenden bemerklich gemacht worden. Dabei erinnere man sich, dafs zur
Zeit des Quaresmius die Kirche und das Kloster in Nazareth nach
den Zerstörungen vieler Jahrhunderte zuerst aufgebaut wurde;
dieser Umstand wirkte sicher mit dazu, der von den Mönchen in
Beziehung auf Cana angenommenen Ansicht unter den Reisenden
Eingang zu verschaffen. [1])

Allem Anschein nach gab es vor Quaresmius irgend eine
Ueberlieferung zu Gunsten von Kefr Kenna; aber er bringt kein
zum Erweise dienendes Zeugnifs bei, aufser der Nachricht des
Bonifacius in der Mitte des vorhergehenden Jahrhunderts, welches
indefs zweifelhaft ist. [2]) Auf der andern Seite hingegen setzt
Adrichomius nahe am Schlusse des 16. Jahrhunderts, mit Beru-

---

clesiae constructae in loco miraculi." Die vorhergehende Stelle findet
sich vollständig angeführt in Rosenmüller's Bibl. Geogr. II, 2. S. 83.

1) Quaresmius war als Mönch vom Jahr 1616 bis 1625 in Palästina, und wiederum als Guardian des heiligen Grabes von 1627 bis 1629;
siehe das letzte Blatt seines Werkes. — Unter späteren Reisenden besuchte Neitzschitz im Jahr 1635 Kefr Kenna mit Mönchen aus Nazareth,
p. 222; Surius um das Jahr 1645, p. 313; Doubdan spricht dem Quaresmius nach, besucht aber nur Kefr Kenna, p. 582; und so viele Andere. Pococke scheint allein von Kâna el-Jelîl gehört zu haben, und
ist geneigt, es richtig als die eigentliche Ortslage von Cana anzusehen;
Vol. II. p. 62, 66 fol.

2) Bonifac. de perenn. cultu Terrae Sanct., angeführt bei Quaresmius II. p. 853. Er setzt Cana drei röm. Meilen nördlich von Nazareth nach den Grenzen einer grofsen und fruchtbaren Ebne. Um dieser
„drei Meilen" willen vermuthet Quaresmius, er meine Kefr Kenna;
aber dies ist auf jeden Fall ein Irrthum; und die übrige Beschreibung
pafst besser zu dem andern Orte Kâna.

fung auf frühere Schriftsteller, Cana drei röm. Meilen N. von
Sepphoris, und nach seiner Beschreibung hatte es einen Berg im
Norden und eine breite, schöne und fruchtbare Ebne nach Süden
zu; was alles der Lage von Kâna el-Jelil, nicht aber der von
Kefr Kenna entspricht. Anselm um das Jahr 1507 gibt dieselbe
Lage für Cana an; und so auch Breydenbach im J. 1483, offenbar frühere Berichte wieder aufnehmend. [1]) Aber die deutlichste
Nachricht über das Cana dieser Tage rührt von Marinus Sanutus um das Jahr 1321 her. Er setzt es auch nördlich von Sepphoris, dicht neben einem hohen runden Berge im Norden, auf
dessen Seite es lag, während er im Süden dieselbe breite, fruchtbare, schöne Ebne in ihrer Ausdehnung bis Sepphoris beschreibt.
Von Ptolemais ('Akka) kommend, sagt er, die gewöhnliche Richtung sei, zuerst ostwärts nach Cana zu gehen, und von da südlich durch Sepphoris nach Nazareth. [2]) Alles dies läfst keinen
Zweifel übrig, dafs Kâna el-Jelil hier gemeint ist. Um diese
Zeit wurde angeblich die Stelle gezeigt, wo die sechs Wasser-
krüge gestanden hatten, und auch das Triclinium, wo das Fest-
mahl gehalten wurde; aber alles dies sah man in einer unterirdischen Gruft oder Höhle, wie die Grotte der Verkündigung und
Geburt. [3]) Brocardus, wenn er nicht der ursprüngliche Verfasser

---

1) Adrichom. Theatr. p. 138. Anselmi Descr. Terr. Sanct. in Ca-
nisii Thesaurus ed. Basnage. Tom. IV. p. 784. Breydenb. im Reifsb.
S. 123, 124. Diese drei scheinen nebst Bonifacius die einzigen Schriftsteller des funfzehnten und sechszehnten Jahrhunderts zu sein, welche
ausdrücklich von Cana sprechen.

2) Marin. Sanut. p. 253. Auf seiner Karte findet sich Cana gleichfalls N. von Sepphoris angegeben. Der Bericht des Adrichomius ist
hauptsächlich aus diesem Schriftsteller entlehnt.

3) Ebend. — Dieses Triclinium behauptet B. de Saligniaco im J.
1522 gesehen zu haben. Tom. IX. c. 9.

dieser Nachricht ist, theilt nichts weiter mit. [1]) Die wenigen
früheren Notizen laufen darauf hinaus, dieselbe zu bestätigen.
Saewulf setzt um das J. 1103 Cana beinahe 6 röm. Meilen N.
von Nazareth auf einen Berg; es hatte sich damals nichts mehr
davon erhalten als ein Kloster, Architriclinium genannt. [2]) St.
Willibald fand hier im 8. Jahrhundert eine grofse Kirche, in welcher einer von den sechs Wasserkrügen gezeigt wurde. [3]) Antoninus Martyr war nahe am Schlusse des 6. Jahrhunderts gleichfalls in Cana; er spricht von keiner Kirche, sah aber zwei Was-
serkrüge und scheint zu sagen, dafs er einen derselben mit Wasser gefüllt und daraus Wein hervorgebracht habe. [4]) Eusebius und
Hieronymus endlich erwähnen es als eine kleine Stadt in Galilaea. [5])

Alles dies, in Verbindung mit dem starken Beweis aus dem
Namen, scheint mir entschieden darauf hinzuführen, dafs das
neutestamentliche Cana in Kâna el-Jelil nördlich von Sefûrieh zu

---

1) Die Nachricht über Cana bei Brocardus bietet ein auffallendes
Beispiel von der Verschiedenheit in den Ausgaben oder vielmehr Recen-
sionen dieses Schriftstellers. In der Ausgabe des le Clerc wird nur gesagt, dafs der erste Ort, auf den man S. O. von 'Akka gehend trifft,
nach vier franzöS. Meilen Cana in Galilaea ist; c. VI. p. 175. Aber in
der Ausgabe des Canisius und Basnage (Thesaur. IV. p. 13.) wird in
demselben Zusammenhange die Erzählung von dem Wunder und eine Beschreibung des Orts mit denselben von Marinus Sanutus gebrauchten
Worten hinzugefügt. Es möchte schwer zu entscheiden sein, welche hier
die ursprüngliche ist. Vgl. oben Bd. I. S. XXII.

2) Saewulf Peregrinat. p. 271. — Phocas kommt in demselben
Jahrhundert auf seiner Reise von 'Akka zuerst nach Sepphoris, dann
nach Cana, und hierauf nach Nazareth; §. 10.

3) Hodoepor. §. 16. p. 374. ed. Mabillon.

4) Itin. §. 1: „Ex quibus hydriae duae ibi sunt. Implevi aqua
unam, et protuli ex ea vinum.“

5) Onomast. Art. Cana.

suchen ist, und dafs es gar keinen triftigen Grund giebt, Kefr Kenna als in irgend einer Beziehung zu diesem alten Ort stehend anzusehen. Ich hoffe, dafs künftige Reisende dies beachten werden.

Das Cana des neuen Testaments kommt im alten nicht .vor [1]), wird aber von Josephus als ein Dorf in Galilaea erwähnt. [2]) Unser Heiland verrichtete nicht nur hier sein erstes Wunder, sondern besuchte auch späterhin den Ort, und der Jünger Nathanael war aus Cana gebürtig. [3])

Montag, den 18. Juni. Zwei Hauptwege gehen von Nazareth nach Tiberias. Der gewöhnlichere läuft N. O. über die Berge nach er-Reineh, einem kleinen mehr als eine halbe Stunde entfernten Dorfe, und so nach Kefr Kenna, wobei man das Dorf el-Meshhad, grade bevor man den letztern Ort erreicht, auf einer hohen Anhöhe links liegen läfst [4]); von da geht er bei Lu-

---

1) Das alte Testament hat nur Kana im Stamm Asser, südöstlich von Tyrus, einen Ort, welchen wir später besuchten. Jos. 19, 28.

2) Joseph. Vita §. 16, 64. B. J. I, 17, 5.

3) Joh. 2, 1. 11; 4, 46; 21, 2.

4) Nach Schubert sollen die beiden Dörfer er-Reineh und Kefr Kenna durch das Erdbeben vom 1. Jan. 1837 bedeutend gelitten haben; Reise III. S. 222. Aber Herr Thomson, der nur drei Wochen darauf dahin reiste, um den Leidenden Hülfe zu bringen, berichtet, dafs, während er-Reineh ein Ruinenhaufen war, Kefr Kenna wenig gelitten und kaum ein Haus darin beschädigt gewesen sei; Missionary Herald, Nov. 1837. p. 439, 442. — In el-Meshhad ist eins der vielen muslimitischen Gräber des Neby Yûnas, des Propheten Jonas; und daher hat neuere klösterliche Ueberlieferung dieses Dorf als das Gath-Hepher, wo der Prophet geboren war, angenommen; 2 Kön. 14, 25. Quaresmius II. p. 855. — Hieronymus sagt auch, Prooem. in Jonam: „Porro Geth in secundo Saphorim miliario quae hodie appellatur Diocaesarea euntibus Tyberiadem, haud grandis vicus, ubi et sepulchrum ejus ostenditur."

III. 29

bieh vorbei nach dem See hin. Der zweite Weg verläfst Nazareth oberhalb der niedrigeren östlichen Berge, führt über das Dorf
'Ain Máhil und den Khân et-Tujjâr, und wendet sich N. O. bei
Kefr Sabt vorbei nach Tiberias. Wir folgten einem dritten Weg
noch weiter rechts, um den Berg Tabor zu ersteigen und den Nachmittag und die Nacht auf seinem Gipfel zuzubringen. Davon ver-
sprachen wir uns viel Genufs, und fanden uns darin auch nicht getäuscht. Zum Führer nahmen wir einen uns von Abu Nâsir em-
pfohlenen jungen Mann aus Nazareth, einen Christen, mit.

Wir brachen um 7 U. 35 Min. von Nazareth oder vielmehr
von der Quelle der Jungfrau auf, und kamen in 10 Minuten nach
dem Gipfel der niedrigen Hügel im Osten des Thals, worauf wir,
in der Richtung auf den Tabor zu, auf hohem Boden blieben.
Nach einer halben Stunde stiegen wir in einen breiten nach der
grofsen Ebne rechter Hand auslaufenden Wady hinab und gingen
durch denselben hindurch. Bis jetzt hatten die Anhöhen nur Gras
und Kräuter dargeboten; von hier an fanden wir sie von Büschen
und vielen Eichbäumen mit abfallenden Blättern, den ersten der
Art, die wir noch bemerkt hatten, bedeckt. [1] Längs der allmähligen Bodenerhebung über dieses Thal hinaus war ein grofser
Hain von diesen Eichen; und sie erstrecken sich mehr oder minder dicht bis ganz nach dem Fufse des Tabor hin. Um $8^3/_4$ U.
erreichten wir den Rand des Abfalls nach diesem Berge hin, und
konnten auf den niedrigen Rücken hinabblicken, welcher allein
ihn im N. W. mit den Bergen verbindet, über die wir eben gekommen. Debûrieh war unter uns auf dem S. W. Abfall dieses
Rückens sichtbar. Abwärts steigend waren wir in 25 Minuten

Benjamin von Tudela erwähnt das Grab des Jonas zu seiner Zeit auf
dem Berge nahe bei Sepphoris; Voyage par Barat. p. 106. Es ist daher
nicht unwahrscheinlich, dafs dieses Dorf das Geth des Hieronymus ist.

1) Quercus Aegilops nach Schubert, Reise III. S. 172.

unten in einem Wady, und kamen um $9\frac{1}{4}$ U. nach einem andern; beide vereinigen sich und laufen südwärts in die Ebne dicht bei Debûrieh aus. Der Arm des Damaskus-Weges geht diesen letztern Wady hinauf, und so über den niedrigen Rücken nach Khân et-Tujjâr. Wir kamen um 9 U. 20 Min. nach dem eigentlichen Fufs des Berges, indem wir Debûrieh etwa 10 Minuten entfernt rechts liegen liefsen.

Das Dorf Debûrieh ist klein und unbedeutend, es liegt an der Seite einer Felsenschicht grade an dem Fufse des Tabor. Es soll einst eine christliche Kirche gehabt haben, von welcher die Ruinen noch zu sehen sind. [1]) Es scheint dies das alttestamentliche Dabrath zu sein, welches zu Isaschar gehörte, aber den Leviten überwiesen wurde, wahrscheinlich identisch mit dem Dabira des Eusebius und Hieronymus beim Berge Tabor in der Gegend von Diocaesarea [2]), und wahrscheinlich auch das Dabaritta des Josephus in der grofsen Ebne. [3])

Bei unsrer Annäherung von dieser Seite bot der Berg Tabor die Form eines abgestumpften Kegels dar; wir fingen um 9 U. 25 Min. an, von N. N. W. hinaufzusteigen. Unsere Maulthiertreiber machten zuerst einige Einwendungen wegen der beladenen Thiere; sie hatten vorgehabt, unten anzuhalten und uns zu Fufs hinaufgehn zu lassen, was zu unseren Plänen keineswegs pafste. Aber wir fanden, dafs der Pfad bis auf zwei oder drei

---

1) Neitzschitz p. 233. Pococke II. p. 65. fol. Schubert III. S. 174.

2) Jos. 19, 12; 21, 28. 1 Chron. 7, 72. Onomast. Art. Dabira.

3) Joseph. Vita §. 62. B. J. II, 21, 3. Siehe jedoch Reland Palaest. p. 737. — Wilhelm von Tyrus scheint von Debûrieh zu sprechen XXII, 14: „Locus sub monte Thabor, cui nomen Buria, juxta Naim." Cotovicus erwähnt auch ein Buria, aber er setzt es zu weit westlich, wo er anfing zu Fufse bergauf nach Nazareth zu gehen; p. 347. Ich finde Debûrieh bei früheren Reisenden nicht genannt.

29 *

Stellen gut war; und selbst diese waren lange nicht so beschwerlich, als die Pässe zu Ain Jidy und es-Süfáh, so dafs ich mit Leichtigkeit bis ganz oben hinaufritt. Der Pfad krümmt sich bedeutend und ist augenscheinlich alt; an mehreren Stellen sind Stufen in den Felsen ausgehauen. Der Boden ist den ganzen Weg hinauf gut, und das Gras hoch und reichlich vorhanden, wiewohl es jetzt verdorrt war. Die Seiten des Berges sind meistens mit Büschen und Hainen von Eichbäumen (Ilex und Aegilops) bedeckt, worunter auch hie und da Butm-Bäume stehen, wie in einem Obstgarten oder ausgelichteten Wald, und gewähren so einen schönen Anblick und erquicklichen Schatten. Wir gebrauchten eine Stunde bis oben auf den Gipfel, und lagerten um 10½ U. für den Tag und die Nacht auf dem südwestlichen Rande, welcher über die weiten Ebnen unten hervorblickt. — Der Pfad, auf welchem wir von W. N. W. hinaufstiegen, ist der gangbarste, da der Boden an dieser Seite vielleicht weniger steil ansteigt; jedoch giebt es keinen Theil des Berges, wo man zu Fufs irgendwie Schwierigkeit fände, hinaufzukommen.

, Der Tabor ist ein schöner ganz aus Kalkstein bestehender Berg; er führt unter den Arabern, wie so viele andere Berge, nur den allgemeinen Namen Jebel et-Tûr. [1]) Er steht nach S. O. vereinzelt aus dem Hochlande um Nazareth hervor; während der nordöstliche Arm der grofsen Ebne Esdrelon sich um seinen Fufs herumbiegt und sich weit nach Norden hin ausdehnend einen breiten Strich Tafellandes bildet, welcher an das tiefe Jordanthal und das Becken des See's von Tiberias grenzt. Von S. W. gesehen hat der Berg, wie bereits bemerkt, das Aussehen eines Kugelsegments; sieht man ihn von W. N. W., so hat die Form mehr Aehnlichkeit mit einem abgestumpften Kegel. Der Gipfel des

---

1) So auch bei arabischen Schriftstellern: Abulfedae Annales J. d. H. 661. etc.

Berges ist im Ganzen abgerundet, und enthält vielleicht in allem
20 Minuten im Durchmesser; aber die eigentliche Höhe besteht
aus einer schönen kleinen, länglichen, beckenartigen Ebne, 12 bis
15 Minuten von N. W. nach S. O. lang und 6 bis 8 breit. Diese
ist im S. W. mit einer Felsenschicht von einiger Höhe umgeben,
worauf Grundmauern und Ruinen liegen, und im N. O. mit niedrigeren Felsen; und dieser höhere Boden ist au beiden Seiten
mit Büschen und kleinen Bäumen dicht überwachsen, während das
Becken selbst ohne Bäume oder Ruinen nur mit Gras bedeckt ist.
Wir schlugen unser Zelt an dem S. O. Ende dieser kleinen Ebne
auf, und freuten uns unsrer temporären Wohnung. Kein Mensch
war aufser uns um diese Zeit auf dem Berge, uns zu stören; und
obgleich ein heifser Sirokkowind wehte, welcher am Nachmittag
eine neblige Atmosphäre herbeiführte, so war doch selbst dieser
hier erträglicher, als in den Ebnen unten. Um 10 U. stand das
Thermometer auf $29\frac{1}{3}^0$ R. Um 2 Uhr Nachmittags war es auf
28^0 gefallen. Gegen Sonnenuntergang zeigte es nur $18\frac{2}{3}^0$; und
am nächsten Morgen bei Sonnenaufgang $14\frac{1}{3}^0$ R.

Wir schätzten die Höhe des Tabor nach vielen Vergleichun-
gen auf nicht mehr als 1000 Fufs über der Ebne, wo nicht gar
noch geringer. In der That schien sie uns die Ebne Esdrelon
wenig mehr zu übersteigen, als der Berg Garizim über der Ebne
an seinem Fufse hervorragt. [1]) Die Berge nach Süden zu, Duby

---

1) So giebt auch Elliot die Höhe des Tabor als nicht über 1000
Fufs hinausreichend an; Travels II. p. 363. — Mit einiger Verwunderung sah ich das Resultat von Schubert's Barometermessungen des Tabor,
nämlich Erhebung über das Meer 1748 Par. Fufs; Erhebung der ganz
unten liegenden Ebne 438 Fufs; wobei für die Höhe über der Ebne
1310 Par. Fufs übrig bleiben. Darnach würde er 100 Fufs höher sein,
als nach seiner Schätzung der Carmel ist. Reise III. S. 175. Ich weifs
wohl, wie ungewifs alle blofse Schätzungen sind; aber die Barometer-

und Gilboa, sind anscheinend mindestens eben so hoch, und benehmen die Aussicht in dieser Richtung. Jenen hatten wir zuerst
auf dem hohen Boden südlich von Jenin und Kûbâṭîyeh gesehen,
wo er beinahe in einer Linie zwischen uns und dem Tabor lag
und uns die Aussicht nach dem letzteren Berge gänzlich abschnitt,
so daſs nicht einmal eine Spur von seinem runden Gipfel irgendwo zu sehen war. Vom Tabor aus ist wiederum kein Punkt
der Berge von Samaria über dem kleinen Hermon sichtbar. Alles dies zeigt wenigstens, daſs der Tabor sich nicht viel über
den Gipfel des letztern erheben kann. — Vom Tabor aus gesehen liegt der Berg Gilboa linker Hand vom kleinen Hermon
und ist etwas höher. Auch haben die bedeutendsten unter den
Anhöhen westlich von Nazareth eine nicht viel geringere Erhebung als der Tabor; sie benehmen nicht nur die Aussicht über
die Bai von ʾAkka, sondern auch eben so über den ganzen Ho-
rizont des Meeres, welches nur über einigen der niedrigeren Stellen in dieser Richtung zum Vorschein kommt.

Unmittelbar nach unsrer Ankunft machte ich einen Gang
um den ganzen Rand des Berges, um die Ruinen zu untersuchen,
die Hauptzüge der Umgegend ins Auge zu fassen, und die prachtvolle Aussicht zu genieſsen. Dies wiederholten wir den Tag über
mehrere Male, und auch am nächsten Morgen, wo die Luft wieder klar und rein war und jeder Gegenstand in völligster Deutlichkeit gesehen werden konnte. — Die Ruinen auf dem Tabor
gehören verschiedenen Zeitaltern an. Ganz um den Gipfel herum
lassen sich die Fundamente einer dicken, aus groſsen Steinen ge-
bauten Mauer verfolgen, unter denen einige gerändert sind, wor-

---

beobachtungen, welche bis jetzt um das todte Meer und den See Tiberias angestellt sind, nämlich die von Schubert, Russegger und Berton,
zeigen sich in nicht geringerem Grade als widersprechend und unge-
nügend.

aus man schliefsen darf, dafs ursprünglich vielleicht die ganze
Mauer diesen Charakter hatte. In mehreren Theilen liegen die
Ueberreste von Thürmen und Bollwerken; und namentlich findet
sich nach N. O. fast unterhalb des Randes ein derartiges Bauwerk,
welches sehr umfangreich gewesen sein mufs. Aber die Hauptüberreste sieht man auf der Felsenschicht im Süden des kleinen
Beckens, und namentlich nach ihrem östlichen Ende hin. Hier
liegen hohe Ruinenhaufen, in ungesonderter Verwirrung unter einander gemischt, aus Mauern, Bogen und Grundsteinen bestehend,
wie es scheint, von Wohnhäusern sowohl als auch von andern
Gebäuden, einige von gehauenen und andere von grofsen geränderten Steinen. Die Mauern und Spuren einer Festung sieht
man rechts von dieser Stelle längs dem südlichen Rande, wovon
ein schlanker zugespitzter Bogen eines sarazenischen Thorweges
noch stehen geblieben ist und den Namen Bâb el-Hawa, „Thor
des Windes," führt. Damit stehen Schiefsscharten in Verbindung,
und andere sieht man nahe dabei. Diese letztern Befestigungen
gehören augenscheinlich dem Zeitalter der Kreuzzüge an; aber
unsere Erfahrung in Jerusalem und anderswo hatte uns gelehrt,
die grofsen geränderten Steine keinem Baustile zuzuschreiben,
später als die Zeiten der Römer; vor welcher Periode in der That
schon eine Stadt und Festung auf dem Berge Tabor vorhanden
war. In den Tagen der Kreuzzüge und früher standen hier auch
Kirchen und Klöster.

An dem S. O. Theile, nahe bei dem höchsten Punkt unter
den Ruinen, ist ein kleines Gewölbe, wo lateinische Mönche aus
Nazareth jährlich eine Messe feiern zum Andenken an die Verklärung Christi, welche nach einer frühen, obgleich wahrscheinlich legendenhaften Ueberlieferung auf diesen Berg verlegt wird.
Man findet hier nur einen rohen Keller mit einem Altar und ein
kleines Seitengewölbe mit drei Nischen oder Altären. Die Grie-

chen zeigen die Ueberreste einer Kirche an der Nordseite des
kleinen Beckens, worin sie einen temporären Altar haben und
dieselbe Begebenheit feiern. Die griechischen Priester von Nazareth sollen an dem Feste der Jungfrau hierher kommen, bei welcher Gelegenheit Tausende von Pilgern sich mit ihren Familien
zur Feier des Tages auf den Berg begeben. [1] — Der Gipfel
hat viele, jetzt meist trockne Cisternen; in einer fanden wir gutes
Wasser. Eine wandernde Familie schlägt zuweilen ihren Wohnsitz hier auf, oder ein Pilger kommt, um ein paar Tage auf dem
heiligen Berge zu verweilen; [2] aber die gewöhnliche Einsamkeit
an dem Orte, sowie die Eichenwälder und vielen Kräuter daselbst
haben ihn zum Lieblings - Aufenthalte zahlreicher wilder Schweine
gemacht. Wir jagten zwei von diesen Thieren auf unsern Wanderungen um den Gipfel herum auf.

Die Aussicht vom Tabor ist sehr umfassend und schön, so
wie wir es in der That nach der relativen Höhe der nahen Berge
bei weitem nicht erwartet hatten. Der Sirokko des Nachmittags
verdickte die Luft und verdunkelte eine Zeitlang den Gesichtskreis; aber der nächste Morgen war wieder hell und gewährte uns
den vollen Genufs einer der schönsten Landschaften in Palästina.
Die Aussicht nach der ganzen westlichen und nördlichen Himmels-
gegend zwischen S. W. und N. N. O. war ähnlich der vom Wely
nahe bei Nazareth, obgleich nicht so nahe, und minder deutlich.
Sie umfasste den westlichen Theil der grofsen Ebne mit ihren
Dörfern bis nach Lejjûn und zum Carmel hin; aber die Meeres-
ansicht war meistens durch zwischenliegende Höhen benommen.

---

1) Burckhardt p. 334 sq. (580 ff.)

2) Burckhardt fand hier eine Familie griechischer Christen aus
Haurân; p. 334. (579.) Schubert traf einen syrischen Pilger oben, wel-
cher hergekommen war, um 40 Tage allein auf dem Berge zuzubringen;
Reise III. S. 177, 178.

Ob das Meer überhaupt links vom Carmel, wie zu Neby Isma'il, sichtbar ist, vermag ich nicht zu sagen; aber so viel mir erinnerlich ist, bekamen wir es nicht zu sehen. Das nördliche Ende des Carmel und die Bai von 'Akka kommen gleichfalls nicht zum Vorschein; aber zur Rechten von Nazareth sieht man einen Theil des Meeres im Nordwesten, so wie auch schwache Schimmer in anderen Theilen. Im Norden und Nordosten liegt Safed mit seinen Bergen, der höchste Punkt in dieser ganzen Gegend, aber von Jebel esh-Sheikh und seinem Schnee jenseits überragt. Grade unter uns lag in derselben Richtung die grofse Ebne ausgebreitet, welche, von Esdrelon um den Fufs des Tabor sich herumbiegend, sich weit nordwärts ausdehnt und mehrere Dörfer enthält. In dieser Ebne sieht man in einer Entfernung von etwa 3 Stunden Jebel Hattin oder Tell Hattin, den „Berg der Seligkeiten,‟ wie er bei den lateinischen Mönchen heifst, ein niedriger Rücken oder Sattel mit zwei Spitzen, bei den Arabern Kürun Hattin, „Hörner von Hattin,‟ genannt. Zur Rechten derselben Ebne konnte der ganze Umrifs des Beckens vom See Tiberias verfolgt werden; aber nur ein kleiner Theil des See's selbst ist im N. O. rechts von Jebel Hattin sichtbar. [1] Jenseit des See's umfafst das Auge die hohen Flachländer von Jaulân und Haurân; und weiter südlich, jenseit des Jordan, die höheren Berge des alten Basan und Gilead.

Nach Süden zu war die Aussicht natürlich durch die nahen Berge Dühy und Gilboa begrenzt, indem die hohen Theile des letztern über dem niedrigen Rücken oder vielmehr der hohen Ebne, welche ostwärts von dem ersteren ausläuft und daselbst die nörd-

---

1) Ich bemerke dies mit Fleifs, weil mehrere Reisende sich so auszudrücken scheinen, als ob sie weit mehr von dem See auf dem Tabor gesehen hätten. Siehe Morison p. 214. Buckingham's Travels in Pal. p. 108. 4to. Schubert's Reise III. S. 176.

liche Seite des Thales Jesreel bildet, zu sehen waren. Wir konnten über diesen Landstrich hin in das breite Jordanthal um Beisân hineinblicken, obgleich dieser Ort selbst nicht sichtbar war,
und deutlich bemerken, wie das Thal von Westen her sich bei
seinem Einlauf in das Jordanthal zu einer weiten Ebne ausbreitet, so dafs man von jenem Thale sagen kann, es komme dieser Ebne entgegen, oder vielmehr ein Arm vom Jordanthale laufe
nach 'Ain Jâlûd hinauf. Im Norden von Beisân, vom Tabor und
auch von Zer'în aus gesehen, ist das Thal Jesreel nicht von Bergen begrenzt, sondern von dem oben erwähnten hohen Tafelland,
zu welchem die Seite des Thales in allmähliger Erhebung hinansteigt. — Die Aussicht erstreckt sich in dieser Gegend das Jordanthal weit hinab und bis zu dem jenseitigen Gebirge Gilead
hin; aber denjenigen, welche von hier aus die Gewässer des
todten Meeres unterscheiden zu können gemeint haben, ist es
entfallen, dafs die Richtung dieses Meeres vom Tabor aus es
grade hinter die Berge Dühy und Gilboa bringt. [1])

Der Berg Dühy senkt sich, wie bereits bemerkt, nach Osten
in einen niedrigen Rücken oder Zug flacher Hügel längs dem
Thal Jesreel ab. An seiner nördlichen Seite bietet dieser Berg,
vom Tabor aus gesehen, einen doppelten Rücken dar, d. h. auf
seinem nördlichen Abfall kommt ein anderer, weit niedrigerer Rücken hervor und läuft ostwärts dem Berge parallel, wovon er in
der That eigentlich einen Theil ausmacht. Weiter östlich ist dieser Rücken mit dem vom Berge selbst auslaufenden ungefähr von
gleicher Höhe; und zwischen beiden liegt die höhere Ebne oder
der Strich Tafelland, der oben als an das Thal Jesreel grenzend
beschrieben ist. Dieser Landstrich zwischen den beiden niedrigen

---

1) Cotovicus p. 355. D'Arvieux Mémoires, Tom. II. p. 284. Par.
1735. Schubert's Reise, III. S. 176.

Rücken oder Hügelreihen wird durch einen kleinen Wady, bei
Burckhardt Wady Ösheh genannt, abgetrocknet, welcher in einiger Entfernung nördlich von Beisán nach dem Jordanthale hinabläuft. [1])

Nördlich von diesem Strich Landes füllt die etwas niedrigere Ebne um den Tabor den Raum bis ganz nach dem Rande
des Jordanthals und nordwärts nach Lúbieh und Hattin aus. Hier
im N. O. sieht man den Khán et-Tujjár, von welchem das Bett
eines seichten Wady zuerst südwärts, hierauf S. O. läuft und sich
etwa $\frac{1}{2}$ Stunde nördlich von Wady Ösheh durch die Hügelreihe
nach dem Jordanthal hindurchdrängt. [2]) Derselbe heifst Wady el-
Bireh, wie es scheint, nach einem in unsern Verzeichnissen bemerkten Dorfe gleiches Namens in der Nähe. Diesem Wady ganz
entlang war ein kleiner silberner Wasserstreifen, von einer Quelle
nahe bei dem Khán herkommend, zu sehen. Dieser Wady ist
bei seinem Hinablauf nach dem Jordanthal tief; aber weiter nördlich scheint die Ebne ostwärts allmählig nach dem äufsersten
Rande der Klippen über dem Ghór und dem See Tiberias anzusteigen, ohne dafs man von dieser Seite her irgend etwas von
Bergen dort ahnet.

Es war für uns ein Gegenstand von besonderem Interesse,
wo möglich die Theilungslinie zwischen den nach dem Jordan abfliefsenden und den durch die Ebne Esdrelon zum Mittelmeer laufenden
Gewässern aufzufinden. Damit hatten wir keine Schwierigkeit, da
die Ebne wie eine Karte vor uns ausgebreitet lag, und alle ihre
Wasserbetten, obgleich jetzt meistens trocken, nichts desto weniger
deutlich zu sehen waren. Die Wasserscheide liegt demnach innerhalb des Armes der grofsen Ebne im Süden vom Tabor, wo-

---

1) Burckhardt's Travels p. 342. (591.)
2) Burckhardt ebend.

gefähr auf einer Linie zwischen diesem Berge und dem Gipfel des kleinen Hermon. Alle Gewässer östlich von dieser Linie laufen nach dem Jordan durch Wady el-Bireh, worin jetzt Wasser flofs; und von dem Dorfe Endôr an dem nördlichen Abfall des niedern Rückens vom Hermon läuft ein seichter Wady. N. O. hinab und vereinigt sich mit demselben. Nicht weit westlich von Endôr geht ein anderer kleiner Wady in gleicher Weise N. W. hinab, um mit den nach dem Mittelmeer laufenden zusammenzutreffen. [1])

Am nördlichen Abfall des Berges Dühy, grade unter dem Gipfel nach N. W. sieht man das kleine gleichnamige Dorf. Etwas weiter abwärts in derselben Richtung ist der kleine Weiler Nein; und weiter östlich an dem nördlichen Abfall des niedrigeren parallelen Rückens liegt Endôr, nur ein gewöhnliches Dorf. Diese beiden sind alte Orte, worauf ich wieder zurückkommen werde. Auf der niedrigen, ostwärts von dem kleinen Hermon fortlaufenden Hügelkette konnten wir wieder Kümieh bemerken, welches wir von Zer'în gesehen hatten; während auf der nördlichen Hügelkette, der Ausdehnung des niedrigeren parallelen Rückens, zwischen den Wady's Ösheh und el-Bireh die Dörfer el-Murüssüs, Denna und Kaukab el-Hawa liegen. [2]) Irgendwo in

---

1) Wir gingen bei dieser Untersuchung um so genauer zu Werke, da man die Quelle nahe bei Khân et-Tujjâr zuweilen für die des Kison gehalten und gesagt hat, sie fliefse um den Berg Tabor herum westwärts ab. So D'Arvieux ausdrücklich; Mémoires, Par. 1735. Tom. II. p. 279, 280. Herr Paxton läfst auch irrthümlich einen Arm des Kison nördlich vom Tabor entspringen und erst östlich von dem Berge, hierauf südlich und westlich um seinen Fufs fliefsen. Letter XV. p. 178. Lond. 1839.

2) Burckhardt kam, als er von Nazareth nach Beisân ging, bei el-Murüssüs vorbei; er erwähnt auch die andern beiden Dörfer; Travels

derselben Gegend finden sich auch Tümrah, Kefrah und Shütta. [1])
Nördlich von Wady el-Bireh nach dem Rande des Jordanthales
hin liegen die Dörfer Sîrîn, 'Aulam, [2]) u. s. w.

Von dem S. O. Theile des Tabor-Gipfels erhielten wir
folgende Ortsbestimmungen, bei dem Wely oberhalb Nazareth an-
fangend und rechtshin weiter gehend: Neby Isma'îl N. 68^0 W.,
'Ain Mâhil N. 54^0 W., Meshhad N. 10^0 O. (?), esh-Shajerah
N. 12^0 O., Lûbieh N. 12^0 O., Safed N. 24^0 O., Jebel esh-
Sheikh oder Hermon etwa N. 28^0 O., Khân et-Tujjâr N. 32^0
O., Jebel Hattin Mitte N. 34^0 O., Kefr Sabt N. 44^0 O., Tibe-
rias, nicht sichtbar, etwa N. 53^0 O., Ma'derah O., Wady el-
Bireh, wo er nach dem Jordanthal hinabläuft, S. 52^0 O., Kaukab
el-Hawa S. 37^0 O., Kefrah S. 25^0 O., Beisân, nicht sichtbar,
etwa S. 15^0 O., Gilboa östliches Ende des hohen Theils S.,
Tümrah S. 3^0 W., Kûmieh S. 10^0 W., Endôr S. 16^0 W., We-
zar S. 16^0 W., kleiner Hermon Ostende des hohen Theils S.
23^0 W., Kefr Musr S. 26^0 W., kleiner Hermon Gipfel S. 35^0
W., Dorf Dûhy S. 37^0 W., Nein S. 40^0 W., Lejjûn S. 68^0 W.

Der Berg Tabor wird mehrere Male im alten Testament
erwähnt, zuerst an der Grenze von Isaschar und Sebulon, und
dann als der Ort, wo Debora und Barak vor ihrer grofsen Schlacht
mit Sissera die Krieger Israel's versammelten. [3]) Die Schönheit

---

p. 342. (591.) Kaukab el-Hawa war während der Kreuzzüge berühmt;
siehe weiter unten.

1) Steht dies vielleicht in einigem Zusammenhang mit dem Beth-
Sitta Richt. 7, 22, durch welches die Midianiter nach ihrer Besiegung
durch Gideon im Thal Jesreel flohen?

2) Dies mag nicht unwahrscheinlich das Ulama des Eusebius und
Hieronymus sein, 12 römische Meilen von Diocaesarea nach Osten hin.
Onomast. Art. Ulammaus.

3) Jos. 19, 22; vgl. Vs. 12. Richt. 4, 6. 12. 14. Joseph. Ant.
V, 1, 22. 5, 3.

des Berges und seine hervortretende Lage machten ihn zum Lieblingsgegenstand für die poetische Betrachtung; und wenn der Psalmist ausruft: „Tabor und Hermon jauchzen in deinem Namen," so wählt er diese beiden als Repräsentanten aller Berge in Palästina, den ersteren als den anmuthigsten und letzteren als den höchsten. [1]) Es scheint hier auch in jenen Tagen eine gleichnamige Stadt gegeben zu haben, ohne Zweifel auf dem Berge liegend, welche zum Stamme Sebulon gehörte, aber den Leviten überwiesen wurde. [2])

Im neuen Testament wird der Berg Tabor nicht erwähnt. Bei griechischen und römischen Schriftstellern hat der Name die Form Itabyrion oder Atabyrion, welche auch in der Septuaginta vorkommt. [3]) Der Geschichtschreiber Polybius berichtet, dafs Antiochus der Grofse von Syrien, nach Einnahme der Stadt Philoteria nahe beim See Tiberias, [4]) „den Berg hinaufging und nach Atabyrion kam, einem Orte auf einer brustförmigen, mehr als fünfzehn Stadien ansteigenden Höhe gelegen; und durch Hinterhalt und List zum Besitz der Stadt gelangte," welche er späterhin befestigte. [5]) Dies war im Jahre 218 vor Chr. und zeigt, dafs die frühere Stadt auf dem Berge noch vorhanden war. Nach

---

1) Ps. 89, 13. Vgl. Jer. 46, 18. Hos. 5, 1.

2) 1 Chron. 7, 77. Vielleicht ist auch Jos. 19, 22. die Stadt gemeint.

3) Hos. 5, 1: Ἰταβύριον, vgl. Hieron. Comm. z. d. St. Josephus a. a. O. Onomast. Art.-Itabyrion. Polyb. V, 70, 6: Ἀταβύριον.

4) Ueber Philoteria s. Reland Pal. p. 954.

5) Polyb. V, 70, 6: ... ὑπερέβαλε τὴν ὀρεινὴν καὶ παρῆν ἐπὶ Ἀταβύριον· ὃ κεῖται μὲν ἐπὶ λόφου μαστοειδοῦς, τὴν δὲ πρόςβασιν ἐκεῖ πλεῖον ἢ πεντεκαίδεκα σταδίων· χρησάμενος δὲ κατὰ τὸν καιρὸν τοῦτον ἐνέδρᾳ καὶ στρατηγήματι κατέσχε τὴν πόλιν. — Ἀσφαλισάμενος δὲ καὶ τὸ Ἀταβύριον, ἀνέζευξε. Siehe Reland Palaest. p. 599. Jahn Bibl. Archäol. II, 1. S. 374.

Josephus fand um das Jahr 53 v. Chr. eine Schlacht am Berge Itabyrium zwischen den römischen Truppen unter dem Proconsul Gabinius und den Juden unter Alexander, dem Sohn des Aristobulus, statt, worin 10000 von den letzteren erschlagen wurden. [1]) In einer spätern Periode ließ Josephus selbst den Berg Tabor und verschiedene andere Orte befestigen. [2]) Er sagt, daß man 30 Stadien bergauf zu steigen habe; [3]) im Norden war er unersteigbar, und auf dem Gipfel war eine Ebne von 26 Stadien im Umfang. Diese ganze Strecke ließ Josephus ringsum in 40 Tagen mit einer Mauer einschließen, wobei außer den Materialien auch Wasser von unten heraufgebracht wurde, da die Einwohner nur Regenwasser hatten. [4]) Diese Nachricht, wenngleich übertrieben, stimmt mit den noch auf dem Berge vorhandenen Ueberbleibseln gut überein. [5]) Noch später und nachdem Josephus selbst in die Hände der Römer gefallen war, suchte eine große Menge Juden in dieser Festung ihre Zuflucht, gegen welche Vespasian den Placidus mit 600 Reitern ausschickte. Durch List brachte er den großen Haufen dahin, ihn nach der Ebne hin zu verfolgen, wo er viele erschlug und der Menge die Rückkehr nach dem Berge abschnitt, so daß die Bewohner, welche an Wassermangel litten, einen Vergleich machten und sich und den Berg dem Placidus übergaben. [6])

---

1) Joseph. Antiq. XIV, 6, 3. B. J. I, 8, 7. Jahn Bibl. Archäol. II, 1. S. 546.

2) Jos. Vita §. 37. B. J. II, 20, 6.

3) Rufinus liest „zwanzig Stadien," welches mit den funfzehn Stadien des Polybius und mit der Wirklichkeit besser übereinstimmt. Reland Pal. p. 332.

4) Jos. B. J. IV, 1, 8.

5) Siehe oben, S. 454 ff.

6) Jos. B. J. IV, 1, 8. Josephus selbst war einige Zeit zuvor gefangen genommen worden; B. J. III, 8, 1—9.

Es scheint somit, dafs von den frühesten Zeiten an eine befestigte Stadt auf dem Berge Tabor stand. Die Sprache des Josephus deutet darauf hin, dafs sowohl die Stadt als auch die Festung zu seiner Zeit noch vorhanden war; denn er spricht ausdrücklich von den um Wasser verlegenen Einwohnern des Ortes, als verschieden von der Schaar der Fremden, welche den Berg besetzt hielten.

Erst im 4. Jahrhundert wird des Tabor wieder gedacht von Eusebius und Hieronymus, die ihn im Onomasticon oft erwähnen, aber nur in Beziehung auf jenen allgemeinen Charakter und als einen bekannten Punkt, von welchem aus sie die Lage von verschiedenen andern Orten bestimmen. [1] In demselben Jahrhundert scheint indefs die Meinung aufgekommen zu sein, welche sich bald zu einer Ueberlieferung erhob, dafs der Gipfel des Tabor die Stelle gewesen sei, wo unser Erlöser in Gegenwart der drei Jünger verklärt wurde, und dafs dies daher der vom Apostel Petrus erwähnte „heilige Berg" wäre. [2] Dieses Jahrhundert war, wie wir gesehen haben, das Treibhaus derartigen Aberglaubens, welches seine legendenhaften Produkte über Palästina und die ganze Christenheit ausgebreitet hat. [3] — Eusebius, welcher um das Jahr 340 starb, berührt die besagte Meinung gar nicht, obgleich nichts natürlicher gewesen wäre, wenn sie damals existirt hätte, da er den Berg in Beziehung auf das alte Testament beschreibt. Die erste Nachricht von dem Tabor als dem Orte der Verklärung scheint ein paar Jahre später als beiläufige Bemerkung in den Werken Cyrill's von Jerusalem vorzukommen; [4]

---

1) Onomast. Art. Thabor, Itabyrium, auch Dabira, Cison, Nazareth, Naim, u. s. w. Reland Pal. p. 333.

2) Matth. 17, 1 ff. Mark. 9, 2 ff. Luk. 9, 28 ff. 2 Petr. I, 18.

3) Siehe oben, Bd. II. S. 1 ff.

4) Cyrill. Hieros. Cat. XII, 16. p. 170, ed. Touttée.

und Hieronymus erwähnt dieselbe Sache zweimal, jedoch flüchtig
und so, dafs man daraus sehen kann, damals habe noch keine
Kirche auf dem Gipfel gestanden. [1]) Alle diese Umstände führen, in Verbindung mit dem Faktum, dafs die Evangelisten nirgendwo die geringste Hindeutung auf den Tabor geben, darauf
hin, dafs die Legende neueren Ursprungs war, und dafs die fremden Geistlichen, welche jetzt Palästina überströmten, wahrscheinlich aus dem einfachen Grunde den Tabor zum Schauplatz dieses
Ereignisses machten, weil er der hervortretendste Berg in der
Nachbarschaft des galiläischen Meeres ist. Der Zusammenhang
der Erzählung scheint aber darauf hinzuführen, wie von Lightfoot
und Reland gezeigt worden ist, dafs der Verklärungsberg vielmehr
irgendwo um den nördlichen Theil des See's, nicht weit von
Caesarea Philippi zu suchen ist, wo es Berge genug giebt. [2])
Aber ein von diesen Schriftstellern übersehener Umstand, welcher
dem Berge Tabor bei dieser Frage alle Ansprüche benimmt, ist
das oben dargelegte Faktum, dafs lange vor und nach der Ver-
klärungsgeschichte der Gipfel dieses Berges mit einer befestigten
Stadt bedeckt war.

Als indefs die Legende einmal Fufs gefafst hatte, fuhr sie
fort, immer festeren Boden zu gewinnen; der Berg wurde noch
heiliger, und man errichtete Kirchen darauf. Gegen den Schlufs
des sechsten Jahrhunderts erwähnt Antoninus Martyr drei Kirchen, entsprechend den drei Hütten, welche Petrus hier zu erbauen vorschlug. [3]) Ein Jahrhundert später (um das Jahr 696)

---

1) Hieron. Ep. 44, ad Marcell. p. 552: „Pergemus ad Itabyrium
et tabernacula Salvatoris." Ep. 86, Epitaph. Paulae, p. 677: „Scandebat montem Thabor, in quo transfiguratus est Dominus." — Jene
„tabernacula" können kaum schon Kirchen gewesen sein.

2) Lightfoot Hor. Hebr. in Marc. IX, 2. Reland Pal. p. 334—336.

3) Itin. §. 6.

fand Arculfus dieselben drei Kirchen auf dem Tabor und ein grofses Kloster mit vielen Zellen, während das Ganze von einer steinernen Mauer umgeben war. [1]   Der heil. Willibald erwähnt um
das J. 765 gleichfalls das Kloster und eine Kirche. [2]   Saewulf
um das Jahr 1103 beschreibt nur drei Klöster von alter Bauart,
entsprechend den drei Hütten; aber wahrscheinlich verwechselt er
diese nur mit den Kirchen. [3]   In diesem Zustande fanden die
Kreuzfahrer den Berg.

Wir haben oben gesehen, dafs Tankred, dem Galiläa als
Lehen anheim fiel, eine lateinische Kirche auf dem Berge Tabor
errichtete; und auf diese scheint bald ein lateinisches Kloster gefolgt zu sein, welches von den schwarzen Mönchen des reformir-
ten Ordens der Benedictiner aus Clugny in Frankreich bewohnt
wurde, deren Streit mit dem Erzbischof von Nazareth und seine
gütliche Beilegung im Jahr 1111 bereits erzählt worden ist. [4]
Aber ihre Ruhe war nicht von langer Dauer; denn während des
vorübergehenden Einfalls der Muhammedaner von Damascus her
im J. 1113 wurde das Kloster verwüstet, und die Mönche er-
mordet. [5]   Das Kloster ist aber wahrscheinlich bald wieder hergestellt worden. Im J. 1183 wurden die Klöster auf dem Tabor
von einem Theil der Truppen Saladin's, während er in und unterhalb 'Ain Jâlûd lagerte, überfallen, aber durch die Tapferkeit
der Mönche und der zu ihnen ihre Zuflucht nehmenden Landleute
erhalten. [6]   Zwei Jahre später, 1185, beschreibt Phocas hier

1) Adamnan. de Loc. Sanct. II, 27.
2) Hodoepor. §. 16. p. 374. ed. Mabillon.
3) Saewulf Peregrin. p. 270.
4) Siehe oben, S. 435 f. „Abbatia nigrorum Monachorum;"
Jac. de Vitr. 58. p. 1078. R. de Suchem im Reifsb. S. 851.
5) Append. ad Sigebert. Gemblac. Chronogr. in Pistor. Scriptor.
Rer. Germ. ed. Struve, Tom. I. p. 365. Vgl. Fulch. Carnot. 40. p.
423 sq. Will. Tyr. XI, 19. Wilken Gesch. der Kr. II. S. 374.
6) Will. Tyr. XXII, 26. Wilken a. a. O. III, 2. S. 231. — Wil-

zwei Klöster, ein griechisches und ein lateinisches. Das erstere lag linker Hand oder nördlich; letzteres wurde von einer Menge lateinischer Mönche bewohnt, und stand auf der allerhöchsten Spitze, nach S. O. Der Altar war an eben der Stelle errichtet, wo angeblich die Verklärung stattgefunden haben sollte. [1])

Im Jahr 1187 wurde nicht lange vor der Schlacht bei Hattin der Berg Tabor von den Truppen Saladin's verwüstet. [2]) Fünfundzwanzig Jahre später (im J. 1212) errichtete Melek el - 'Adel, der Bruder Saladin's und jetzt Sultan von Damascus, als Damm gegen die christlichen Truppen in 'Akka, auf diesem Berge eine starke Festung, wovon die Ueberreste noch zu sehen sind; er gebrauchte nicht nur seine Soldaten zu der Ausführung dieses Werkes, sondern liefs auch Arbeitsleute aus den Provinzen herbeikommen. [3]) Im J. 1217 belagerte das Pilgerheer von 'Akka diese Festung, welche von auserlesenen Truppen vertheidigt wurde, so dafs die Christen sich genöthigt sahen, nach zwei heftigen und erfolglosen Angriffen die Belagerung aufzugeben. Indefs hatte dieser Versuch doch die Folge, dafs die Festung auf Befehl des Melek el-'Adel selbst geschleift wurde. [4]) Ob die Klöster während dieser Vorfälle zerstört wurden, erfahren wir nicht; [5]) aber auf jeden Fall ward das Werk der Zerstörung im J. 1263 unter Sultan Bibars vollendet, während derselbe am Fufse des Berges lagerte; auf seinen Befehl wurde nicht nur die Kirche zu Naza-

---

helm von Tyrus erwähnt bei dieser Gelegenheit nur das griechische Kloster Namens St. Elias.

1) Phocas de Locis Sanct. §. 11.

2) Wilken III, 2. S. 276.

3) Abulfedae Annal. J. d. II. 609. Tom. IV. p. 248. Marin. Sanut. p. 206. Wilken VI. S. 63.

4) Wilken VI. S. 149 — 153, und die daselbst citirten Quellen. Marin. Sanut. p. 207. Reinaud Extraits p. 387.

5) Nach R. de Suchem waren die Klöster so hineingebaut, dafs sie einen Theil der Festung ausmachten; Reisb. S. 851.

30 *

reth, sondern auch die der Verklärung auf dem Berge Tabor dem Boden gleich gemacht. [1]) Brocardus erwähnt hier um das Jahr 1283 nur die Ruinen von verschiedenen Palästen und Thürmen, worin schon wilde Thiere hausten; und so ist der Gipfel des Tabor bis auf den heutigen Tag geblieben. [2]) In späteren Zeiten ist die früher hier errichtet gewesene griechische Kirche gemeiniglich der Helena zugeschrieben worden, aber, wie wir gesehen haben, im Widerspruch mit allen alten Zeugnissen. [3])

Unter den vom Berge Tabor aus sichtbaren Orten erfordern die Namen Endôr, Nein und Kaukab el-Hawa einige weitere Erläuterung.

Endôr ist augenscheinlich das alttestamentliche Endor, welches Manasse überwiesen wurde, obgleich es aufserhalb der Grenzen dieses Stammes lag; es wird auch im Zusammenhang mit dem Siege der Debora und des Barak erwähnt, ist aber hauptsächlich als der Wohnort der Zauberin bekannt, welche Saul am Abend vor der unglücklichen Schlacht auf dem Gilboa um Rath frug. [4]) Der Name kommt im neuen Testament nicht vor; aber in den Tagen des Eusebius und Hieronymus war Endor noch ein grofses Dorf, 4 röm. Meilen südlich vom Berge Tabor, entsprechend der heutigen Ortslage. [5]) Es wurde in der Zeit der Kreuzzüge wiedererkannt, und wird von Brocardus erwähnt, scheint aber dann wieder, wenigstens theilweise, bis zum 17. Jahrhundert in Vergessenheit gekommen zu sein. [6]) — Die arabische Ortho-

1) Wilken VII. S. 461. und die dort angeführten Autoritäten. Reinaud Extraits p. 488, 489.
2) Brocardus c. VI. p. 175. Sir J. Maundeville p. 113. Lond. 1839. R. de Suchem a. a. O.
3) Niceph. Callist. VIII, 30. Siehe oben, Bd. II. S. 214.
4) Jos. 17, 11. Ps. 83, 10. 1 Sam. 28, 7 ff.
5) Onomast. Art. Aendor (Ἀηνδώρ), Endor (Ἠνδώρ).
6) Brocardus c. VI. p. 176. Marin. Sanut. p. 248. Endor wird zwar von Breydenbach, Anselm und Zuallardo erwähnt, aber wie es

graphie dieses Namens, wie sie von einem unterrichteten Eingebornen herrührt und nach der heutigen Aussprache richtig ist, bietet vielleicht ein vereinzeltes Beispiel von dem Uebergang des
hebräischen Ain in einen weicheren Buchstaben im Arabischen
am Anfang eines Wortes dar, vielleicht auch das einzige Beispiel, wo das hebräische Wort En (Quelle) im Arabischen die
entsprechende und gewöhnliche Form 'Ain nicht beibehalten hat. [1]

Nein ist das Nain des neuen Testaments, wo die ergrei-
fende Scene von der Erweckung des Sohnes der Wittwe durch unsern Erlöser vorfiel. [2] Eusebius und Hieronymus lassen es nicht
weit von Endor liegen; die Kreuzfahrer erkannten es wieder; und
es ist seitdem von den meisten Reisenden erwähnt worden. [3]
Es ist jetzt zu einem kleinen nur von ein paar Familien bewohnten Weiler herabgesunken.

Kaukab el-Hawa liegt, wie wir gesehen haben, am
Rande des Jordanthales, nahe bei dem äufsersten Ende der nie-
drigen Hügelkette zwischen den Wady's Ösheh und el-Bireh. [4]
Nach arabischen Schriftstellern war Kaukab eine Festung der
Christen, und wurde von Saladin nach der Einnahme von Safed
im Jahre 1188 unterworfen und zerstört. [5]   Fränkische Schrift-

---

scheint nur nach Brocardus. Bei Quaresmius kommt der Name gar nicht
vor. Wir finden ihn wieder bei Doubdan p. 580. Nau p. 632. Maundrell unter dem 19. April u. s. w.

1) Siehe oben, Bd. II. S. 8. Anm.
2) Luk. 7, 11 ff.
3) Onomast. Art. Nain. Brocardus c. VI. p. 176. Marin. Sanut.
p. 249. Cotovic. p. 347. Quaresmius II. p. 851. Maundrell, den 19ten
April, u. s. w. — Im Text des Eusebius liest man jetzt „zwölf"
römische Meilen vom Tabor, der des Hieronymus hat „zwei"; beides
sind augenscheinlich verdorbene Lesarten.
4) Siehe oben, S. 460.
5) Bohaedd. Vit. Salad. p. 76, 88. Schult. Ind. Geogr. Art.
Caucheba. Mejr ed-din in Fundgr. des Or. III. S. 215. Reinaud
Extr. p. 232 sq. Wilken Gesch. der Kr. IV. S. 245 u. Beil. S. 84.

steller erwähnen keine Festung dieses Namens; aber die Lage
entspricht genau der des Kastells, welches von den Christen erbaut und Belvoir oder Belvedere genannt wurde und nach der
Beschreibung des Wilhelm von Tyrus auf dem Berge zwischen
Beisân und dem See Tiberias nicht weit vom Tabor lag, nach
einem andern Schriftsteller aber im oben erwähnten Jahr von Saladin eingenommen wurde. [1] Der Name Belvoir findet sich
später im Text und auf der Karte des Marinus Sanutus im 14.
Jahrhundert; und derselbe schreibt den Bau des Schlosses dem
König Fulco zu, wahrscheinlich nicht lange vor dem Jahre 1440. [2]

Von dem Gipfel des Tabor hatten wir die letzte Aussicht
über die grofse Ebne Esdrelon, und ich will daher hier zu-
sammenstellen, was über die Ebne selbst und ihre Gewässer, sofern sie dazu beitragen den Bach Kison zu bilden, noch zu sagen
übrig bleibt. Wie seltsam es auch nach so vielen Jahrhunderten
erscheinen mag, während welcher Palästina mit Schwärmen von
Pilgern und Reisenden überlaufen worden ist, so haben wir doch
bis jetzt noch keine richtige oder verständliche Darstellung von
den östlichen Theilen dieser Ebne. Selbst die grofse Karte Jacotin's, so genau und zuverlässig sie auch in den nördlichen Theilen und dem Arm um den Tabor ist, ermangelt dennoch in Be-

---

1) Jakob von Vitry erwähnt des Baues dieser Festung zugleich
mit Safed; c. 49. Will. Tyr. XXII, 16: „Postea reversus Saladinus in
Galilaeam, Belvedere, castrum munitissimum, quod fines Jordanis cu-
stodiebat, vias Tiberiadis, Neapolim et Nazareth angustabat, per ine-
diam compulit ad deditionem"; Sicardi Cremon. Chronicon, in Mura-
tori Scriptor. Rer. Ital. T. VII. p. 606. Wilken IV. S. 245.

2) Marin. Sanut. p. 166, 247. Breydenbach erwähnt es auch in
derselben Lage unter dem Namen des Kastells Belliforth; Reifsb. S. 126.

ziehung auf die Gegend ostwärts von Zer'in und Jenîn durchaus aller Genauigkeit. [1])

Die berühmte Ebne Esdrelon, jetzt unter den Eingebornen als Merj Ibn 'Âmir bekannt, liegt, mit Ausschlufs der drei grofsen Arme nach Osten hin, in der Form eines spitzwinkligen Dreiecks ausgebreitet. Eine die östliche Seite bildende Linie, von Jenîn längs den westlichen Enden des Gilboa und kleinen Hermon gezogen, so dafs sie das nördliche Gebirge nicht weit von dem Berge des Herabstürzens träfe, würde nicht viel von dem magnetischen Meridian abweichen; dies war aber beinahe die von uns eingeschlagene Richtung, und die Länge dieser Seite des Dreiecks beträgt nicht viel unter sechs Stunden. Von Jenîn laufen, wie wir gesehen haben, die Hügel, welche an dieser Seite die Ebne einfassen, so wie auch der Rücken des Carmel von S. O. nach N. W., oder genauer von S. O. gen S. nach N. W. gen N. An der nördlichen Seite der Ebne erstrecken sich die hier mehr jähe emporsteigenden Berge, vom Tabor aus gesehen, in der allgemeinen Richtung von O. N. O. nach W. S. W. und laufen zuletzt in einem Zug niedriger Hügel nach dem Carmel hinab, zwischen der grofsen Ebne zur Linken und dem Thale, welches die Gewässer von el-Büttauf zur Rechten ableitet. Ein enges Thal längs dem Fufse des Carmel, zwischen diesem Berge und jenen Hügeln, dient zum Abflufs für den Kison von der grofsen Ebne nach dem Meer. — Die Länge dieser nördlichen Seite des Dreiecks der Ebne beträgt anscheinend 4 bis 5 Stunden.

Oestlich von diesem grofsen Dreieck, welches allenthalben ein ebner Landstrich von fruchtbarem, obgleich vernachlässigtem

---

1) Hier möge auch noch bemerkt werden, dafs das Dorf Endôr auf der französischen Karte bedeutend zu weit westlich gesetzt ist, während Nein auf eine ganz unerklärliche Weise nach der Südseite des Berges Dühy hin verlegt worden.

Boden ist, laufen von der Ebne Esdrelou nach dem Rande des Jordanthals die bereits beschriebenen drei grofsen Arme aus [1]), jeder beinahe eine Stunde breit, und durch die Rücken des Gilboa und des kleinen Hermon von einander getrennt. Eine merkwürdige und charakteristische Eigenthümlichkeit dieser drei grofsen Theile der Ebne ist, dafs, während sowohl der nördliche als südliche nach Westen abfallen und ihre Gewässer durch den Kison nach dem Mittelmeer abfliefsen, der mittlere Arm sich zwischen denselben ostwärts absenkt, so dafs seine Gewässer von einem Punkte innerhalb des Dreiecks, wie oben beschrieben, mit rascherem Fall, nach dem Jordanthal abfliefsen längs dem Thale, welches in alter Zeit unter dem Namen Jesreel bekannt war.

Durch die Ebne Esdrelon ergofs „der Bach der Vorwelt," der Bach Kison, der biblischen Erzählung zufolge, in alter Zeit seine Gewässer in solchem Ueberflufs, dafs er die Truppen des Sissera während der Schlacht der Debora und des Barak fortwälzte [2]); und wir finden noch denselben Bach, einen beträchtlichen Strom unter dem Namen el-Mukütta', wie er längs dem Fufse des Carmel in die Bai von 'Akka fliefst. Aber, wie bereits bemerkt, auf unsrer Reise am 16. Juni über die ganze Ebne von Jenin bis Nazareth — obgleich wir über mehrere Wasserbetten von einiger Gröfse kamen, sowohl vom nördlichen als vom südlichem Arme westwärts laufend [3]), — fanden wir dennoch keinen Tropfen Wasser in allen diesen Theilen der Ebne, welche in der Regenzeit ihre Gewässer nach dem Mittelmeer hinabsenden. Allein dies war ein Jahr der Dürre; und es würde ein falscher Schlufs sein, deshalb mit Shaw die Behauptung hinstellen

---

1) Siehe oben, S. 387 f. 393 f. 416. 419. Die Ebne ist, wie wir gesehen haben, nur theilweise angebaut; siehe S. 385. 392. 401. 419.

2) Richt. 5, 21: „Der Bach Kison wälzte sie fort, der Bach der Vorwelt, der Bach Kison." Nach dem Hebräischen.

3) Siehe oben, S. 392. 417.

zu wollen, dafs der Kison keine Verbindung mit dem Tabor habe,
und niemals durch die Ebne geflossen sei. [1]) Nicht unwahrscheinlich
mag es in alten Zeiten, als das Land noch waldiger war, in der
ganzen Ebne immerwährende Ströme gegeben haben, wie der, welcher noch ostwärts längs dem östlichen Arme hinfliefst; und selbst
jetzt findet sich in gewöhnlichen Jahren während des Winters und
Frühlings eine reichliche Wassermasse in der Ebne, welche westwärts zur Bildung des Kison abfliefst. Die grofsen Quellen längs
der südlichen Grenze liefern alle in solchen Zeiten mächtigere
Strombäche; und alle Wasserbetten von den Hügeln und längs
der Ebne sind voll zum Ueberströmen. Während der Schlacht
vom Berge Tabor zwischen den Franzosen und Türken, den 16.
April 1799, wird von vielen der letzteren ausdrücklich gesagt,
sie seien in dem von Debûrieh kommenden Strome ertrunken, welcher damals einen Theil der Ebne überschwemmte. [2]) Monro
beschreibt, wie er auf seiner Reise über den Arm der Ebne von
Sôlam nach Nazareth am ersten oder zweiten Mai, eine halbe
Stunde von Sôlam über „einen bedeutenden Bach" gekommen
sei, von Osten herströmend, und späterhin über einige andere,
welche in einen kleinen See an der nördlichen Seite der Ebne
hinfliefsen, und zuletzt dazu beitragen, den Kison anzuschwellen. [3]) Dieser Bericht stimmt mit den von uns gesehenen Wasserbetten überein. Im April 1829 betrat Prokesch direkt von Ram-

---

1) Shaw's Travels 4to. p. 274: „Sandys und Andere haben irr-
thümlicher Weise den Kison von den Bergen Tabor und Hermon fliefsen
lassen, mit welchen er in keiner Verbindung steht." Shaw nimmt die
ganze Länge des Kison zu nur etwa 7 engl. Meilen an.

2) Burckhardt's Travels p. 339. (587.) Siehe oben S. 411. Anm. 2.

3) Monro Summer Ramble 1. p. 281. Jedoch ist dieser Schriftsteller in seiner Darstellung so verworren, dafs er weiterhin den kleinen
Hermon noch eine Stunde weiter nördlich setzt; obgleich er vorher Sôlam, wo er übernachtete, richtig als am Fufse des Hermon liegend beschrieben hatte; p. 279.

Ich nach Nazareth reisend, die Ebne Esdrelon nahe bei Lejjûn; hier kam er nach dem in einem tiefen Bette durch sumpfigen Boden fliefsenden Kison; und nachdem er eine Zeitlang zur Auffindung des Weges durch den Morast gewandert war, wurde er zuletzt durch einen Araber zurechtgewiesen, welcher ihm die eigentliche Furt zeigte. [1] — Alle diese Umstände, und namentlich diese Moräste in der Gegend von Lejjûn oder Megiddo, rechtfertigen den heiligen Geschichtschreiber völlig, wenn er sagt, dafs die Truppen des Sissera von dem Kison fortgewälzt wurden ; angeschwollen mochte der Strom sein von dem Sturm und Regen, womit der Herr zu Gunsten der Israeliten einschritt. [2]

Die älteren Schriftsteller hatten daher Recht, eine Hauptquelle des Kison in der Nähe des Berges Tabor zu suchen [3]; obgleich wahrscheinlich der von dem südlichen Arm der Ebne und den südlichen Bergen gespeiste Zuflufs im Allgemeinen nicht minder bedeutend ist. Die Wasserscheide im Arm der Ebne zwischen dem Tabor und dem kleinen Hermon liegt, wie wir gesehen haben, etwa auf einer Linie zwischen diesen beiden Bergen [4]; obgleich während der Regengüsse nothwendig viel Wasser aus den Wady's nordwestlich vom Tabor kommen und dort bilden mufs, was Burckhardt den Flufs Debûrieh nennt, der nahe bei dem Dorfe dieses Namens in die grofse Ebne ausläuft. — Jedoch hat in Bezug auf diese Entstehung des Kison fortwährend seit der Zeit der Kreuzzüge ein höchst seltsamer Irrthum vorgeherrscht, welcher sich auch in unserm Jahrhundert noch nicht völlig verloren zu haben scheint. Ich finde ihn zuerst bei

---

1) Prokesch Reise ins h. Land. S. 129.
2) Richt. 5, 20. 21; vgl. Vs. 4. Joseph. Ant. V, 5, 4.
3) Onomast. Art. Cison. Im Griechischen heifst der Kison, wie der Kedron, sehr bezeichnend χειμάρρος, Wetterbach, Winterstrom. Sept. Richt. 4, 13, 5, 21. u. s. w. Euseb. a. a. O.
4) Siehe oben, S. 459 f.

Brocardus, welcher berichtet, dafs der Bach Kison seinen Ursprung
in dem von der östlichen Seite des Tabor herabkommenden Regenwasser habe, und dafs derselbe theils ostwärts nach dem galiläischen Meer, und zum Theil westwärts nach dem Mittelmeer
abfliefse [1])! Was sich zur scheinbaren Begründung dieser Ansicht
sagen läfst, beruht auf dem Faktum, dafs alle Gewässer an der
östlichen Seite des Tabor, mit Einschlufs der Quelle nahe bei Khân
et-Tujjâr, wirklich ostwärts durch Wady el-Bireh nach dem
Jordan fliefsen; aber wir haben oben gesehen, dafs die westlichen und südlichen Theile des Tabor ihre Gewässer nach dem
Mittelmeer entsenden. [2])

Es scheint also zu folgen, dafs der Kison der Ebne kein
immerwährender Strom ist, sondern gewöhnlich nur innerhalb der
Regenmonate, und späterhin noch eine kurze Zeit fliefst. Jedoch
wird der Flufs bei seinem Auslauf ins Meer am Fufse des Carmel niemals trocken; und wir müssen daher seine immerfliefsenden
Quellen längs dem Fufse dieses Berges aufsuchen. Ob der Bach
in Lejjûn während des Sommers das Bett des Kison erreicht, wissen wir nicht; aber die Hauptquellen scheinen weiter unten im
Thale zu liegen, durch welches das Flufsbett von der Ebne nach
dem Meere läuft. Als Maundrell den Kison hier am 22. März
$3\frac{1}{2}$ Stunden von Lejjûn passirte, war das Wasser niedrig und
unbedeutend. Shaw ist der einzige Reisende, welcher die Quellen des immerwährenden Stroms bemerkt zu haben scheint. „Indem ich unten an der S. O. Seite des Carmel hinzog", sagt er,

---

1) Brocardus c. VI. VII. p. 176. Marin. Sanutus spricht dem
Brocardus nach, p. 252. Diese Ansicht wird bis in die Mitte des ver-
flossenen Jahrhunderts von Reisenden wiederholt; z. B. von Cotovicus
p. 127. Doubdan p. 581. Mariti Voyages Tom. II. p. 121, 169. Neuw.
1791. Dieselbe wird auch von Rosenmüller vorgebracht, Bibl. Geogr.
II, 1. S. 203.
2) Siehe oben, S. 459 f.

„hatte ich Gelegenheit, die Quellen des Flufses Kison zu sehen, von denen drei oder vier weniger als ein Stadium aus einander liegen. Diese allein liefern, ohne die geringeren Zuflüsse näher beim Meere, Wasser genug, um einen Flufs zu bilden, der halb so stark ist als der Isis". [1]) Die Länge des Stromes von diesen Quellen bis nach dem Meer schätzt er auf 7 engl. Meilen oder etwa $2\frac{1}{2}$ Stunden. Wahrscheinlich war es irgend eine Stelle längs diesem immerwährenden Strom, wo Elias die Baalspriester schlachtete. [2]) Die Wassermenge in dem Mukŭtta' bei seinem Laufe durch die niedere Ebne nach dem Meere ist nicht unbedeutend. Schubert ging durch den Strom im Mai, als er direkt von Nazareth nach Haifa reiste, und fand ihn kaum 40 Fufs breit, und 3 bis 4 Fufs tief, da das Wasser den Maultbieren nur an den halben Leib ging. [3]) Monro setzte über den Flufs nahe bei seiner Mündung an dem S. O. Winkel der Bai von 'Akka in einem Boot; er beschreibt den Strom als etwa von 30 Yards Breite, und tief, so dafs die Esel, mit ihren Köpfen an das Boot gebun-

---

1) Shaw's Travels 4to. p. 274. Shaw sagt, diese Quellen hiefsen „Rås el-Kishon", welches, so weit es die Araber angeht, nicht richtig sein kann, da der Name Kishon hier unbekannt ist. Sie könnten wahrscheinlicher den Namen Rås el-Mukŭtta' führen; und so scheint es nach D'Arvieux wirklich der Fall zu sein; Mémoires II. p. 294. Paris 1735. — Die Teiche, von welchen Shaw 4 engl. Meilen N. O. von diesen Quellen spricht, existiren nicht.

2) 1 Kön. 18, 40. Von diesem Blutbad der Baalspriester sind einige Reisende geneigt, den modernen Namen des Baches el-Mukŭtta' von der Bedeutung des arabischen Verbums s e c u i t, e x c i d i t, u. s. w. abzuleiten. So D'Arvieux Mém. II. p. 294. Berggren Reisen II. S. 230. Aber unter dem gewöhnlichen Volke bedeutet der Name nur „die Furt", nach einer andern Bedeutung desselben Verbums: t r a j e c i t flumen. Siehe Freytag's Lex. Arab. III. p. 465. D'Arvieux bezieht — sehr gelehrt! — den Namen Kison (französisch C i s o n) auf dasselbe Blutbad; es sei, sagt er, von dem lateinischen c a e d e r e abgeleitet!

3) Reise III. S. 206.

den, genöthigt waren zu schwimmen. [1]) Jedoch berichtet Shaw, dafs der Kison, wenn er nicht durch Regengüsse angeschwollen sei, „niemals in einem vollen Strom ins Meer fliefse, sondern unmerklich durch eine Sandbank durchsickere, welche die Nordwinde gegen seine Mündung aufwerfen"; so fand er es in der Mitte des April im Jahr 1722, als er ihn passirte. [2])

Dies waren im Allgemeinen die Resultate unserer Beobachtungen und Erkundigungen rücksichtlich der herrlichen Ebne Esdrelon und der sie umgebenden Gegenstände. Wir nahmen von ihr Abschied vom Gipfel des Berges Tabor, wie sie ruhig und friedlich in dem strahlenden Lichte eines orientalischen Morgens vor uns ausgebreitet lag, so still in der That, dafs es schwer war, mit ihr den Gedanken an Schlachten und Blutvergiefsen zu verknüpfen, wovon sie eine lange Reihe von Zeitaltern hindurch ein auserlesener Schauplatz gewesen ist. Hier war es, wo Debora und Barak, mit ihren Kriegsschaaren vom Berg Tabor hinabsteigend, das Heer des Sissera mit seinen „neunhundert eisernen Wagen" von Endor bis Thaanach und Megiddo angriffen und in die Flucht schlugen, worauf der Kison sie fortwälzte. [3]) In und nahe bei der Ebne vollendete Gideon seinen Triumph über die Midianiter; und hier wurde auch der Ruhm Israel's durch den Fall des Saul und Jonathan auf Gilboa eine Zeitlang verdunkelt. [4]) Dicht bei Aphek in der Ebne war es, wo Ahab und die Israeliten einen wunderbaren Sieg über die Syrer unter Benhadad davon trugen; während bei Megiddo der fromme Josias in der Schlacht gegen den ägyptischen König fiel. [5]) Dann kamen die

---

1) Summer Ramble I. p. 56.
2) Shaw's Travels 4to. p. 274. Siehe auch Irby und Mangles p. 294. Mariti Voyages II. p. 120. Neuw. 1791.
3) Richt. 4, 12 — 15; 5, 19 — 21. Ps. 83, 9, 10.
4) Richt. c. 7. 1 Sam. 29, 1; c. 31. Siehe oben, S. 406 f.
5) 1 Kön. 20, 26 — 30. — 2 Chron. 35, 20 — 24. 2 Kön. 23, 29. 30.

Zeiten der Römer mit den Schlachten unter Gabinius und Vespasian. [1]) Die Periode der Kreuzzüge liefert gleichfalls ihren Beitrag an Kämpfen in und nahe der Ebne [2]); und selbst an unsere Tage reicht die Schlacht vom Berge Tabor, einer der Triumphe Napoleon's. [3]) Vom Berge Tabor umfafst die Aussicht an der einen Seite auch die Gegend von Hattin, wo der Ruhm der Kreuzfahrer vor dem Gestirn des Saladin dahinsank, während nicht weit entfernt, an der andern Seite, der Name 'Akka oder Ptolemais an manchen blutigen Kampf aus derselben Epoche erinnert. Hier wurden Napoleon's Pläne vereitelt, er mufste Syrien verlassen; und noch in unsern Tagen sind dort während der langen Belagerung und darauf folgenden Einnahme der Stadt durch die ägyptische Armee im Jahr 1832 Ströme Blutes geflossen.

1) Siehe oben, S. 463.
2) Siehe oben, S. 466 f. Reinaud Extraits p. 384, 387, 488, u. s. w. — Im Jahr 1187 fand ein heftiger und unglücklicher Kampf in der Ebne um den Tabor, nahe bei dem Kison, statt zwischen 150 Rittern, sowohl Hospitalitern als Templern, nebst 500 Fufssoldaten, und den sarazenischen Truppen unter Melek el-'Adel. Die Christen wurden fast gänzlich vernichtet; der Grofsmeister der Hospitaliter ward erschlagen, während der Grofsmeister der Templer mit genauer Noth entkam. Hugo Plagon bei Martène et Durand T. V. p. 597 sq. Rad. Coggeshal. Chron. Terrae S. ebend. T. V. p. 549 sq. Gaufr. Vinisauf I, 2. p. 248. Wilken Gesch. der Kr. III, 2. S. 267 ff.
3) Siehe oben, S. 411. Anm. 2.

140

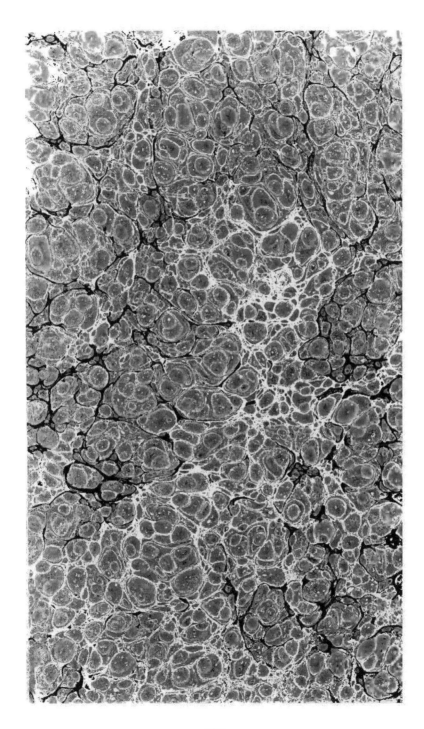

Druck:
Customized Business Services GmbH
im Auftrag der KNV-Gruppe
Ferdinand-Jühlke-Str. 7
99095 Erfurt